JN236904

数ⅠA・数ⅡB・数ⅢCが
この1冊でいっきにわかる

もう一度
高校数学

Kazuo Takahashi

高橋一雄

日本実業出版社

はじめに

読者の皆さんはたぶん、最初にパラパラッとめくり、つぎにもくじをご覧になったと思いますが、さて「ご感想は……？」　ヤッパリ難しそうでしょ！？笑

正直言って、私も高校数学は難しいと思います。イヤ、断言しちゃう！

だって、高校数学は、大学、社会で専門的に数学を扱うための基礎・土台部分ゆえ、軽〜く読んで「ハイ！　わかっちゃった！」と言えるほど簡単なモノではないはず！？でしょ！　でも、人により「どこまで深い理解が必要なのか？」と言われれば、それには当然、個人差が……。

たとえば、**社会人、経済学部等の学生**であれば「統計に必要な数学記号・公式の意味、計算の仕方などを知りたい」。また、**理系学部の新入生**であれば「高校数学全般の基本的知識の確認、さらには定理・公式を導く流れなども深く理解しておきたい！」など、さまざまだと思います。

そこで、今回は「社会人・大学へ進学する方には絶対に知っておいてほしい、できてほしい高校数学の内容」すべてを書かせてもらいました。

[対象読者]
- 社会人および経済学部等の学生の方
- AO入試による理系学部新入生の方
- 数学好きの中学・高校生で高校数学全体を知りたい方

[主題]
- 文字を数字の感覚で扱う！
- 公式を自由に扱う！
- 高校数学におけるすべての関数のグラフをかく！

[特徴]

もくじをご覧になっておわかりのように、この本1冊で高校数学の基本（教科書レベル）がすべて習得できると言っても過言ではありません。**関数および微分・積分**にはトコトンこだわり、高校数学における重要部分がシッカリと復習できます。また、項目に関してもできるだけ細分化し、各項目を見開き2〜4ページに簡潔にまとめることで、確認したい部分をピンポイントで学習できるよう心がけました。特に「理解できないと公式が暗記できない」という方のために、ほとんどすべての**定理・公式に関して**

証明を入れ、数学独特の言葉（表現）、計算式・方程式の解法などにもできる限りの解説を加えました。そして、豊富な**例題（325問＋α）、演習（191問**：途中式は省略しない解答付）また、**誤答を多用することで、間違いやすい部分の理解度を高める**などの工夫を凝らしています。これらを杖に、ぜひ高校数学の険しい道を完走していただきたいのです。さらに、某有名理工系大学がAO合格者に課している課題を調べたところ、項目および内容的にも十分対応していますので、その点に関しても心配はありません！

[使い方]

　どこまで深く掘り下げるかは別として、高校数学を使いこなすには汗をかかなければなりません。でも、**決して一人にはさせませんよ！**　私も皆さんと一緒に問題を解くという想いで書きました。よって、少し難しくとも考えて、考えて、考えながら、とにかく手を動かしてください。例題や公式の説明の中に必ずヒントがあります。1行1行写しながら式の意味および解法の流れを考え、理解できるまでトコトン繰り返してみてください。

　また、**復習項目1～146まで、ヒトツの流れ**として書いてあります。各項目はその前までのすべての知識を前提に解説していますので、途中の基本的知識が抜けていると理解が難しいでしょう。よって、基礎力にご不安な方は焦らず、最初から順に進んで行かれることをおすすめします。

[注意点]

　中学数学の解説もありますが、しかし、1次方程式、連立方程式、1次関数、2次関数、2次方程式、平方根の計算（知識）などの点に関して、少しでも不安があると、おそらく読むのが辛いと思います。

　高校数学は簡単に習得できないからこそ努力のしがいがあるはず！？
　"理解するまでの苦悩の長さ"は"理解の深さ"に比例します。
　途中、立ち止まっても大丈夫！　でも、必ず一緒にゴールですよ。
　最後に、日本実業出版社の編集担当の方には大変お世話になりました。言葉では言い尽くせないほど、心より感謝しております。ありがとうございました。

　　　2009年6月　　　　　　　　　　　　　　　　　　　　　高橋一雄

もくじ

はじめに ･･･ 1

1章　数とはナニか？

復習1　数の構成 ･･････････････････････････････････････ 12
　①自然数　②整数　③分数　④有限小数　⑤循環小数　⑥有理数（･有理化･二重根号）
　⑦無理数　⑧実数　⑨虚数　⑩複素数

復習2　記数法（n進法）･･･････････････････････････････ 31
　演習の解答　32

2章　式とはナニか？

復習3　整式 ･･ 36
　[Ⅰ]文字と式　[Ⅱ]単項式　[Ⅲ]多項式
　[Ⅳ]乗法の展開公式（ⅰ：2次の展開公式　ⅱ：3次の展開公式）

復習4　因数分解 ･･････････････････････････････････････ 44
　[Ⅰ]共通因数でククル！　[Ⅱ]乗法の展開公式の利用　[Ⅲ]たすきがけ
　[Ⅳ]因数定理（組み立て除法）　[Ⅴ]1文字中心

復習5　整式の割り算 ･･････････････････････････････････ 53
　演習の解答　補足：剰余定理（余りの定理）　54

3章　方程式・不等式

復習6　方程式を解く ･･････････････････････････････････ 58
　[Ⅰ]1次方程式を解く　[Ⅱ]連立方程式を解く　[Ⅲ]2次方程式を解く（解の公式）
　[Ⅳ]高次方程式を解く（1の3乗根含む）

復習7　等式変形 ･･････････････････････････････････････ 70

復習8　解と係数の関係 ････････････････････････････････ 72
　[Ⅰ]2次方程式における"解と係数の関係"　[Ⅱ]3次方程式における"解と係数の関係"

復習9　不等式を解く ･･････････････････････････････････ 76
　[Ⅰ]1次不等式　[Ⅱ]2次不等式（おまじない）
　[Ⅲ]連立不等式

復習 10	絶対値のあつかい方	82
復習 11	絶対値の方程式を解く	84
復習 12	絶対値の不等式を解く	88
復習 13	方程式の落とし穴！	90

　　演習の解答　92

4章　関数の章

| 復習 14 | 関数とはナニ？ | 100 |
| 復習 15 | 1次関数 | 102 |

　［Ⅰ］1次関数の決定　［Ⅱ］1次関数のグラフ

| 復習 16 | 2次関数 | 104 |

　［Ⅰ］頂点の座標を求める　［Ⅱ］2次関数のグラフをかく　［Ⅲ］グラフと一般形の関係を読む
　［Ⅳ］2次関数の決定　［Ⅴ］2次関数の最大値・最小値
　［Ⅵ］グラフの対称移動・平行移動　［Ⅶ］2次関数のグラフと方程式の解
　［Ⅷ］2次関数のグラフと不等式

| 復習 17 | 指数の法則（外堀） | 114 |

　［Ⅰ］累乗　［Ⅱ］累乗の性質　［Ⅲ］指数法則　［Ⅳ］指数の拡張

| 復習 18 | 指数関数（本丸） | 118 |

　［Ⅰ］指数関数のグラフ　［Ⅱ］累乗の大小関係　［Ⅲ］指数方程式　［Ⅳ］指数不等式
　［Ⅴ］指数関数の最大値・最小値

| 復習 19 | 対数の性質 | 124 |

　［Ⅰ］対数の定義　［Ⅱ］対数の性質

| 復習 20 | 対数関数 | 134 |

　［Ⅰ］対数関数のグラフ　［Ⅱ］対数の大小関係　［Ⅲ］対数方程式　［Ⅳ］対数不等式
　［Ⅴ］対数関数の最大値・最小値

復習 21	常用対数	144
復習 22	分数関数	146
復習 23	無理関数	148
復習 24	逆関数	150
復習 25	合成関数	152
復習 26	三角関数（三角比の範囲）	154

［Ⅰ］三角比とは？　［Ⅱ］「30° 60° 90°」「45° 45° 90°」の直角三角形
　　　［Ⅲ］「$\sin\theta$、$\cos\theta$、$\tan\theta$」の符号と変域　［Ⅳ］三角比の相互関係1
　　　［Ⅴ］三角比の相互関係2　［Ⅵ］正弦定理　［Ⅶ］余弦定理
　　　［Ⅷ］三角形の面積1　［Ⅸ］三角形の面積2（ヘロンの公式）

復習27　　三角関数（弧度法・一般角・単位円）・・・・・・・・・・・・・・・168

復習28　　三角関数（加法定理）・・・・・・・・・・・・・・・・・・・・・・・176
　　　［Ⅰ］三角関数の加法定理：[1]$\cos(\alpha-\beta)=\cdots$　[2]$\cos(\alpha+\beta)=\cdots$
　　　　　　[3]$\sin(\alpha+\beta)=\cdots$　[4]$\sin(\alpha-\beta)=\cdots$　[5]$\tan(\alpha+\beta)=\cdots$　[6]$\tan(\alpha-\beta)=\cdots$
　　　［Ⅱ］2倍角の公式：[1]$\sin 2\alpha=\cdots$　[2]$\cos 2\alpha=\cdots$　[3]$\tan 2\alpha=\cdots$
　　　［Ⅲ］半角の公式：[1]$\sin^2\frac{\theta}{2}=\cdots$　[2]$\cos^2\frac{\theta}{2}=\cdots$　[3]$\tan^2\frac{\theta}{2}=\cdots$
　　　［Ⅳ］3倍角の公式：[1]$\sin 3\alpha=\cdots$　[2]$\cos 3\alpha=\cdots$　[3]$\tan 3\alpha=\cdots$
　　　［Ⅴ］和と積の公式：[1]積→和（差）（ⅰ）$\sin\alpha\cos\beta=\cdots$　（ⅱ）$\cos\alpha\sin\beta=\cdots$
　　　　　　[2]和（差）→積（ⅲ）$\sin A+\sin B=\cdots$　（ⅳ）$\sin A-\sin B=\cdots$
　　　　　　[3]積→和（差）（ⅴ）$\cos\alpha\cos\beta=\cdots$　（ⅵ）$\sin\alpha\sin\beta=\cdots$
　　　　　　[4]和（差）→積（ⅶ）$\cos A+\cos B=\cdots$　（ⅳ）$\cos A+\cos B=\cdots$

復習29　　単振動の合成（三角関数の合成）・・・・・・・・・・・・・・・192

復習30　　三角関数のグラフをかく・・・・・・・・・・・・・・・・・・・・・194
　　　［Ⅰ］正弦のグラフ　［Ⅱ］余弦のグラフ　［Ⅲ］正接のグラフ

復習31　　三角方程式・不等式・・・・・・・・・・・・・・・・・・・・・・・・204
　　　　演習の解答　　208

5章　数列および極限

復習32　　数列とはナニ？・・・・・・・・・・・・・・・・・・・・・・・・・・・224

復習33　　等差数列・・・・・・・・・・・・・・・・・・・・・・・・・・・・・・・226

復習34　　等差数列の和・・・・・・・・・・・・・・・・・・・・・・・・・・・・228

復習35　　調和数列および数列の和と一般項・・・・・・・・・・・・・230

復習36　　等比数列・・・・・・・・・・・・・・・・・・・・・・・・・・・・・・・232

復習37　　等比数列の和・・・・・・・・・・・・・・・・・・・・・・・・・・・・234

復習38　　記号Σ（シグマ）の意味・・・・・・・・・・・・・・・・・・・・・236

復習39　　Σの性質および計算・・・・・・・・・・・・・・・・・・・・・・・238

復習 40	分数数列の和 ・・・・・・・・・・・・・・・・・・・・・・・・・・・・・・ 242

[I]"部分分数"（積が 2 個）の分け方！[II]"部分分数"（積が 3 個）の分け方！

復習 41	階差数列 ・・・・・・・・・・・・・・・・・・・・・・・・・・・・・・・・・・・・ 244
復習 42	数列の極限 ・・・・・・・・・・・・・・・・・・・・・・・・・・・・・・・・ 246
復習 43	数列の極限の求め方 ・・・・・・・・・・・・・・・・・・・・・・ 248
復習 44	無限等比数列 ・・・・・・・・・・・・・・・・・・・・・・・・・・・・・ 250
復習 45	無限等比級数 ・・・・・・・・・・・・・・・・・・・・・・・・・・・・・ 252
復習 46	一般の無限級数 ・・・・・・・・・・・・・・・・・・・・・・・・・・ 256

・無限級数の和　・無限級数の収束・発散

演習の解答　260

6章　微分法

復習 47	微分とはナニ？ ・・・・・・・・・・・・・・・・・・・・・・・・・・ 266
復習 48	微分係数を求める ・・・・・・・・・・・・・・・・・・・・・・・・ 270
復習 49	導関数を求める ・・・・・・・・・・・・・・・・・・・・・・・・・・ 272
復習 50	$f(x)=x^n$ の微分計算 ・・・・・・・・・・・・・・・・・・・・・・ 274
復習 51	定数倍および和・差の微分計算 ・・・・・・・・・・・・ 276
復習 52	積の微分公式 ・・・・・・・・・・・・・・・・・・・・・・・・・・・・・ 278
復習 53	商の微分公式 ・・・・・・・・・・・・・・・・・・・・・・・・・・・・・ 280
復習 54	合成関数の微分 ・・・・・・・・・・・・・・・・・・・・・・・・・・ 284
復習 55	逆関数の微分 ・・・・・・・・・・・・・・・・・・・・・・・・・・・・・ 288
復習 56	三角関数の微分 ・・・・・・・・・・・・・・・・・・・・・・・・・・ 290
復習 57	対数関数の微分 ・・・・・・・・・・・・・・・・・・・・・・・・・・ 296
復習 58	指数関数の微分 ・・・・・・・・・・・・・・・・・・・・・・・・・・ 298
復習 59	対数微分法 ・・・・・・・・・・・・・・・・・・・・・・・・・・・・・・・ 300
復習 60	陰関数の微分 ・・・・・・・・・・・・・・・・・・・・・・・・・・・・・ 302
復習 61	媒介変数表示された関数の微分 ・・・・・・・・・・・・ 303
復習 62	接線（法線）を求める I ・・・・・・・・・・・・・・・・・・・ 304

I：曲線上の 1 点における接線

| 復習 63 | 接線を求める Ⅱ | 306 |

Ⅱ：曲線外の1点からひく接線

| 復習 64 | 増減表より極値を求める | 308 |
| 復習 65 | 増減表よりグラフをかく | 310 |

演習の解答　312

7章　積分法

復習 66	積分とはナニ？	318
復習 67	不定積分とはナニ？	320
復習 68	不定積分の計算Ⅰ	322
復習 69	不定積分の計算Ⅱ	324
復習 70	分数関数の不定積分	326
復習 71	指数関数の不定積分	330
復習 72	三角関数の不定積分	332
復習 73	置換積分	336
復習 74	部分積分	342
復習 75	定積分の定義	344
復習 76	定積分の計算	346
復習 77	定積分における置換積分	350
復習 78	偶関数・奇関数の積分	352
復習 79	定積分の部分積分	357
復習 80	微分と定積分の関係	358
復習 81	積分方程式	360
復習 82	面積と定積分の関係	362

演習の解答　366

8章　ベクトル

| 復習 83 | ベクトルとはナニ？ | 370 |

復習 84　ベクトルの加法 ･････････････････････････････････････ 372
復習 85　ベクトルの減法 ･････････････････････････････････････ 373
復習 86　ベクトル演算（加法・減法・実数倍） ･･････････････････ 374
復習 87　ベクトルのイメージをつかむ ･････････････････････････ 376
復習 88　位置ベクトル ･･･････････････････････････････････････ 378
　　・内分点、外分点
復習 89　ベクトルの成分表示 ･････････････････････････････････ 380
　　［Ⅰ］基本ベクトルと成分表示　［Ⅱ］ベクトルの大きさ　［Ⅲ］ベクトルの成分計算
復習 90　単位ベクトル ･･･････････････････････････････････････ 385
復習 91　ベクトルの内積 ･････････････････････････････････････ 386
復習 92　内積の成分表示 ･････････････････････････････････････ 388
復習 93　内積の基本性質 ･････････････････････････････････････ 390
復習 94　平行条件・垂直条件 ･････････････････････････････････ 392
復習 95　直線のベクトル方程式 ･･･････････････････････････････ 394
復習 96　三角形の面積 ･･･････････････････････････････････････ 398
復習 97　点と直線の距離 ･････････････････････････････････････ 400

9章　行　列

復習 98　行列とはナニ？ ･････････････････････････････････････ 402
復習 99　行列の加法・減法 ･･･････････････････････････････････ 404
復習 100　行列の実数倍 ･･････････････････････････････････････ 405
復習 101　行列の乗法 ･･ 406
復習 102　行列の乗法の性質 ･･････････････････････････････････ 408
復習 103　行列の累乗（n 乗） ･･･････････････････････････････ 410
復習 104　ケーリー・ハミルトンの定理 ････････････････････････ 412
復習 105　逆行列とはナニ？ ･･････････････････････････････････ 414
復習 106　逆行列の性質 ･･････････････････････････････････････ 416
復習 107　連立1次方程式を解く ･･････････････････････････････ 418

復習 108　$P^{-1}AP$ の n 乗 ……………………………… 419
復習 109　正方行列 A^n を求める ……………………… 420
復習 110　1 次変換 ……………………………………… 422
復習 111　1 次変換の合成 ………………………………… 424
復習 112　1 次変換の逆変換 ……………………………… 426
復習 113　1 次変換と直線 ………………………………… 427
復習 114　回転 …………………………………………… 428
　　演習の解答　430

10 章　式と証明

復習 115　恒等式 ………………………………………… 432
復習 116　等式の証明 …………………………………… 434
復習 117　不等式の証明 ………………………………… 436
復習 118　相加・相乗平均 ……………………………… 437
復習 119　コーシー・シュワルツの不等式 …………… 438
復習 120　絶対値の不等式 ……………………………… 440
　　演習の解答　443

11 章　集　合

復習 121　集合とはナニ？ ……………………………… 446
復習 122　集合とベン図 ………………………………… 448
復習 123　ド・モルガンの法則 ………………………… 451
復習 124　∪（カップ）と ∩（キャップ）の計算 ……… 454
復習 125　集合と要素の個数 …………………………… 456
　　演習の解答　459

12 章　論　理

復習 126　命題とはナニ？ ……………………………… 462
復習 127　条件の否定 …………………………………… 464

復習128	必要十分条件	466
復習129	命題の逆・裏・対偶	468
復習130	対偶証明法	470
復習131	背理法	472
復習132	数学的帰納法	474

演習の解答　477

13章　場合の数・確率

復習133	樹形図（tree）	482
復習134	辞書式配列	483
復習135	和の法則	484
復習136	積の法則	485
復習137	順列	486
復習138	円順列	488
復習139	数珠順列	489
復習140	重複順列	490
復習141	同じものを含む順列	491
復習142	組合せ	492
復習143	重複組合せ	498
復習144	二項定理（多項定理）	500
復習145	確率	504
復習146	期待値	507

演習の解答　508

付加：解答において「**数学記号∴**」が頻繁に使用されていますが、これは、上の式を受け「∴　だから」の意です。ちなみに、上の式を変形したときの理由をつぎの式の右側に「∵〜　なぜなら〜」と表示することもあります。

装　丁／モウリ・マサト
DTP／㈱エムツークリエイト
ムーブ（徳永裕美）

1章
数とはナニか？

数のイメージができますか？
よく、問題文および解答で以下のような文章を目にするかと !?

- x を実数とし、つぎの……について答えよ。
- 実数条件より、……
- （ただし、a は正の整数とする。）
- p は有理数より、$p = \frac{n}{m}$（$m (\neq 0)$、n は整数）とおけ、……
- 複素数の範囲まで因数分解せよ。

また、つぎの文章の意味が理解できますか？

- 「0.77777777…………」無理数ではなく、循環小数ゆえ、有理数である。
- 「1 と自分自身しか約数を持たない自然数」は素数である。

> エッ！ コレって授業で習った…!? 汗

復習1：数の構成

実数 ⇒ 自然数・整数・分数・有限小数・循環小数

　数学の話を始めるときは、どうしても最初に"数"に関してのお話をしなければなりません。理由は、高校数学では必ず「扱う文字がどの範囲の数であるか！」を最初に指定してくるからです。たとえば「x を実数とし……」「x は正の整数で……」「解を複素数の範囲まで求めよ」。また、無理数の証明で利用される"背理法"では「この $\sqrt{a}$ を有理数と仮定し……」などのように、さまざまな数の名称が出てきます。　　なるほど〜……汗

　それゆえ、まずは"数の名称"の確認から始めたいと……。

＜数の名称＞
① 自然数　② 整数　③ 分数　④ 有限小数　⑤ 循環小数
⑥ 有理数　⑦ 無理数　⑧ 実数　⑨ 虚数　⑩ 複素数

　お気づきだと思いますが、①→⑩の順に数の世界が広がっていきます。では、この①〜⑩までの数をそれぞれイメージできますか？
　実は①〜⑧までは、中学数学で学習済みなんですね。　エッ！？
　（経験的に）たぶん皆さんがイメージしづらいのは⑤〜⑩かな？
　そこで、まずはこの①〜⑩が"数の世界"でどのような構図になっているのか表してみます。

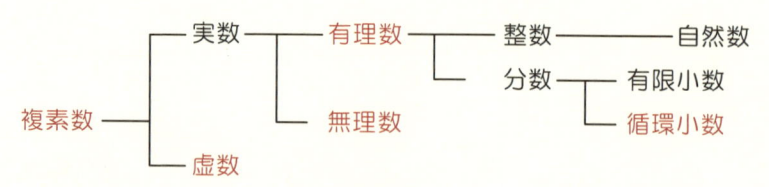

```
                    ┌─ 実数 ─┬─ 有理数 ─┬─ 整数 ──────── 自然数
                    │        │          └─ 分数 ─┬─ 有限小数
複素数 ─┤        └─ 無理数              └─ 循環小数
                    └─ 虚数
```

赤字は後で各項目として、詳しく解説！

　普段、数学を勉強する上で数の構成については、案外意識していなかったと思います。この機会にぜひ数の構図を頭の中に焼き付けてください。
　では、これから徐々に数の世界の解説へと進んでいきましょう！

まずは、数の主役⑧実数から。そこで、この実数のイメージですが、これは中学１年の最初に勉強した"数直線（実数）"なんです。へぇ～……

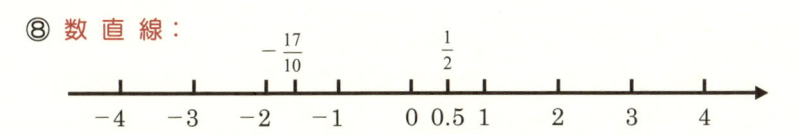

⑧ 数直線：

$$-4 \quad -3 \quad -2\!\!\underset{-\frac{17}{10}}{} \quad -1 \quad 0\!\!\underset{\frac{1}{2}}{}\,0.5\,1 \quad 2 \quad 3 \quad 4$$

この数直線の上に①～⑦が集約されています。

① **自然数**は数直線の０より右の部分⇒１、２、３、４・・・
　　問題文中においては、よく"正の整数"と表記されます。

② **整数**は０を含み、±１、±２、±３、±４・・・

③④ **分数、小数**は隣り合った整数同士の間の数を表す。
　　　　$0.5 = \frac{1}{2}$、$-1.7 = -\frac{17}{10}$　etc

⑥ **有理数**は今ここでは「分数で表せる数」と理解してください。

ご存知のように、線とは点の集まり。よって、①②③④⑥だけの数ではこの数直線をすべて埋め尽くすことはできず、残りの⑤循環小数 ⑦無理数が入ることで、この数直線は完成されます。

では、「⑤循環小数 ⑥有理数 ⑦無理数 ⑨虚数 ⑩複素数の解説へ！」と行きたいところなんですが、ぅ～ん……たぶん多くの方が「ナゼ？ いまさらこんな基本的のことを？」と思ってはいませんか？　　ドキッ！……汗

そこで、数における知識の確認をしてみましょう！ それで、もし全問正解であればこの数に関しては卒業ということで。　　ヤッタァ～！

チャレンジ！　㋐～㋟をそれぞれ①～⑤に分類してみましょう！

㋐ 1.2　㋑ $\sqrt{(-2)^2}$　㋒ $\frac{1}{7}$　㋓ 0　㋔ $\sqrt{5}$　㋕ π　㋖ -7

㋗ 6　㋘ $\frac{222}{3}$　㋙ $\sqrt{-4}$　㋚ -3.1　㋛ $\frac{\sqrt{12}}{\sqrt{3}}$　㋜ $0.333\cdots$

①自然数 ＿＿＿＿　　②整数 ＿＿＿＿　　③無理数 ＿＿＿＿

④有理数 ＿＿＿＿　　⑤虚数 ＿＿＿＿

1章 数とはナニか？

ここでは答えだけ示します。もし分類がヒトツでも合わなかったときは、必ず最後まで読まれてから、再度確認してくださいね！　エッ！汗

チャレンジ！の解答
①自然数：㋐㋒㋖　　②整数：㋐㋑㋖㋕㋔　　③無理数：㋓㋗
④有理数：㋐㋑㋒㋓㋕㋔㋖㋘㋙㋚　　⑤虚数：㋔

---

⑤ 循環小数

循環小数は名前の通り、小数点以下規則的にある数が繰り返し出現します。具体的に言うと、　　　　　「う～ん……　ヨシ！　こんな感じかな？」

$$0.117117117117117117\cdots$$

上記のように小数点以下、無限に "117" が繰り返（循環）されているこの小数が "（無限）循環小数" なんです。そして、この繰り返されている部分を "循環節（じゅんかんせつ）" と呼びます。

では早速、この一見 "無理数" のように思える "小数" を分数で表してみましょうか！（ちなみに、分数で表せるということは……。おわかりですね？）

＜分数で表す解法＞

$$x = 0.117117117\cdots \quad \text{―――①}$$

とおく。つぎに "循環節１組" を小数点の前に出す（①×1000）。

$$1000x = 117.117117711\cdots \quad \text{―――②}$$

そして、[②－①]より

$$
\begin{array}{r}
1000x = 117.117117711\cdots \\
-)x = 0.117117117711\cdots \\
\hline
999x = 117
\end{array}
$$

$$x = \frac{117}{999}$$　←　各位の和が３で割り切れれば、その数は３で割り切れる。よって、３で２回約分できる！

$$= \frac{13}{111} \quad \cdots\text{（答）}$$

「いかがですか！？」　　　　　　ナルホドォ〜……！

　ここで重要なことは、一見無理数である"循環小数"が分数で表せたので「"有理数"であると言える！」。コレなんですね！

　では、つぎにこの循環小数の分数以外の表示方法について。

＜循環小数の簡単な表し方＞　循環節の上に黒丸を付ける。

・循環節が 2 つまでの場合
　　① $1.22222\cdots = 1.\dot{2}$
　　② $0.181818\cdots = 0.\dot{1}\dot{8}$

・循環節が 3 つ以上の場合
　　③ $0.1171171171\cdots = 0.\dot{1}1\dot{7}$
　　④ $2.4321432143\cdots = 2.\dot{4}32\dot{1}$

当然、全部に点を打つわけないよね！笑
循環節の頭とお尻に点を打ち、挟み込む！

では、ここまでのことを問題を通して確認してください。

演習 1　つぎの循環小数を簡単な表し方と分数の両方で表してみましょう。
　　(1) $0.777777\cdots$　　　　(2) $1.123123123\cdots$

ヒント

(1)　$x = 0.777777\cdots$　　①とおく。

　つぎに循環節 1 組を小数点の前に出す（両辺×10）。

　　$10x = 7.7777\cdots$　　②

　そして、［②−①］あとは大丈夫ですよね！？

補足 1：演 1：実は「無限級数」の知識を使えば、もっとスマートに分数に変換できます。
　　　　よって、「数列」の後半で触れてみたいと……。

補足 2：＜数の名称：①〜⑩＞以外に「素数」という言葉がよく現れます。
　　　　素数とは？「1と自分自身しか約数を持たない自然数」
　　　　素数＝{2、3、5、7、11、13、17、19・・・}
　　　　　　　　　　　　　　　　　注：1は素数ではない。

復習1：数の構成

実数 ⇒ 有理数・無理数

⑥ 有理数

有理数とは一言で言うと「分数で表せる数」なんですが、高校数学ゆえ、ていねいに表すとつぎのようになります。

> 「整数 m、n で、$\dfrac{m}{n}$ （$n \neq 0$）と表すことができる数」

ちなみに「"0" は有理数ですが、では分数で表すと……？」　エッ！？

$0 = \dfrac{0}{1}$、$\dfrac{0}{27}$　←このように「分子＝0」にすればいいのね！

⑦ 無理数

「無理数とは？」と質問されたら「有理数でない数」と答えればよいのですが、でも、それではねぇ〜……。そこで、つぎのように簡潔に答えれば問題はないかと！？　「整数比では表せない数」……？

「上の赤枠内のこと」な〜んだ！汗

では、多くの方の無理数のイメージとしては（たぶん）、

・（循環しない）無限小数　・円周率（π）　・自然対数の底 e　etc……

ではないでしょうか……！？　　でも e なんて知らないよ！汗

まぁ〜、円周率や自然対数の底 e は横に置いておくとして、今、皆さんが "無限小数" と言われて思い付くのはたぶん「平方根」かと！？うんうん
そこで、"平方根" について復習しておきましょう。

> 平方根とは？
>
> 「ある数を 2 乗して a になるとき、そのある数を a の平方根と呼ぶ。」
> 心配なのでいくつか具体例を……。
>
> ・9 の平方根とは？「2 乗して 9 になる数」よって、±3
>
> ・5 の平方根とは？「2 乗して 5 になる数」よって、$\pm\sqrt{5}$

1章 数とはナニか？

［Ⅰ］"平方根（$\sqrt{\text{ルート}}$）四則計算の規則"

（ⅰ）$a \geqq 0$ のとき、$\sqrt{a} \geqq 0$、 $(\sqrt{a})^2 = a$ $\Rightarrow$ $[\sqrt{a} \times \sqrt{a} = a]$

これ以降（ⅱ）〜（ⅳ）において、$a \geqq 0$、$b \geqq 0$

（ⅱ）積：$\sqrt{a} \times \sqrt{b} = \sqrt{a \times b} = \sqrt{ab}$、 商：$\sqrt{a} \div \sqrt{b} = \dfrac{\sqrt{a}}{\sqrt{b}} = \sqrt{\dfrac{a}{b}}$ $(b \neq 0)$

（ⅲ）$\sqrt{a^2} = a$、 $\sqrt{a^2 b} = a\sqrt{b}$、 $c\sqrt{b} = \sqrt{c^2 b}$

補足：一般的には $\sqrt{a^2} = |a|$ と表します。$a < 0$ のとき、$\sqrt{a^2} = -a$

理由 $\Rightarrow k > 0$ とし、$a = -k$ とおくと、$\sqrt{a^2} = \sqrt{(-k)^2} = \sqrt{k^2} = k = -a$

よって、a に条件がない場合、$\sqrt{a^2} = |a|$ となるわけなんですね！

（ⅳ）和・差： $p\sqrt{a} \pm q\sqrt{a} = (p \pm q)\sqrt{a}$

計算の鉄則：ルートの中の数はできるだけ小さい数にして計算！

＊「最初に $\sqrt{\text{ルート}}$ から出すモノを出してから計算！」

例1：$\sqrt{8} = \sqrt{2^2 \times 2} = 2\sqrt{2}$、 $2\sqrt{27} = 2 \times \sqrt{3^2 \times 3} = 2 \times 3\sqrt{3} = 6\sqrt{3}$

＊「積の場合、$\sqrt{\text{ルート}}$ の中を因数に分解！」←"因数分解"参照

例2：$\sqrt{6} \times \sqrt{15} = \sqrt{2 \times 3} \times \sqrt{3 \times 5} = 3\sqrt{2 \times 5} = 3\sqrt{10}$

ルートの中をいくつかの因数に分けることで「2乗となり外に出る数がわかる」。やみくもに $\sqrt{6 \times 15} = \sqrt{90}$ とはしない！

$\sqrt{\text{ルート}}$ の中から「出すモノは出す」方法！

・素因数分解（⇒正の整数を"素数"の積で表すこと）

$\sqrt{540} = \sqrt{2 \times 2 \times 3 \times 3 \times 3 \times 5}$
$= \sqrt{2^2 \times 3^2 \times 3 \times 5}$
$= 2 \times 3 \times \sqrt{3 \times 5}$
$= 6\sqrt{15}$

＜方法＞右のように、筆算の割り算の商を下に書き、素数の一番小さい数2から割り始める。割り切れなくなったらつぎの素数3と、順に割って行き、最後の商が素数になったら終了。左端の素数と最後の商を全部かければ最初の数540に戻る。

```
2 ) 540
2 ) 270
3 ) 135
3 )  45
3 )  15
      5
```

では、（ⅰ）〜（ⅳ）について、つぎの各計算で一緒に確認しましょう。

例題 つぎの計算をしてみますね。

(1) $(\sqrt{3})^2 = \sqrt{3} \times \sqrt{3} = 3$　　　「$\sqrt{a} \times \sqrt{a} = a$」の確認

(2) $(-2\sqrt{5})^2 = (-2\sqrt{5}) \times (-2\sqrt{5}) = 4 \times 5 = 20$　「$(\sqrt{a})^2 = a$」の確認

(3) $\sqrt{5} \times \sqrt{2} = \sqrt{5 \times 2} = \sqrt{10}$　　　「$\sqrt{a} \times \sqrt{b} = \sqrt{a \times b}$」の確認

(4) $\sqrt{6} \times \sqrt{3} = \sqrt{3 \times 2} \times \sqrt{3} = 3\sqrt{2}$　　　√ルートの中を因数に分解

(5) $2\sqrt{2} - 5\sqrt{2} + 7 = -3\sqrt{2} + 7$　　　$\sqrt{2}$ は出すモノがないから同類項の計算

(6) $3\sqrt{12} - \sqrt{27} = 6\sqrt{3} - 3\sqrt{3}$
　　　　　　　　　$= 3\sqrt{3}$

「出すモノは出す！」
$\sqrt{12} = \sqrt{2^2 \times 3} = 2\sqrt{3}$
$\sqrt{27} = \sqrt{3^2 \times 3} = 3\sqrt{3}$

(7) $\sqrt{6}(\sqrt{12} - \sqrt{3}) = 6\sqrt{2} - 3\sqrt{2}$
　　分配法則ですね！　$= 3\sqrt{2}$

√ルートの中をつぎのように積の形にして計算！
$\sqrt{6} \times \sqrt{12} = \sqrt{6} \times \sqrt{6 \times 2} = 6\sqrt{2}$
$\sqrt{6} \times \sqrt{3} = \sqrt{2 \times 3} \times \sqrt{3} = 3\sqrt{2}$

(8) $(\sqrt{45} - \sqrt{125}) \div \sqrt{5} = (\sqrt{45} - \sqrt{125}) \times \dfrac{1}{\sqrt{5}}$

$= \sqrt{\dfrac{45}{5}} - \sqrt{\dfrac{125}{5}}$
$= \sqrt{9} - \sqrt{25}$
$= 3 - 5$
$= -2$

割り算の場合、√ルートの中で割り算をし、数を小さくしてから「出すものは出す！」

上記の（1）～（8）が納得できたら、さっそく理解度チェック！

演習2 つぎの計算をしてみましょう。

(1) $\sqrt{8} - \sqrt{50} =$　　　(2) $\sqrt{6} \times \sqrt{8} - \sqrt{27} =$

(3) $\sqrt{48} + \sqrt{72} \div \sqrt{6} =$　　　(4) $2\sqrt{2} \div \sqrt{\dfrac{45}{5}} - \sqrt{18} =$

(5) $\sqrt{3}(\sqrt{12} + \sqrt{27}) =$　　　(6) $2\sqrt{3} - (7 - \sqrt{15}) \times \sqrt{3} =$

ヒント：とにかく「出すものは出す！」これを忘れないでくださいね！

[Ⅱ] 大小関係

つぎのことは「そんなの当然でしょ！」と感じて頂けるとウレシイのですが……。

> 「$A>0$、$B>0$」であれば、「$A^2>B^2 \Leftrightarrow A>B$」・・・（＊）
>
> よって、
>
> 「$A>0$、$B>0$、$A>B$ ならば、$\sqrt{A}>\sqrt{B}$」
>
> （例） $\sqrt{5}$ と $\sqrt{7}$ の大小関係 ⇒ "$5<7$" より、$\sqrt{5}<\sqrt{7}$

上記のように無理数同士の大小関係は「ルートの中の数の大小関係」で判断できます。

では、つぎの場合はどう考えましょうか……。

「"有理数" と "無理数"」の大小関係の判別は……？　エッ！？汗

> **問題** 4と$\sqrt{15}$の大小関係を調べてください。
>
> <考え方>
> 　（＊）の利用。「$4>0$、$\sqrt{15}>0$」より、両方2乗
> 　　「$4^2=16$、$(\sqrt{15})^2=15$」 ⇒ 「$16>15 \Leftrightarrow 4>\sqrt{15}$（答）」
>
> （参考）中学の授業では、上記のように「2乗してルートをはずさず」逆に「有理数を2乗し、ルートの中に入れ」大小関係を判断する指導がよく見受けられます。 ⇒ 「$4=\sqrt{4^2}$、$\sqrt{15}$」 ⇒ 「$\sqrt{16}>\sqrt{15} \Leftrightarrow 4>\sqrt{15}$」

では、問題を通して理解度チェック！

> **演習3** つぎの数の大小関係を調べてみましょう。
> 　（1）$\sqrt{5}$、2、$\sqrt{\dfrac{9}{2}}$　　　（2）$\sqrt{3}+\sqrt{6}$、$1+\sqrt{8}$

ヒント：正の数ゆえ、"2乗した値" と "もとの数" の大小関係は一致！

[Ⅲ] 分母の有理化

$\dfrac{b}{\sqrt{a}}$ のように、分母が無理数であるとき "分母を有理数に直す" ことを「分母の有理化」と呼びます。

↑ $\sqrt{}$ をはずすこと！

* 有理化の流れ（分母が無理数の "単項式" ← "整式" 参照）

$\dfrac{3}{\sqrt{12}}$ の分母の有理化を、段階的（①～③）にお見せします。

① 分母のルートの中から出すものは出す。　　$\dfrac{3}{\sqrt{12}} = \dfrac{3}{2\sqrt{3}}$

② 分母にある無理数を分母・分子にかける。　　$\dfrac{3}{2\sqrt{3}} = \dfrac{3 \times \sqrt{3}}{2\sqrt{3} \times \sqrt{3}}$

③ 分母と分子の約分の確認。　　$\dfrac{3\sqrt{3}}{2 \times 3} = \dfrac{\sqrt{3}}{2}$

＜解法1＞ 分母（単項式）の有理化。

(1) $\dfrac{12}{\sqrt{8}}$ 「出すモノは出す！」

$= \dfrac{12}{2\sqrt{2}}$ 「約分」

$= \dfrac{6}{\sqrt{2}}$

$= \dfrac{6 \times \sqrt{2}}{\sqrt{2} \times \sqrt{2}}$ 「分母・分子に $\sqrt{2}$ かける」

$= \dfrac{6\sqrt{2}}{2}$ 「約分」

$= 3\sqrt{2}$

(2) $\dfrac{\sqrt{3}}{\sqrt{20}}$ 「出すモノは出す！」

$= \dfrac{\sqrt{3}}{2\sqrt{5}}$

$= \dfrac{\sqrt{3} \times \sqrt{5}}{2\sqrt{5} \times \sqrt{5}}$ 「分母・分子に $\sqrt{5}$ かける」

$= \dfrac{\sqrt{15}}{2 \times 5}$

$= \dfrac{\sqrt{15}}{10}$

上記のように「分母が無理数の単項式」であれば有理化は簡単でした。

では、今度は分母が多項式の場合はどうします？ そこで、＜解法2＞とし、つぎは「分母が無理数の多項式」の場合の有理化です。

* 有理化の流れ（分母が無理数の"多項式" ← "整式"参照）

分母の第2項目の符号を逆にしたモノを分母・分子にかける。
"和と差の積"の利用！

$$(a+b)(a-b) = a^2 - b^2$$

$$\frac{2}{\sqrt{3}+1} = \frac{2(\sqrt{3}-1)}{(\sqrt{3}+1)(\sqrt{3}-1)} = \frac{2(\sqrt{3}-1)}{3-1} = \frac{2(\sqrt{3}-1)}{2} = \sqrt{3}-1$$

<解法2> 分母（多項式）の有理化。

(1) $\dfrac{7}{2-\sqrt{3}}$

$= \dfrac{7(2+\sqrt{3})}{(2-\sqrt{3})(2+\sqrt{3})}$

$= \dfrac{7(2+\sqrt{3})}{2^2-(\sqrt{3})^2}$

$= \dfrac{7(2+\sqrt{3})}{4-3}$

$= \dfrac{7(2+\sqrt{3})}{1}$

$= 7(2+\sqrt{3})$

(2) $\dfrac{6}{\sqrt{5}+\sqrt{2}}$

$= \dfrac{6(\sqrt{5}-\sqrt{2})}{(\sqrt{5}+\sqrt{2})(\sqrt{5}-\sqrt{2})}$

$= \dfrac{6(\sqrt{5}-\sqrt{2})}{(\sqrt{5})^2-(\sqrt{2})^2}$

$= \dfrac{6(\sqrt{5}-\sqrt{2})}{5-2}$

$= \dfrac{6(\sqrt{5}-\sqrt{2})}{3}$

$= 2(\sqrt{5}-\sqrt{2})$

←「和と差の積」の利用！→

これで"**分母の有理化**"の話は終わりになります。

では、理解度チェック！

演習4 つぎの分母を有理化してみましょう。

(1) $\dfrac{10}{\sqrt{32}}$

(2) $\dfrac{16+4\sqrt{3}}{16-\sqrt{48}}$

ヒント：平方根といえば最初は「**出すモノは出す！**」でしたね！

[Ⅳ] 近似値

　不思議と今の中学数学では、代表的な無理数の近似値を強いては覚えさせない流れがあるみたいです！？
　以前なら「ヒトヨヒトヨニヒトミゴロ」「ヒトナミニオゴレヤ」など覚えさせられたもんですよね！？
　　　　他にも「イクヤマイマイオヤイカサカサカヤオテ……」なぁ〜んてね！
　　　　　　　　　　　　　　　　　失礼しました。コレは違いますよ！
　　　　　　　　　　　実は、歴代の首相名の覚え方です！　ご確認を！　笑
　さて、無理数は必ず、

$$\text{無理数} = （\text{整数部分}） + （\text{無限小数}）$$

となります！
　そこでまずは「無理数がいったいどんな整数に挟まれているのか？」これについて考えてみたいと……。
　では、いくつかの無理数における整数部分の数を調べてみますか！

（昔は）暗記すべき無理数の近似値！

$\sqrt{2} = 1.41421356\cdots$　　「ヒトヨヒトヨニヒトミゴロ」

$\sqrt{3} = 1.7320508\cdots$　　「ヒトナミニオゴレヤ」

$\sqrt{5} = 2.2360679\cdots$　　「フジサンロクオームナク」

$\sqrt{6} = 2.449489\cdots$　　「ニヨヨクヨヤク」

　無理数において、小数点以下は（循環しない）無限小数ゆえ覚える必要はありません。ただ、整数部分に関してはすぐに判断できてほしいのね！
　そこで、平方根の意味を思い出し、また、上の枠内の無理数の整数部分を見て、無理数（平方根）の「整数部分の数の見つけ方」を自分なりの言葉で表現してみてください。私は授業でつぎのように説明しています。

「$\sqrt{A}$ の整数部分は、2乗して A を越さない最大の整数！」

　うまく"整数部分"を言い表しているでしょ！？　　　　ナルホドネ！
　そこで、つぎの問題を一緒に考えてみませんか？

> **例題** $\sqrt{10}$ の整数部分を a、小数部分を b としたとき、それぞれの値を求めてみますね。
>
> <解法>
>
> $\sqrt{10}$ の整数部分 a は「2乗して10を超えない最大の整数」ゆえ、$a=3$
> また、$\sqrt{10}=$(整数部分:a)+(小数部分:b)より、
> $\sqrt{10}=3+b$　よって、$b=\sqrt{10}-3$　（答）

難しくないでしょ！？　では、無理数が「どのような連続する整数に挟まれているのか？」を、文字を使って一般化しておきます。

> $$n \leq \sqrt{A} < n+1$$
> （nは2乗してAを越さない最大の整数）
>
> （例）　$\sqrt{10} \Rightarrow 3 \leq \sqrt{10} < 4\ (=3+1)$

では、近似値について、ここまでの確認を！

> **演習 5**　つぎの無理数の整数部分 a、小数部分 b のそれぞれの値を求めてみましょう。
>
> (1) $\sqrt{15}$　　　(2) $\dfrac{1}{2-\sqrt{3}}$　　　(3:難) $\dfrac{1}{\sqrt{6}-2}$

ヒント：(2)(3) は、とにかく有理化をしてから考える。
　特に (3) に関しては、有理化の後の流れを少しだけお見せします。
有理化して $\dfrac{2+\sqrt{6}}{2}$。つぎに、分子に着目し、$2 \leq \sqrt{6} < 3$ ・・・①
①の各項に "2" を加え「$4 \leq 2+\sqrt{6} < 5$」。そして、各項を "2" で割り、
$2 \leq \dfrac{2+\sqrt{6}}{2} < \dfrac{5}{2}$　これより、$\dfrac{1}{\sqrt{6}-2}$ の整数部分は "2" とわかる。

[Ⅴ] 二重根号をはずす

ルートの中にルートが入っている形 $\sqrt{A \pm C\sqrt{B}}$ を"二重根号"と呼びます。そこで、ここでは下の枠内における③⑥のように、(左辺)の"二重根号"を(右辺)のように、外側のルートをはずすお話をします。

$A \geqq 0$ において、$\sqrt{A^2} = A$ より、

$\sqrt{a} + \sqrt{b} \geqq 0$ において、$(a > b > 0)$

① $\sqrt{(\sqrt{a}+\sqrt{b})^2} = \sqrt{a}+\sqrt{b}$ 、② $\sqrt{(\sqrt{a}+\sqrt{b})^2} = \sqrt{a+2\sqrt{ab}+b} = \sqrt{(a+b)+2\sqrt{ab}}$

①②より、 $\sqrt{(a+b)+2\sqrt{ab}} = \sqrt{a}+\sqrt{b}$ ・・・③

同様に、$\sqrt{a} - \sqrt{b} \geqq 0$ において、

④ $\sqrt{(\sqrt{a}-\sqrt{b})^2} = \sqrt{a}-\sqrt{b}$ 、⑤ $\sqrt{(\sqrt{a}-\sqrt{b})^2} = \sqrt{a-2\sqrt{ab}+b} = \sqrt{(a+b)-2\sqrt{ab}}$

④⑤より、 $\sqrt{(a+b)-2\sqrt{ab}} = \sqrt{a}-\sqrt{b}$ ・・・⑥

よって、③⑥より「二重根号をはずす解法」はつぎのようになります。

$\sqrt{(a+b) \pm 2\sqrt{ab}}$ において、和:$a+b=A$、積:$ab=B$ とおき

二重根号のルートの中を $\sqrt{A \pm 2\sqrt{B}}$ の形に直せれば、

$$\sqrt{A \pm 2\sqrt{B}} = \sqrt{a} \pm \sqrt{b} \quad \leftarrow \quad \begin{array}{l} A = a+b \\ B = ab \end{array}$$

と、二重根号がはずせる!

例: $\sqrt{5+2\sqrt{6}} \Rightarrow a+b=5$、$ab=6 \Rightarrow a=2$, $b=3$

実際は暗算で、「和が5、積が6」だから「2と3」と決定!

よって、 $\sqrt{5+2\sqrt{6}} = \sqrt{(2+3)+2\sqrt{2 \times 3}} = \sqrt{(\sqrt{2}+\sqrt{3})^2} = \sqrt{2}+\sqrt{3}$ (答)

「いかがですか？」二重根号をはずす作業はさほど難しいものではないと感じていただけたかと……。でも、実は細かく場合分けすると、二重根号をはずす解法は"**4パターン**"もあるんです！　　アチャ〜！！涙

ポイント ⇒ $\sqrt{A \pm 2\sqrt{B}}$ の $\sqrt{B}$ に着目し、場合分け！

パターン1：$2\sqrt{B}$ の場合：**基本形**　　（1）和8、積12　　（2）和3、積2

(1) $\sqrt{8+2\sqrt{12}} = \sqrt{(2+6)+2\sqrt{2\times 6}} = \sqrt{(\sqrt{2}+\sqrt{6})^2} = \sqrt{2}+\sqrt{6}$

(2) $\sqrt{3-2\sqrt{2}} = \sqrt{(1+2)-2\sqrt{1\times 2}} = \sqrt{(\sqrt{1}-\sqrt{2})^2} = \underline{1-\sqrt{2}}$ ←アレ？　変だよね！
「お気づきになりましたか？」これはときどき見る**誤答**なんです。

"最初の式" と "二重根号をはずした式" を並べてみますね！

$$\underbrace{\sqrt{3-2\sqrt{2}}}_{} = \underbrace{1-\sqrt{2}}_{} \quad [1<\sqrt{2} \Rightarrow 1-\sqrt{2}<0]$$

「変でしょ！？」だって「（左辺：＋）＞0、　（右辺：－）＜0」慣れてくるとつい機械的に作業をしてしまい、無意識にこのような間違いを起こしてしまうもんです。お気をつけください！

そこで、このようなミスを無くすためにヒトツだけ意識していただきたいことが。それは常に $\underline{\sqrt{(a+b) \pm 2\sqrt{ab}}}$ おいて、"$\underline{a>b}$" とすれば符号の心配は解決！
よって、**正答**は

(2) $\sqrt{3-2\sqrt{2}} = \sqrt{(2+1)-2\sqrt{2\times 1}} = \sqrt{(\sqrt{2}-1)^2} = \sqrt{2}-1$ ・・・（答）

理屈は簡単なことなんですが、本当に気を抜くと平気で（2）の誤答をやります。くれぐれも慎重に計算してくださいね！

では、ここに関しては、各パターンごとに確認して行きましょう！

演習 6（パターン 1）つぎの二重根号をはずしてみましょう。

(1) $\sqrt{7+2\sqrt{10}} =$ 　　　　(2) $\sqrt{10-2\sqrt{21}} =$

ヒント：(1) 和が 7、積が 10　　(2) 和が 10、積が 21

$$\left[\begin{array}{l}
\text{パターン 2：} 2p\sqrt{B} \Rightarrow 2\sqrt{p^2 \times B}：p を 2 乗して中に入れる場合 \\
\cdot \sqrt{7+4\sqrt{3}} = \sqrt{7+2\times 2\sqrt{3}} = \sqrt{7+2\sqrt{2^2 \times 3}} = \sqrt{7+2\sqrt{12}} \\
\quad = \sqrt{(4+3)+2\sqrt{4\times 3}} = \sqrt{4}+\sqrt{3} = 2+\sqrt{3}
\end{array}\right]$$

演習 7（パターン 2）つぎの二重根号をはずしてみましょう。

(1) $\sqrt{11+6\sqrt{2}} =$ 　　　　(2) $\sqrt{19-8\sqrt{3}} =$

ヒント：(1) $6\sqrt{2} = 2\times 3\sqrt{2} = 2\sqrt{3^2 \times 2}$　　(2) $8\sqrt{3} = 2\times 4\sqrt{3} = 2\sqrt{4^2 \times 3}$

$$\left[\begin{array}{l}
\text{パターン 3：} \sqrt{2^2 \times B} \Rightarrow 2\sqrt{B}：ルートの中の "2" を外に出す場合 \\
\cdot \sqrt{4-\sqrt{12}} = \sqrt{4-\sqrt{2^2 \times 3}} = \sqrt{4-2\sqrt{3}} \\
\quad = \sqrt{(3+1)-2\sqrt{3\times 1}} = \sqrt{3}-\sqrt{1} = \sqrt{3}-1
\end{array}\right]$$

$\sqrt{1} = \sqrt{1^2} = 1$
← 意外と多くの方が不安がるので！

演習 8（パターン 3）つぎの二重根号をはずしてみましょう。

(1) $\sqrt{6+\sqrt{20}} =$ 　　　　(2) $\sqrt{7-\sqrt{48}} =$

ヒント：(1) $\sqrt{20} = \sqrt{2^2 \times 5} = 2\sqrt{5}$　　(2) $\sqrt{48} = \sqrt{2^2 \times 12} = 2\sqrt{12}$

パターン4：$\sqrt{B} \Rightarrow 2\sqrt{B}$：強引に"2"を作る場合

・$\sqrt{3+\sqrt{5}} = \sqrt{\dfrac{6+2\sqrt{5}}{2}} \quad \Longleftarrow \quad \sqrt{\dfrac{3+\sqrt{5}}{1}} = \sqrt{\dfrac{2\times(3+\sqrt{5})}{1\times 2}}$ 　$2\sqrt{5}$を作りたいので、分母・分子を2倍

$= \dfrac{\sqrt{6+2\sqrt{5}}}{\sqrt{2}}$ 　　　分母、分子それぞれルートで分ける

$= \dfrac{\sqrt{(5+1)+2\sqrt{5}\times 1}}{\sqrt{2}}$ 　　「和：6、積：5」となる数を探す

$= \dfrac{\sqrt{5}+1}{\sqrt{2}}$ 　　$\dfrac{\sqrt{2}\times(\sqrt{5}+1)}{\sqrt{2}\times\sqrt{2}}$：有理化

$= \dfrac{\sqrt{10}+\sqrt{2}}{2}$ ・・・（答）　「出すものは出す」の確認

演習9（パターン4）つぎの二重根号をはずしてみましょう。

(1) $\sqrt{2+\sqrt{3}} =$ 　　　(2) $\sqrt{\dfrac{6-3\sqrt{3}}{2}} =$

ヒント

(1) 上記の枠内通りに真似してみてください。

$$\sqrt{2+\sqrt{3}} = \sqrt{\dfrac{2+\sqrt{3}}{1}} = \sqrt{\dfrac{2\times 2+2\sqrt{3}}{2}} = \dfrac{\sqrt{4+2\sqrt{3}}}{\sqrt{2}} = \cdots$$

(2) 分数になっていても同じです。分母・分子を2倍。そして……。

$$\sqrt{\dfrac{6-3\sqrt{3}}{2}} = \sqrt{\dfrac{6\times 2-3\times 2\sqrt{3}}{2\times 2}} = \dfrac{\sqrt{12-2\sqrt{3^2\times 3}}}{2} = \cdots$$

必ず最後に「出すものは出す！」の確認と「有理化」をお忘れなく！

> **復習 1：数の構成**
>
> ## 複素数：$a + bi$ ⇒ 虚数（実数：$b=0$）

⑨ 虚数

虚数とは、つぎでお話しする（実数ではない）複素数のこと。ナニ……？ 具体的には「$\sqrt{-2}$、$1+\sqrt{-1}$」のような数を指します。しかし、ルートの中がマイナス（−）である数なんて、我々には到底想像できませんよね!？ だって、2乗して"マイナス"になる数なんて、実数では存在しないんですから！ そこで、この数のことを "imaginary number" と言い、その頭文字（i）を使い「$i^2=-1$」とし、この数を "$i=\sqrt{-1}$" と書いて"虚数単位"と呼びます。続きは⑩の複素数で……。

⑩ 複素数

複素数とは、a、b を実数としたとき「$a+bi$」で表される数。
では、複素数を "$\alpha = a+bi$" とおき、性質を簡潔にまとめてみます！

* 複素数：$\alpha = a+bi$ において、「a：実部」「b：虚部」と言う。

$$\alpha = a+bi = \begin{cases} 実数：a \ (b=0) \\ 虚数：a+bi \ (b\neq 0) \end{cases}$$ ── 純虚数：bi （$a=0$、$b\neq 0$）

* 共役（きょうやく）な複素数

$\alpha = a+bi$ に対し、"$a-bi$" を共役な複素数と呼び、$\overline{\alpha}$ と表す。

* $a>0$ のとき

$$\sqrt{-a} = \sqrt{(-1)\times a} = \sqrt{i^2 \times a} = \sqrt{a}\, i \quad (i^2=-1)$$

となり、これより

$-a$ の平方根は、「$\pm\sqrt{a}\, i$」となる。

* 虚数に関しては、大小関係は考えない！　　　ふぅ～ん……

[I] 複素数の四則計算

- 和：$(a+bi)+(c+di)=(a+c)+(b+d)i$
- 差：$(a+bi)-(c+di)=(a-c)+(b-d)i$

"実部" と "虚部" 同士の計算ゆえ、同類項の感覚で計算。

(1) $(3+2i)+(5-7i)=(3+5)+(2-7)i=8-5i$

(2) $(-8+4i)-(2+i)=-8+4i-2-i=-10+3i$

- 積：$(a+bi)(c+di)=ac+adi+bci+bdi^2$
  $=ac+(ad+bc)i-bd$
  $=(ac-bd)+(ad+bc)i$

- 商：$\dfrac{a+bi}{c+di}=\dfrac{(a+bi)(c-di)}{(c+di)(c-di)}$ ← 分母を実数にする。「和と差の積」の利用！

  $=\dfrac{(a+bi)(c-di)}{c^2-d^2i^2}$

  $=\dfrac{(ac+bd)+(bc-ad)i}{c^2+d^2}$

  分子$=ac-adi+bci-bdi^2$
  $=ac-adi+bci+bd$
  $=(ac+bd)+(bc-ad)i$
  分母$=c^2-d^2\times(-1)$
  $=c^2+d^2$

積・商の計算では途中必ず "$i^2=-1$" が出ますので要注意！

(3) $(1+2i)(3-i)=3-i+6i-2i^2$　　　← $-2\times(-1)=+2$
  $=5+5i$

(4) $\dfrac{2i}{1+i}=\dfrac{2i(1-i)}{(1+i)(1-i)}$ ← 分母の実数化：分母・分子に $(1-i)$ をかける

  $=\dfrac{2i-2i^2}{1-i^2}$

  分子$=2i-2\times(-1)=2+2i$
  分母$=1-(-1)=2$

  $=\dfrac{2+2i}{2}$　　分母・分子を "2" で約分

  $=1+i$

・負の数の平方根計算

最初にルートの中から "$i^2=-1$" を利用し、「-1」を外に出す！

・$\sqrt{-a} \pm \sqrt{-b} = \sqrt{i^2 \times a} \pm \sqrt{i^2 \times b} = \sqrt{a}\,i \pm \sqrt{b}\,i = (\sqrt{a} \pm \sqrt{b})i$

・$\sqrt{-a} \times \sqrt{-b} = \sqrt{a}\,i \times \sqrt{b}\,i = \sqrt{ab}\,i^2 = -\sqrt{ab}$

・$\dfrac{b+\sqrt{-c}}{\sqrt{-a}} = \dfrac{b+\sqrt{c}\,i}{\sqrt{a}\,i} = \dfrac{(b+\sqrt{c}\,i)\times i}{\sqrt{a}\,i \times i} = \dfrac{-\sqrt{c}+bi}{-\sqrt{a}} = \dfrac{\sqrt{c}-bi}{\sqrt{a}} = \cdots$

必ずルートの中から(-1)を出してから計算ね！

(5) $\sqrt{-2}-\sqrt{-8} = \sqrt{2}\,i - \sqrt{8}\,i = \sqrt{2}\,i - 2\sqrt{2}\,i = -\sqrt{2}\,i$

(6) $\sqrt{-3} \times \sqrt{-5} = \sqrt{3}\,i \times \sqrt{5}\,i = \sqrt{15}\,i^2 = -\sqrt{15}$ ・・・（正答）

> 誤答（6）積の計算でよく見かける間違い！
> $$\sqrt{-3} \times \sqrt{-5} = \sqrt{(-3)\times(-5)} = \sqrt{15}$$ ← 必ず i を外に出してから計算ね！

演習10 つぎの計算をしてみましょう。

(1) $\sqrt{-27}+\sqrt{-3}=$　　(2) $\sqrt{-6}\times\sqrt{-9}=$　　(3) $\dfrac{1+\sqrt{-6}}{\sqrt{-3}}=$

[Ⅱ] 複素数の相等

> a、b、c、d が実数、i が虚数単位のとき、
> 「$a+bi=c+di$」　ならば　「$a=c$　かつ　$b=d$」
> 「$a+bi=0$」　　　ならば　「$a=0$　かつ　$b=0$」

例題：つぎの等式を満たす実数 x、y の値を求めてみましょう。

$(2x-y)+(x+y)i=4-i$

＜解法＞ 両辺の "実部同士" "虚部同士" が "等しい" より

$2x-y=4$・・・①　　$x+y=-1$・・・②

連立方程式：加減法［①＋②］より、

$3x=3$、　$x=1$　　また、②より、$y=-2$（答）

復習2

記数法（n進法）

*n進法を10進法に直す方法！　　ここは、マネをして感覚を
　　　　　　　　　　　　　　　　会得してください。

例題1　3進法で1201、4進法で231を10進法で表してみますね。
〈解法〉10進法を10進法で表す→$1201_{(10)} = 1×10^3 + 2×10^2 + 0×10^1 + 1$
　真似ね！　右辺の10を3、4に変えれば3、4進法が10進法になる。
　$1201_{(3)} = 1×3^3 + 2×3^2 + 0×3^1 + 1 = 27 + 2×9 + 0 + 1 = 46_{(10)}$　（答）
　$231_{(4)} = 2×4^2 + 3×4^1 + 1 = 2×16 + 12 + 1 = 45_{(10)}$　（答）

例題2　2進法で0.11、5進法で123.14を10進法で表してみますね。
〈解法〉10進法を10進法で表す→$0.11_{(10)} = \dfrac{1}{10} + \dfrac{1}{10^2}$
　真似ね！　分母の10を2、5に変えれば2、5進法が10進法になる。
　$0.11_{(2)} = \dfrac{1}{2} + \dfrac{1}{2^2} = \dfrac{1}{2} + \dfrac{1}{4} = 0.5 + 0.25 = 0.75$　（答）
　$123.14_{(5)} = 1×5^2 + 2×5^1 + 3 + \dfrac{1}{5} + \dfrac{4}{5^2} = 25 + 10 + 3 + 0.2 + 0.16 = 38.36$　（答）

*10進法をn進法に直す方法！　注：数字右下の(n)は、n進法を示す！

例題3　10進法の46を3進法、45を4進法で表してみますね。
〈解法〉素因数分解同様3、4で割って行き、余りを右側に書く！

・$46_{(10)}$を3進法で表す！
　矢印の順に
　余りを並べる。
　よって、
　　$1201_{(3)}$　（答）

```
3) 46    余り
3) 15 …1 ↑
3)  5 …0 |
    1 …2
```

・$45_{(10)}$を4進法で表す！
　矢印の順に
　余りを並べる。
　よって、
　　$231_{(4)}$　（答）

```
4) 45    余り
4) 11 …1 ↑
    2 …3
```

例題4　10進法の0.75を2進法で表してみますね。
　　　　　　　　　　　　　　　　　　　イメージできるか
　　　　　　　　　　　　　　　　　　　心配！　汗

〈解法〉$0.75_{(10)} = \dfrac{a_1}{2} + \dfrac{a_2}{2^2} + \dfrac{a_3}{2^3} + \cdots$

（両辺2倍）$1.5_{(10)} = a_1 + \dfrac{a_2}{2} + \dfrac{a_3}{2^2} + \cdots$

（$a_1 = 1$を左辺に移項）　∴ $a_1 = 1$

∴ $0.5_{(10)} = \dfrac{a_2}{2} + \dfrac{a_3}{2^2} + \cdots$

（両辺2倍）$1.0_{(10)} = a_2 + \dfrac{a_3}{2} + \cdots$

∴ $a_2 = 1$　そして、a_3以降は0

よって、

$0.75_{(10)} = 0.11_{(2)}$　（答）

演 習 の 解 答

演習 1

(1) $x = 0.7777\cdots$ とおく。
$$10x = 7.7777\cdots$$
$$\underline{-)\quad x = 0.7777\cdots}$$
$$9x = 7$$
$$x = \frac{7}{9} \cdots （答）$$
また、
$$0.7777\cdots = 0.\dot{7}（答）$$

(2) $x = 1.123123\cdots$ とおく。
$$1000x = 1123.123123\cdots$$
$$\underline{-)\quad x = \quad\quad 1.123123\cdots}$$
$$999x = 1122$$
$$x = \frac{1122}{999} = \frac{374}{333} \cdots （答）$$
また、
$$1.123123\cdots = 1.\dot{1}2\dot{3}（答）$$

演習 2

(1) $\sqrt{8} - \sqrt{50} = 2\sqrt{2} - 5\sqrt{2} = -3\sqrt{2}$

(2) $\sqrt{6} \times \sqrt{8} - \sqrt{27} = \sqrt{2 \times 3} \times 2\sqrt{2} - 3\sqrt{3} = 2 \times 2\sqrt{3} - 3\sqrt{3} = 4\sqrt{3} - 3\sqrt{3} = \sqrt{3}$

(3) $\sqrt{48} + \sqrt{72} \div \sqrt{6} = 4\sqrt{3} + \sqrt{\frac{72}{6}} = 4\sqrt{3} + \sqrt{12} = 4\sqrt{3} + 2\sqrt{3} = 6\sqrt{3}$

(4) $2\sqrt{2} \div \sqrt{\frac{45}{5}} - \sqrt{18} = 2\sqrt{2} \div \sqrt{9} - 3\sqrt{2} = 2\sqrt{2} \div 3 - 3\sqrt{2} = \frac{2\sqrt{2}}{3} - \frac{9\sqrt{2}}{3} = -\frac{7\sqrt{2}}{3}$

(5) $\sqrt{3}(\sqrt{12} + \sqrt{27}) = \sqrt{3}(2\sqrt{3} + 3\sqrt{3}) = \sqrt{3} \times 5\sqrt{3} = 5 \times 3 = 15$

(6) $2\sqrt{3} - (7 - \sqrt{15}) \times \sqrt{3} = 2\sqrt{3} - (7\sqrt{3} - \sqrt{3 \times 3 \times 5}) = 2\sqrt{3} - 7\sqrt{3} + 3\sqrt{5}$
$$= -5\sqrt{3} + 3\sqrt{5}$$

演習 3

(1) $\sqrt{5}$、2、$\sqrt{\frac{9}{2}}$ ——（すべてを2乗）——→ 5、4、$\frac{9}{2} = 4.5$

よって、$4 < 4.5 < 5$ より、$2 < \sqrt{\frac{9}{2}} < \sqrt{5}$ ・・・（答）

(2) $\sqrt{3} + \sqrt{6}$ を2乗 → $(\sqrt{3} + \sqrt{6})^2 = 3 + 2\sqrt{18} + 6 = 9 + \underline{6\sqrt{2}}$ ・・・①

また、$1 + \sqrt{8}$ を2乗 → $(1 + \sqrt{8})^2 = 1 + 2\sqrt{8} + 8 = 9 + \underline{4\sqrt{2}}$ ・・・②

$4\sqrt{2} < 6\sqrt{2}$ より、② < ①。よって、$1 + \sqrt{8} < \sqrt{3} + \sqrt{6}$ ・・・（答）

演習 4

(1) $\dfrac{10}{\sqrt{32}} = \dfrac{10}{4\sqrt{2}}$ 「出すものは出す。約分」 $= \dfrac{5 \times \sqrt{2}}{2\sqrt{2} \times \sqrt{2}}$ 「有理化」

$\quad\quad = \dfrac{5}{2\sqrt{2}} \qquad\qquad\qquad\qquad\qquad = \dfrac{5\sqrt{2}}{4}$ ・・・（答）

（2） $\dfrac{16+4\sqrt{3}}{16-\sqrt{48}} = \dfrac{16+4\sqrt{3}}{16-4\sqrt{3}}$ 「出すものは出す。4 で約分」 $= \dfrac{16+8\sqrt{3}+3}{16-3}$

$\qquad\qquad = \dfrac{4+\sqrt{3}}{4-\sqrt{3}} \qquad\qquad\qquad\qquad\qquad = \dfrac{19+8\sqrt{3}}{13}$ ・・・（答）

$\qquad\qquad = \dfrac{(4+\sqrt{3})(4+\sqrt{3})}{(4-\sqrt{3})(4+\sqrt{3})}$ 「有理化」←分子：$(4+\sqrt{3})^2 = 16+8\sqrt{3}+3$

演習 5

（1）「2 乗して 15 を越さない数は "3"」よって、$a=3$、$b=\sqrt{15}-3$ （答）

（2） $\dfrac{1}{2-\sqrt{3}} = \dfrac{1\times(2+\sqrt{3})}{(2-\sqrt{3})(2+\sqrt{3})} = \dfrac{2+\sqrt{3}}{4-3} = 2+\sqrt{3}$ よって、$1 \leqq \sqrt{3} < 2$ より

$\qquad a=3\ (=2+1)$、$b=2+\sqrt{3}-3=\sqrt{3}-1$ ・・・（答）

（3） $\dfrac{1}{\sqrt{6}-2} = \dfrac{1\times(\sqrt{6}+2)}{(\sqrt{6}-2)(\sqrt{6}+2)} = \dfrac{\sqrt{6}+2}{6-4} = \dfrac{2+\sqrt{6}}{2}$ 分子に着目し、$2 \leqq \sqrt{6} < 3$ より、

各項に 2 を加え $4 \leqq 2+\sqrt{6} < 5$、また、各項を 2 で割ると $2 \leqq \dfrac{2+\sqrt{6}}{2} < \dfrac{5}{2}$。

よって、$a=2$、$b=\dfrac{2+\sqrt{6}}{2}-2=\dfrac{2+\sqrt{6}}{2}-\dfrac{4}{2}=\dfrac{\sqrt{6}-2}{2}$ ・・・（答）

演習 6

（1） $\sqrt{7+2\sqrt{10}} = \sqrt{(2+5)+2\sqrt{2\times 5}} = \sqrt{(\sqrt{2}+\sqrt{5})^2} = \sqrt{2}+\sqrt{5}$ ・・・（答）

（2） $\sqrt{10-2\sqrt{21}} = \sqrt{(7+3)-2\sqrt{7\times 3}} = \sqrt{(\sqrt{7}-\sqrt{3})^2} = \sqrt{7}-\sqrt{3}$ ・・・（答）

演習 7

（1） $\sqrt{11+6\sqrt{2}} = \sqrt{11+2\times 3\sqrt{2}} = \sqrt{11+2\sqrt{3^2\times 2}} = \sqrt{(9+2)+2\sqrt{9\times 2}}$

$\qquad\qquad = \sqrt{(\sqrt{9}+\sqrt{2})^2} = \sqrt{9}+\sqrt{2} = 3+\sqrt{2}$ ・・・（答）

（2） $\sqrt{19-8\sqrt{3}} = \sqrt{19-2\times 4\sqrt{3}} = \sqrt{19-2\sqrt{4^2\times 3}} = \sqrt{(16+3)-2\sqrt{16\times 3}}$

$\qquad\qquad = \sqrt{(\sqrt{16}-\sqrt{3})^2} = \sqrt{16}-\sqrt{3} = 4-\sqrt{3}$ ・・・（答）

演習 8　ここからは演習 6、7 の途中式における下線部の式は省きます！

（1） $\sqrt{6+\sqrt{20}} = \sqrt{6+\sqrt{2^2\times 5}} = \sqrt{6+2\sqrt{5}} = \sqrt{(1+5)+2\sqrt{1\times 5}} = 1+\sqrt{5}$ ・・・（答）

（2） $\sqrt{7-\sqrt{48}} = \sqrt{7-\sqrt{4\times 12}} = \sqrt{7-\sqrt{2^2\times 12}} = \sqrt{7-2\sqrt{12}}$

$\qquad\qquad = \sqrt{(4+3)-2\sqrt{4\times 3}} = \sqrt{4}-\sqrt{3} = 2-\sqrt{3}$ ・・・（答）

演習 9

(1) $\sqrt{2+\sqrt{3}} = \sqrt{\dfrac{2\times 2+2\sqrt{3}}{2}} = \dfrac{\sqrt{4+2\sqrt{3}}}{\sqrt{2}} = \dfrac{\sqrt{(1+3)+2\sqrt{1\times 3}}}{\sqrt{2}}$

$= \dfrac{\sqrt{1}+\sqrt{3}}{\sqrt{2}} = \dfrac{1+\sqrt{3}}{\sqrt{2}} = \dfrac{(1+\sqrt{3})\times\sqrt{2}}{\sqrt{2}\times\sqrt{2}} = \dfrac{\sqrt{2}+\sqrt{6}}{2}$ ・・・(答)

(2) $\sqrt{\dfrac{6-3\sqrt{3}}{2}} = \sqrt{\dfrac{6\times 2-3\times 2\sqrt{3}}{2\times 2}} = \dfrac{\sqrt{12-2\sqrt{3^2\times 3}}}{2} = \dfrac{\sqrt{(9+3)-2\sqrt{9\times 3}}}{2}$

$= \dfrac{\sqrt{9}-\sqrt{3}}{2} = \dfrac{3-\sqrt{3}}{2}$ ・・・(答)

演習 10

(1) $\sqrt{-27}+\sqrt{-3} = \sqrt{(-1)\times 27}+\sqrt{(-1)\times 3} = \sqrt{i^2\times 27}+\sqrt{i^2\times 3}$

$= \sqrt{27}\,i + \sqrt{3}\,i = \sqrt{3^2\times 3}\,i + \sqrt{3}\,i = 3\sqrt{3}\,i + \sqrt{3}\,i = 4\sqrt{3}\,i$ ・・・(答)

(2) $\sqrt{-6}\times\sqrt{-9} = \sqrt{(-1)\times 6}+\sqrt{(-1)\times 9} = \sqrt{i^2\times 6}+\sqrt{i^2\times 9}$

$= \sqrt{6}\,i \times \sqrt{9}\,i = \sqrt{6}\,i \times 3i = 3\sqrt{6}\,i^2 = 3\sqrt{6}\times(-1) = -3\sqrt{6}$ ・・・(答)

(3) $\dfrac{1+\sqrt{-6}}{\sqrt{-3}} = \dfrac{1+\sqrt{6}i}{\sqrt{3}i} = \dfrac{(1+\sqrt{6}i)\times\sqrt{3}i}{\sqrt{3}i\times\sqrt{3}i} = \dfrac{\sqrt{3}i+\sqrt{6\times 3}i^2}{3i^2} = \dfrac{\sqrt{3}i+\sqrt{3\times 2\times 3}\times(-1)}{3\times(-1)}$

$= \dfrac{\sqrt{3}i+3\sqrt{2}\times(-1)}{3\times(-1)} = \dfrac{\sqrt{3}i-3\sqrt{2}}{-3}$　ここで分子の**実部**と**虚部**を入れ替える

$= \dfrac{-3\sqrt{2}+\sqrt{3}i}{-3}$　分母・分子に（－）をかける

$= \dfrac{-(-3\sqrt{2}+\sqrt{3}i)}{-(-3)}$

$= \dfrac{3\sqrt{2}-\sqrt{3}i}{3}$　実部と虚部に分けて示す

$= \dfrac{3\sqrt{2}}{3}-\dfrac{\sqrt{3}}{3}i$　約分

$= \sqrt{2}-\dfrac{\sqrt{3}}{3}i$ ・・・(答)

> 分数の形でもよいのですが、「$a\pm b\,i$」の形にこの本では統一します。

2章
式とはナニか？

ここは、数学における
「道具（計算）のあつかい」に慣れる項目！

いわゆる、主題の1つめ

　　　　「文字を数字の感覚であつかう！」

　　　　　　　　　　　　　を体験していただきます。

よって、**いっさい理屈抜き！**
ひたすら、道具（計算）のあつかい方をマスターしましょう！

復習3 整 式

　文字と数字を使って表されている式には、"**単項式**"および"**多項式**"と呼ばれるものがあり、これらの式を総称して、"**整式**"と呼んでいます。では、整式について基本的なことから順に確認をして行きましょう！

[Ⅰ] 文字と式

- 文字と数字の計算ルール

ⅰ：（文字）×（数字）＝（数字）（文字）　←（×）を省略

　例：$x \times 4 = 4x$、$2b \times (-3a) = -6ab$　← 一般的に、文字はアルファベット順

ⅱ：累乗計算

$$a \times a \times b \times b \times b = a^2 b^3$$

"数字・文字"の右肩に付いている数を"**指数**"と呼び、それぞれの積の回数を示す！

ⅲ：商（÷）は"**逆数の積**"（×）に直して計算

$$a \div b = a \times \frac{1}{b} = \frac{a}{b}$$

逆数とは？「$p \times q = 1$」のとき、pとqは互いに"逆数"の関係という。よって、pの逆数は$\frac{1}{p}$

　例：$7 \div 2x = 7 \times \dfrac{1}{2x} = \dfrac{7}{2x}$、$-5a \div \dfrac{(b+c)}{4} = -5a \times \dfrac{4}{b+c} = -\dfrac{20a}{b+c}$

　演習11～14は、実は中学1年の数学の復習ゆえ、ヒントはなしで！

演習11 つぎの計算をしてみましょう。

(1) 2^3　　(2) -3^2　　(3) $-(-2)^2$　　(4) $-\left(-\dfrac{2^2}{5}\right)$

指数がどの数に対するものかを考え……。いけね、ヒントを出してしまった。

演習 12 つぎの各問いについて考えてみましょう。

問 1 つぎの各計算をしてください。

(1) $a \times a \times 5 + b \times (-2) \times c$　　(2) $x \div 3 - 1 \div y \times z$

問 2 つぎの式を "×" "÷" の記号を使って表してください。

(1) $\dfrac{abc}{8}$　　(2) $\dfrac{2x-y}{7z}$　　(3) $\dfrac{4p}{3(q+r)}$

ⅳ：和・差に関して、必ず "同類項" の計算

例：$3x + 4x + 7y - 5y + 2 + 1 = 7x + 2y + 3$

同類項：「$3x$ と $4x$」「$7y$ と $-5y$」「2 と 1：定数項」
特に数字（数字扱い）の項を "定数項" と呼ぶ。

＜計算の基本法則＞

交換法則：$A + B = B + A$、　$A \times B = B \times A$
結合法則：$(A + B) + C = A + (B + C)$、$(A \times B) \times C = A \times (B \times C)$
分配法則：$A \times (B + C) = A \times B + A \times C$

例：「つぎの式を計算しなさい」← 「式を簡単にしなさい」の表現もある。

$\quad 4 + 5x - 8y + 3 - 2x + 9y$
$= 5x - 2x + 9y - 8y + 4 + 3$　　　← 交換法則
$= (5x - 2x) + (9y - 8y) + (4 + 3)$　← 結合法則
$= (5-2)x + (9-8)y + 7$　　　　　← 分配法則
$= 3x + y + 7$

演習 13 つぎの式を計算してみましょう。

(1) $x - \dfrac{x-2}{4}$　　(2) $\dfrac{2x-1}{3} - \dfrac{3-x}{2}$　　(3) $0.2x - y - \dfrac{-x+y}{5}$

ここまでの演習問題は、中学数学でよく間違える問題を選んでみました。ドキッ！

[Ⅱ] 単項式

① a　　② $8xy$　　③ $-7abc$　　④ $\dfrac{4p^2q^3}{5}$　　⑤ 9

　上記のようにいくつかの文字や数字の積で表されている式を"**単項式**"と呼びます。

　また、各単項式において「文字の積の個数を"**次数**"」
　　　　　　　　　　　「文字の左側にある数字を"**係数**"」と言います。

　では、①〜⑤について、各次数と係数を調べてみましょう！

① $a\ (=1a)$　　　　　　　　⇒　次数：1次　　係数：1

② $2xy=2\times x\times y$　　　　　⇒　次数：2次　　係数：2

③ $-7abc=-7\times a\times b\times c$　　⇒　次数：3次　　係数：-7

④ $\dfrac{4p^2q^3}{5}=\dfrac{4}{5}\times p\times p\times q\times q\times q$　⇒　次数：5次　　係数：$\dfrac{4}{5}$

⑤ "**定数項**"なので次数も係数も関係ない！

注意！⇒ $\dfrac{3}{x}$ は単項式ではありません。「$3\div x$」で積ではないからね！

ここまでは中学数学の復習でした。　　やはりそうでしたか！　余裕です。笑

　さて、ここからが高校数学の難しいところとなってきます。いわゆる、「**文字を数字のように扱う！**」ぜひこの感覚をものにしてください。
　では、例題を通して一緒にこの感覚を体験してください。

例題 つぎの単項式に関して、各問いについて考えてみましょう。
$$2xy^2z^2$$
（1）この単項式の次数と係数はそれぞれ何ですか？
（2）この単項式の x について、次数と係数はそれぞれ何ですか？
（3）この単項式の y について、次数と係数はそれぞれ何ですか？

（4）この単項式の z について、次数と係数はそれぞれ何ですか？
（5）この単項式の xy について、次数と係数はそれぞれ何ですか？
（6）この単項式の yz について、次数と係数はそれぞれ何ですか？
（7）この単項式の zx について、次数と係数はそれぞれ何ですか？

<解法> 今後、式の中にある文字をすべて文字とは考えず、指定されたものだけを文字と考え、その他の文字はすべて数字として扱うことが多々あります。たとえば、これから先で復習する、**数列、微分・積分**ではこの感覚が要求されます。シッカリと身に付けてくださいね！

（1）ここでは何も指示がないので、すべての文字を文字と考える。

　　　　　　　次数：5次（$x \times y \times y \times z \times z$）　係数：2

（2）「x について」とありますよね！と言うことは、「x だけが"文字"で、$y \cdot z$ は"数字"」ということ。　　次数：1次　係数：$2y^2z^2$

「いかがですか？」理解していただけたでしょうか？では、残りを！

（3）「y が"文字"、$x \cdot z$ は"数字"」より、次数：2次　係数：$2xz^2$
（4）「z が"文字"、$x \cdot y$ は"数字"」より、次数：2次　係数：$2xy^2$
（5）「$x \cdot y$ が"文字"、z は"数字"」より、次数：3次　係数：$2z^2$
（6）「$y \cdot z$ が"文字"、x は"数字"」より、次数：4次　係数：$2x$
（7）「$z \cdot x$ が"文字"、y は"数字"」より、次数：3次　係数：$2y^2$

では、理解度チェック！

演習 14 つぎの単項式に関して各問いについて考えてみましょう。

$$-\frac{a^2 b}{7}$$

（1）この単項式の次数と係数を教えてください。

（2）この単項式の a について、次数と係数を教えてください。

（3）この単項式の b について、次数と係数を教えてください。

[Ⅲ] 多項式

"項" と "多項式の次数"

$$2xy - x^2 + 4x + 3y^3 - 9y - 1 \cdots ①$$
$$= 2xy + (-x^2) + 4x + 3y^3 + (-9y) + (-1) \cdots ②$$

②のように、"単項式" の和で表された式を "多項式" と呼び、また、②を作っている各単項式を "項" と言います。

しかし、上記の解説は、できるだけ**定義**に従っての言葉であり、通常は①の形が多項式です。また、項に関しても①より、各係数ごとに読み取るだけで構いません。

項 ⇒ 「 $2xy$、 $-x^2$、 $4x$、 $3y^3$、 $-9y$、 -1 」 $\cdots$ ③

つぎに、式には名前があり、正しくは "**多項式（整式）の次数**" と呼びます。これは、多項式において同類項をまとめたとき、各項の中で "**一番次数が大きい数**" のことで、①でいえば（同類項の計算は済んでいますので）③から判断すると

左から「2次、 2次、 1次、 3次、 1次 （−1は関係ない）」

より、この①の式は "3次式" となります。

ナルホドネ！

では、ここまでの理解度チェック！

演習15 つぎの多項式ついて考えてみましょう。

$$-2xy^2 + 9 - 5xy + 2y^2x + 7yz$$

(1) 項をすべて書き出してください。
(2) この多項式の次数を教えてください。

ヒント：ていねいに式を見てください。　　　　エッ！？　それだけ……！

では、あとヒトツ多項式における "**項の並べ方**" についての解説を…。

"降(こう)べきの順" ⇔ 次数の高い項から低い項へと並べる

（左ページ）①より

xについて：$-x^2+(4+2y)x+3y^3-9y-1$ ・・・④

注意は「xだけが文字」ゆえ「$2xy$と$4x$」は同類項となり、また、この式で"定数項"は「$3y^3-9y-1$」になります。

"昇(しょう)べきの順" ⇔ 次数の低い項から高い項へと並べる

xについて：$-1-9y+3y^3+(4+2y)x-x^2$ ・・・⑤

④を逆から書くだけですね！

では、ここまでの理解度チェック！

演習 16 つぎの整式について考えてみましょう。

$$3x^2+y+7y^3-5y-2xy+9x-8$$

（1） xについて降べきの順に整理してください。

（2） xについて何次式ですか？　また、x^2とxの各項の係数、および、定数項を示してください。

（3） xについて昇べきの順に整理してください。

（4） yについて降べきの順に整理してください。

（5） yについて何次式ですか？　また、y^3とyの各項の係数、および、定数項を示してください。

（6） yについて昇べきの順に整理してください。

ヒント：（1）～（3）までは、「"x"が文字で、yは数字扱い！」

（4）～（6）までは、「"y"が文字で、xは数字扱い！」

また、整式は必ず"同類項"の計算が必須！

よって、（1）～（3）において、「$-2xy$と$9x$」は同類項。

（4）～（6）において、「$-2xy$とyと$-5y$」は同類項。

[Ⅳ] 乗法の展開公式

（多項式）×（多項式）の計算を分配法則で展開するより、九九の計算のように「あるパターンのモノは結果を利用してしまおう！」というのがこの項目の趣旨です。よって、公式を九九のように使えないと意味がありません。そこで、最低限必要な公式だけを示しておきますね。

[ⅰ] 2次の展開公式

① $(a+b)^2 = a^2 + 2ab + b^2$、　$(a-b)^2 = a^2 - 2ab + b^2$

・$(a+4)^2 = a^2 + 2 \times 4a + 4^2 = a^2 + 8a + 16$

・$(2a-3)^2 = (2a)^2 - 2 \times 2a \times 3 + 3^2 = 4a^2 - 12a + 9$

② $(x+a)(x+b) = x^2 + (a+b)x + ab$

・$(x-7)(x+2) = x^2 + (-7+2)x + (-7) \times 2 = x^2 - 5x - 14$

③ $(a+b)(a-b) = a^2 - b^2$　　←"和と差の積"と呼ばれる公式

・$(a+5)(a-5) = a^2 - 5^2 = a^2 - 25$

④ $(a+b+c)^2 = a^2 + b^2 + c^2 + 2(ab+bc+ca)$

慣習として矢印の順に表示

・$(a-2b+c)^2$
$= a^2 + (-2)^2 b^2 + c^2 + 2\{a(-2b) + (-2b)c + ca\}$
$= a^2 + 4b^2 + c^2 - 4ab - 4bc + 2ca$

④は案外利用度の高い展開公式です。確認しておきましょう！

演習17 つぎの式を公式を利用し、展開してみましょう。

(1) $(x+3)^2$　　　　(2) $(a-2b)^2$　　　　(3) $(x+7)(x-6)$

(4) $(a-b)(a+6b)$　(5) $(x-9)(x+9)$　　(6) $(x-\sqrt{5})(x+\sqrt{5})$

(7) $(a+2b+c)^2$　　(8) $(3x-y+2z)^2$

量的には不足ですが、まぁ〜、確認ゆえこの程度で十分でしょう！　ホッ！汗

[ⅱ] 3次の展開公式

⑤ $(a+b)^3 = a^3 + 3a^2b + 3ab^2 + b^3$
　$(a-b)^3 = a^3 - 3a^2b + 3ab^2 - b^3$

・$(a+2)^3 = a^3 + 3a^2 \times 2 + 3a \times 2^2 + 2^3 = a^3 + 6a^2 + 12a + 8$

・$(a-1)^3 = a^3 - 3a^2 \times 1 + 3a \times 1^2 - 1^3 = a^3 - 3a^2 + 3a - 1$

⑥ $(a+b)(a^2 - ab + b^2) = a^3 + b^3$
　$(a-b)(a^2 + ab + b^2) = a^3 - b^3$

⑥の公式は展開より、(右辺)から(左辺)へのいわゆる"因数分解"での利用度が高い。

・$(a+2)(a^2 - 2a + 4) = (a+2)(a^2 - 2a + 2^2) = a^3 + 2^3 = a^3 + 8$

・$(a-3)(a^2 + 3a + 9) = (a-3)(a^2 + 3a + 3^2) = a^3 - 3^3 = a^3 - 27$

⑦ $(x+a)(x+b)(x+c)$
　$= x^3 + (a+b+c)x^2 + (ab+bc+ca)x + abc$

⑦は余力のある方だけね！

・$(x+1)(x-2)(x+3)$
　$= x^3 + (1-2+3)x^2 + \{1 \times (-2) + (-2) \times 3 + 3 \times 1\}x + 1 \times (-2) \times 3$
　$= x^3 + 2x^2 - 5x - 6$

では、理解度チェック！

演習 18　つぎの式を公式を利用し、展開してみましょう。
　(1) $(a+3)^3$　　　　　　　　(2) $(x-2y)^3$
　(3) $(x+5)(x^2 - 5x + 25)$　　(4) $(2a-4)(4a^2 + 8a + 16)$
　(5) $(x+3)(x-4)(x+7)$

以上で"乗法の展開公式"の確認は終わりたいと思います。　　ふぅ〜……

復習 4

因 数 分 解

因数分解は、高校数学でも中学数学でも同じで、基本は

「多項式を（単項式）×（多項式）、

　　　　（多項式）×（多項式）のように、整式の積への変形」

そこで、"因数分解"の基本的な流れ（Ⅰ～Ⅳ）を最初に示しますね！

　Ⅰ： 共通因数でククル（または、共通因数が作れないか？）
　Ⅱ： 乗法の展開公式の利用
　Ⅲ： たすきがけの利用
　Ⅳ： 因数定理の利用　←［組み立て除法］
　‥‥‥‥‥‥‥‥‥‥‥‥‥‥‥‥‥‥‥‥‥‥‥‥‥‥‥‥‥
　Ⅴ： 1文字中心（文字が2コ以上のときは、Ⅰ、Ⅴの順で考える）

［Ⅰ］共通因数でククル！←因数分解の基本

まず、「因数」の意味ですが、これは"数字""整式"を積に直したときの部品のこと。たとえば「6を積で表すと $1×6$、$2×3$」となりますよね？このときの「1」「2」「3」「6」コレが"6の因数"。当然、整式に関しても同様に、「$(x+2)(x-3)=x^2-x-6$」では、左辺の積の式を右辺の式に展開すると、このとき、右辺の式に対し、左辺の「$x+2$」「$x-3$」がそれぞれ"x^2-x-6の因数"となります。また、特に複数の項の中にある共通な因数のことを"共通因数"と呼びます。

① 共通因数でククル！（分配法則の逆とも言えますね）

　・$ma+mb=m(a+b)$　　← 共通因数：m
　・$ax^2-abx=ax(x-b)$　← 共通因数：ax

例：$3a+12b=3a+3×4b=3(a+4b)$、$6x^2-4x=2x(3x-2)$

因数分解は単なる積への変形ではなく "共通因数" が残っていたらダメ！

誤答
$$-4x^2-2x = 2x(-x-1) \leftarrow ダメ！ 共通因数：-1 が出ていない$$
よって、
$$-4x^2-2x = -2x(x+1) \leftarrow 共通因数：-2x \cdots (正答)$$

[多項式が共通因数の場合]

・$(x-a)(x-b)+c(x-a) = (x-a)(x-b+c)$ ←共通因数：$x-a$

例：$(x-7)(x+8)+(x-7)(x-5) = (x-7)\{(x+8)+(x-5)\}$
$= (x-7)(2x+3)$

よく出題されるのが「符号変化で共通因数を作る！」パターン！

$(x+2)(x-3) + (12-4x)(x+1)$ ←「共通因数：4」でククル
$= (x+2)(x-3) + 4(3-x)(x+1)$ ← 共通因数を作る：$-(x-3)$
$= (x+2)(x-3) - 4(x-3)(x+1)$ ←「共通因数：$x-3$」でククル
$= (x-3)\{(x+2) - 4(x+1)\}$ ←{同類項の計算}
$= (x-3)(x+2-4x-4)$
$= (x-3)(-3x-2)$ ←「共通因数：-1」でククル
$= -(x-3)(3x+2) \cdots (答)$

因数分解と一言でいっても、案外面倒でしょ！？ 一番最後のところの共通因数（-1）でククルなんて、案外忘れちゃいますよね！ コレが私がよく言う「**因数分解はとことん・トン！**」やる！ ナンデスネ！

では、理解度チェック！

演習 19 つぎの式を因数分解してみましょう。

(1) $14x - 35$　　　　　　(2) $x^3 y + xy^3$

(3) $p(x-y) + q(y-x)$　　(4) $ab - b + a - 1$

ヒント："共通因数でククル" → "(4)：共通因数を作る" → 「a または b に着目」

[Ⅱ] 乗法の展開公式の利用

乗法の展開公式は九九のように言えるようになっていますか！？
　ここで大切なことはたった1つ「**展開公式が口からスラスラ流れ出る！**」コレだけです！　では、簡単にポイントだけをまとめておきますね。

---

② 乗法の展開式の利用

"2次の公式"による因数分解

ⅰ　・$a^2+2ab+b^2=(a+b)^2$　　・$a^2-2ab+b^2=(a-b)^2$

　頭とお尻の項の符号が共に＋、かつ、ある数の2乗であればほとんどがこのパターン。違うときは(ⅱ)のパターン！

例：$x^2+6x+9=(x+3)^2$　　　　　$x^2-8x+16=(x-4)^2$

　　頭　　お尻　　　　　　　　　　頭　　お尻
　　x^2　　3^2　　　　　　　　　x^2　　4^2
　頭とお尻をかけて **2倍** が　　　頭とお尻をかけて **2倍** が
　　"$x\times 3\times 2=6x$"　　　　　"$x\times 4\times 2=8x$"
　真ん中の項の係数（符号は無視）　　真ん中の項の係数（符号は無視）
　と一致！　　　　　　　　　　　　と一致！

誤答：上記と比較⇔下記 ⅱ 参照
　　$x^2+10x+9\neq(x+3)^2$　　　　$x^2-10x+16\neq(x-4)^2$
　　　　　注：「頭とお尻の積の "2倍の値か？" をチェック！」

ⅱ　$x^2+(a+b)x+ab=(x+a)(x+b)$

例：$x^2+10x+9=(x+1)(x+9)$　　　$x^2-10x+16=(x-2)(x-8)$

　　和が10、積が9となる　　　　　和が-10、積が16となる
　　2つの数を捜す！　　　　　　　2つの数を捜す！
　　$a=1$, $b=9$　　　　　　　　　$a=-2$, $b=-8$

ⅲ　$a^2-b^2=(a+b)(a-b)$　←「**和と差の積**」の形（**重要**）

例：$x^2-25=(x+5)(x-5)$　←「"2乗" "2乗"の差」

誤答
　　$16x^2-4=(4x+2)(4x-2)$　←ダメ！共通因数2が両方に残っている。
　　$16x^2-4=4(4x^2-1)=4(2x+1)(2x-1)$・・・（正答）

演習 20 つぎの式を因数分解してみましょう。

(1) $x^2 - 16x + 64$

(2) $x^2 - 3x - 4$

(3) $x^2 - 49$

(4) $x^2 + 10x + 9$

(5) $x^4 - 16$

(6) $3x^2 + 18x + 27$

ヒント：(5)(6)は"因数分解"の理解度チェック問題です。

"3次の公式"による因数分解（②のつづき）

辛いでしょうがここの公式はとにかく覚えてください。そして、特に（ⅴ）の公式は利用頻度が高いのでシッカリと！

ⅳ ・ $a^3 + 3a^2 b + 3ab^2 + b^3 = (a+b)^3$
 ・ $a^3 - 3a^2 b + 3ab^2 - b^3 = (a-b)^3$

例： $x^3 + 6x^2 + 12x + 8 = x^3 + 3 \times x^2 \times 2 + 3 \times x \times 2^2 + 2^3 = (x+2)^3$

$x^3 - 9x^2 + 27x - 27 = x^3 - 3 \times x^2 \times 3 + 3 \times x \times 3^2 - 3^3 = (x-3)^3$

ⅴ ・ $a^3 + b^3 = (a+b)(a^2 - ab + b^2)$
 ・ $a^3 - b^3 = (a-b)(a^2 + ab + b^2)$

例： $x^3 + 8 = x^3 + 2^3 = (x+2)(x^2 - 2x + 4)$

$x^3 - 27 = x^3 - 3^3 = (x-3)(x^2 + 3x + 9)$

演習 21 つぎの式を因数分解してみましょう。

(1) $x^3 + 3x^2 + 3x + 1$

(2) $x^3 - 15x^2 + 75x - 125$

(3) $8a^3 + 27b^3$

(4) $x^3 y^3 - 8$

(5) $x^3 y - xy^3$

(6) $a^2 - (b+1)a + b$

(7) $3a^3 - 81$

(8) $(x-1)^2 + 4(x-1) - 5$

ヒント：(1)～(4) 3次公式の演習、 (5)～(8) ここまでの総合演習
　　　 特に(8) $x - 1 = t$ とおくといいかも！？

[Ⅲ] たすきがけ

$$\underline{ac}x^2 + \underline{(ad+bc)}x + \underline{bd} = (ax+b)(cx+d) \cdots ①$$

頭の項の係数を
たてに積で表す

お尻の項の数を
たてに積で表す

$$\begin{matrix} a(x) & \searrow & b & = & c \times b \\ c(x) & \nearrow & d & = & +)\,a \times d \\ & & & & \overline{ad+bc} \end{matrix}$$

たすき（斜め）に積の計算をし
それぞれの和が「真ん中の項の係数」
と一致すればOK！

$$(ax+b)(cx+d) = acx^2 + \underline{(ad+bc)}x + bd \cdots ②$$

①の右辺を展開した式②を見れば、上のたすきがけの解法は理解できるはず！？
分配法則し、整理すると "たすきがけ" の意味が一目瞭然ですね！

例： ・$2x^2+11x+12$

$$\begin{matrix} 2 & \searrow & 3 & = & 3 \\ 1 & \nearrow & 4 & = & +)\,8 \\ & & & & \overline{11} \end{matrix}$$

$= (2x+3)(x+4)$

・$2px^2-(3p+2)x+3$

$$\begin{matrix} p & \searrow & -1 & = & -2 \\ 2 & \nearrow & -3 & = & +)\,-3p \\ & & & & \overline{-(3p+2)} \end{matrix}$$

$= (px-1)(2x-3)$

ここまでで "乗法の展開公式利用" の因数分解は終わりです。

では、理解度チェック！

演習22 つぎの式を因数分解してみましょう。

(1) $2x^2-5x-3$ (2) $6x^2-7x-3$

(3) $ax^2-(a+3)x+3$ (4) $2a^2+ab-6b^2$

ヒント：最初は、頭の係数を積で表した方の数は固定し、お尻の項の数の部分の
積を変えてみる。それで合わなければ、頭の積を変える。

[Ⅳ] 因数定理（組み立て除法）

「"x^3-2x^2-x+2" が "$x=1$" で式の値が 0 となるとき、
　　　　　　　　　　　　この式は "因数：$x-1$" を持つ！」

　この上記の意味が理解できるでしょうか？　因数とはある数字・整式を積に直したときの部品でした。よって、この 3 次式は

$$x^3-2x^2-x+2 = (x-1)(???) \quad \cdots (*)$$

と右辺の形に変形できる。難しいですよね！

　そこで、つぎのように（*）の両辺を別々に計算してみます。

$$\begin{cases} \cdot x=1 \text{ を（左辺）に代入 } x^3-2x^2-x+2=1^3-2\times1^2-1+2=0 \\ \cdot x=1 \text{ を（右辺）代入 } (x-1)(???)=(1-1)(???)=0\times(???)=0 \end{cases}$$

　両辺とも $x=1$ を代入し、"0"。だから、（左辺）＝（右辺）となり、したがって、このことから以下のことが言えそうですよね……！？

「ある x の n 次式に "$x=a$" を代入し "0" になれば、

　　　　　　　　　その式は "$x-a$" を因数に持つ」

よって、
　　　　　（ある x の n 次式）＝$(x-a)(???\cdots)$
　　　　　　　　　　　　　　　　　　　　　　　　とおける！

　これが因数定理の考え方なんです。ここまではよろしいでしょうか？　では、いったい（???）の部分にどんな整式が入るのか！？
　　　　　　　　　　　　　　　　　　　　　ムズカシソウダナァ～！
　実は、コレが簡単に求められてしまうんです。皆さんは "組み立て除法" という言葉に、聞き覚えありませんか？
　では、さっそく、組み立て除法で（???）の部分を埋めてみますよ！

```
  1 │  1    -2    -1    2
    │        1    -1   -2
    ─────────────────────
       1    -1    -2    0  ⇒「(???) = ($1x^2-1x-2$)」
```
←詳しくはつぎのページでていねいに解説しています！

したがって、（*）の因数分解は

$$x^3-2x^2-x+2 = (x-1)(x^2-x-2) = (x-1)(x+1)(x-2) \cdots \text{(答)}$$

「組み立て除法」の流れ

① $x^3-2x^2-x+2 = 1x^3-2x^2-1x+2$
係数および定数項を右のように並べる。
また、一番左には「x に代入して"式の値"
が"0"となる x の値をおく ⇒ $x=1$」

② 最高次数の係数を線の下に書く。

③ 左上の枠内の数(1)と②で降ろした数(1)
との掛け算の値を隣の係数の下に書く。

④ たてに足し算をし、その答えを線の下
に書く。$-2+1=-1$

⑤ ④で計算した値と再び左上の枠内の数(1)
との掛け算の値を隣の係数の下に書く。

⑥ この後は③〜⑤までの作業を繰り返し
一番最後の定数項との和が"0"となり
①〜⑧までで終了！

<式の値が 0 となる $x=a$ の見つけ方！>
$px^n + qx^{n-1} + \cdots + tx + u = 0$

$$a = \frac{\text{定数項}u\text{の約数}}{\text{最高次数}(x^n)\text{の係数}p\text{の約数}}$$

では、もう一問一緒にやってみましょう。

①
$\underline{1}\,|\ \ 1\ \ -2\ \ -1\ \ \ \ 2$

②
$\underline{1}\,|\ \ 1\ \ -2\ \ -1\ \ \ \ 2$
$\qquad\ \ \downarrow$
$\qquad\ \ 1$

③
$\underline{1}\,|\ \ 1\ \ -2\ \ -1\ \ \ \ 2$
$\ +\qquad\ \ 1$
$\qquad\ \ 1$

④
$\underline{1}\,|\ \ 1\ \ -2\ \ -1\ \ \ \ 2$
$\ +\qquad\ \ 1$
$\qquad\ \ 1\ \ -1$

⑤
$\underline{1}\,|\ \ 1\ \ -2\ \ -1\ \ \ \ 2$
$\ +\qquad\ \ 1\ \ -1$
$\qquad\ \ 1\ \ -1$

⑥
$\underline{1}\,|\ \ 1\ \ -2\ \ -1\ \ \ \ 2$
$\ +\qquad\ \ 1\ \ -1$
$\qquad\ \ 1\ \ -1\ \ -2$

⑦
$\underline{1}\,|\ \ 1\ \ -2\ \ -1\ \ \ \ 2$
$\ +\qquad\ \ 1\ \ -1\ \ -2$
$\qquad\ \ 1\ \ -1\ \ -2$

⑧
$\underline{1}\,|\ \ 1\ \ -2\ \ -1\ \ \ \ 2$
$\ +\qquad\ \ 1\ \ -1\ \ -2$
$\qquad\ \ 1\ \ -1\ \ -2\ \ \ \ 0$

例題：x^3+2x^2-1 を因数分解してみますね。

<解法>

最初に「x^3+2x^2-1」の x に代入して "0" になる値を捜します。

$$x = \frac{\text{定数項}-1\text{の約数}}{\text{最高次数}(x^3)\text{の係数1の約数}}$$ より、→ $x = \frac{+1}{+1} = 1$、または、$x = \frac{-1}{+1} = -1$

（分母：x^3 の係数 1 の約数→±1）　（分子：−1 の約数→±1）

よって、

「$x=1$」か「$x=-1$」のどちらかで式の値は "0" となる。

では、"**組み立て除法**" ですよ！

そこで、前回大切なことを言い忘れました。

"**降べきの順**" で係数だけを書きますが、ない次数の項は「**係数を 0**」とし書き入れる。

「x^3+2x^2+0x-1」

```
−1 | 1  2  0  −1
   +
   ─────────────
     1
```

あとは「$x=-1$」で式の値は "0" となるので、一番左に−1と書く。

```
−1 | 1  2   0  −1
   +   −1  −1
   ─────────────
     1   1
```

あとは、左ページの①〜⑧の繰り返しです！

よって、「x^3+2x^2-1」は「$x+1$」を因数に持つ！　したがって、

$x^3+2x^2-1 = (x+1)(1x^2+1x-1)$

```
−1 | 1   2   0   −1
   +    −1  −1    1
   ──────────────────
     1   1   −1    0
    x²   x   定数項
    の   の
    係   係
    数   数
```

演習 23 つぎの式を因数分解してみましょう。

(1) $x^3-13x+12$　　　(2) $2x^3-3x^2-x+1$

ヒント：(2) 式の値が 0 になる x の値が分数。そして、「とことん・トン」ね！

[V] 1文字中心

突然ですが、
$$x^2+z^2-xy-yz+2zx$$
を「因数分解してください」と言われたら、まず見当もつきませんよね！

でもね、実は、文字が2コ以上のときの因数分解は、どれかヒトツの文字に着目し、他の文字は数字扱いにすればできるんです。ソウナンダァ！？

では「いったい、どの文字に着目すべきか……！？」知りたい！ 知りたい！

文字が2コ以上の因数分解は、
　　　　　最低次数の文字の多項式と考える！

例：「$x^2+z^2-xy-yz+2zx$」を因数分解してみますね！

$x^2+z^2-xy-yz+2zx$　　←　x：2次、y：1次、z：2次

$=-(x+z)y+\underline{x^2+2zx+z^2}$　　←「yの1次式と考える」下線部因数分解

$=-(x+z)y+(x+z)^2$　　←　共通因数：$(x+z)$でククル

$=(x+z)\{(x+z)-y\}$　　←ていねいに一行入れておきました

$=(x+z)(x+z-y)$　　　終わり。　　　スゴ〜イ・・・！驚

式全体を見てしまうとわけがわからなくなりますが、しかし、文字一つひとつの次数を読み取り、どの1文字中心にするか見極めれば簡単でしょ！？

では、理解度チェック！ 慣れるまで保留でも構いませんよ。　　ホッ……！

演習24 つぎの式を因数分解してみましょう。

(1) $x^2+3xy+xz+2y^2+2yz$

(2) $a^3+3a^2b-a-3b$

ヒント：一番次数の低い文字はどれ？ そして「とことん・トン」だよ！

復習5 整式の割り算

ここでは「(次数の高い整式)÷(次数の低い整式)」のお話です。
たぶん、具体例をお見せした方が理解しやすいので、早速例題へ！

例題1 $(2x^3+3+x)÷(x^3+2x-1)$ を計算し、商・余りを求めてみますね。

<解法>

$2x^3+3+x = 2x^3+0x^2+x+3$ ← 割られる整式を**降べきの順**に直し、**ない項の係数は0**として表す！

①最高次数 $2x^3$ の項から1個ずつ消して行く。
　$2x$ をたてる。→ $2x(x^2+2x-1) = 2x^3+4x^2-2x$
②$-4x^2$ の項を消すため、-4 をたてる。
③"$11x-1$" と1次式ゆえ**余り**となる。
よって、

　　商：$2x-4$、余り：$11x-1$　（答）

$$\begin{array}{r} 2x-4 \\ x^2+2x-1\overline{\smash{)}2x^3+0x^2+x+3} \\ \underline{2x^3+4x^2-2x} \\ -4x^2+3x+3 \\ \underline{-4x^2-8x+4} \\ 11x-1 \end{array}$$

①　②（商）
③（余り）

補足：余りを求めるのに「**剰余定理**」があります。演習解答末参照！

例題2 整式 $3x^3-x^2+Ax+B$ が整式 $2x^2+x-4$ で割り切れるとき、A、B の値を求めてみますね。

<解法>

（割り切れる）⇔（余りが0）
より、右のように割り算をし、
余り $\left(A+\dfrac{29}{4}\right)x+B-5 = 0\cdots(*)$

そして、x の値は任意ゆえ、x の値にかかわらず（*）が0になるには、

$A+\dfrac{29}{4}=0$ かつ $B-5=0$

よって、

　　$A=-\dfrac{29}{4}$ 　$B=5$ 　（答）

$$\begin{array}{r} \frac{3}{2}x-\frac{5}{4} \\ 2x^2+x-4\overline{\smash{)}3x^3-x^2+Ax+B} \\ \underline{3x^3+\frac{3}{2}x^2-6x} \\ -\frac{5}{2}x^2+(A+6)x+B \\ \underline{-\frac{5}{2}x^2-\frac{5}{4}x+5} \\ \left(A+6+\frac{5}{4}\right)x+B-5 \end{array}$$

補足：次数が等しい整式同士であれば、割り算は可！ 分数関数で利用。
（重要）n 次式で割れば、必ず余りは $(n-1)$ 次式**以下**である！

演 習 の 解 答

演習 11

(1) $2^3 = 2 \times 2 \times 2 = 8$ (2) $-3^2 = -1 \times 3 \times 3 = -9$

(3) $-(-2)^2 = -(-2) \times (-2) = -4$ (4) $-\left(-\dfrac{2^2}{5}\right) = -\left(-\dfrac{4}{5}\right) = \dfrac{4}{5}$

演習 12

問1 (1) $a \times a \times 5 + b \times (-2) \times c = 5a^2 - 2bc$

(2) $x \div 3 - 1 \div y \times z = x \times \dfrac{1}{3} - 1 \times \dfrac{1}{y} \times z = \dfrac{1}{3}x - \dfrac{z}{y}$ （または：$\dfrac{x}{3} - \dfrac{z}{y}$）

問2 (1) $\dfrac{abc}{8} = a \times b \times c \times \dfrac{1}{8} = a \times b \times c \div 8$

(2) $\dfrac{2x-y}{7z} = (2x-y) \times \dfrac{1}{7z} = (2x-y) \times \dfrac{1}{7} \times \dfrac{1}{z} = (2 \times x - y) \div 7 \div z$

(3) $\dfrac{4p}{3(q+r)} = 4p \times \dfrac{1}{3(q+r)} = 4p \times \dfrac{1}{3} \times \dfrac{1}{q+r} = 4 \times p \div 3 \div (q+r)$

演習 13

(1) $x - \dfrac{x-2}{4} = \dfrac{4x}{4} - \dfrac{(x-2)}{4} = \dfrac{4x-(x-2)}{4} = \dfrac{4x-x+2}{4} = \dfrac{3x+2}{4}$

(2) $\dfrac{2x-1}{3} - \dfrac{3-x}{2} = \dfrac{2(2x-1)}{6} - \dfrac{3(3-x)}{6} = \dfrac{2(2x-1)-3(3-x)}{6} = \dfrac{4x-2-9+3x}{6} = \dfrac{7x-11}{6}$

(3) $0.2x - y - \dfrac{-x+y}{5} = \dfrac{2}{10}x - y - \dfrac{(-x+y)}{5} = \dfrac{1}{5}x - \dfrac{5}{5}y - \dfrac{(-x+y)}{5} = \dfrac{x-5y-(-x+y)}{5}$

$= \dfrac{x-5y+x-y}{5} = \dfrac{2x-6y}{5}$

演習 14 (2)(3) → 分子に文字を乗せてもOK！

(1) 3次、係数：$-\dfrac{1}{7}$ (2) 2次、係数：$-\dfrac{1}{7}b$ (3) 1次、係数：$-\dfrac{1}{7}a^2$

演習 15

(1) 項：$-2xy^2$、9、$-5xy$、$2y^2x$、$7yz$ ←（＋：プラスの符号は省く）

(2) 同類項を計算「$-5xy + 7yz + 9$」より、2次（注：$-2xy^2 + 2y^2x = 0$）

演習 16

(1) $3x^2 + (9-2y)x + 7y^3 - 4y - 8$

(2) 2次式、x^2の係数：3、xの係数：$(9-2y)$、定数項：$7y^3 - 4y - 8$

(3) $-8 - 4y + 7y^3 + (9-2y)x + 3x^2$ (4) $7y^3 - 2(x+2)y + 3x^2 + 9x - 8$

(5) 3次式、y^3の係数：7、yの係数：$-2(x+2)$、定数項：$3x^2 + 9x - 8$

(6) $-8 + 9x + 3x^2 - 2(x+2)y + 7y^3$

演習 17 公式の利用ゆえ、展開の途中は省き答えだけです。ガンバ！

(1) x^2+6x+9 (2) $a^2-4ab+4b^2$ (3) x^2+x-42 (4) $a^2+5ab-6b^2$

(5) x^2-81 (6) x^2-5 (7) $a^2+4b^2+c^2+4ab+4bc+2ca$

(8) $9x^2+y^2+4z^2-6xy-4yz+12zx$

演習 18 公式の利用ゆえ、展開の途中は省き答えだけです。

(1) $a^3+9a^2+27a+27$ (2) $x^3-6x^2y+12xy^2-8y^3$ (3) x^3+125

(4) $8a^3-64$ (5) $x^3+6x^2-19x-84$

演習 19 間違えやすいモノだけ過程を示します。

(1) $7(2x-5)$ (2) $xy(x^2+y^2)$

(3) $p(x-y)+q(y-x)=p(x-y)\underline{-q(x-y)}=(p-q)(x-y)$ ← 共通因数を作る

(4) $ab-b+a-1=b(a-1)+(a-1)=(a-1)(b+1)$ ← bについて着目

演習 20 間違えやすいモノだけ過程を示します。

(1) $(x-8)^2$ (2) $(x-4)(x+1)$ (3) $(x+7)(x-7)$ (4) $(x+1)(x+9)$

(5) $x^4-16=(x^2+4)\underline{(x^2-4)}=(x^2+4)\underline{(x+2)(x-2)}$ ←「とことん・トン！」ですね！

(6) $3x^2+18x+27=3\underline{(x^2+6x+9)}=3\underline{(x+3)^2}$ ← 最初は共通因数でククル！

演習 21

(1) $(x+1)^3$ (2) $(x-5)^3$ (3) $(2a+3b)(4a^2-6ab+9b^2)$

(4) $(xy-2)(x^2y^2+2xy+4)$ (5) $x^3y-xy^3=xy\underline{(x^2-y^2)}=xy\underline{(x+y)(x-y)}$

(6) $(a-1)(a-b)$ (7) $3a^3-81=3\underline{(a^3-27)}=3\underline{(a-3)(a^2+3a+9)}$

(8) $x-1=t$とおく。

　　（与式）$=t^2+4t-5=(t+5)(t-1)=\underline{(x-1+5)}\underline{(x-1-1)}=(x+4)(x-2)$

演習 22

(1) $2x^2-5x-3=(2x+1)(x-3)$

$$\begin{array}{c} 2 \searrow \nearrow 1 = 1 \\ 1 \nearrow \searrow -3 = \underline{+)-6} \\ -5 \end{array}$$

(2) $6x^2-7x-3=(2x-3)(3x+1)$

$$\begin{array}{c} 2 \searrow \nearrow -3 = -9 \\ 3 \nearrow \searrow 1 = \underline{+)2} \\ -7 \end{array}$$

(3) $ax^2-(a+3)x+3=(ax-3)(x-1)$

$$\begin{array}{c} a \searrow \nearrow -3 = -3 \\ 1 \nearrow \searrow -1 = \underline{+)-a} \\ -(a+3) \end{array}$$

(4) $2a^2+ab-6b^2=(2a-3b)(a+2b)$

$$\begin{array}{c} 2 \searrow \nearrow -3b = -3b \\ 1 \nearrow \searrow 2b = \underline{+)4b} \\ b \end{array}$$

演習 23

(1) $x^3 + 0x^2 - 13x + 12 = (x-1)\underline{(x^2+x-12)}$

$\qquad\qquad\qquad\qquad\quad = (x-1)\underline{(x+4)(x-3)}$

(2) $2x^3 - 3x^2 - x + 1 = \left(x-\dfrac{1}{2}\right)\underline{(2x^2-2x-2)}$

$\qquad\qquad\qquad\qquad = 2\left(x-\dfrac{1}{2}\right)\underline{(x^2-x-1)}$

$\qquad\qquad\qquad\qquad = (2x-1)(x^2-x-1)$

1 ⌋	1	0	−13	12
+		1	1	−12
	1	1	−12	0

$\dfrac{1}{2}$ ⌋	2	−3	−1	1
+		1	−1	−1
	2	−2	−2	0

演習 24

(1) $\qquad x^2 + 3xy + xz + 2y^2 + 2yz$ ← z が 1 次ゆえ、z の 1 次式として整理

$\quad = (x+2y)z + \underline{x^2 + 3xy + 2y^2}$ ← 下線部分を因数分解

$\quad = (x+2y)z + (x+2y)(x+y)$ ← 共通因数：$(x+2y)$ でククル

$\quad = (x+2y)(x+y+z)$

(2) $\qquad a^3 + 3a^2 b - a - 3b$ ← b が 1 次ゆえ、b の 1 次式として整理

$\quad = \underline{(3a^2-3)}b + \underline{a^3-a}$ ← 下線部分を共通因数でククル

$\quad = 3(a^2-1)b + a(a^2-1)$ ← 共通因数：(a^2-1) でククル

$\quad = \underline{(a^2-1)}(a+3b)$ ← 下線部分を因数分解

$\quad = (a+1)(a-1)(a+3b)$

補足：剰余定理（余りの定理）

　　　整式 $f(x)$ を $x-a$ で割った余りは $f(a)$ となる。・・・（＊）

［証明］整式 $f(x)$ を $x-a$ で割り、商 $g(x)$、余り R とすると

$\qquad\qquad f(x) = (x-a)g(x) + R \quad \cdots ①$

①に $x=a$ を代入すると、$f(a) = (a-a)g(a) + R = R$

　　これより、（＊）は成り立つ。　　　おわり

例題　$f(x) = x^3 - x^2 + 2x - 1$ をつぎの各式で割った余りを求めてみますね。

$\qquad$ (1) $x-1$ $\qquad\qquad$ (2) $x+3$ $\qquad\qquad$ (3) $2x-1$

＜解法＞

$\qquad$ (1) $x=1$: $f(1)=1$ $\quad$ (2) $x=-3$: $f(-3)=-43$ $\quad$ (3) $x=\dfrac{1}{2}$: $f\left(\dfrac{1}{2}\right)=-\dfrac{1}{8}$

3章
方程式・不等式

未知数を求めるための、いろいろな方法をマスターしましょう！

未知数を求める方法（道具）！

▶方程式
- 1次方程式
- 連立方程式
- 2次方程式（解の公式）
- 3次方程式
- 解と係数の関係
- 絶対値の方程式

▶不等式
- 1次不等式
- 2次不等式
- 連立不等式
- 絶対値の不等式

不等式のポイント！

➡マイナスの積は「大小関係逆転！（ $>$ ⇔ $<$ ）」

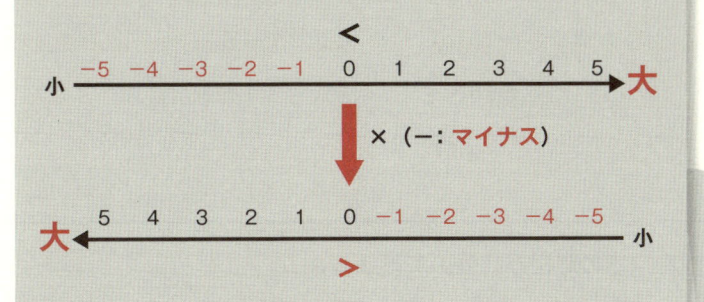

小 −5 −4 −3 −2 −1 0 1 2 3 4 5 大
$<$

× （−：マイナス）

大 5 4 3 2 1 0 −1 −2 −3 −4 −5 小
$>$

復習6

方程式を解く

高校数学の範囲までに解く方程式を以下の4コ！ 復習しましょう。

[Ⅰ] 1次方程式（1元1次方程式）
[Ⅱ] 連立方程式（2元1次方程式）
[Ⅲ] 2次方程式
[Ⅳ] 高次方程式

"元"とは文字を指します。
よって、
　Ⅰ：文字1コで次数が1次の方程式
　Ⅱ：文字2コで次数が1次の方程式
という意味です。

[Ⅰ] 1次方程式を解く

ここで大切なことは"移項"です。

・移項：符号を逆転させ、項を一方の辺へ移すこと。

等式の性質（$A=B$ において）
① $A+C=B+C$
② $A-C=B-C$
③ $A\times C=B\times C$
④ $A\div C=B\div C$
両辺に同じ数の和・差・積・商の計算をしても等号関係は不変！

あと、右の等式の性質を確認しておいてください。

この2点にだけ注意を払えば、あとは問題ありませんので！

例題：方程式 $3x+7=x-9$ を解いてみますね。

$3x+7=x-9$ 　　←「左辺：7、右辺：x」をそれぞれ移項
$3x-x=-9-7$ 　←両辺同類項の計算
$2x=-16$ 　　　←両辺2で割る！
$x=-16\times\dfrac{1}{2}$ 　←両辺 $\dfrac{1}{2}$ 倍する
$=-8$（答）

演習25　つぎの方程式を解いてみましょう。

(1) $6x-5=14x-3$　　(2) $0.1x+2=17-1.4x$　　(3) $\dfrac{x-1}{2}-\dfrac{4x+1}{3}=5$

ヒント：(2) 両辺10倍し小数点を消す。(3) 注意をして、両辺6倍し分母を払う。

[Ⅱ] 連立方程式を解く

ここでは、解法が2通り！ "加減法" と "代入法" です。

中学の復習ですから、直接問題を通して思い出していただきましょう。

例題：つぎの連立方程式 $\begin{cases} 2x-y=5 & \cdots ① \\ 5x-3y=13 & \cdots ② \end{cases}$ を解いてみますね。

<解法>

加減法

・消したい文字の係数をそろえる

$①×3-②$：y を消す！

$$\begin{array}{r} 6x-3y=15 \\ -)\ 5x-3y=13 \\ \hline x=2 \cdots ③ \end{array}$$

①に③を代入

$2×2-y=5$

$4-y=5$

$-y=5-4$

$y=-1$

よって、

$x=2$、$y=-1$（答）

代入法

・消したい文字を他の文字で表す

①より、$y=2x-5 \cdots ①'$

①' を②に代入

$5x-3(2x-5)=13$

$5x-6x+15=13$

$-x=13-15$

$x=2 \cdots ③$

①' に③を代入

$y=2×2-5$

$=-1$

よって、

$x=2$、$y=-1$（答）

演習26 つぎの連立方程式を解いてみましょう。

(1) 代入法で！

$\begin{cases} y=2x-4 & \cdots ① \\ 5x-2y=11 & \cdots ② \end{cases}$

(2) 加減法で！

$\begin{cases} 2x-5y=-10 & \cdots ① \\ 3x-4y=6 & \cdots ② \end{cases}$

(3)

$\begin{cases} 0.4x+0.3y=1.1 & \cdots ① \\ 0.3x-0.7y=-0.1 & \cdots ② \end{cases}$

(4)

$\begin{cases} 2x-\dfrac{1}{2}y=-2 & \cdots ① \\ \dfrac{3}{2}x-\dfrac{5}{3}y=14 & \cdots ② \end{cases}$

[Ⅲ] 2次方程式を解く（解の公式）

ここでの解法の基本はコレ！⇒「(左辺：因数分解)＝0」
でも、解法を場合分けすると以下の4通り！

> ①：平方根の利用
> ②：因数分解の利用
> ③：平方完成の利用
> ④：解の公式の利用 ⇒ 判別式

特に③の平方完成の利用は④を導く道具となり、また、2次関数にもつながる大変重要な知識なんです。　　　　へぇ～、そうなんだ！？

では、①～④まで順番に復習していきましょう！

---

①：平方根の利用

コレは「ある数 $A(>0)$ の平方根は必ず "$\pm\sqrt{A}$" である」を思い出してもらえれば簡単！

例題：つぎの方程式を解いてみますね！

(1) $x^2=4$　　　　　　　　　(2) $(x-1)^2=5$
⇔「4の平方根はなんですか？」　⇔「(カッコ) は1文字と見る！」

＜解法＞
(1) $x^2=4$ ←4の平方根は？　　(2) $(x-1)^2=5$ ←5の平方根は？
　　$x=\pm\sqrt{4}$　　　　　　　　$x-1=\pm\sqrt{5}$
　　　$=\pm 2$（答）　　　　　　　$x=1\pm\sqrt{5}$（答）

ここでの注意は「±を付ける！」と「出すものは出す！」ですね。

演習27 つぎの方程式を解いてみましょう。

(1) $x^2=8$　　(2) $2x^2-64=0$　　(3) $(x+3)^2=24$

②：因数分解の利用

方針は「（左辺）＝0」とし、左辺を因数分解します。

> 左辺を因数分解（積の形）することで
>
> 「$A \times B = 0$ より、$A = 0$ または $B = 0$」
>
> ⇒　$\underset{\underset{0}{\parallel}}{(x+1)}\underset{\underset{0}{\parallel}}{(x-5)} = 0$ 　→　$x = -1$、5（答）

例題：つぎの方程式を解いてみますね！

(1) $x^2 - 3x = 0$ 　　　　　(2) $x^2 - 5x = -6$

<解法>

(1) $x^2 - 3x = 0$ 　←　共通因数：x
　　$x(x-3) = 0$
　　　$x = 0$、3（答）

(2) $x^2 - 5x = -6$ 　←　左辺＝0
　　$x^2 - 5x + 6 = 0$
　　$(x-2)(x-3) = 0$
　　　$x = 2$、3（答）

この辺りは大丈夫(?)だと思いますので、早速、理解度チェックへ！

演習 28 つぎの方程式を解いてみましょう。

(1) $x^2 + 9x = 0$ 　　　　　(2) $x^2 - x - 6 = 0$

(3) $5x = x^2 + 6$ 　　　　　(4) $x^2 + x = 18 - 2x$

---

③：平方完成の利用

　思うに、平方完成を利用して 2 次方程式を解くことは通常ないと言ってよいでしょう。ただ、この平方完成は大変重要でして、コレを利用することで「**解の公式が導け**」、また「**2 次関数でグラフの頂点を求める**」ことができるんです。では、早速「**平方完成の流れ**」を復習しましょう！

＊平方完成の流れ！

> 平方完成とは
> $$ax^2 \pm bx + c = a(x \pm p)^2 + q$$
> 上記の左辺の2次式を右辺のように(カッコ)²の形に変形すること！

そこで、まずは具体的に平方完成をお見せしますね。

① x^2の係数が1の場合

$$x^2 + 2x - 3 = (x+1)^2 - 1^2 - 3$$
$$= (x+1)^2 - 4$$

> 左辺の定数項－3は無視！
> xの係数に$\frac{1}{2}$をかけた値1をカッコの中に入れ、2乗。そして、その1の2乗を引き、定数項はそのまま！

② x^2の係数が1でない場合

$$2x^2 - x + 1 = 2\left(x^2 - \frac{1}{2}x\right) + 1$$
$$= 2\left\{\left(x - \frac{1}{4}\right)^2 - \left(-\frac{1}{4}\right)^2\right\} + 1$$
$$= 2\left(x - \frac{1}{4}\right)^2 - 2\left(-\frac{1}{4}\right)^2 + 1$$
$$= 2\left(x - \frac{1}{4}\right)^2 - 2 \times \frac{1}{16} + 1$$
$$= 2\left(x - \frac{1}{4}\right)^2 + \frac{7}{8}$$

> 平方完成の基本は、x^2の係数が1である！
> そこで、まずxの項までx^2の係数2でククル。
> そして、(カッコ)の中を①と同様に平方完成する。
> （以下2行目の説明）
> xの係数に$\frac{1}{2}$をかけた値$-\frac{1}{4}$をカッコの中に入れ、2乗。そして、その$\left(-\frac{1}{4}\right)$の2乗を引き、定数項＋1はそのまま！
> ここでの注意点！
> 必ず{中カッコ}で平方完成した部分を閉じてください！

再度確認！ 大切な点は「x^2の係数は1」と「定数項は無視」この2点だけは忘れないでくださいね！ 平方完成後は、演27（3）と同じです。

演習29 平方完成を利用し、つぎの方程式を解いてみましょう。

（1） $x^2 - 8x + 8 = 0$ 　　　（2） $\frac{1}{3}x^2 + x - 1 = 0$

④：解の公式の利用

> 解の公式 [ⅰ] 　2次方程式：$ax^2+bx+c=0$ において、
>
> $$x=\frac{-b\pm\sqrt{b^2-4ac}}{2a}$$

では、この解の公式を導いてみましょう！

$ax^2+bx+c=0$ 　⑦

$ax^2+bx=-c$ 　④

$a\left(x^2+\dfrac{b}{a}x\right)=-c$ 　⑨

$a\left\{\left(x+\dfrac{b}{2a}\right)^2-\left(\dfrac{b}{2a}\right)^2\right\}=-c$ 　①

$a\left(x+\dfrac{b}{2a}\right)^2-a\left(\dfrac{b}{2a}\right)^2=-c$

$a\left(x+\dfrac{b}{2a}\right)^2-a\times\dfrac{b^2}{4a^2}=-c$

$a\left(x+\dfrac{b}{2a}\right)^2-\dfrac{b^2}{4a}=-c$ 　②

$a\left(x+\dfrac{b}{2a}\right)^2=-c+\dfrac{b^2}{4a}$

$=-\dfrac{4ac}{4a}+\dfrac{b^2}{4a}$

$=\dfrac{b^2-4ac}{4a}$ 　⑰

$\left(x+\dfrac{b}{2a}\right)^2=\dfrac{b^2-4ac}{4a}\times\dfrac{1}{a}$

$\left(x+\dfrac{b}{2a}\right)^2=\dfrac{b^2-4ac}{4a^2}$ 　⊕

$x+\dfrac{b}{2a}=\pm\sqrt{\dfrac{b^2-4ac}{4a^2}}$ 　⑦

$=\pm\dfrac{\sqrt{b^2-4ac}}{2a}$ 　⑦

$x=-\dfrac{b}{2a}\pm\dfrac{\sqrt{b^2-4ac}}{2a}$

$=\dfrac{-b\pm\sqrt{b^2-4ac}}{2a}$ 　⊖

⑦定数項を右辺へ移項　　④x^2の係数aで左辺をククル　　⑨（左辺を平方完成）

①{中カッコ}をはずす　　⑦$-\dfrac{b^2}{4a}$を右辺へ移項　　⑦両辺に$\dfrac{1}{a}$をかける

⊕左辺の平方根を求める　　⑦$\sqrt{}$から分母を出す　　⑦$\dfrac{b}{2a}$を右辺へ移項

⊖完成　　→ できれば自ら公式が導けるようにしましょう！

3章 方程式・不等式

では、"解の公式"を利用した解法をお見せします。

例題：つぎの方程式を解いてみますね！

(1) $x^2-x-1=0$　　　(2) $\dfrac{2}{3}x^2+2x-1=0$

<解法>

(1) $a=1$、$b=-1$、$c=-1$

解の公式に代入

解の公式
$$x=\dfrac{-b\pm\sqrt{b^2-4ac}}{2a}$$

$x=\dfrac{-(-1)\pm\sqrt{(-1)^2-4\times1\times(-1)}}{2\times1}$

$=\dfrac{1\pm\sqrt{1+4}}{2}=\dfrac{1\pm\sqrt{5}}{2}$　（答）

← 分子の$-b$に「$b=-1$」を代入するとき、代入する数値に「マイナス：$-$」が付いているから、1だけを代入すれば良いと"勘違い"してしまう方が案外多いので、注意してくださいね！

(2) $a=\dfrac{2}{3}$、$b=2$、$c=-1$　← この代入には注意を！！

たまぁ～に、この値を素直に代入する解答を目にします。
しかし、おすすめしません！涙

$x=\dfrac{-2\pm\sqrt{2^2-4\times\dfrac{2}{3}\times(-1)}}{2\times\dfrac{2}{3}}$

$=\dfrac{-2\pm\sqrt{4+\dfrac{8}{3}}}{\dfrac{4}{3}}=$……気分悪い

もぉ～、やりたくないぶぅ～・・・涙
そこで右側を見てください！

(2)の両辺を3倍し分母を払う！

$2x^2+6x-3=0$
　$a=2$、$b=6$、$c=-3$ を代入

$x=\dfrac{-6\pm\sqrt{6^2-4\times2\times(-3)}}{2\times2}$

$=\dfrac{-6\pm\sqrt{36+24}}{4}$

$=\dfrac{-6\pm\sqrt{60}}{4}$

　　　　　　2での約分だよ！
$=\dfrac{-6\pm2\sqrt{15}}{4}=\dfrac{-3\pm\sqrt{15}}{2}$　（答）

演習30 解の公式を利用し、つぎの方程式を解いてみましょう。

(1) $x^2-\sqrt{2}x-1=0$　　　(2) $\dfrac{1}{2}x^2+x-3=0$

解の公式 [ⅱ] 2次方程式:$ax^2+2b'x+c=0$ において、

$$x=\frac{-b'\pm\sqrt{b'^2-ac}}{a}$$

エッ!？ 突然！ナニ……汗

では、これも導いておきましょう。

$ax^2+2b'x+c=0$ において、解の公式 [ⅰ] より

$$x=\frac{-2b'\pm\sqrt{(2b')^2-4ac}}{2a}=\frac{-2b'\pm\sqrt{4b'^2-4ac}}{2a}=\frac{-2b'\pm\sqrt{4(b'^2-ac)}}{2a}$$

$$=\frac{-2b'\pm 2\sqrt{b'^2-ac}}{2a}=\frac{-b'\pm\sqrt{b'^2-ac}}{a} \quad（完成！）$$

ポイントは、「x の係数が**偶数**である！」

例題:$3x^2-14x+2=0$ を公式 [ⅰ] [ⅱ] の両方で解いてみます。

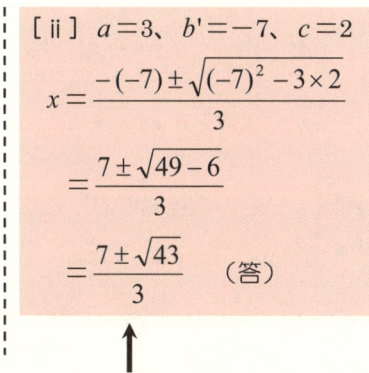

[ⅰ] $a=3$、$b=-14$、$c=2$

$$x=\frac{-(-14)\pm\sqrt{(-14)^2-4\times 3\times 2}}{2\times 3}$$

$$=\frac{14\pm\sqrt{196-24}}{6}$$

$$=\frac{14\pm\sqrt{172}}{6}$$

$$=\frac{14\pm 2\sqrt{43}}{6}$$

$$=\frac{7\pm\sqrt{43}}{3} \quad（答）$$

見ただけでルートの中の計算が面倒であることがわかりますよね！

[ⅱ] $a=3$、$b'=-7$、$c=2$

$$x=\frac{-(-7)\pm\sqrt{(-7)^2-3\times 2}}{3}$$

$$=\frac{7\pm\sqrt{49-6}}{3}$$

$$=\frac{7\pm\sqrt{43}}{3} \quad（答）$$

両方の解法を見たら一目瞭然でしょ！
よって、x の係数が偶数のときは、$b=2\times b'$ から b' を求め、公式 [ⅱ] を利用することをおすすめします！

演習31 公式 [ⅱ] を利用し、つぎの方程式を解いてみましょう。

(1) $x^2-12x+4=0$ (2) $2x^2-4x-7=0$

＊判別式：実数解を持つか否かを判別する！

　実は、方程式だからといって必ず実数解を持つとは限らないんです。そこで、目の前の2次方程式が実数解を持つか否かを判別する式があるんですよ。名称：判別式（一般的に D と表す）！　　そのままジャン！

> 2次方程式 $ax^2+bx+c=0$ において、判別式を D とすると
> $$D=b^2-4ac$$
> $D>0$ ： 異なる2つの実数解をもつ。　⇒　2個
> $D=0$ ： 重解をもつ。（見た目は1つ）　⇒　1個
> $D<0$ ： 解なし。（虚数解をもつ）　⇒　0個

理由：解の公式の（分子）$\sqrt{b^2-4ac}$ に着目！

$b^2-4ac>0 \Leftrightarrow x=\dfrac{-b-\sqrt{b^2-4ac}}{2a}$ 、 $\dfrac{-b+\sqrt{b^2-4ac}}{2a}$ 　　2個

$b^2-4ac=0 \Leftrightarrow x=\dfrac{-b\pm\sqrt{0}}{2a}=\dfrac{-b}{2a}$ 　　1個

$b^2-4ac<0 \Leftrightarrow x=\dfrac{-b\pm\sqrt{マイナス(-)}}{2a}$ ← 虚数解　　0個

例題　つぎの方程式における解の個数を調べてみますね。

　(1) $2x^2-3x+1=0$ 　　　(2) $x^2-5x+7=0$

＜解法＞　判別式を D とする。　　注意：判別式を使うとき、必ず答案には「判別式を D とする」と書いてください！

　(1) $D=(-3)^2-4\times2\times1=9-8=1>0$ 　　2個

　(2) $D=(-5)^2-4\times1\times7=25-28=-3<0$ 　　0個

演習32　つぎの方程式の解の個数を調べてみましょう。

　(1) $x^2-3x+4=0$ 　　　(2) $2x^2+5x+3=0$

　(3) $3x^2-6x+3=0$

[Ⅳ] 高次方程式を解く（1の3乗根含む）

　ここでいう高次とは 3・4 次方程式を考えています。よって、「3 次の乗法の展開公式を覚えていますか？」「因数定理をマスターしていますか？」の 2 点の確認および、「1 の 3 乗根」について復習したいと思います。

① 「乗法の展開公式」および「因数定理」

・$a^3+3a^2b+3ab^2+b^3=(a+b)^3$ ・$a^3-3a^2b+3ab^2-b^3=(a-b)^3$
↑ $(a±b)^3$ への因数分解は無理せず「組み立て除法」でOK！3乗は展開を重視！
・$a^3+b^3=(a+b)(a^2-ab+b^2)$ ・$a^3-b^3=(a-b)(a^2+ab+b^2)$

例題：つぎの方程式を解いてみますね。

(1) $8x^3+12x^2+6x+1=0$　　(2) $x^3-27=0$

(3) $x^3-2x^2-5x+6=0$

<解法>

(1) $8x^3+12x^2+6x+1=0$
　　$(2x+1)^3=0$
　　$\therefore x=-\dfrac{1}{2}$

(2) $x^3-27=0$
　　$(x-3)(x^2+3x+9)=0$
　　$\therefore x=3$

判別式：$D=3^2-4×1×9=-27<0$ より、解は 3 だけとなる。

(3) $x^3-2x^2-5x+6=0$
　　$(x-1)(x^2-x-6)=0$　←
　　$(x-1)(x+2)(x-3)=0$
　　$\therefore x=-2、1、3$

組み立て除法

```
 1 | 1  -2  -5   6
   |     1  -1  -6
   ――――――――――――――――
     1  -1  -6   0
```

演習 33　つぎの方程式を解いてみましょう。

(1) $8x^3+1=0$　　(2) $x^3-6x^2+12x-8=0$

② 「1の3乗根」

「1の3乗根」とは、「ある数を3回かけて1になる数」のこと。すると、当然、"1"しかないと思いますよね？

しかし、それは実数の範囲の話で、数の世界を虚数（複素数）の範囲まで広げれば、"1"だけではないんですよ！

では、「1の3乗根」を求めてみます。

ふ〜ん！それでナニか意味あるの？
無視されてしまった！

例題 1の3乗根を求めてみますね。

〈解法〉 とにかく、「1の3乗根」を求める方程式を立ててみますよ。

$$x^3 = 1$$

アレマァ〜、なんとシンプルな……！

さて、早速この方程式を解きますぞ！

$$x^3 - 1 = 0 \quad \leftarrow 公式の利用で因数分解$$

$$(x-1)(x^2+x+1) = 0$$

$$\therefore \ x = 1 \quad \leftarrow 実数の範囲における解$$

また、$x^2 + x + 1 = 0$ より

$$x = \frac{-1 \pm \sqrt{1^2 - 4 \times 1 \times 1}}{2} \quad \leftarrow 解の公式$$

$$= \frac{-1 \pm \sqrt{-3}}{2} \quad \leftarrow i^2 = -1 より$$

$$= \frac{-1 \pm \sqrt{3}i}{2} \quad \leftarrow 虚数の範囲における解$$

よって、虚数（複素数）の範囲まで広げると「1の3乗根」は

$$1 \quad と \quad \frac{-1 \pm \sqrt{3}i}{2}$$

になる。

そこで、一般的にはこの虚数解のどちらか1つはω(オメガ)と表します。
では、

「1の3乗根」についてここまででわかったことをまとめてみますよ！

* 1の3乗根に関して（まとめ）

> ⅰ： 1の3乗根 ⇒ "1" "ω" そして "ω^2" の3つが存在！
>
> ⅱ： $\omega^3 = 1$
>
> ⅲ： $\omega^2 + \omega + 1 = 0$ ←「$x^2 + x + 1 = 0$」の解「$x = \omega$」より

ここで、たぶん（ⅰ）における "ω^2" が納得いかないかと……。

そこで、これを証明してみますね。

[証明]

まず、$\omega = \dfrac{-1-\sqrt{3}i}{2}$ とおくと、

$\omega^2 = \left(\dfrac{-1-\sqrt{3}i}{2}\right)^2 = \dfrac{(-1-\sqrt{3}i)^2}{4} = \dfrac{1+2\sqrt{3}i-3}{4} = \dfrac{-2+2\sqrt{3}i}{4} = \dfrac{-1+\sqrt{3}i}{2}$

つぎに、$\omega = \dfrac{-1+\sqrt{3}i}{2}$ とおくと、

$\omega^2 = \left(\dfrac{-1+\sqrt{3}i}{2}\right)^2 = \dfrac{(-1+\sqrt{3}i)^2}{4} = \dfrac{1-2\sqrt{3}i-3}{4} = \dfrac{-2-2\sqrt{3}i}{4} = \dfrac{-1-\sqrt{3}i}{2}$

このことから、ω^2 はもう一方の ω と等しくなる。

よって、ω^2 も1の3乗根となる。　　　　　　　　おわり

では、問題をひとつ！

例題：$\omega^6 + \omega^3 - 2$ の値を求めてみますね。（ω は1の3乗根の虚数解）

〈解法〉
$\omega^6 + \omega^3 - 2 = (\omega^3)^2 + \omega^3 - 2 = 1^2 + 1 - 2 = 0$

ここでは "式の値" に関しての演習になります。

演習34　つぎの式の値を求めてみましょう。（ω は1の3乗根の虚数解）

　　(1) $\omega^7 + \omega^5 - 1$ 　　　　　　　　(2) $-\omega^4 - \omega^2$

ヒント：「$\omega^2 + \omega + 1 = 0$」の利用です！

復習7 等式変形

高校数学の一番の特徴は、式の中に複数含まれている文字に関して「**どれが変数（文字として扱うモノ）でどれが数字扱いか？**」の区別なんです。そこで、その練習として **"等式変形"** がよいのでやってみましょう。

例題：つぎの式を [ ] の文字について解いてみますね。

(1) $v = v_0 + at$ [a]　　(2) $v = v_0\left(1 + \dfrac{1}{237}t\right)$ [t]

(3) $\dfrac{1}{a} + \dfrac{1}{b} = \dfrac{1}{f}$ [b]

＜解法＞

(1) $v = v_o + at$　　←（左辺）と（右辺）を入れ替える

$v_o + at = v$　　← v_o を（右辺）に移項

$at = v - v_o$　　← 両辺を t で割る

$a = \dfrac{v - v_0}{t}$　　←（答）

(2) $v = v_o\left(1 + \dfrac{1}{237}t\right)$　　←（左辺）と（右辺）を入れ替える

$v_o\left(1 + \dfrac{1}{237}t\right) = v$　　← 両辺を v_o で割る（**左辺を分配しない！**）

$1 + \dfrac{1}{237}t = \dfrac{v}{v_0}$　　← 1 を（右辺）に移項

$\dfrac{1}{237}t = \dfrac{v}{v_0} - 1$　　← 両辺を 237 倍して分母を払う

$t = 237\left(\dfrac{v}{v_0} - 1\right)$　　←（答）

(3) $\dfrac{1}{a} + \dfrac{1}{b} = \dfrac{1}{f}$ ← $\dfrac{1}{a}$ を（右辺）へ移項

$\dfrac{1}{b} = \dfrac{1}{f} - \dfrac{1}{a}$ ← （右辺）の分母を $a\,f$ に通分

$= \dfrac{a}{af} - \dfrac{f}{af}$ ← 分子同士の計算

$= \dfrac{a-f}{af}$ ← 両辺の分母と分子を同時に入れ替える
（逆数をとる）

$\dfrac{b}{1} = \dfrac{af}{a-f}$ ← （左辺）の分母の 1 を省く

$b = \dfrac{af}{a-f}$ ← （答）

「文字も数字の感覚で扱う！」

これはこの本の主題のヒトツです！ シッカリと何度もマネをし、納得してくださいね。

演習 35 つぎの式を [ ] の文字について解いてみましょう。

(1) $f = \dfrac{m}{2\ell} v$ 　　[ℓ]　　　(2) $R = \dfrac{r}{n-1}$ 　　[n]

(3) $\dfrac{Q_1}{C_1} + \dfrac{Q_2}{C_2} = E$ 　　[C_2]　　　(4) $ev_0 = \dfrac{1}{2}mv^2$ 　　[$v > 0$]

復習 8

解と係数の関係

この "解と係数の関係" は "2次および3次方程式" 両方にあるんですね！

[Ⅰ] 2次方程式における "解と係数の関係"

> 2次方程式 $ax^2+bx+c=0$ において、この2解を α、β とすると
>
> $\cdot \alpha + \beta = -\dfrac{b}{a}$ $\cdot \alpha\beta = \dfrac{c}{a}$
>
> の関係が成立する。
>
> α：アルファ、β：ベータ

[証明]

2次方程式 $ax^2+bx+c=0$ とおき、解の公式より

$\alpha = \dfrac{-b-\sqrt{b^2-4ac}}{2a}$、 $\beta = \dfrac{-b+\sqrt{b^2-4ac}}{2a}$、 $D = b^2-4ac$ とおくと、

$\cdot \alpha + \beta = \dfrac{-b-\sqrt{D}}{2a} + \dfrac{-b+\sqrt{D}}{2a} = \dfrac{-b-\sqrt{D}-b+\sqrt{D}}{2a} = \dfrac{-2b}{2a} = -\dfrac{b}{a}$

「和と差の積」の展開
↓
$\cdot \alpha\beta = \dfrac{-b-\sqrt{D}}{2a} \times \dfrac{-b+\sqrt{D}}{2a} = \dfrac{(-b-\sqrt{D})(-b+\sqrt{D})}{2a \times 2a} = \dfrac{b^2-D}{4a^2}$

$= \dfrac{b^2-(b^2-4ac)}{4a^2} = \dfrac{b^2-b^2+4ac}{4a^2} = \dfrac{4ac}{4a^2} = \dfrac{c}{a}$ おわり

例題：$2x^2-6x+5=0$ の2解 α、β の和と積の値を求めてみますね。

＜解法＞ $a=2$、$b=-6$、$c=5$ より

和：$\alpha + \beta = -\dfrac{b}{a} = -\dfrac{-6}{2} = 3$、   積：$\alpha\beta = \dfrac{c}{a} = \dfrac{5}{2}$

↑このマイナス（－）に注意！

演習 36 つぎの 2 次方程式の 2 つの解の和と積を求めてみましょう。

(1) $x^2+7x-3=0$　　　　(2) $5x^2-2x-15=0$

さて、突然ですが"**対称式**"という言葉を聞いた記憶はありますか？

代表的（公式？）な対称式を 2 つ！

対称式 ⇒ 文字を入れ替えても式が変わらない式

① $x^2+y^2=(x+y)^2-2xy$　② $x^3+y^3=(x+y)^3-3xy(x+y)$

特に $[x+y、xy]$ の 2 つを**基本対称式**と呼ぶ！

「対称式であれば必ず**基本対称式**で表すことができる！」

では、①②を基本対称式で表してみます。

① $(x+y)^2=x^2+2xy+y^2$ より　　← 乗法の展開公式参照

　∴ $x^2+y^2=(x+y)^2-2xy$

② $x^3+y^3=(x+y)(x^2-xy+y^2)$
　　　　　$=(x+y)\{(x+y)^2-3xy\}$
　　　　　$=(x+y)^3-3xy(x+y)$

x^2-xy+y^2
$=(x^2+y^2)-xy$
$=(x+y)^2-2xy-xy$　∵①

例題：$x^2+x+1=0$ の 2 解を α、β としたとき、$\alpha^2+\beta^2$ と $\alpha^3+\beta^3$ の値を求めてみますね。

<**解法**> 解と係数の関係より、$\alpha+\beta=-\dfrac{1}{1}=-1$、$\alpha\beta=\dfrac{1}{1}=1$

・$\alpha^2+\beta^2=(\alpha+\beta)^2-2\alpha\beta=(-1)^2-2\times1=1-2=-1$

・$\alpha^3+\beta^3=(\alpha+\beta)^3-3\alpha\beta(\alpha+\beta)=(-1)^3-3\times1\times(-1)=-1+3=2$

演習 37 $3x^2-9x+1=0$ の 2 解を α、β としたとき、つぎの式の値を求めてみましょう。

(1) $\alpha^2+\alpha\beta+\beta^2$　　　　(2) $\alpha^3+\beta^3$

(3) $(\alpha-\beta)^2$　　　　(4) $\dfrac{1}{\alpha}+\dfrac{1}{\beta}$

[Ⅱ] 3次方程式における"解と係数の関係"

3次方程式 $ax^3+bx^2+cx+d=0$ において、このの3解を $α$、$β$、$γ$ とすると

・ $α+β+γ=-\dfrac{b}{a}$　　・ $αβ+βγ+γα=\dfrac{c}{a}$　　・ $αβγ=-\dfrac{d}{a}$

の関係が成立する。　　　　　　　　　　　　　$γ$：ガンマ

[証明]

3次方程式 $ax^3+bx^2+cx+d=0$ の3つの解を $α$、$β$、$γ$ とおくと、

$$ax^3+bx^2+cx+d = a(x-α)(x-β)(x-γ)$$

と表せる。そこで（右辺）を展開し整理すると

$$（右辺）= a\{x^3-(α+β+γ)x^2+(αβ+βγ+γα)x-αβγ\}$$
$$= ax^3-a(α+β+γ)x^2+a(αβ+βγ+γα)x-aαβγ$$

よって、両辺の係数比較より

$b=-a(α+β+γ)$　　∴ $α+β+γ=-\dfrac{b}{a}$

$c=a(αβ+βγ+γα)$　　∴ $αβ+βγ+γα=\dfrac{c}{a}$

$d=-aαβγ$　　∴ $αβγ=-\dfrac{d}{a}$

となる。

　　　　　　　　　　　　　　　　　　　　　　おわり

3次方程式の解と係数の関係は、覚えにくいので無理せずに！

例題：3次方程式 $x^3-x^2+x+2=0$ の3つの解 $α$、$β$、$γ$ に関して $α+β+γ$、$αβ+βγ+γα$、$αβγ$ の値を求めてみますね。

<解法> 解と係数の関係より、($a=1$、$b=-1$、$c=1$、$d=2$)

- $\alpha + \beta + \gamma = -\dfrac{b}{a} = -\dfrac{-1}{1} = 1$　　　　・$\alpha\beta + \beta\gamma + \gamma\alpha = \dfrac{c}{a} = \dfrac{1}{1} = 1$

　　　　　　↑このマイナス（－）に注意！

- $\alpha\beta\gamma = -\dfrac{d}{a} = -\dfrac{2}{1} = -2$

　　　　　↑このマイナス（－）に注意！

3次式においてもヤッパリ"対称式"はあるんですね！　　……無言

ここでも代表的（公式？）な対称式を2つ。

① $x^2 + y^2 + z^2 = (x+y+z)^2 - 2(xy+yz+zx)$

② $x^3 + y^3 + z^3 = (x+y+z)(x^2+y^2+z^2-xy-yz-zx) + 3xyz$

また、$[x+y+z、xy+yz+zx、xyz]$ の3つを**基本対称式**と呼ぶ！

では、①を基本対称式で表してみますね。

①$(x+y+z)^2 = x^2+y^2+z^2 + 2(xy+yz+zx)$ より　←乗法の展開公式参照

∴ $x^2+y^2+z^2 = (x+y+z)^2 - 2(xy+yz+zx)$

②に関しては頑張って覚えてください！　「スミマセン……汗」

演習38　$x^3 - 3x^2 + 6 = 0$ の3つの解 α、β、γ とし、つぎの式の値を求めてください。

(1) $\alpha + \beta + \gamma$　　　　(2) $\alpha\beta + \beta\gamma + \gamma\alpha$　　　　(3) $\alpha\beta\gamma$

(4) $\alpha^2 + \beta^2 + \gamma^2$　　　　(5) $\alpha^3 + \beta^3 + \gamma^3 - 3\alpha\beta\gamma$

ヒント：(5) は公式として覚えていないとツライですね！　上赤枠②参照

復習 9
不等式を解く

ここでお話しする項目は以下の 3 つ！

[Ⅰ] 1 次不等式
[Ⅱ] 2 次不等式
[Ⅲ] 連立不等式（1 次同士、1 次と 2 次、および 2 次同士）

解き方は"方程式"と同じなんですが、ヒトツだけ注意が必要。

> 両辺にマイナスの数をかけたり、割ったりしたとき、
> 　　　　　　　　　　　　不等号の向きが逆転する。

この点に関して、数直線で考えてみますね。数直線の矢印に着目！

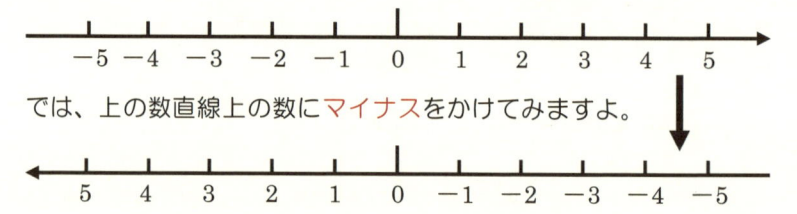

$$\longleftarrow -5\ -4\ -3\ -2\ -1\ \ 0\ \ 1\ \ 2\ \ 3\ \ 4\ \ 5 \longrightarrow$$

では、上の数直線上の数にマイナスをかけてみますよ。

$$\longleftarrow \ \ 5\ \ \ 4\ \ \ 3\ \ \ 2\ \ \ 1\ \ \ 0\ \ -1\ -2\ -3\ -4\ -5 \longrightarrow$$

「ホラッ！」数直線上の数の大小関係が逆転していますよね！　すると当然、矢印の向きも逆転！　よって、この大小関係の変化さえ気をつけてもらえれば、あとは方程式を解くのとマッタク同じなんです！

不等式の性質（$A > B$ において）

・和：$A + C > B + C$
・差：$A - C > B - C$

＊ $C > 0$ ならば不等号不変　　　　＊ $C < 0$ ならば不等号逆転

・積：$A \times C > B \times C$　　　　　　・積：$A \times C < B \times C$
・商：$A \div C > B \div C$　　　　　　・商：$A \div C < B \div C$

[Ⅰ] 1次不等式

ここは具体的に問題を通して解説させてください。

例題：つぎの不等式を解いてみますね。

(1) $x+7>3$　　　　　　　　(2) $-2x \geqq 12$

(3) $9x-6 \leqq 4x-21$　　　(4) $\dfrac{1}{6}x+5 < \dfrac{x}{3}+\dfrac{4}{3}$

<解説>

(1) $x+7>3$　　←+7を移項
　　$x>3-7$
　　$\underline{x>-4}$

(2) $-2x \geqq 12$　　←両辺を-2で割る
　　$x \leqq 12 \times \left(-\dfrac{1}{2}\right)$　←不等号逆転
　　$\underline{x \leqq -6}$

(3) $9x-6 \leqq 4x-21$　　←（左辺）に文字、（右辺）に数字：定数項
　　$9x-4x \leqq -21+6$
　　$5x \leqq -15$　　←両辺を5で割る（不等号不変）
　　$x \leqq -15 \times \dfrac{1}{5}$
　　$\underline{x \leqq -3}$

(4) $\dfrac{1}{6}x+5 < \dfrac{x}{3}+\dfrac{4}{3}$　　←両辺を6倍して分母を払う（不等号不変）
　　$x+30 < 2x+8$　　←（左辺）に文字、（右辺）に数字：定数項
　　$x-2x < 8-30$
　　$-x < -22$　　←両辺に-1をかける（不等号逆転）
　　$\underline{x > 22}$

マイナスの積による不等号の向きの変化を除けば、方程式と解法が同じことを理解していただけましたか？　　なんだか懐かしい想いが……

演習39 つぎの不等式を解いてみましょう。

(1) $7x-5 \leqq 3-2(x+1)$　　(2) $0.5-0.4x > 1.2x-0.3$

[Ⅱ] 2次不等式（おまじない）

この2次不等式は"おまじない"で一発解決なんですよ！ 知らんぶぅ〜！
まず、下枠内が一般的な2次不等式の解法の流れ。軽〜く読み流してOK！

$$ax^2+bx+c \geqq 0 \ (a>0) \leftarrow （左辺）を因数分解$$
$$a(x-\alpha)(x-\beta) \geqq 0 \quad \leftarrow \alpha（大きい）>\beta（小さい）$$
ここで$(x-\alpha)$と$(x-\beta)$の積が「正または0」より
「$(x-\alpha) \geqq 0$ かつ $(x-\beta) \geqq 0$ または $(x-\alpha) \leqq 0$ かつ $(x-\beta) \leqq 0$」
よって、　$x \leqq \beta$、　$\alpha \leqq x$　・・・（答）

という流れで解いていくわけですが、実は「**解と不等号の間に規則性がある**」んです。そこで、それを"**おまじない**"という言葉で表現！

"**おまじない甲**" ⇒ [＞0 または ≧0]

・$(x-\alpha)(x-\beta) \geqq 0$　　α（大きい）＞β（小さい）とき、

　　　$x \leqq \beta$（小さい）、　α（大きい）$\leqq x$　・・・（答）

「**（大きい）モノより大きく、（小さい）モノより小さい**」

例題：$2x^2+4x-6>0$　←　共通因数：2で両辺を割る

　　　$x^2+2x-3>0$　←　（左辺）を因数分解

　　　$(x-1)(x+3)>0$　←　（左辺）＝0と考え、$x=-3, 1$ ・・・（＊）

　$x<-3$、　$1<x$ ・・・（答）

```
      ＋   │   －   │   ＋
─────┼─────┼───── x
 （ⅰ） －3 （ⅱ） 1 （ⅲ）
```

$x=-3$と1の前後における左辺の符号の変化を調べる。
上図のⅰ、ⅱ、ⅲの範囲から**適当な数**をxに代入し、符号だけを調べる。
 (ⅰ) $x=-4$のとき、$(-4-1)(-4+3) \to (-) \times (-) = +>0$
 (ⅱ) $x=0$のとき、$(0-1)(0+3) \to (-) \times (+) = -<0$
 (ⅲ) $x=2$のとき、$(2-1)(2+3) \to (+) \times (+) = +>0$

ここで（＊）を意識すると、「-3（小さい）＜1（大きい）」。よって、
解xは「1（大きいモノ）より大きく、-3（小さいモノ）より小さい」
となり、"**おまじない甲**"通りになっているでしょ！

"おまじない乙" ⇒ [＜0 または ≦0]

・$(x-\alpha)(x-\beta) \leq 0$　　α（大きい）＞β（小さい）とき、

β（小さい）$\leq x \leq \alpha$（大きい）・・・（答）

「（小さい）モノと（大きい）モノの間」

例題：　$3x^2-12x+9<0$　←　共通因数：3で両辺を割る

　　　　$x^2-4x+3<0$　←　（左辺）を因数分解

　　　　$(x-1)(x-3)<0$　←　（左辺）＝0と考え、$x=1$、3・・・（＊＊）

　　　　$1<x<3$　・・・（答）　　　　＋　　｜　　－　　｜　　＋
　　　　　　　　　　　　　　　　　　　（ⅰ）　1　（ⅱ）　3　（ⅲ）　x

$x=1$と3の前後における左辺の符号の変化を調べる。

上図のⅰ、ⅱ、ⅲの範囲から適当な数をxに代入し、符号だけを調べる。

（ⅰ）$x=0$のとき、$(0-2)(0-3)$ → $(-) \times (-) = + > 0$

（ⅱ）$x=2$のとき、$(2-1)(2-3)$ → $(+) \times (-) = - < 0$

（ⅲ）$x=5$のとき、$(5-1)(5-3)$ → $(+) \times (+) = + > 0$

ここで（＊＊）を意識すると、「1（小さい）＜3（大きい）」。よって、

解xは「1（小さいモノ）と3（大きいモノ）の間」

となり、"おまじない乙"通りになっているでしょ！

あと、念のために注意点を2つ！

ⅰ：必ず「x^2の係数は（＋）」

「$-2x^2+x-1>0$」ー（両辺-1で割る）→「$2x^2-x+1<0$」

ⅱ：左辺が因数分解できない場合は、（左辺）＝0で解の公式を利用し、
　　あとは、"おまじない"で解決！

演習40　つぎの不等式を解いてみましょう。

　（1）$-3x^2+6x+24<0$　　　　（2）$x^2-3x+1 \leq 0$

[Ⅲ] 連立不等式

連立不等式は、1次同士、1次と2次、そして、2次同士の3つ！
しかし、ポイントは、たったヒトツ！

「それぞれが取れる範囲を数直線上に示し、共通部分を不等式で表す」

ⅰ：1次の連立不等式

例題：つぎの連立不等式を解いてみますね。

$$\begin{cases} x+1 > -4 & \cdots ① \\ 3x+1 \leqq 2x+3 & \cdots ② \end{cases}$$

<解法>

①より、$x+1 > -4$ ②より、$3x+1 \leqq 2x+3$
　　　　$x > -4-1$　　　　　　　　　$3x-2x \leqq 3-1$
　　　　$x > -5 \cdots ③$　　　　　　　$x \leqq 2 \cdots ④$

よって、数直線上に③④を示すと

となり、共通部分が求めたい解ゆえ

$$-5 < x \leqq 2 \cdots (答)$$

ⅱ：1次と2次の連立不等式

例題：つぎの連立不等式を解いてみますね。

$$\begin{cases} 2x-3 \geqq -5 & \cdots ① \\ x^2+x-6 < 0 & \cdots ② \end{cases}$$

<解法>

①より、$2x-3 \geqq -5$　　　　　②より、$x^2+x-6 < 0$
　　　　$2x \geqq -5+3$　　　　　　　　$(x-2)(x+3) < 0$
　　　　$2x \geqq -2$　　　　　　　　　　$-3 < x < 2 \cdots ④$
　　　　$x \geqq -1 \cdots ③$

よって、数直線上に③④を示すと

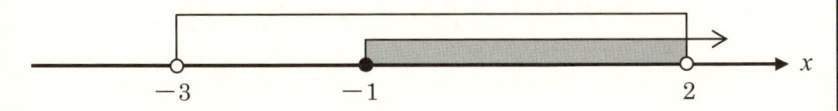

$$-3 \quad -1 \quad 2 \quad x$$

となり、共通部分が求めたい解ゆえ

$$-1 \leq x < 2 \quad \cdots \text{(答)}$$

ⅲ：2次の連立不等式

例題：つぎの連立不等式を解いてみますね。

$$\begin{cases} x^2 - 5x - 6 < 0 & \cdots ① \\ x^2 - 6x + 5 > 0 & \cdots ② \end{cases}$$

＜解法＞

①より、$x^2 - 5x - 6 < 0$
$(x+1)(x-6) < 0$
$-1 < x < 6 \cdots ③$

②より、$x^2 - 6x + 5 > 0$
$(x-1)(x-5) > 0$
$x < 1$、$5 < x \cdots ④$

よって、数直線上に③④を示すと

$$-1 \quad 1 \quad 5 \quad 6 \quad x$$

となり、共通部分が求めたい解ゆえ

$$-1 < x < 1, \quad 5 < x < 6 \quad \cdots \text{(答)}$$

繰り返しになりますが、**連立不等式は必ず数直線上で考えてください！**

演習41 つぎの各問について考えてみましょう。

(1) $\begin{cases} x + 2 > 6 \\ 2x - 3 \leq 4 + x \end{cases}$

(2) $\begin{cases} x^2 - 4x + 4 > 0 \\ x^2 - 5x + 4 \leq 0 \end{cases}$

復習 10
絶対値のあつかい方

絶対値！ ← これは多くの方が泣かされた言葉かと……！？
しかし、絶対値の意味自体は大変単純で、

「すべての値をプラス（＋）としてあつかう」

コレだけなんですね！

そこで、このすべての値をプラスにしてしまう魔法のようなタテ2本棒の記号 "｜｜" を "絶対値記号" と呼びます。そして、その間に数を入れると、すべてプラスの数になって出てくるんですから、マッタクすごいもんですよ！

例：・ $|-2|=2$
・ $\left|-\dfrac{3}{5}\right|=\dfrac{3}{5}$
・ $|-0.7|=0.7$

でも、いつも嫌われ者の $|私|$ です！
ショボン……涙

では、まずはあまりに当たり前のような問題を……。

①　絶対値とはすべてプラスの値にする！
　　例題：つぎの値を求めてみますね。
　　　　　（1）$|-9|$　　　　　（2）$|-1.8|$
　＜解法＞
　　　　　（1）$|-9|=9$（答）　（2）$|-1.8|=1.8$（答）

たぶん、①の例題は当たり前すぎて何も感じなかったかと思います。では、つぎの絶対値の値を見て、何か違和感を覚えませんか？

　　$|\sqrt{2}-3|=3-\sqrt{2}$　・・・（＊）← $\sqrt{2}$ と 3 が入れ替わっている。

思うに「マイナスの値に絶対値記号が付いているからといって、突然プラスになるなんて不思議でしょ？」マイナスの値がプラスになるのであれば、必ず何らかの行為が必要のはず！？　う～ん、言われてみれば、確かに！

実は、あるんです！　よく、**場合分け**と言われていますが、コレができれば、絶対値に関しては心配ないと言って過言ではないかと。　ホント！？

絶対値の場合分け！（このことを"**絶対値をはずす**"と言います）

$$|A| = \begin{cases} A & (A \geq 0) \\ -A & (A < 0) \end{cases}$$

← 絶対値は、マイナスの値をプラスにする機能ゆえ、プラスおよび0に関しては意味のないもの。よって、絶対値記号をはずすだけ！

← マイナスが突然プラスの値になることはなく、そこには必ずある行為がなされるわけで、実は、**マイナスをかけている**んです。

よって、（＊）の解答には、つぎのように途中に1行式が入るんですね。

$$|\sqrt{2}-3| = -(\sqrt{2}-3) \quad \leftarrow \sqrt{2}<3 \text{ より、} \sqrt{2}-3<0$$
$$= 3-\sqrt{2}$$

いかがですか？　まず、コレが**絶対値の基本**なんです。
では、この点に注意をし、つぎの絶対値の計算をしてみましょう。

② 絶対値の計算（どっちが大きい数かな？）

例題：つぎの式の値を求めてみますね。

$$|1-3| + |\sqrt{2}-2| = |-2| + |\sqrt{2}-2|$$
$$= -(-2) + \{-(\sqrt{2}-2)\}$$
$$= 2 + (2-\sqrt{2})$$
$$= 2 + 2 - \sqrt{2}$$
$$= 4 - \sqrt{2} \quad \text{（答）}$$

← マイナス（−）を付けて絶対値をはずす！
　　$(2 > \sqrt{2} = 1.414\cdots)$

①②の確認チェックです。

演習42　つぎの値を求めてみましょう。
(1)　$|-7|$
(2)　$|4-\sqrt{17}|$
(3)　$|\pi-4|$
(4)　$|1-2| + |5-3| - |2-7|$

3章　方程式・不等式

083

復習 11
絶対値の方程式を解く

[Ⅰ] 絶対値の場合分け！

前のページでお話した内容をさらに深めてみましょう。

> **例題** つぎの絶対値をはずしてみますね！
>
> **ポイント** │**整式**│の中が"0"になる x の値の前後で符号が決定！
> 「(整式)＝0 のときの x の値」で場合分け！
>
> (1) $|x| = \begin{cases} x & (x \geq 0) \\ -x & (x < 0) \end{cases}$
>
> "$x=0$"前後で符号が変化！
> よって、$x=0$ で場合分け
>
> $x<0$ のとき、絶対値の中はマイナスゆえ、マイナス（－）を付けて絶対値をはずす！
>
> (2) $|x-2| = \begin{cases} x-2 & (x \geq 2) \\ -(x-2) & (x < 2) \end{cases}$
>
> "$x=2$"前後で符号が変化！
> よって、$x=2$ で場合分け
>
> $x<2$ のとき、絶対値の中はマイナスゆえ、マイナス（－）を付けて絶対値をはずす！

一見簡単そうですが、実は案外、手を動かすと悩むものなんですね！

> **演習 43** つぎの絶対値をはずしてみましょう。
>
> (1) $|x+7|$ (2) $|5-2x|$

ヒント：「(絶対値の中の式)＝0」の方程式をとき、その解を基点に場合分け！
　　　　特に（2）は考えずにマネをしていると間違えますよ。

[Ⅱ] 絶対値の方程式を解く

さて、今度は絶対値を含んだ方程式を解いてみましょう。

そこで、「絶対値とはすべてをプラスの値にする」とお話ししましたが、実は、もうヒトツ別な角度から絶対値を理解して欲しいんです。

絶対値とは、数直線上における0からの距離！

つぎの文章を絶対値記号を使った式で表してみますよ。

文章：「絶対値が3である値を求めてください」
式　：$|x|=3$　⇒　$x=\pm 3$　（答）

いかがですか？　どちらを見ても"ぴ〜ん"とは来ませんよね！？
では、つぎの文章を読んだらどうでしょう……

「数直線上の0から3の距離にある数はなんですか？」

下の図を見てください。

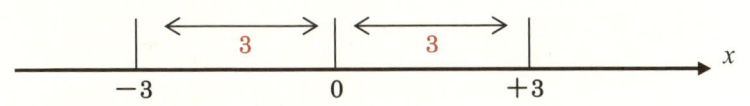

数直線上の0から"3の距離"の数は、±3でしょ！
よって、これが、もうヒトツの絶対値の切り口なんです。

例題：つぎの方程式を解いてみますね。

(1) $|x|=5$　　　　(2) $|x-2|=7$

<解法>

(1) $|x|=5$
　　　$x=\pm 5$（答）

(2) $|x-2|=7$
　　　$x-2=\pm 7$
より、$x-2=-7$、$x-2=7$
よって、$x=-5$、9（答）

では、基本的な絶対値問題にチャレンジ！

演習44 つぎの方程式を解いてみましょう。

(1) $|12-x|=9$　　　　(2) $|3x+5|=2$

[Ⅲ] 絶対値を含んだ方程式を解く

絶対値の方程式が演習44の形だけであればどんなに幸せなことか……。実は、あの形はある意味特別であって、通常はつぎのようなモノです。

①：$|2x-1|+x=2$　　　②：$|3x|-|x+2|=4$

コレだと先ほどやった「右辺に±を付けて絶対値をはずす」わけにはいかないんですよ！　困った・・・！

では、この①、②を解いて方程式の解法に関しては終わりにしますね。

①：$|2x-1|+x=2$ を解く！

このように絶対値の外に文字がある場合は、「絶対値の場合分け」をし、絶対値をはずしてから解く！

「場合分け」とは言っても、実は演習43の作業ですからね！

<解法>

$|2x-1| = \begin{cases} 2x-1 & (x \geq \frac{1}{2}) \\ -(2x-1) & (x < \frac{1}{2}) \end{cases}$　　"$x=\frac{1}{2}$" 前後で符号が変化！

よって、$x=\frac{1}{2}$ で場合分け

(ⅰ) $x \geq \frac{1}{2}$ のとき、　← この条件で x の値を求める。

　　$2x-1+x=2$　← 絶対値の中はプラスゆえ、そのままはずす！

　　$x=1$　← この値が条件を満たしているので OK！

(ⅱ) $x < \frac{1}{2}$ のとき、　← この条件で x の値を求める。

　　$-(2x-1)+x=2$　← 絶対値の中がマイナスゆえ、マイナスを付けてはずす！

　　$-2x+1+x=2$

　　$-x=1$

　　$x=-1$　← この値が条件を満たしているので OK！

よって、(ⅰ)(ⅱ)より

　　$x=-1、1$　（答）

②：$|3x|-|x+2|=4$ を解く！

<解法> 場合分けから

$$|3x| = \begin{cases} 3x & (x \geq 0) \\ -3x & (x < 0) \end{cases} \qquad |x+2| = \begin{cases} x+2 & (x \geq -2) \\ -(x+2) & (x < -2) \end{cases}$$

それぞれ符号の変化の基点となる値を数直線上に書き入れ、その前後における符号のチェック！

$\|3x\| \Rightarrow$	$-$	$-$	$+$
$\|x+2\| \Rightarrow$	$-$	$+$	$+$
	(ⅰ) -2	(ⅱ) 0	(ⅲ) $\longrightarrow x$

(ⅰ) $x < -2$ のとき、

$-3x-\{-(x+2)\}=4$
$-3x+x+2=4$
$-2x=4-2$
$=2$
$x=-1$（不適）

(ⅱ) $-2 \leq x < 0$ のとき、

$-3x-(x+2)=4$
$-3x-x-2=4$
$-4x=6$
$x=-\dfrac{3}{2}$（適する）

(ⅲ) $0 \leq x$ のとき、

$3x-(x+2)=4$
$3x-x-2=4$
$2x=6$
$x=3$（適する）

よって、(ⅰ)(ⅱ)(ⅲ)より

$x=-\dfrac{3}{2}$、3 （答）

難しいというより、場合分けが少し面倒かもしれませんね！？

演習 45 つぎの方程式を解いてみましょう。

(1) $2-|1-2x|=x$

(2) $|x+1|+|2x-1|=x+2$

復習 12

絶対値の不等式を解く

[Ⅰ] 絶対値の不等式を解く：1

具体的な問題で解説しますね。

* $|x|<3$ ⇔ 「絶対値が 3 より小さい数はなんですか？」
  ⇔ 「数直線上の 0 からの距離が 3 より小さい数はナニ？」

数直線上で表すとつぎのようになります。

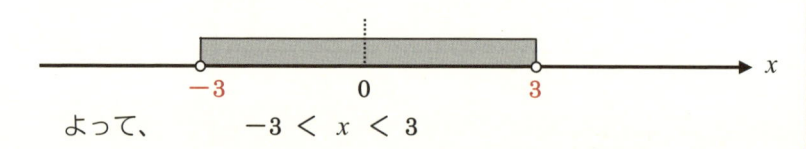

よって、　　　$-3<x<3$

* $|x|>3$ ⇔ 「絶対値が 3 より大きい数はなんですか？」
  ⇔ 「数直線上の 0 からの距離が 3 より大きい数はナニ？」

数直線上で表すとつぎのようになります。

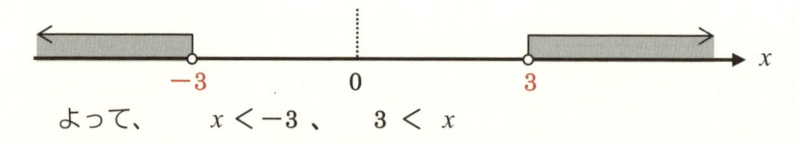

よって、　　$x<-3$、　$3<x$

では、上記のことを "まとめ" てみます。

$p>0$ のとき、
$|x|<p$ ⇔ $-p<x<p$
$|x|=p$ ⇔ $x=-p$、p
$|x|>p$ ⇔ $x<-p$、$p<x$

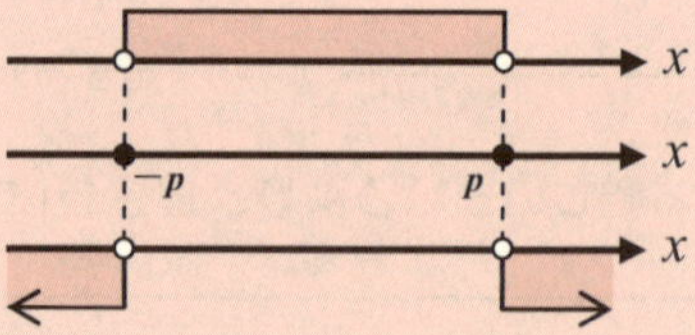

例題：つぎの不等式を解いてみますね。

(1) $|x+1|>2$ 　　　　(2) $|x-7|\leqq 5$

<解法>

(1) $|x+1|>2$ ← 数直線上で 0 からの距離が 2 より大きい

   $x+1<-2$、 $2<x+1$

   $x<-3$、 $1<x$ (答)

(2) $|x-7|\leqq 5$ ← 数直線上で 0 からの距離が 5 以内

   $-5\leqq x-7\leqq 5$ ← 左辺・真ん中・右辺に 7 を加える

   $-5+7\leqq x-7+7\leqq 5+7$

   $2\leqq x\leqq 12$ (答)

[Ⅱ] 絶対値の不等式を解く：2

例題：つぎの不等式を解いてみますね。

$$2|x|+|x-4|<6$$

<解法> 場合分けで解決！

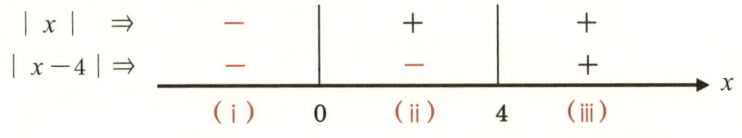

$	x	$ ⇒	−	+	+
$	x-4	$ ⇒	−	−	+
	(ⅰ) 0 (ⅱ) 4 (ⅲ)

(ⅰ) $x<0$ のとき、

$2\times(-x)+\{-(x-4)\}<6$

$-2x-x+4<6$

$-3x<2$

$x>-\dfrac{2}{3}$

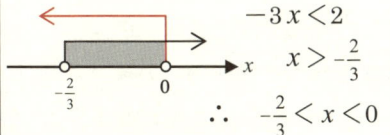

∴ $-\dfrac{2}{3}<x<0$

(ⅱ) $0\leqq x<4$ のとき、

$2x+\{-(x-4)\}<6$

$2x-x+4<6$

$x<2$

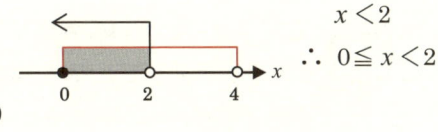

∴ $0\leqq x<2$

(ⅲ) $4\leqq x$ のとき、

$2x+x-4<6$

$3x<10$

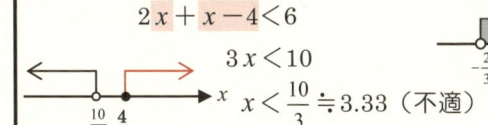

$x<\dfrac{10}{3}\fallingdotseq 3.33$ (不適)

よって、(ⅰ)(ⅱ)(ⅲ) より

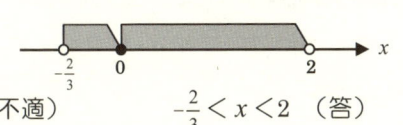

$-\dfrac{2}{3}<x<2$ (答)

演習 46 つぎの不等式を解いてみましょう。

(1) $|x-2|<3$ (2) $|x+1|+|x-2|\leqq 5$

復習 13
方程式の落とし穴！

ここまで大体の方程式を復習し、自信もついてきたと思います。そこで、つぎの方程式を解いてみませんか？　どれどれ……余裕たっぷり！

問題Ⅰ つぎの方程式を解いてみましょう。
$$ax + x - a = 0$$

多くの方が素直に**左側**の解答を。そして、「これは何かあるぞ!?」と思った方は**右側**の解答が浮かんだかと思いますが……。

<解法>

・$(a+1)x - a = 0$　　　　　　・$(x-1)a + x = 0$
　$(a+1)x = a$　　　　　　　　$(x-1)a = -x$
　$x = \dfrac{a}{a+1}$（答?）　　　$a = \dfrac{-x}{x-1}$（答?）

両方、解法としても実は**間違い**なんですが、ここはサラッと流してね！汗

しかし、両方ともダメなんです。エッ！実は、この**問題自体に欠陥**があり解けないんです。アチャ〜！だって、**どっちの文字についての方程式かわからないでしょ？** もし、「aが実数」であれば左側、「xが実数」であれば右側の解法となりますが、それの判断がこの問題ではできないのね。

では、上の注意点を確認した上で、方程式をもう１題解いてみませんか？

なんだか、嫌な予感が……汗

問題Ⅱ aを実数とし、xについての方程式を解いてみましょう。
$$ax^2 - 2ax + x - 2 = 0$$

<解法>
　　$ax^2 - 2ax + x - 2 = 0$　　　← xについて降べきの順
　　$ax^2 + (1-2a)x - 2 = 0$　　　← たすきがけで因数分解
　　$(ax+1)(x-2) = 0$　　　　　　← （カッコ）中が０となるxを求める
　∴ $x = -\dfrac{1}{a}$、2　（答?）　← 完璧！と思いきや、誤答です！ 笑

たぶん、問題Ⅱの解法の間違えに気づくのは難しいと思います。
では、ヒトツ質問させてください。　　　　　　なんでだぶぅ〜！怒

質問「この方程式は何次方程式ですか？」

これを x の2次方程式と答えたらその時点で**間違い**なんです。エッ！？
なぜなら、問題文のどこにも2次方程式とは書いていませんよ。すると、
「x の最高次数が2次だから2次方程式に決まっている！」と反論されるんでしょう。ハイハイ！ では「a を実数とし」これをどのように解釈しますか？ 実数であれば「$a=0$」でもいいわけですよね？ すると、$a=0$ より、
「$ax^2-2ax+x-2=0$」⇒「$x-2=0$」となり**1次方程式**に変身。
ホラ！ 2次方程式とは言えないでしょ！？　　　　　　……無言。

そこで、ポイント！

問題文に「方程式を解け」とあったら、最高次数の係数をチェック！

よって、正しい解答はつぎのようになります。

〈問題Ⅱの正しい解答〉

　　（ⅰ）$a=0$ のとき、
　　　　$x-2=0$　∴　$x=2$
　　（ⅱ）$a\neq 0$ のとき、
　　　　$ax^2+(1-2a)x-2=0$
　　　　$(ax+1)(x-2)=0$
　　　∴　$x=-\dfrac{1}{a}$、2

よって、（ⅰ）（ⅱ）より

$\begin{cases} a=0 \text{ のとき、} x=2 \\ a\neq 0 \text{ のとき、} x=-\dfrac{1}{a}、2 \end{cases}$　（答）

余談
・2次方程式の一般式での表現方法

① 2次方程式
　　$ax^2+bx+c=0$
（2次方程式と書いたことで
　　　　$a\neq 0$ の意を含む）

② $ax^2+bx+c=0$（$a\neq 0$）

①、②どちらかで表せば問題なし！

では、問題Ⅰを修正し、それを確認チェックとしましょう！

演習47　a を実数とし、x についての方程式を解いてみましょう。
　　　　$ax+x-a=0$

演習の解答

演習 25

(1)
$$6x-5=14x-3$$
$$6x-14x=-3+5$$
$$-8x=2$$
$$x=-\frac{2}{8}$$
$$=-\frac{1}{4}$$

(2) $0.1x+2=17-1.4x$ （両辺 10 倍）
$$x+20=170-14x$$
$$x+14x=170-20$$
$$15x=150$$
$$x=10$$

(3) $\dfrac{(x-1)}{2}-\dfrac{(4x+1)}{3}=5$ （両辺 6 倍）← （鉄則）
分子が多項式のときは必ず（カッコ）を付ける！
$$3(x-1)-2(4x+1)=5\times 6$$
$$3x-3-8x-2=30$$
$$-5x-5=30$$
$$-5x=35$$
$$x=-7$$

演習 26

(1) $y=2x-4\cdots$① を代入
$$5x-2(2x-4)=11$$
$$5x-4x+8=11$$
$$x=3$$
①に $x=3$ を代入し
$$x=3、y=2 \text{（答）}$$

(2) x の係数を 6 にし 加減法
$$6x-15y=-30$$
$$-)\ 6x-\ 8y=\ 12$$
$$-7y=-42$$
$$y=6$$
②に $y=6$ を代入し
$$x=10、y=6 \text{（答）}$$

(3) ①②の両辺それぞれ 10 倍
$$\begin{cases} 4x+3y=11 \cdots ①' \\ 3x-7y=-1 \cdots ②' \end{cases}$$
加減法
$$28x+21y=77$$
$$+)\ 9x-21y=-3$$
$$37x\ \ \ \ =74$$
$$x=2$$
①' に $x=2$ を代入し
$$x=2、y=1 \text{（答）}$$

(4) ①の両辺 2 倍、②の両辺 6 倍
$$\begin{cases} 4x-y=-4 \cdots ①' \\ 9x-10y=84 \cdots ②' \end{cases}$$
代入法
①' より、$y=4x+4\cdots$③
②' に③を代入
$$9x-10(4x+4)=84$$
$$9x-40x-40=84$$
$$-31x=124$$
$$x=-4$$
③に $x=-4$ を代入し
$$x=-4、y=-12 \text{（答）}$$

演習 27

(1) $x^2=8$
$$x=\pm\sqrt{8}$$
$$=\pm 2\sqrt{2}$$

(2) $2x^2-64=0$
$$2x^2=64$$
$$x^2=32$$
$$x=\pm\sqrt{32}$$
$$=\pm 4\sqrt{2}$$

(3) $(x+3)^2=24$
$$x+3=\pm\sqrt{24}$$
$$=\pm 2\sqrt{6}$$
$$x=-3\pm 2\sqrt{6}$$

演習 28

(1) $x^2 + 9x = 0$
$x(x+9) = 0$
$x = -9, 0$ （答）

(2) $x^2 - x - 6 = 0$
$(x-3)(x+2) = 0$
$x = -2, 3$ （答）

(3) $5x = x^2 + 6$
$x^2 - 5x + 6 = 0$
$(x-2)(x-3) = 0$
$x = 2, 3$ （答）

(4) $x^2 + x = 18 - 2x$
$x^2 + 3x - 18 = 0$
$(x+6)(x-3) = 0$
$x = -6, 3$ （答）

演習 29

(1) $x^2 - 8x + 8 = 0$
$x^2 - 8x = -8$
$(x-4)^2 - 16 = -8$
$(x-4)^2 = 8$
$x - 4 = \pm\sqrt{8}$
$x = 4 \pm 2\sqrt{2}$ （答）

(2) $\dfrac{1}{3}x^2 + x - 1 = 0$
$x^2 + 3x - 3 = 0$
$x^2 + 3x = 3$
$\left(x + \dfrac{3}{2}\right)^2 - \dfrac{9}{4} = 3$
$\left(x + \dfrac{3}{2}\right)^2 = 3 + \dfrac{9}{4}$
$\left(x + \dfrac{3}{2}\right)^2 = \dfrac{21}{4}$
$x + \dfrac{3}{2} = \pm\dfrac{\sqrt{21}}{2}$
$x = \dfrac{-3 \pm \sqrt{21}}{2}$ （答）

演習 30 (2) は両辺 2 倍し分母を払う！

(1) $x^2 - \sqrt{2}x - 1 = 0$
$x = \dfrac{-(-\sqrt{2}) \pm \sqrt{(-\sqrt{2})^2 - 4 \cdot 1 \cdot (-1)}}{2 \cdot 1}$
$= \dfrac{\sqrt{2} \pm \sqrt{6}}{2}$

(2) $\dfrac{1}{2}x^2 + x - 3 = 0 \to x^2 + 2x - 6 = 0$
$x = \dfrac{-2 \pm \sqrt{2^2 - 4 \cdot 1 \cdot (-6)}}{2 \cdot 1}$
$= \dfrac{-2 \pm \sqrt{28}}{2} = \dfrac{-2 \pm 2\sqrt{7}}{2} = -1 \pm \sqrt{7}$

演習 31

(1) $x^2 + 2 \cdot (-6)x + 4 = 0$
$x = \dfrac{-(-6) \pm \sqrt{(-6)^2 - 1 \cdot 4}}{1}$
$= 6 \pm \sqrt{32}$
$= 6 \pm 4\sqrt{2}$

(2) $2x^2 + 2 \cdot (-2)x - 7 = 0$
$x = \dfrac{-(-2) \pm \sqrt{(-2)^2 - 2 \cdot (-7)}}{2}$
$= \dfrac{2 \pm \sqrt{18}}{2}$
$= \dfrac{2 \pm 3\sqrt{2}}{2}$

演習 32 判別式を D とする。

(1) $D = (-3)^2 - 4 \cdot 1 \cdot 4 = -7 < 0 \to$ 0 個
(2) $D = 5^2 - 4 \cdot 2 \cdot 3 = 1 > 0 \to$ 2 個
(3) $D = (-6)^2 - 4 \cdot 3 \cdot 3 = 0 \to$ 1 個（重解）

演習 33

(1) $8x^3+1=0$ ← $(2x)^3+1^3=0$ より
  $(2x+1)(4x^2-2x+1)=0$ ← $4x^2-2x+1=0$（判別式 $D<0$ より）
  $x=-\dfrac{1}{2}$ （答）

(2) $x^3-6x^2+12x-8=0$ ← 組み立て除法
  $(x-2)(x^2-4x+4)=0$
  $(x-2)(x-2)^2=0$
  $(x-2)^3=0$
  $x=2$ （答）

```
2 | 1   -6   12   -8
  |      2   -8    8
  ――――――――――――――――――
    1   -4    4    0
```

演習 34 $\omega^2+\omega+1=0 \to \omega^2+\omega=-1$

(1) $\omega^7+\omega^5-1$
$=(\omega^3)^2\,\omega+\omega^3\cdot\omega^2-1$
$=1\cdot\omega+1\cdot\omega^2-1$
$=\omega^2+\omega-1$
$=-1-1$
$=-2$

(2) $-\omega^4-\omega^2$
$=-\omega\cdot\omega^3-\omega^2$ ← $\omega^3=1$
$=-(\omega+\omega^2)$
$=-(-1)$
$=1$

演習 35

(1) $f=\dfrac{m}{2\ell}v$ ←両辺 ℓ 倍
  $f\ell=\dfrac{m}{2}v$ ←両辺 f で割る
  $\ell=\dfrac{m}{2}v\cdot\dfrac{1}{f}$
  $=\dfrac{mv}{2f}$ （答）

(2) $R=\dfrac{r}{n-1}$ ←両辺入れ替え
  $\dfrac{r}{n-1}=R$ ←両辺逆数をとる
  $\dfrac{n-1}{r}=\dfrac{1}{R}$ ←両辺 r 倍
  $n-1=\dfrac{1}{R}\cdot r$ ←-1 を移項
  $n=\dfrac{r}{R}+1$ （答）

(3) $\dfrac{Q_1}{C_1}+\dfrac{Q_2}{C_2}=E$ ←$\dfrac{Q_1}{C_1}$ を移項
  $\dfrac{Q_2}{C_2}=E-\dfrac{Q_1}{C_1}$ ←C_1 に通分
  $=\dfrac{EC_1}{C_1}-\dfrac{Q_1}{C_1}$
  $=\dfrac{EC_1-Q_1}{C_1}$ ←両辺逆数をとる
  $\dfrac{C_2}{Q_2}=\dfrac{C_1}{EC_1-Q_1}$ ←両辺 Q_2 倍
  $C_2=\dfrac{C_1Q_2}{EC_1-Q_1}$ （答）

(4) $ev_0=\dfrac{1}{2}mv^2$ ←両辺入れ替え
  $\dfrac{1}{2}mv^2=ev_0$ ←両辺 $\dfrac{2}{m}$ 倍
  $v^2=ev_0\times\dfrac{2}{m}$
  $v=\sqrt{\dfrac{2ev_0}{m}}$ (>0) （答）

演習 36

(1) $\alpha+\beta=-\dfrac{7}{1}=-7$ (2) $\alpha+\beta=-\dfrac{-2}{5}=\dfrac{2}{5}$

$\alpha\beta=\dfrac{-3}{1}=-3$ $\alpha\beta=\dfrac{-15}{5}=-3$

演習 37

$\alpha+\beta=-\dfrac{-9}{3}=3$、 $\alpha\beta=\dfrac{1}{3}$

(1) $\alpha^2+\alpha\beta+\beta^2=(\alpha+\beta)^2-\alpha\beta=3^2-\dfrac{1}{3}=9-\dfrac{1}{3}=\dfrac{26}{3}$

(2) $\alpha^3+\beta^3=(\alpha+\beta)^3-3\alpha\beta(\alpha+\beta)=3^3-3\cdot\dfrac{1}{3}\cdot3=24$

(3) $(\alpha-\beta)^2=(\alpha+\beta)^2-4\alpha\beta=3^2-4\cdot\dfrac{1}{3}=9-\dfrac{4}{3}=\dfrac{23}{3}$

(4) $\dfrac{1}{\alpha}+\dfrac{1}{\beta}=\dfrac{\alpha+\beta}{\alpha\beta}=(\alpha+\beta)\cdot\dfrac{1}{\alpha\beta}=3\cdot3=9$

演習 38

$$x^3-3x^2+6=0 \;\Rightarrow\; x^3-3x^2+0x+6=0$$

(1) $\alpha+\beta+\gamma=-\dfrac{-3}{1}=3$ (2) $\alpha\beta+\beta\gamma+\gamma\alpha=\dfrac{0}{3}=0$

(3) $\alpha\beta\gamma=-\dfrac{6}{1}=-6$

(4) $\alpha^2+\beta^2+\gamma^2=(\alpha+\beta+\gamma)^2-2(\alpha\beta+\beta\gamma+\gamma\alpha)=3^2-0=9$

(5) $\alpha^3+\beta^3+\gamma^3-3\alpha\beta\gamma$
$=(\alpha+\beta+\gamma)(\alpha^2+\beta^2+\gamma^2-\alpha\beta-\beta\gamma-\gamma\alpha)$
$=(\alpha+\beta+\gamma)\{\alpha^2+\beta^2+\gamma^2-(\alpha\beta+\beta\gamma+\gamma\alpha)\}$
$=3\cdot(9-0)=27$ (∵ (1) (2) (4))

演習 39

(1) $7x-5\leqq3-2(x+1)$ (2) $0.5-0.4x>1.2x-0.3$

$\quad 7x-5\leqq3-2x-2$ $\quad 5-4x>12x-3$

$\quad 7x-5\leqq1-2x$ $\quad -4x-12x>-3-5$

$\quad 7x+2x\leqq1+5$ $\quad -16x>-8$

$\quad 9x\leqq6$ $\quad x<\dfrac{1}{2}$ (答)

$\quad x\leqq\dfrac{2}{3}$ (答)

演習 40

(1) $-3x^2+6x+24<0$ (両辺−3で割る) (2) $x^2-3x+1\leqq0$

$\quad x^2-2x-8>0$ $\quad x^2-3x+1=0$ とし、$x=\dfrac{3\pm\sqrt{5}}{2}$

$\quad (x-4)(x+2)>0$ (おまじない乙より)

$\quad \therefore\; x<-2、4<x$ (答) $\therefore\; \dfrac{3-\sqrt{5}}{2}\leqq x\leqq\dfrac{3+\sqrt{5}}{2}$ (答)

演習 41

(1) $\begin{cases} x+2>6 & \cdots ① \\ 2x-3\leqq 4+x & \cdots ② \end{cases}$

①より
$$x+2>6$$
$$x>4$$

②より
$$2x-3\leqq 4+x$$
$$2x-x\leqq 4+3$$
$$x\leqq 7$$

よって、①②より

$4<x\leqq 7$ （答）

(2) $\begin{cases} x^2-4x+4>0 & \cdots ① \\ x^2-5x+4\leqq 0 & \cdots ② \end{cases}$

①より
$$x^2-4x+4>0$$
$$(x-2)^2>0$$
∴ $x=2$ を除く、x はすべての実数

②より
$$x^2-5x+4\leqq 0$$
$$(x-1)(x-4)\leqq 0$$
∴ $1\leqq x\leqq 4$

よって、①②より

$1\leqq x<2$、$2<x\leqq 4$ （答）

演習 42

(1) $|-7|=-(-7)=7$

(2) $|4-\sqrt{17}|=-(4-\sqrt{17})=\sqrt{17}-4$

(3) $|\pi-4|=-(\pi-4)=4-\pi$

(4) $|1-2|+|5-3|-|2-7|=|-1|+|+2|-|-5|$
$$=1+2-5$$
$$=-2$$

演習 43

(1) $|x+7|=\begin{cases} x+7 & (x\geqq -7) \\ -(x+7) & (x<-7) \end{cases}$

(2) $|5-2x|=\begin{cases} 5-2x & (x\leqq \dfrac{5}{2}) \\ -(5-2x) & (x>\dfrac{5}{2}) \end{cases}$

演習 44

(1) $|12-x|=9$
$$12-x=\pm 9$$
∴ $12-x=9$
$$x=12-9$$
$$=3$$
$12-x=-9$
$$x=12+9$$
$$=21$$
よって、$x=3$、21 （答）

(2) $|3x+5|=2$
$$3x+5=\pm 2$$
∴ $3x+5=2$
$$3x=-3$$
$$x=-1$$
$3x+5=-2$
$$3x=-7$$
$$x=-\dfrac{7}{3}$$
よって、$x=-\dfrac{7}{3}$、-1 （答）

演習 45

(1) $2-|1-2x|=x$

$|1-2x|=\begin{cases} 1-2x & (x \leq \frac{1}{2}) \\ -(1-2x) & (x > \frac{1}{2}) \end{cases}$

(ⅰ) $x \leq \frac{1}{2}$ のとき
$2-(1-2x)=x$
$2-1+2x=x$
$x=-1$

(ⅱ) $x > \frac{1}{2}$ のとき
$2-\{-(1-2x)\}=x$
$2+1-2x=x$
$3x=3$
$x=1$

よって、(ⅰ)(ⅱ)より、$x=-1$、1 （答）

(2) $|x+1|+|2x-1|=x+2$

$|x+1|=\begin{cases} x+1 & (x \geq -1) \\ -(x+1) & (x < -1) \end{cases}$ $|2x-1|=\begin{cases} 2x-1 & (x \geq \frac{1}{2}) \\ -(2x-1) & (x < \frac{1}{2}) \end{cases}$

| $|x+1|$ | − | + | + |
| $|2x-1|$ | − | − | + |

(ⅰ) −1 (ⅱ) $\frac{1}{2}$ (ⅲ)

(ⅰ) $x < -1$ のとき
$-(x+1)-(2x-1)=x+2$
$-x-1-2x+1=x+2$
$-4x=2$
$x=-\frac{1}{2}$ （不適）

(ⅱ) $-1 \leq x < \frac{1}{2}$ のとき
$(x+1)-(2x-1)=x+2$
$x+1-2x+1=x+2$
$-2x=0$
$x=0$

(ⅲ) $\frac{1}{2} \leq x$ のとき
$(x+1)+(2x-1)=x+2$
$x+1+2x-1=x+2$
$2x=2$
$x=1$

よって、(ⅰ)(ⅱ)(ⅲ)より、$x=0$、1 （答）

演習 46

(1) $|x-2|<3$ ⇔ 「数直線上で0からの距離が3より小さい」
$-3<x-2<3$ ← 左辺＜真ん中＜右辺 すべてに2を加える
$-3+2<x-2+2<3+2$
∴ $-1<x<5$ （答） ← カンタンに x の範囲が出ちゃったでしょ！

(2) $|x+1|+|x-2|\leqq 5$

$|x+1|=\begin{cases} x+1 & (x\geqq -1) \\ -(x+1) & (x<-1) \end{cases}$ $|x-2|=\begin{cases} x-2 & (x\geqq 2) \\ -(x-2) & (x<2) \end{cases}$

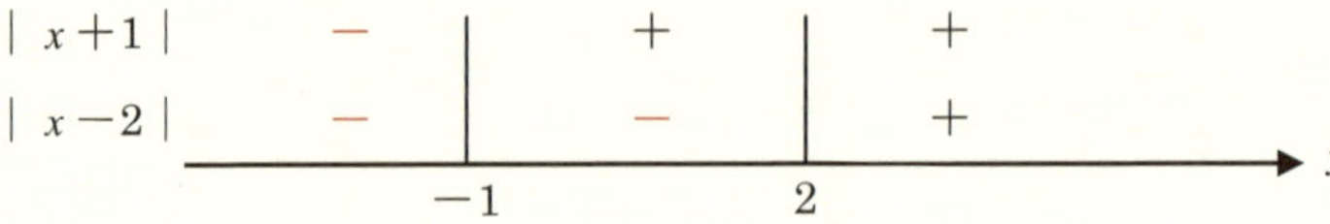

$\|x+1\|$	−	+	+
$\|x-2\|$	−	−	+

位置: -1, 2 （x軸）

(i) $x<-1$ のとき
$$-(x+1)-(x-2)\leqq 5$$
$$-x-1-x+2\leqq 5$$
$$-2x\leqq 4$$
$$x\geqq -2$$

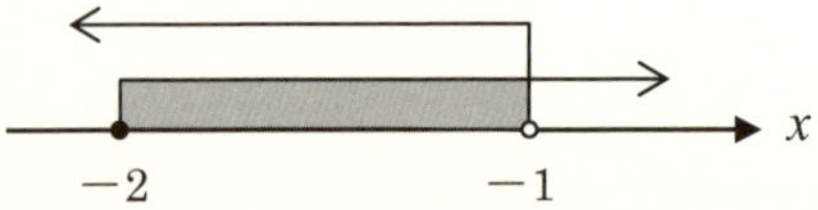

∴ $-2\leqq x<-1$

(ii) $-1\leqq x<2$ のとき
$$(x+1)-(x-2)\leqq 5$$
$$x+1-x+2\leqq 5$$
$$3\leqq 5$$

∴ $-1\leqq x<2$

(iii) $x\geqq 2$ のとき
$$(x+1)+(x-2)\leqq 5$$
$$x+1+x-2\leqq 5$$
$$2x\leqq 6$$
$$x\leqq 3$$

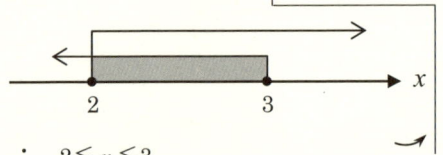

∴ $2\leqq x\leqq 3$

よって、(i)(ii)(iii) より

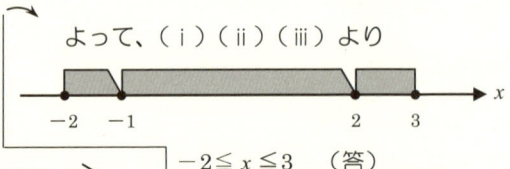

$-2\leqq x\leqq 3$　（答）

演習 47

$ax+x-a=0$
$(a+1)x-a=0 \cdots (\ast)$

(i) $a=-1$ のとき、
$$-x+x-(-1)=0$$
$$1=0 \text{（矛盾）}$$
ゆえに、解なし

(ii) $a\neq -1$ のとき、$(\ast)$ より
$$(a+1)x=a$$
$$x=\frac{a}{a+1}$$

よって、(i)(ii) より

$a=-1$ のとき、解なし。$a\neq -1$ のとき、$x=\dfrac{a}{a+1}$　（答）

4章
関数の章

- 1次関数
- 2次関数
- 指数関数
- 対数関数
- 分数関数
- 無理関数
- 逆関数
- 合成関数
- 三角関数

高校数学ではこれだけの関数をあつかいますが、
上の項目で一番重要・基本となる関数はどれだと思います？

実は "2次関数" なんですね！
　　　　　　　　　　知らなかったでしょ!?

ここでは、主題である
　　　　「すべての関数のグラフをかく！」
　　　　「公式を自由にあつかう！」
　　　　　　　　　　　をトコトン体験していただきます。

特に、三角関数においては、公式の嵐のあとに、
グラフが待ち構えるという、二段構え！

$$y = 3\sin\left(2\theta - \frac{\pi}{3}\right) + 1$$ のグラフ、イメージできますか？
　　　　　　これが、カンタンにかけるようになりますからね！

＼ 本当かなぁ〜？笑 ／

復習 14

関数とはナニ？

「関数」この言葉にどれほど多くの人が泣かされてきたことか！ 涙
しかし、数学に触れる限りはどうしても避けられず、必ずどこかに顔を出して来るのが「関数」なんですね。
では、まず最初に「関数とは何か？」 つぎのように定義されています。

> 関数 ⇒ ある変数 x の値に応じて変数 y の値が定まるとき y は x の関数であるといい、x を独立変数、y を従属変数という。
> （岩波数学入門辞典より抜粋）

上記を簡単に言うと……。「姉のお小遣い(y)は常に弟のお小遣い(x)の2倍である」これを式で表すと「$y = 2x$」。そして、弟が自分で「僕のお小遣い(x)は 100 円でいいや！」と言えば自動的に姉のお小遣い(y)は 200 円と ヒトツに決まる。弟は勝手に自分のお小遣い(x)を決められるので、ある意味 "独立（変数）" しているでしょ！ また、姉(y)は弟(x)の決めた金額に対して、文句も言えず自動的に決まるから "従属（変数）" しているといえるでしょ！ しかし、弟(x)が勝手に金額を決めるとなると親としても困るので、そこで、親の威厳で弟が選べる金額(x)を制限（定義）する。これにより(x)の取れる範囲を "定義域"、また、それによって得られる値(y)の範囲を "値域" と呼ぶ。

だいぶ噛み砕いて関数の基本的な部分をお話ししましたが、ここで言いたいのはたったヒトツ！「x と y の関係をグラフで表す！」これにこだわって話を進めて行きたいと思います。

では、ここで触れる関数について、右ページに各項目のグラフと簡単な内容を示しておきます。（Ⅰ～Ⅷ＋合成関数）の全 9 項目！ スゲ～！ 汗

Ⅰ：1次関数

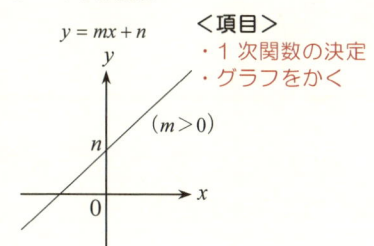

$y = mx + n$

<項目>
・1次関数の決定
・グラフをかく

Ⅱ：2次関数

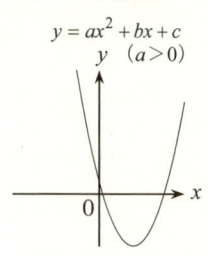

$y = ax^2 + bx + c$ $(a > 0)$

<項目>
・頂点の座標を求める
・グラフをかく
・一般式とグラフの関係を読む
・2次関数の決定
・最大値、最小値
・グラフの対称移動、平行移動

4章 関数の章

Ⅲ：指数関数

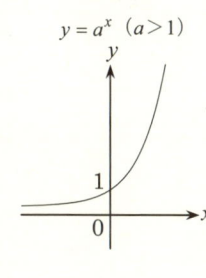

$y = a^x$ $(a > 1)$

<項目>
・累乗
・累乗根の性質
・指数の拡張
・指数法則
・グラフをかく
・大小関係
・指数方程式
・指数不等式
・指数関数の最大値・最小値

Ⅳ：対数関数

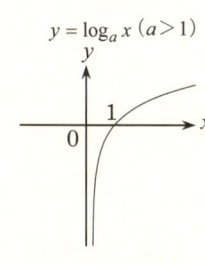

$y = \log_a x$ $(a > 1)$

<項目>
・対数の定義
・対数の性質
・グラフをかく
・大小関係
・対数方程式
・対数不等式
・常用対数
・対数関数の最大値・最小値

Ⅴ：分数関数

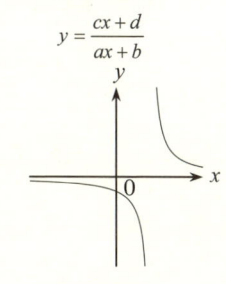

$y = \dfrac{cx + d}{ax + b}$

Ⅵ：無理関数

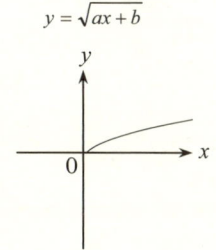

$y = \sqrt{ax + b}$

Ⅶ：逆関数

$y = x$

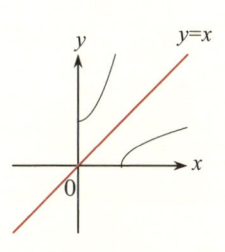

Ⅷ：三角比および三角関数

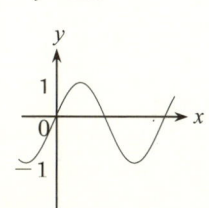

$y = \sin x$

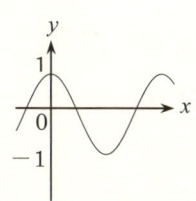

$y = \cos x$

$y = \tan x$

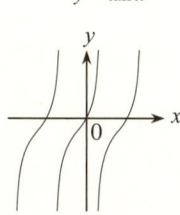

<項目>
・三角比
・単位円
・度数法と弧度法
・三角比の相互関係
・三角関数の値
・正弦・余弦定理
・三角形の面積
・グラフをかく
　　　　　etc

復習15

１次関数

"１次関数"は中学数学の復習部分でもありますので、思い出していただく意味で、「グラフと一般式の関係」をまとめておきますね！

１次関数：$y = mx + n$ ⇒ m：傾き　n：y切片

　ⅰ：$m > 0$ のとき、　　　　　　　ⅱ：$m < 0$ のとき、
　　グラフは、右上がり　　　　　　　グラフは、右下がり

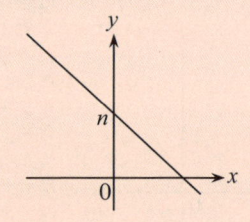

注：「"傾き"と"変化の割合"は同義語」

* 変化の割合：x が１増加したときの y の増加量（変化量）

　ある直線上の２点 $A(x_1, y_1)$、$B(x_2, y_2)$ より「変化の割合」を求めてみますね。

＜考え方＞

　x の値が x_1 から x_2 まで増加したとき、y の値が y_1 から y_2 まで増加

　よって、　　（変化の割合）$= \dfrac{y_{2(変化後)} - y_{1(変化前)}}{x_{2(変化後)} - x_{1(変化前)}}$

［Ⅰ］１次関数の決定

　パターン別に直線の式の求め方をお話しします。

> ⅰ："傾き"と"y切片"が与えられている場合
>
> 　例題：傾き２、y切片 -5 である直線の式を求めますね。
> 　＜解法＞ $y = mx + n$ から、「傾き：$m = 2$」、「切片：$n = -5$」より
> 　　　　　求める直線の式は、　$y = 2x - 5$（答）

ⅱ："傾き"と"1点座標"が与えられている場合

公式：傾き：m、点(a, b)を通る直線の式
$$y = m(x-a) + b \quad \leftarrow \quad 実際の形：y - b = m(x - a)$$

例題：傾き-3、点$(1, -2)$を通る直線の式を求めてみますね。
$$y = -3(x-1) - 2 \quad \leftarrow \quad y座標：-2はそのまま加えるだけ$$
$$= -3x + 3 - 2$$
$$= -3x + 1 \text{（答）}$$

ⅲ："2点の座標"が与えられている場合

公式：2点$A(x_1, y_1)$、$B(x_2, y_2)$を通る直線の式
$$y - y_2 = \frac{y_2 - y_1}{x_2 - x_1}(x - x_2) \quad \leftarrow \quad AからBを引いてもOK！$$

例題：2点$A(1, 2)$、$B(-3, 6)$を通る直線の式を求めてみますね。

[$B-A$]
$$y - 6 = \frac{6-2}{-3-1}\{x-(-3)\}$$
$$y - 6 = -(x+3)$$
$$y = -x + 3 \text{（答）}$$

[$A-B$]
$$y - 2 = \frac{2-6}{1-(-3)}(x-1)$$
$$y - 2 = -(x-1)$$
$$y = -x + 3 \text{（答）}$$

[Ⅱ] 1次関数のグラフをかく

グラフは必ず2点の座標を書き込む！ → 通常、y切片と他の1点

例題：$y = 2x + 1$のグラフをかいてみますね。

y切片1と点$(1, 3)$を右図のように書き込む！

[かき方] 傾きを分数（符号は分子に付ける）で表し、
最初は分母の数だけ右へ、つぎに分子の数だけ上下！
$2 = \frac{2}{1}$：切片1から「右へ1、上に2」に点を打ち、2点を結ぶ。

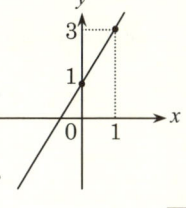

演習48 つぎの直線の式を求めてみましょう。

(1) 傾き-4、点$(-1, 2)$を通る　　(2) $(2, 1)$ $(-4, 3)$を通る

復習 16

2次関数

この2次関数では"グラフ"にトコトンこだわって行きたいと思います。まずは、グラフの基本的なことをおさらいしておきましょう。

2次関数：$y = ax^2 + bx + c$ のグラフ

ⅰ：$a > 0$ のとき、
　グラフは、下に凸（トツ）

ⅱ：$a < 0$ のとき、
　グラフは、上に凸（トツ）

つぎに、$a > 0$ の場合でもう少し詳しく見てみましょう。

ⅲ：2次関数のグラフをかく場合

「一般形：$y = ax^2 + bx + c$」を「標準形：$y = a(x-p)^2 + q$」に変形！

　　　$y = a(x-p)^2 + q \cdots (*)$　←平方完成
（*）これより、
　・頂点の座標（p，q）
　・軸の方程式：$x = p$
が読み取れる。

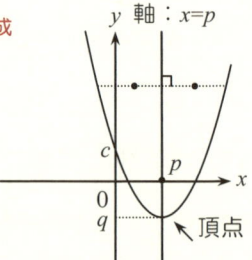

ⅳ：$y = ax^2 + bx + c$ のグラフの特徴

$|a|$ が等しければ、すべてグラフは重なる。（形は同一！）

例：$y = 2x^2$
　　$y = 2x^2 + 16x$
　　$y = 2x^2 - 12x + 22$
　　$y = -2x^2 + 12x - 23$

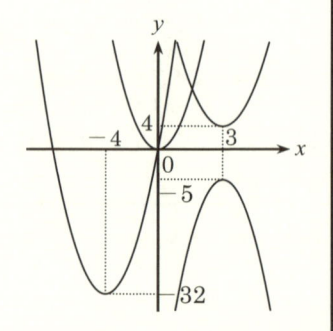

[Ⅰ] 頂点の座標を求める

「一般形：$y = ax^2 + bx + c$」― 平方完成 →「標準形 $y = a(x-p)^2 + q$」

$$y = ax^2 + bx + c = a\left(x + \frac{b}{2a}\right)^2 - \frac{b^2 - 4ac}{4a} \quad \cdots (*)$$

よって、（*）より

- 頂点の座標 $\left(-\dfrac{b}{2a},\ -\dfrac{b^2 - 4ac}{4a}\right)$ ・軸の方程式：$x = -\dfrac{b}{2a}$ ←覚える

例題：2次関数 $y = 2x^2 - x + 1$ のグラフの頂点の座標、軸の方程式を求めてみますね。

<解法>

$$y = 2x^2 - x + 1 = 2\left(x^2 - \frac{1}{2}x\right) + 1 = 2\left\{\left(x - \frac{1}{4}\right)^2 - \frac{1}{16}\right\} + 1 = 2\left(x - \frac{1}{4}\right)^2 + \frac{7}{8}$$

よって、

- 頂点の座標 $\left(\dfrac{1}{4},\ \dfrac{7}{8}\right)$ ・軸の方程式：$x = \dfrac{1}{4}$ （答）

[Ⅱ] 2次関数のグラフをかく

＊グラフをかくときの注意点！
　頂点の座標、および y 切片、または、適当な点の座標を書き込む！

例題：$y = 3x^2 - 12x + 15$ のグラフをかいてみますね。

<解法>　$y = 3x^2 - 12x + 15 = 3(x-2)^2 + 3$

より、頂点の座標 $(2, 3)$

よって、グラフは右図のようになります。

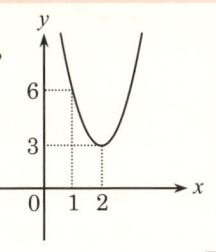

では、[Ⅰ][Ⅱ] の確認チェック！

演習 49　2次関数 $y = 3x^2 - 6x + 1$ のグラフの頂点の座標、軸の方程式を求め、グラフをかいてみましょう。

[Ⅲ] グラフと一般形の関係を読む

例題：2次関数 $y = ax^2 + bx + c$ のグラフが右図のとき、つぎの（1）〜（5）までの符号を求めてみますね。

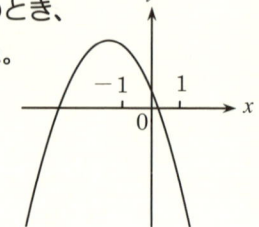

(1) a (2) b (3) c
(4) $a+b+c$ (5) $a-b+c$

<解法>

(1) a はグラフが上に凸ゆえ、**負**

(2) b は軸の方程式から判断。グラフより、軸：$x = -\dfrac{b}{2a} < 0$ よって、
[理由：b は軸にだけ関係している]
$a < 0$ より、$-\dfrac{1}{2a} > 0$ ゆえ、$b < 0$。したがって、**負**

(3) c は $y = ax^2 + bx + c$ で $x=0$ における値。よって、y 切片の符号と一致。したがって、**正**

(4) $a+b+c$ は $y = ax^2 + bx + c$ で $x=1$ における値。よって、**負**

(5) $a-b+c$ は $y = ax^2 + bx + c$ で $x=-1$ における値。よって、**正**

[Ⅳ] 2次関数の決定（4パターン）

ⅰ：条件「頂点と1点の座標」⇒ 標準形 $y = a(x-p)^2 + q$ の利用

例題：頂点（1, −3）で点 P（−1, 5）を通る。

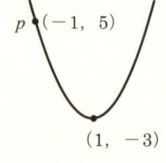

<解法> 頂点の座標より、求める2次関数は
$y = a(x-1)^2 - 3$ (*) とおき、これに点 P を代入。
$5 = a(-1-1)^2 - 3$ より、$a = 2$。(*) より、$\underline{y = 2(x-1)^2 - 3}$ （答）

ⅱ：条件「軸の方程式と2点の座標」⇒ 標準形 $y = a(x-p)^2 + q$ の利用

例題：軸の方程式 $x=2$、2点（1, 1）（4, 7）を通る。

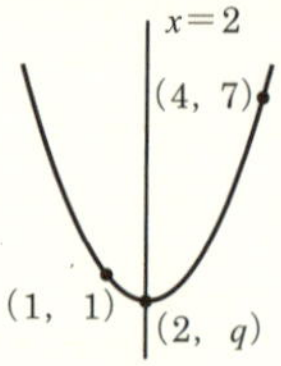

<解法> 軸の方程式より頂点の x 座標は2。
求める2次関数は $y = a(x-2)^2 + q$ (*) とおき、2点代入。
$1 = a(1-2)^2 + q$、$7 = a(4-2)^2 + q$ より、a、q の連立方程式を解き、
$a = 2$、$q = -1$。よって(*)より、$\underline{y = 2(x-2)^2 - 1}$ （答）

iii：条件「x 軸との 2 交点と 1 点の座標」⇒ $y = a(x-\alpha)(x-\beta)$ の利用

例題：3 点 A（-1，0）B（2，0）C（3，-4）を通る。

<解法>2 点 A、B は x 軸（$y=0$）上の点ゆえ、
求める 2 次関数は $y=a(x+1)(x-2)$（*）とおける。
（*）に点 C を代入。$-4 = a(3+1)(3-2)$ より、$a=-1$。
よって、（*）より、$y=-(x+1)(x-2)$。ゆえに、$\underline{y=-x^2+x+2}$（答）

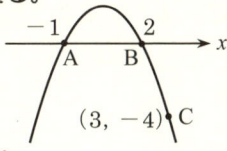

iv：条件「3 点の座標」⇒ 一般形 $y=ax^2+bx+c$ の利用

例題：3 点（1，4）（-2，10）（3，10）を通る。

<解法> x 軸との交点の座標がないので $y=ax^2+bx+c$（*）に代入。

$4 = a+b+c \cdots ①$　　$10 = 4a-2b+c \cdots ②$　　$10 = 9a+3b+c \cdots ③$

①②③より、「3 元連立方程式を解く」←方針：1 文字減らし！

[②−①] $3a-3b=6$ ∴ $a-b=2 \cdots ④$　　←c を消す

[③−②] $5a+5b=0$ ∴ $a+b=0 \cdots ⑤$　　←c を消す

[④+⑤] $2a=2$ ∴ $a=1$。⑤に $a=1$ を代入、$b=-1$

①に $a=1$、$b=-1$ を代入、$1-1+c=4$ ∴ $c=4$

したがって、（*）より　$\underline{y=x^2-x+4}$（答）

演習 50　つぎの各問いについて考えてみましょう。

（1）2 次関数 $y=ax^2+bx+c$ のグラフが右図のとき、
つぎの①〜⑥までの符号を求めてください。

① a　　② b　　③ c
④ $a+b+c$　⑤ $a-b+c$　⑥ b^2-4ac

（2）つぎの条件を満たす 2 次関数を求めてください。

① 頂点（1，-3）で点（-1，5）を通る。

② 軸 $x=1$、2 点（-2，11）（0，3）を通る。

③ 3 点（2，0）（-1，0）（1，-4）を通る。

④ 3 点（1，-1）（2，1）（-3，11）を通る。

[Ⅴ] 2次関数の最大値・最小値

　最大値、最小値の問題は大きく分けて4種類あります。しかし、ここでは基本となる2つ。「定義域がない場合」「定義域がある場合」に関してお話ししたいと思います。

ⅰ：定義域（xの変域）がない場合

2次関数 $y = ax^2 + bx + c$ において、

・$a > 0$ のとき
　最小値
　　頂点の y 座標
　最大値
　　なし

・$a < 0$ のとき
　最小値
　　なし
　最大値
　　頂点の y 座標

例題：2次関数 $y = x^2 - 4x + 1$ において、最大値または最小値を求めてみますね。

＜解法＞
$$y = x^2 - 4x + 1 = (x-2)^2 - 3$$

よって、右図より

$\begin{cases} 最小値：-3 \ (x = 2) \\ 最大値：なし \end{cases}$ （答）

注：必ず x の値を記す！

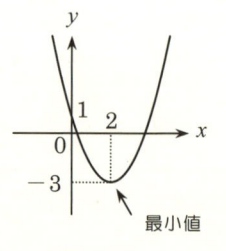

2次関数 $y = ax^2 + bx + c$ における、定義域がない最大値・最小値の問題
　・$a > 0$（下に凸）ならば「頂点の y 座標が最小値」
　・$a < 0$（上に凸）ならば「頂点の y 座標が最大値」

演習51　つぎの2次関数において、最大値、または最小値があれば求めてみましょう。
$$y = -2x^2 + 10x - 7$$

ⅱ：定義域（x の変域）がある場合

定義域がある場合は、必ずグラフをかき、そこから読み取る！

2次関数 $y = f(x) = ax^2 + bx + c$ （$p \leqq x \leqq q$）における、最大値・最小値

・頂点の x 座標が定義域内

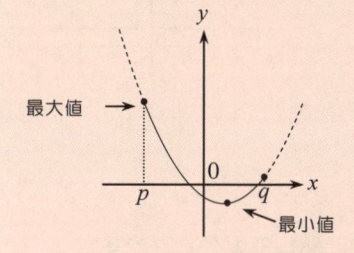

$$\begin{cases} 最小値：頂点の y 座標 \\ 最大値：f(p) \end{cases}$$

・頂点の x 座標が定義域外

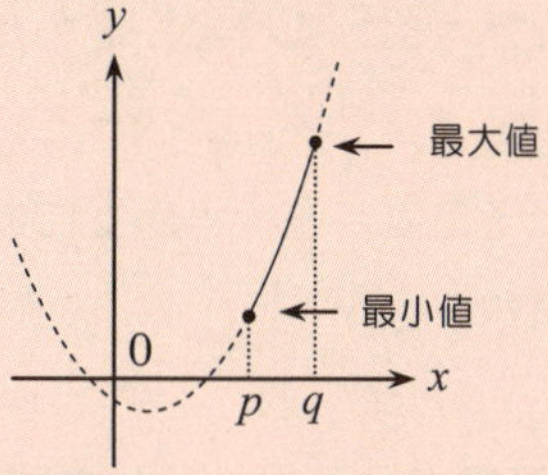

$$\begin{cases} 最小値：f(p)（x = p） \\ 最大値：f(q)（x = q） \end{cases}$$

例題：2次関数 $y = -x^2 + 4x + 2$（$-1 \leqq x \leqq 4$）において、最大値または最小値を求めてみますね。

＜解法＞

$$y = -x^2 + 4x + 2 = -(x-2)^2 + 6$$

よって、右図より

$$\begin{cases} 最小値：-3 （x = -1） \\ 最大値：6 （x = 2） \end{cases} （答）$$

注：必ず x の値を記す！

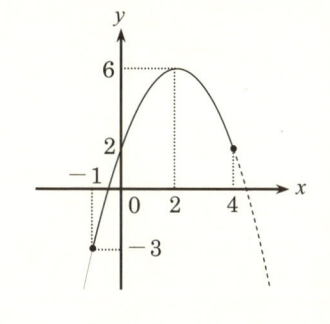

補足：「$y = x + 7$ において、$x = 2$ のときの y の値は？」と聞かれ、いちいち「$x = 2$ のとき、$y = 2 + 7 = 9$」と書くのは面倒でしょ！？

そこで、$y = f(x)$ とおけば、わざわざ「$x = 2$ のとき」など書かずに「$f(2) = 2 + 7 = 9$」と簡単に表せて便利！

ちなみに「$f(x)$」の f は function（関数）の頭文字を取ったものです。

演習52　つぎの2次関数において、最大値、最小値を求めてみましょう。

$$y = x^2 - 6x + 7 \quad (1 \leqq x \leqq 6)$$

[Ⅵ] グラフの対称移動・平行移動

最初に、グラフに関してつぎのことを確認しておきたいと思います。
$y = f(x)$のグラフは右図のように「あるxにおけるyの値、あるxにおけるyの値を点としてとり、その点が無数に集まり線（グラフ）になっている！」

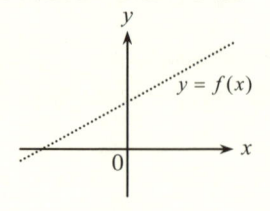

そこで、座標平面上における点の対称移動について考えてみたいと思います。

任意な点$A(x, y)$の以下の対称移動に関して調べてみます。

- x軸対称　：$A(x, y) \to A_1(x, -y)$
- y軸対称　：$A(x, y) \to A_2(-x, y)$
- 原点対称　：$A(x, y) \to A_3(-x, -y)$
- $y = x$対称：$A(x, y) \to A_4(y, x)$

このことから任意の点における4つの対称移動の変化がわかりました。よって、これを利用し、「グラフは、あるxにおけるyの値の点の集まり」より、$y = f(x)$のグラフの対称移動についてつぎのことが成り立ちます。

ⅰ：グラフの対称移動

$y = f(x)$に関する対称移動

- x軸対称：yだけが逆符号　⇒　$-y = f(x)$　∴　$\underline{y = -f(x)}$
- y軸対称：xだけが逆符号　⇒　∴　$\underline{y = f(-x)}$
- 原点対称：x、y共に逆符号　⇒　$-y = f(-x)$　∴　$\underline{y = -f(-x)}$
- $y = x$対称：xとyを入れ換える⇒$\underline{x = f(y)}$ ← 知識だけでOK！

例題：放物線$y = x^2 + x - 1$の「x軸対称」「y軸対称」「原点対称」した放物線の式を求めてみますね。

＜解法＞
・x軸対称：y座標だけ逆符号：$-y = x^2 + x - 1$　　∴ $y = -x^2 - x + 1$
・y軸対称：x座標だけ逆符号：$y = (-x)^2 + (-x) - 1$　∴ $y = x^2 - x - 1$
・原点対称：x、y共に逆符号：$-y = (-x)^2 + (-x) - 1$ ∴ $y = -x^2 + x + 1$

ⅱ：グラフの平行移動

　グラフの平行移動には2通りの解法があります。1つは**頂点を動かす**。そして、もう1つは**軸を動かす**（私が勝手に言っているんですが！ 汗）。この2つなんです。そこで、頂点を動かす解法は演習の解答で別解の形で示しておきますので、ここでは「**軸を動かす**」解法をお話しします。

> $y = f(x)$に関する平行移動
>
> 関数$y = f(x)$のグラフを「x軸方向にp、y軸方向にq」平行移動
> $$y = f(x) \Rightarrow y - q = f(x - p)$$
> ポイント：x、yを逆方向に動かす！

例題：放物線$y = 2x^2 - x + 3$をx軸方向に2、y軸方向に-1平行移動した放物線の式を求めてみますね。

＜解法＞
「x、yを逆方向に動かす」← 詳しくは「語りかける高校数学Ⅰ」参照
$$y + 1 = 2(x - 2)^2 - (x - 2) + 3$$
$$y = 2x^2 - 9x + 12 \quad (答)$$

　この「対称移動」「平行移動」の考え方は、高次関数でも成立しますのでシッカリマスターしてくださいね！

演習53　放物線$y = -x^2 + x - 2$に関して、つぎの問いの放物線を求めてみましょう。

（1）x軸対称、y軸対称、原点対称。

（2）x軸方向へ-1、y軸方向へ3平行移動。

[Ⅶ] 2次関数のグラフと方程式の解

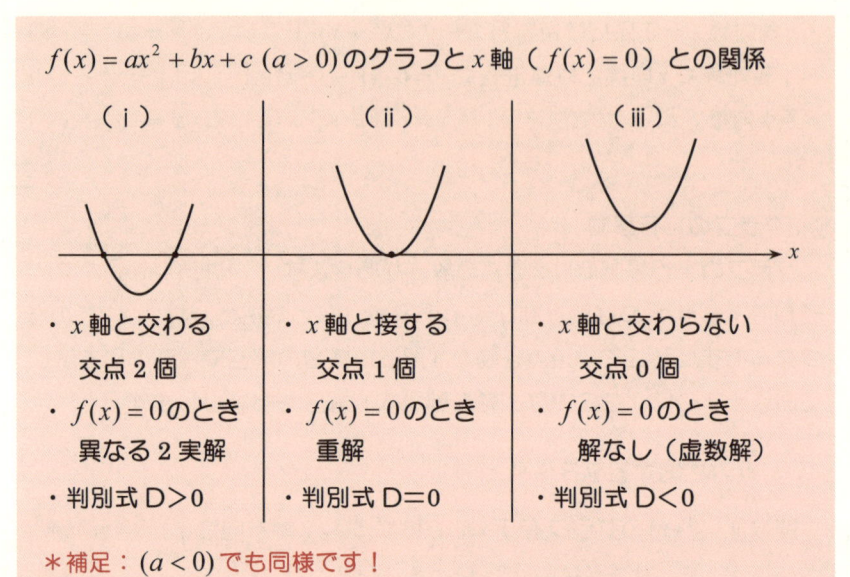

$f(x) = ax^2 + bx + c \ (a > 0)$ のグラフと x 軸（$f(x) = 0$）との関係

（ⅰ）
- x 軸と交わる 交点2個
- $f(x) = 0$ のとき 異なる2実解
- 判別式 D＞0

（ⅱ）
- x 軸と接する 交点1個
- $f(x) = 0$ のとき 重解
- 判別式 D＝0

（ⅲ）
- x 軸と交わらない 交点0個
- $f(x) = 0$ のとき 解なし（虚数解）
- 判別式 D＜0

＊補足：$(a < 0)$ でも同様です！

例題：2次関数 $f(x) = x^2 - ax + 3$ がつぎの条件を満たすように、a の値を求めてみますね。

（1）x 軸と異なる2点で交わる。

（2）x 軸と接する。

（3）x 軸と交わらない。

<解法> 必ず、上の枠内のグラフが問題文を読んだだけで、すぐに頭に浮かぶまで練習してください。

判別式 D $= a^2 - 12 = (a + 2\sqrt{3})(a - 2\sqrt{3})$ ← 実数の範囲で因数分解

（1）異なる2点で交わる ⇔ 判別式 D $= (a + 2\sqrt{3})(a - 2\sqrt{3}) > 0$
∴ $a < -2\sqrt{3}$、$2\sqrt{3} < a$ （答）

（2）交点1個：重解 ⇔ 判別式 D $= (a + 2\sqrt{3})(a - 2\sqrt{3}) = 0$
∴ $a = \pm 2\sqrt{3}$ （答）

（3）交点0個：解なし ⇔ 判別式 D $= (a + 2\sqrt{3})(a - 2\sqrt{3}) < 0$
∴ $-2\sqrt{3} < a < 2\sqrt{3}$ （答）

[Ⅷ] 2次関数のグラフと不等式

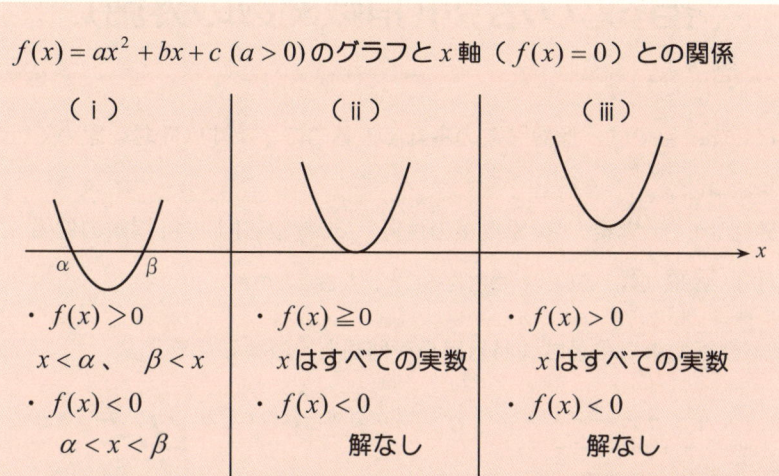

$f(x) = ax^2 + bx + c \ (a>0)$ のグラフと x 軸（$f(x)=0$）との関係

（ⅰ）
- $f(x) > 0$
  $x < \alpha、\quad \beta < x$
- $f(x) < 0$
  $\alpha < x < \beta$
- 判別式 D＞0

（ⅱ）
- $f(x) \geqq 0$
  x はすべての実数
- $f(x) < 0$
  解なし
- 判別式 D＝0

（ⅲ）
- $f(x) > 0$
  x はすべての実数
- $f(x) < 0$
  解なし
- 判別式 D＜0（重要）

＊補足：$(a<0)$ でも必ず「最高次数の係数＞0」で方程式・不等式は解くのが原則。よって、上のグラフと x 軸との関係から判断！

2次関数の不等式において、上の（ⅲ）の意味を理解していない方が多くいます。例題でよぉ〜く確認し、理解してくださいね！

例題：すべての実数 x について、$-2x^2 + ax - 1 < 0$ が成り立つような定数 a の範囲を求めてみますね。

<解法>
$-2x^2 + ax - 1 < 0$ ← 両辺に（−）をかけ、最高次数の係数＞0
$2x^2 - ax + 1 > 0$ ← 「不等号の向きが逆転しているか？」チェック！

よって、$2x^2 - ax + 1 = 0$ の判別式を D とすると、D＜0

∴ $(-a)^2 - 4 \cdot 2 \cdot 1 < 0$
$a^2 - 8 < 0$
$(a + 2\sqrt{2})(a - 2\sqrt{2}) < 0$
∴ $-2\sqrt{2} < a < 2\sqrt{2}$ （答）

通常、このように説明もなくほとんどの解答は、$2x^2 - ax + 1 = 0$ において判別式を D とし、「（2次不等式）＞0　よって、D＜0」
それゆえ、多くの人が混乱しています。しかし、（ⅲ）のグラフより、下に凸のグラフが x 軸と交わらないためには、（左辺＝0）となる x が存在してはダメ！よって、「解なし！」したがって、「D＜0」という流れになるわけなんですね！わかっていただけたでしょうか！？

4章 関数の章

復習 17

指数の法則（指数関数の外堀）

　ここの項目では、指数関数の本丸に入る前に、まずは外堀を埋めて行きましょう。

　外堀　⇒　① 累乗　② 累乗根の性質　③ 指数法則　④ 指数の拡張

　[Ⅰ] 累乗（累：るい ⇒ かさねること、かさなるの意）

> 累乗を簡単に言えば「自分自身を何回も掛け算したモノ」
>
> $\underbrace{a \times a \times a \times \cdots \times a}_{n \text{回の積}} = a^n$ （a の n 乗と読む）
>
> a^n ← 指数　　↑ 底（てい）

[Ⅱ] 累乗根の性質

> 　突然ですが「−8 の 3 乗根はナニ？」と聞かれたらアセリますよね。では、つぎのように質問されたなら少しはイメージできますか？
>
> 　　　「同じ数を 3 回かけて−8 になる数はナニ？」
>
> コレなら、とにかくまずはこの文章を式に直そうと思いますよね！？
>
> 　　　　　$x \times x \times x = -8$　　∴　$x^3 = -8$ ・・・(＊)
>
> いかがですか？ ここまではよろしいでしょうか？
>
> 問題は（＊）をどのように「$x = △$」と導くか！？　　うんうん！
>
> 　そこで、累乗根に関してはつぎの 2 点についてだけ覚えてください。
>
> ・「a の n 乗根は、$\sqrt[n]{a}$ （「n 乗根ルート a」と読む）と表す。」
> 　　⇔　式で表すと、$x^n = a$　∴　$x = \sqrt[n]{a}$
>
> ・$\sqrt[n]{a^n} = a$ ← 外と中の n の値が一致するとルートがはずれる！
>
> 　この上の枠内だけで構いませんから、必ず覚えてください！　　了解！

では、一番初めに戻り、例題として再度チャレンジ！

例題：-8 の 3 乗根を求めてみますね。

　　翻訳⇒「3 回掛け算して、-8 になる数はナニ？」

$$x^3 = -8 \quad \therefore \quad x = \sqrt[3]{-8} = \sqrt[3]{(-2)^3} = -2 \quad （答）$$

＊ちなみに、2 乗根を「平方根（へいほうこん）」、3 乗根を「立方根（りっぽうこん）」と呼ぶ。

演習 54　つぎの値を求めてみましょう。

　（1）49 の 2 乗根　　　（2）$\sqrt[3]{-27}$　　　（3）$\sqrt[4]{\dfrac{16}{81}}$

[Ⅲ] 指数法則

既存の本とは逆の項目構成となりますが、ここでは復習として「指数の法則」の中学範囲での累乗計算を確認したのち、**「指数の拡張」** へと進んで行きたいと……。経験上、この流れの方が理解しやすいようなので！

- 指数法則（$a>0$、$b>0$、m、n は有理数）　（底が等しければ）積→指数の和、商→指数の差

ⅰ：$a^m \times a^n = a^{m+n}$ ⇒ $a^2 \times a^3 = (a \times a) \times (a \times a \times a) = a^{5 \ (=2+3)}$

ⅱ：$a^m \div a^n = a^{m-n}$ ⇒ $a^5 \div a^3 = \dfrac{a \times a \times a \times a \times a}{a \times a \times a} = a^{2 \ (=5-3)}$

ⅲ：$(a^m)^n = a^{m \times n}$ ⇒ $(a^3)^2 = a^3 \times a^3 = a \times a \times a \times a \times a \times a = a^{6 \ (=3 \times 2)}$

ⅳ：$(ab)^n = a^n b^n$ ⇒ $(ab)^3 = ab \times ab \times ab = a^3 b^3$

演習 55　つぎの計算をしてみましょう。　　　（2）底をそろえる

　（1）$3^{\frac{1}{3}} \times 3^{\frac{1}{6}} \times 3^{\frac{1}{2}}$　　　　　　（2）$2^{\frac{3}{2}} \div 8 \div 2^{-\frac{1}{3}}$

　（3）$\left\{\left(\dfrac{9}{25}\right)^{\frac{4}{3}}\right\}^{-\frac{3}{8}}$　　　　　　（4）$(x^2 y^3)^2 \div xy^2 \div (xy)^2$

[IV] 指数の拡張

指数の拡張（v）〜（ix）の 5 個自体は、それほど覚えるのが難しいとは言えないが、しかし、コレに（i）〜（iv）までの指数法則が融合してくると、多くの方が泣きたくなるみたいですね！

　　　　　　　　超進学高校の教え子らも、いつもここでは少しだけ足ぶみしています！

・指数の拡張（$a>0$、n は自然数）

v：$a^0 = 1 \Rightarrow -2^0 = 1$、 $\left(-\dfrac{3}{4}\right)^0 = 1$、 $(1.3)^0 = 1$

vi：$a^{-1} = \dfrac{1}{a}$（逆数）$\Rightarrow 3^{-1} = \dfrac{1}{3}$、 $\left(\dfrac{2}{7}\right)^{-1} = \dfrac{7}{2}$、 $(0.9)^{-1} = \left(\dfrac{9}{10}\right)^{-1} = \dfrac{10}{9}$

vii：$a^{\frac{m}{n}} = \sqrt[n]{a^m} \Rightarrow 7^{\frac{1}{2}} = \sqrt{7}$、 $5^{\frac{2}{3}} = \sqrt[3]{5^2}$、 $(0.3)^{\frac{5}{4}} = \sqrt[4]{(0.3)^5}$

viii：$\sqrt[n]{a}\sqrt[n]{b} = \sqrt[n]{ab} \Rightarrow \sqrt[4]{3}\sqrt[4]{2} = \sqrt[4]{6}$　　ix：$\sqrt[m]{\sqrt[n]{a}} = \sqrt[mn]{a} \Rightarrow \sqrt[2]{\sqrt[3]{5}} = \sqrt[6]{5}$

例題1 つぎの値を求めてみますね。

（1）$7^{-2} = (7^2)^{-1} = \dfrac{1}{7^2} = \dfrac{1}{49}$　　←最初に"-1"を分離⇒逆数

（2）$(-2)^{-3} = \{(-2)^3\}^{-1} = \dfrac{1}{(-2)^3} = -\dfrac{1}{8}$　　←最初に"-1"を分離⇒逆数

（3）$81^{-\frac{3}{4}} = (3^4)^{-\frac{3}{4}} = \{(3^4)^{\frac{3}{4}}\}^{-1} = (3^3)^{-1} = \dfrac{1}{3^3} = \dfrac{1}{27}$　←基本的に底を素因数分解し、つぎに"-1"を分離⇒逆数

例題2 $a>0$ のとき、つぎの式を根号を用いて表してみますね。

（1）$a^{\frac{3}{2}} = \sqrt[2]{a^3} = \sqrt{a^2 \times a} = a\sqrt{a}$　　←2 は書かない

（2）$a^{-\frac{5}{3}} = (a^{\frac{5}{3}})^{-1} = (\sqrt[3]{a^5})^{-1} = \dfrac{1}{\sqrt[3]{a^5}} = \dfrac{1}{\sqrt[3]{a^3 \times a^2}} = \dfrac{1}{a\sqrt[3]{a^2}}$

（3）$a^{0.75} = a^{\frac{75}{100}} = a^{\frac{3}{4}} = \sqrt[4]{a^3}$　←"小数"は指数であろうと"分数"に直す！

例題 3　$a>0$ のとき、つぎの式を a^x の形で表してみますね。

(1) $\sqrt[7]{a^4} = a^{\frac{4}{7}}$　　　← $\sqrt[n]{a^m} = a^{\frac{m}{n}}$

(2) $(\sqrt[3]{a^2})^6 = (a^{\frac{2}{3}})^6 = a^{\frac{2}{3}\times 6} = a^4$　　← 3 乗根を"指数"で表す

(3) $\dfrac{1}{(\sqrt[4]{a^3})^2} = \{(\sqrt[4]{a^3})^2\}^{-1} = \{(a^{\frac{3}{4}})^2\}^{-1} = a^{\frac{3}{4}\times 2\times(-1)} = a^{-\frac{3}{2}}$
　　　　①　　　　　②　　　　　③

①指数"−1"で分数を消す。
②4 乗根を指数で表す。
③指数の計算。

(4) $\sqrt{a^3 \times \sqrt[3]{a^2}} = \sqrt{a^3 \times a^{\frac{2}{3}}} = \sqrt{a^{3+\frac{2}{3}}} = (a^{\frac{11}{3}})^{\frac{1}{2}} = a^{\frac{11}{6}}$
　　　　　　　①　　　　　②　　　　　③

①内側の 3 乗根を指数で表す。
②指数の計算。
③2 乗根を指数で表す。

(5) $\sqrt[7]{a}\sqrt[7]{b} = \sqrt[7]{ab} = (ab)^{\frac{1}{7}}$　　← $\sqrt[n]{a}\sqrt[n]{b} = \sqrt[n]{ab}$

(6) $\sqrt[3]{\sqrt[5]{a^2}} = \sqrt[15]{a^2} = a^{\frac{2}{15}}$　　← $\sqrt[m]{\sqrt[n]{a}} = \sqrt[mn]{a}$、$\sqrt[n]{a^m} = a^{\frac{m}{n}}$

指数の拡張が九九のように、無意識に計算できないとつぎの対数にも影響が出てきます。アセラズ、シッカリとモノにしてください。

演習 56　つぎの計算をしてみましょう。

(1) $(2^5)^{-\frac{2}{5}}$　(2) $(64^{-\frac{1}{3}})^{-2}$　(3) $25^{-\frac{3}{2}} \times 100^{1.5}$　(4) $(2^3 \times 3^{-3})^{\frac{2}{3}}$

演習 57　つぎの値を求めてみましょう。

(1) $\sqrt[3]{64}$　　(2) $\sqrt[5]{-32}$　　(3) $\sqrt[3]{\sqrt{4^6}}$　　(4) $25^{-1.5}$

(5) $\sqrt[3]{2}\sqrt[3]{4}$　(6) $\sqrt[4]{\sqrt{5^{16}}}$　(7) $(\sqrt[4]{3})^8$

演習 58　つぎの計算をしてみましょう。

(1) $\sqrt{a^3} \times \left(\sqrt[3]{a^2}\right)^{-1} \times \sqrt[6]{a}$　　(2) $\sqrt{a^{1.5}b^4} \times \sqrt[4]{a}$

ヒント：指数で表してから計算

復習 18

指数関数（本丸）

ここからが本丸となる、指数関数のお話です。
では、早速、本丸に切り込んで行きましょう！　ゾクゾク！武者ぶるい！　汗

> **指数関数**
> 　　　a が 1 でない正の定数（$a>0$、$a≠1$）のとき、
> $$y = a^x \quad ←（変数 x と a^x との関係）$$
> を、a を**底**とする**指数関数**と呼ぶ！

そこで、この「x と a^x の関係：$y=a^x$」をグラフで表してみましょう。

［Ⅰ］指数関数のグラフ

$y = a^x$ （$a>0$、$a≠1$）

ⅰ：$a>1$ のとき

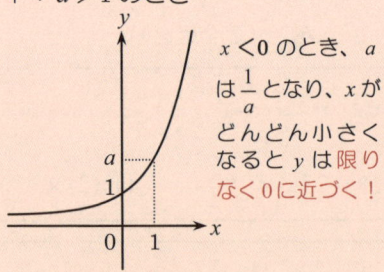

$x<0$ のとき、a は $\frac{1}{a}$ となり、x がどんどん小さくなると y は限りなく 0 に近づく！

"単調増加"関数（$y>0$）

y 切片は必ず 1

2 点（0, 1）（1, a）を記入

漸近線：$y=0$（x 軸）

ⅱ：$0<a<1$ のとき

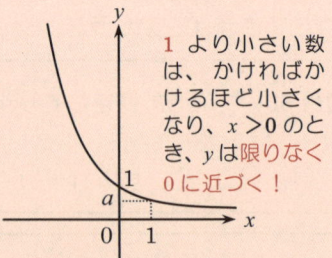

1 より小さい数は、かければかけるほど小さくなり、$x>0$ のとき、y は限りなく 0 に近づく！

"単調減少"関数（$y>0$）

y 切片は必ず 1

2 点（0, 1）（1, a）を記入

漸近線：$y=0$（x 軸）

・単調増加：x の増加にともない y もひたすら増加すること。

・単調減少：x の増加にともない y がひたすら減少すること。

・漸近線　：曲線上の点が原点から遠ざかるにしたがい、限り
　　　　　　なく近づく直線を、その曲線に対する漸近線と言う。

＊指数関数のグラフをかくポイント！

・どんなグラフでも必ず2点以上の座標を書き込んでください。

> $y = a^x$ （$a > 0$、$a \neq 1$）に関しては、
>
> 　2点 (0, 1) (1, a) を書き込み、x軸に近づくイメージ！

例題　つぎの2つのグラフをかいてみますね。

　　　　（1）$y = 2^x$　　　　　　　　　（2）$y = \left(\dfrac{1}{2}\right)^x$

<解法>

注：ここでは「底>1」「0<底<1」の場合における、xとyの関係をハッキリお見せしたかったので、表を書きました。よって、実際にグラフをかくときは、表は不要で上枠のことだけを守ってください。

（1）$y = 2^x$

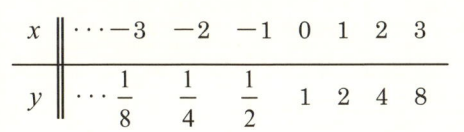

x	$\cdots$	-3	-2	-1	0	1	2	3
y	$\cdots$	$\dfrac{1}{8}$	$\dfrac{1}{4}$	$\dfrac{1}{2}$	1	2	4	8

注：漸近線 x軸に近づくイメージでかいてください。

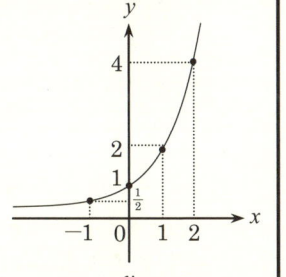

（2）$y = \left(\dfrac{1}{2}\right)^x$

x	$\cdots$	-3	-2	-1	0	1	2	3
y	$\cdots$	8	4	2	1	$\dfrac{1}{2}$	$\dfrac{1}{4}$	$\dfrac{1}{8}$

基本的には、y軸との交点、および、適当な他の1点の座標を書き込めばOK！

演習59　つぎのグラフをかいてみましょう。

　　（1）$y = 3^x$　　　（2）$y = \left(\dfrac{1}{3}\right)^x$　　　（3）$y = -3^{x+1}$

ヒント：(3) は $y = 3^{x+1}$ の「x軸対称のグラフ」だからサカサマですよ！

[Ⅱ] 累乗の大小関係

累乗の大小関係は、底に着目すれば解決！ 今一度、グラフの形を確認しつつ、大小関係を理解してください。

ⅰ：底：$a > 1$ のとき　　　　　　ⅱ：$0 < a < 1$ のとき

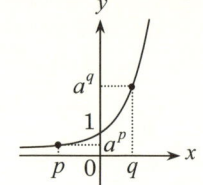

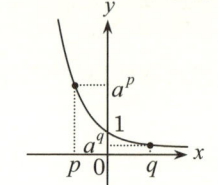

$y = a^x$ において単調増加ゆえ　　　$y = a^x$ において単調減少ゆえ

$p < q \Leftrightarrow a^p < a^q$　　　　　　$p < q \Leftrightarrow a^p > a^q$

簡単に言うと　　　　　　　　　　　簡単に言うと
底が1より大きければ　　　　　　　底が1より小さければ
指数の大小関係と一致！　　　　　**指数の大小関係と逆転！**

＊累乗の大小関係のポイント！

・底をそろえる　　・底が「1 より大きいか小さいか？」の確認

例題：つぎの数の大小関係を調べてみますね。

$$\sqrt[3]{4}, \quad \sqrt[4]{8}, \quad \sqrt[5]{16}$$

<解法> 各3乗根、4乗根、5乗根を指数で表し、**底をそろえる！**

$$\sqrt[3]{4} = 4^{\frac{1}{3}} = (2^2)^{\frac{1}{3}} = 2^{\frac{2}{3}}, \quad \sqrt[4]{8} = 8^{\frac{1}{4}} = (2^3)^{\frac{1}{4}} = 2^{\frac{3}{4}}, \quad \sqrt[5]{16} = 16^{\frac{1}{5}} = (2^4)^{\frac{1}{5}} = 2^{\frac{4}{5}}$$

底が2（>1）より、指数の大小関係と一致！

よって、$\dfrac{2}{3} < \dfrac{3}{4} < \dfrac{4}{5}$　ゆえ、$\underline{\sqrt[3]{4} < \sqrt[4]{8} < \sqrt[5]{16}}$　（答）

演習60　つぎの数の大小関係を調べてみましょう。

(1) $\sqrt[3]{2}$、$4^{\frac{1}{2}}$、$\sqrt[4]{8}$、$16^{\frac{1}{8}}$　　　　(2) $\dfrac{1}{3}$、$\left(\dfrac{1}{3}\right)^3$、$3^{-2}$、$\left(\sqrt[5]{3^3}\right)^{-1}$

[Ⅲ] 指数方程式

指数方程式の解法は2パターン！

> ⅰ：両辺の底をそろえ、指数同士の比較
> ⅱ：底をそろえ、置き換えで高次（たいてい2次）方程式に変換

ⅰ：例題　つぎの方程式を解いてみますね。

（1）$2^x = 8$　　　　　（2）$9^x = 3 \cdot 27^x$

＜解法＞

(1) $2^x = 8$　←底を2にそろえる　　(2) $9^x = 3 \cdot 3^{3x}$　←底を3にそろえる

　　$2^x = 2^3$　←指数の比較　　　　　$3^{2x} = 3^{3x+1}$　←指数の比較

　　$\therefore x = 3$（答）　　　　　　　　$\therefore 2x = 3x+1$

　　　　　　　　　　　　　　　　　　　　　$x = -1$（答）

演習 61　つぎの方程式を解いてみましょう。

（1）$5^{2x-1} = 125$　　　　（2）$4^x = \dfrac{1}{32}$

ⅱ：例題　つぎの方程式を解いてみますね。

$$4^x - 3 \cdot 2^{x+1} - 16 = 0$$

＜解法＞　指数の部分の底を2にそろえる！

$\underline{4^x} - 3 \cdot \underline{2^{x+1}} - 16 = 0$　←　$4^x = (2^2)^x = (2^x)^2$、$2^{x+1} = 2 \cdot 2^x$

$(\underline{2^x})^2 - 6 \cdot \underline{2^x} - 16 = 0$　・・・①

ここで $2^x = t$ ・・・②とおくと、$\underline{t > 0}$ ・・・（＊）← 要注意

①より、$t^2 - 6t - 16 = 0$

　$\therefore (t-8)(t+2) = 0$

　　　$t = 8$　（＊）より -2 は不適

よって、②より $2^x = 8 = 2^3$　$\therefore x = 3$（答）

> $t = 2^x$ のグラフより
> 常に $t > 0$ ですね！

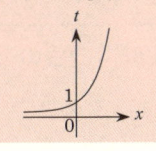

演習 62　$9^x - 2 \cdot 3^{x+1} - 27 = 0$ を解いてみましょう。

[Ⅳ] 指数不等式

この不等式の考え方は、累乗の大小関係と同じです！

例題1：つぎの2つの不等式を解いてみますね。

ⅰ：底＞1のとき、　　　　　　　　ⅱ：0＜底＜1のとき、

　　指数の大小関係も一致！　　　　　　指数の大小関係は逆転！

(1) $3^x < 27$　←底を3にそろえる　　(2) $\left(\dfrac{1}{2}\right)^x > \dfrac{1}{16}$　←底を$\dfrac{1}{2}$にそろえる

　　$3^x < 3^3$　←底＞1より、指数の大小関係も一致！　　$\left(\dfrac{1}{2}\right)^x > \left(\dfrac{1}{2}\right)^4$　←0＜底＜1より、指数の大小関係は逆転！

　　∴　$\underline{x < 3}$（答）　　　　　　　　∴　$\underline{x < 4}$（答）

例題2：つぎの不等式を解いてみますね。

$$\left(\dfrac{1}{27}\right)^x > 3^{x+4} \quad \leftarrow \text{（左辺）指数}-1\text{で分数を消す}$$

$$\left(27^{-1}\right)^x > 3^{x+4} \quad \leftarrow \text{底を3にそろえる}$$

$$\left\{\left(3^3\right)^{-1}\right\}^x > 3^{x+4} \quad \leftarrow \text{（左辺）指数部分の計算}$$

$$3^{-3x} > 3^{x+4} \quad \leftarrow \text{底＞1より、指数の大小関係も一致}$$

$$-3x > x+4 \quad \leftarrow x\text{を左辺へ移項}$$

$$-4x > 4 \quad \leftarrow \text{両辺}-4\text{で割る。不等号の向き逆転}$$

$$\therefore \ \underline{x < -1} \quad \text{（答）}$$

注：例題1（ⅱ）と例題2で「アレ！？」と思われた方がいたかと……。（ⅱ）は分数のままでの解法ゆえ「0＜底＜1」、しかし、例題2では指数（－1）を利用し、底を1より大きくした解法にしてみました。皆さんはお好きな方でどうぞ！

演習63　つぎの不等式を解いてみましょう。

(1) $2^x < 8$　　　　　　　　　(2) $8^{5-x} < 2^{2x}$

(3) $5^{x+1} < \sqrt{5^x}$　　　　　　　(4) $\left(\dfrac{1}{6}\right)^{3x-1} \geqq \left(\dfrac{1}{36}\right)^{x+1}$

[Ⅴ] 指数関数の最大値・最小値

高校数学の関数では、2次関数が基本であることを理解していただくためにこの項目を扱うことにしました。（対数関数でも扱います。お楽しみに！笑）

例題：関数 $f(x) = 4^x - 2^{x+1} + 5$ において、最大値、もしくは最小値があれば求めてみますね。

<解法> 必ず共通な素数の累乗になるので、その素数に底を統一！

$$f(x) = 4^x - 2^{x+1} + 5 \quad \leftarrow 共通な素数は 2 ですね！$$
$$= (2^x)^2 - 2 \cdot 2^x + 5 \cdots (*)$$

ここで、$2^x = t \ (t>0) \cdots ①$ とおくと

（*）より　　　　　　　　　↑重要！

$$f(x) = t^2 - 2t + 5$$

右辺を $g(t)$ とおくと

$$g(t) = t^2 - 2t + 5 \quad \leftarrow t の 2 次関数と考え "平方完成"$$
$$= (t-1)^2 + 4$$

①より関数 $g(t)$ のグラフは右図になる。

よって、最大値はなく、

グラフより、$t = 1$ で最小値 4 をとる。

また、①より

$$2^x = 1$$
$$\therefore \ x = 0$$

したがって、

$f(x)$ は、$x = 0$ で最小値 4　　（答）

注：無理にやる必要はないですが、2次関数の利用が今後も対数関数、三角関数でも出てきます。よって、私としては2次関数の重要性を実感していただければ十分なんですが……。

演習 64　関数 $f(x) = 3 + 2 \cdot 3^{x+1} - 9^x$ において、最大値、または、最小値があれば求めてみましょう。

復習 19 対数の性質

たぶん、この項目も「わけがわからん！」という方が多いと思います！？
だって、突然以下のようなこと言われてもねぇ〜……汗・涙

[Ⅰ] 対数の定義

> * 対数の定義
> 　　　$a > 0$、$a \neq 0$、$N > 0$において、
> 　　　　　　$x = \log_a N \quad \Leftrightarrow \quad N = a^x$　　　例：$\log_2 8 = 3$
> 　このxを「aを底とするNの対数、Nを対数xの真数」と呼ぶ！

　　　　　　　　「ナンダコリャ〜？？？？？？？」

ですよね！　　　　　　　　　　　　　　　　もぉ〜、笑うしかない！
　でもね、だからといって心配はいりません。別にたいしたことを言っているわけではないんです。つぎの（式）→「文章」→「文章」→（式）の流れをジックリと読み、式と文章の関係を考えてみてください。

> 　　$2^3 = 8$　　→　「2を3乗すると8になります」
> 　　　　　　　　　　　↓（表現を少しだけ変えてみました）
> 　　$3 = \log_2 8$　←　「3乗すると2は8になります」

これをもっと噛み砕いて言いますと
　　　対数の値［3］とは「2を何回かけると8になるかの回数」
であり、いわゆる底［2］に対する「指数の値」を表しているだけ！

> * 矢印（→）の順と文章を比較！
> 　　　　$x = \log_a N \quad \Leftrightarrow \quad$「$a$を$x$回かけると$N$になります」の意！

ここまでは大丈夫ですか！？

では、つぎのお話は「**指数の式：$2^3=8$**」から「**対数の式：$3=\log_2 8$**」への変換方法。これって案外悩むもんなんですよ！ そこで、たぶん、多くの方から「馬鹿らしい！」とのお叱りを受けるのを承知の上で、苦手な高校生に教える方法を……。名づけて "**ところてん法**" 笑 を伝授！

"**ところてん法**" による変換！（大人向けバージョン）

（指数 3）：旦那さん、　　（底 2）：奥様、　　8：奥様の友人宅

（お邪魔します：挨拶の言葉）log

大きい奥さん：2　　　　　奥さん：2 外出　　　　友人宅ゆえ小さい奥さん：2
小さい旦那さん：3　　　　羽を伸ばす旦那さん：3　旦那さん態度デカイ：3

$$2^3 = 8 \longrightarrow \quad 3 = 8 \quad \longrightarrow 3 = \log_2 8$$
　　　　　　　　　　　　　　2　　2　　　　log と挨拶

帰宅後、再び
小さい旦那さん：3
大きい奥さん：2

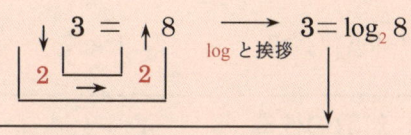

逆経路で帰宅

上記の "ところてん法" は一見馬鹿らしいけど、逆に馬鹿らしいゆえ、苦手な高校生でも一回の説明でこの変換を覚えてしまいます！

例題：つぎの等式を $q=\log_a p$ の形で表してみますね。

(1) $5^2=25$ 　　　　　　　　(2) $\dfrac{1}{8}=2^{-3}$

＜解法＞

(1) $5^2=25$ 　　　　　　　　(2) $2^{-3}=\dfrac{1}{8}$ ←両辺入れかえる

　$2=\log_5 25$（答）　　　　　$-3=\log_2 \dfrac{1}{8}$（答）← 真数部分が分数でも OK

演習 65　つぎの等式を $q=\log_a p$ の形で表してみましょう。

(1) $4^2=16$ 　　　　　　　　(2) $7^0=1$

(3) $10^{-3}=0.001$ 　　　　　(4) $\left(\sqrt{3}\right)^{-2}=\dfrac{1}{3}$

今度は、逆の「対数の式」を「指数の式」に直す練習です。

> 例題：つぎの等式を満たす a の値を求めてみますね。
>
> (1) $\log_a 81 = 4$ (2) $\log_a 5 = -\dfrac{1}{2}$
>
> <解法>
>
> (1) $4 = \log_a 81$ より $a^4 = 81$ ∴ $a = \sqrt[4]{81} = \sqrt[4]{3^4} = 3$ （答）
>
> (2) $-\dfrac{1}{2} = \log_a 5$ より $a^{-\frac{1}{2}} = 5$ ← ここで両辺（−2）乗する。
>
> $\left(a^{-\frac{1}{2}}\right)^{-2} = 5^{-2}$ ∴ $a = 5^{-2} = (5^2)^{-1} = (25)^{-1} = \dfrac{1}{25}$ （答）

> 演習66 つぎの等式を満たす a の値を求めてみましょう。
>
> (1) $\log_a 64 = 6$ (2) $\log_a 2 = -\dfrac{1}{3}$ (3) $\log_a 125 = -3$

[Ⅱ] 対数の性質

対数の性質は本によって5〜6個定義されています。しかし、あえてここでは、さらに1個増やし7個としてお話しさせてください。

> **性質1** $a > 0$、$a \neq 0$
>
> k：実数 $\log_a a^k = k$ ←
>
> "対数の定義"を式にしただけです。
> 「底 a を何乗すれば真数 a^k になりますか？」当然、k 乗ですよね！
>
> 例題：つぎの値を求めてみますね。
>
> (1) $\log_3 243$ (2) $\log_2 \dfrac{1}{8}$
>
> <解法> ポイント！⇒ 真数を底の累乗で表す！
>
> (1) $\log_3 \underline{243} = \log_3 \underline{3^5} = 5$
>
> (2) $\log_2 \underline{\dfrac{1}{8}} = \log_2 \left(\dfrac{1}{2}\right)^3 = \log_2 (2^{-1})^3 = \log_2 \underline{2^{-3}} = -3$

> 演習67 つぎの値を求めてみましょう。
>
> (1) $\log_2 32$ (2) $\log_7 49$ (3) $\log_5 \dfrac{1}{25}$ (4) $\log_{\sqrt{3}} 9$

性質2　$a>0$、$a\neq 0$

・$\log_a a = 1$　　　　・$\log_a 1 = 0$　← 真数＝1のとき、底 a がどんな値であろうと、0乗すればすべて1でした。

例題：つぎの値を求めてみますね。

(1) $\log_{0.2} \dfrac{2}{10}$　　　　(2) $\log_6 1$

＜解法＞

(1) $\log_{0.2} \dfrac{2}{10} = \log_{0.2} 0.2 = 1$　　　(2) $\log_6 1 = 0$

性質3　$a>0$、$a\neq 0$、$M>0$、k は実数

$$\log_a M^k = k \log_a M$$

← 真数の指数 k が先頭に出る！

[証明]

$\log_a M = x$ ・・・① とおくと、

$a^x = M$

ここで両辺 k 乗

$(a^x)^k = M^k$

$a^{kx} = M^k$

$kx = \log_a M^k$

よって、左辺に①を代入

$\log_a M^k = k \log_a M$

おわり

例題：つぎの値を求め、求まらないものは $k\log_a M$ の形にしてみますね。

(1) $\log_2 81$　　　　(2) $\log_5 125$

＜解法＞

(1) $\log_2 81 = \log_2 3^4 = 4\log_2 3$　　(2) $\log_5 125 = \log_5 5^3 = 3\log_5 5 = 3$
$\|$
1

演習68　つぎの値を $k\log_a M$ の形、または求めてみましょう。

(1) $\log_{\frac{6}{5}} 1.2$　　(2) $\log_{\sqrt{3}} 1$　　(3) $\log_2 100$

4章 関数の章

性質4　積を和に変換！　　$a>0$、$a\neq 0$、$M>0$、$N>0$

$$\log_a MN = \log_a M + \log_a N$$

[証明]

$\log_a M = x$、$\log_a N = y$ ・・・①とおくと、

$M = a^x$、　$N = a^y$

∴ $MN = a^x \times a^y = a^{x+y}$

対数の定義より　$\log_a MN = x+y$

> 理解しにくい方は
> $a^{x+y} = MN$（トコロテン法）
> ∴ $x+y = \log_a MN$

したがって、　$\log_a MN = \log_a M + \log_a N$ （∵ ①）

おわり

例題1：$x>0$、$y>0$、$z>0$ のとき、$\log_a x^2 y^3 z^4$ の式を対数の和の式で表してみますね。

＜解法＞

$\log_a x^2 y^3 z^4 = \log_a x^2 + \log_a y^3 + \log_a z^4$　← 真数の指数は前にでる

$= 2\log_a x + 3\log_a y + 4\log_a z$　（答）

例題2：つぎの式を計算してみますね。

$$\log_3 6 + 2\log_3 \frac{1}{2} + \log_3 18$$　← 底が等しい！

＜解法＞

（与式）$= \log_3 6 + \log_3 \left(\frac{1}{2}\right)^2 + \log_3 18$

$= \log_3 \left(6 \times \frac{1}{4} \times 18\right)$

$= \log_3 27$

$= \log_3 3^3 \quad (=3\log_3 3)$

$= 3$　（答）

> $2\log_3 \frac{1}{2} = \log_3 \left(\frac{1}{2}\right)^2$
> $= \log_3 \frac{1}{4}$

演習69　つぎの計算をしてみましょう。

（1）$\log_2 28 + \log_2 \frac{1}{7}$　　（2）$\log_5 9 + \log_5 3 + \log_5 \frac{1}{135}$

性質5　商を差に変換！　　$a > 0$、$a \neq 0$、$M > 0$、$N > 0$

$$\log_a \frac{M}{N} = \log_a M - \log_a N$$

[証明]

$\log_a M = x$、$\log_a N = y$ ・・・①とおくと、

$M = a^x$、$N = a^y$

∴ $\dfrac{M}{N} = \dfrac{a^x}{a^y} = a^{x-y}$

理解しにくい方は

$a^{x-y} = \dfrac{M}{N}$ （トコロテン法）

∴ $x - y = \log_a \dfrac{M}{N}$

対数の定義より　　$\log_a \dfrac{M}{N} = x - y$

したがって、　　$\log_a \dfrac{M}{N} = \log_a M - \log_a N$ （∵①）

おわり

例題1：$x > 0$、$y > 0$、$z > 0$ のとき、$\log_a \dfrac{x^2 y}{\sqrt[3]{z^2}}$ の式を対数の和・差の式で表してみますね。

<解法>

$\log_a \dfrac{x^2 y}{\sqrt[3]{z^2}} = \log_a x^2 + \log_a y - \log_a \sqrt[3]{z^2}$

$= 2\log_a x + \log_a y - \dfrac{2}{3}\log_a z$

$\log_a \sqrt[3]{z^2} = \log_a z^{\frac{2}{3}}$
$= \dfrac{2}{3}\log_a z$

例題2：つぎの式を計算してみますね。

$$\log_9 45 - \frac{1}{2}\log_9 25 - 2\log_9 3 \quad \leftarrow \text{底が等しい！}$$

<解法>

（与式）$= \log_9 45 - \log_9 25^{\frac{1}{2}} - \log_9 3^2$

$= \log_9 45 \times \dfrac{1}{5} \times \dfrac{1}{9}$

$= \log_9 1 = 0$ 　　（答）

$-\log_9 (5^2)^{\frac{1}{2}} - \log_9 3^2$
$= -\log_9 5 - \log_9 9$

注：商は逆数の積

演習70　つぎの計算をしてみましょう。

(1) $\log_2 48 - \log_2 3$

(2) $\log_2 6 + \dfrac{1}{2}\log_2 20 - \dfrac{1}{2}\log_2 90$

性質 6-1　底の変換公式！　　a、b、c、は 1 でない正の数

$$\log_a b = \frac{\log_c b}{\log_c a}$$　　← 底が自由に変えられるので、大変便利な道具！

[証明]

$\log_a b = x$ …①　　$\log_c b = y$ …②　　$\log_c a = z$ …③とおくと

$b = a^x$ …①'　　$b = c^y$ …②'　　$a = c^z$ …③'

①' ②' より、$a^x = c^y$ …④

③' を④に代入、$(c^z)^x = c^y$　∴ $c^{xz} = c^y$ より

$xz = y$　∴ $x = \dfrac{y}{z}$　となり、コレに①②③を代入し

$$\log_a b = \frac{\log_c b}{\log_c a}$$

おわり

例題 1：つぎの値を求めてみますね。

　　　(1) $\log_{\sqrt{3}} 9$　　　　　　(2) $\log_{0.1} 100$

〈解法〉 変換する底の値は、真数部分と底がある共通の数の累乗になっているはず！ よって、その共通な数を探して底とする。

(1) 3 と 9 ゆえ、変換する底の値は 3

$$\log_{\sqrt{3}} 9 = \frac{\log_3 9}{\log_3 \sqrt{3}} = \frac{\log_3 3^2}{\log_3 3^{\frac{1}{2}}} = \frac{2\log_3 3}{\frac{1}{2}\log_3 3} = \frac{2}{\frac{1}{2}} = 4$$

（分子・分母それぞれ 2 倍、$\log_3 3 = 1$）

(2) 0.1 と 100 ゆえ、変換する底の値は 10

$$\log_{0.1} 100 = \frac{\log_{10} 100}{\log_{10} 0.1} = \frac{\log_{10} 10^2}{\log_{10} \frac{1}{10}} = \frac{\log_{10} 10^2}{\log_{10} 10^{-1}} = \frac{2\log_{10} 10}{-1 \times \log_{10} 10} = -2$$

例題 2：つぎの計算をしてみますね。

　　　(1) $\log_4 3 \times \log_3 8$　　　　(2) $\log_4 9 - \log_2 12$

＜解法＞

(1) $\log_4 3 \times \log_3 8$ ← 一方の底ともう一方の真数部分で共通な素数を見つけ、その素数を底に変換！
「底 4 と真数 8 ⇒ 素数 2」
「底 3 と真数 3 ⇒ 素数 3」
ここでは**素数 2** を選んでみます。

$= \dfrac{\log_2 3}{\log_2 4} \times \dfrac{\log_2 8}{\log_2 3}$

$= \dfrac{\log_2 2^3}{\log_2 2^2}$ ← $\left(= \dfrac{3\log_2 2}{2\log_2 2}\right)$

$= \dfrac{3}{2}$ （答）

両方の対数の底 4、2 から共通な素数を見つけ、その素数で底を変換！

(2) $\underline{\log_4 9} - \log_2 12 = \dfrac{\log_2 3^2}{\log_2 2^2} - \log_2 12 = \dfrac{2\log_2 3}{2\log_2 2} - \log_2 12 = \log_2 3 - \log_2 12$

差 → 真数部分の商

$= \log_2 \dfrac{3}{12} = \log_2 \dfrac{1}{4} = \log_2 4^{-1} = \log_2 2^{-2} = -2\log_2 2 = -2$（答）

性質 6-2 （計算短縮のため勝手に公式？ としました！ 笑）

$$\log_a b \cdot \log_b c \cdot \log_c d = \log_a d$$

（真数 b → 底 b）→（真数 c → 底 c） と等しい場合

互いに打ち消し合い、[最初の底 a] と [最後の真数 d] だけが残る！

[証明]

底を a にそろえる。

（左辺）$= \cancel{\log_a b} \cdot \dfrac{\cancel{\log_a c}}{\cancel{\log_a b}} \cdot \dfrac{\log_a d}{\cancel{\log_a c}}$

$= \log_a d$

おわり

例題：つぎの計算をしてみますね。

$$\log_3 5 \cdot \log_7 2 \cdot \log_5 7 \cdot \log_2 3$$

＜解法＞ ［真数 5 → 底 5 → 真数 7 → 底 7 → 真数 2 → 底 2］の順に並べ替える！

$\underline{\log_3 5 \cdot \log_5 7 \cdot \log_7 2 \cdot \log_2 3} = \log_3 3$

積 → 交換法則可！ $= 1$ （答）   スゲ〜！ 感動

4 章 関数の章

性質7

$$a^{\log_a p} = p$$

底 a とその指数における対数の底 a が一致すれば、その真数部分 p が左辺の値となる。

[証明]

$x = a^{\log_a p}$ ・・・① とおき、両辺に底を a とする対数をとる。

$\log_a x = \log_a a^{\log_a p}$
$ = \log_a p \, \log_a a$
$\log_a x = \log_a p \qquad \quad 1$
$\therefore \quad x = p$

よって、①より $\quad p = a^{\log_a p}$

おわり

> $A = B$ の両辺に底 a の対数をとる。
> $\log_a A = \log_a B \Leftrightarrow A = B$
>
> 上記の関係理解できますか？
>
> 微分においても、この発想は**「対数微分法」**という解法で利用され、大変便利なモノです！

例題：つぎの値を求めてみますね。

(1) $4^{\log_2 3}$ 　　　　　(2) $\left(\dfrac{1}{5}\right)^{3\log_5 2}$

＜解法＞

(1) $4^{\log_2 3} = (2^2)^{\log_2 3} = (2^{\log_2 3})^2 = 3^2 = 9$

(2) $\left(\dfrac{1}{5}\right)^{3\log_5 2} = (5^{-1})^{3\log_5 2} = (5^{\log_5 2})^{-1\times 3} = (2)^{-3} = (2^3)^{-1} = 8^{-1} = \dfrac{1}{8}$

性質6、7のチェック問題です。

演習71 つぎの値を求めてみましょう。

(1) $\log_4 8 + \log_8 2 + \log_{16} 4$ 　　　(2) $6^{2\log_6 2}$

この問題も含め、対数の項目は、指数の外堀の部分の知識があいまいだと、より難しく感じるかもしれませんね！ 特に対数計算などは、ある程度の量をやらないと、なかなか身に付かないものです。よって、少しではありますが、右のページに計算問題を載せておくことにします。

演習 72 つぎの値を求めてみましょう。

(1) $\log_4 64$

(2) $\log_9 \sqrt{3}$

(3) $\log_3 \dfrac{1}{81}$

演習 73 つぎの計算をしてみましょう。

(1) $\log_3 4 - 5\log_3 2 + \log_3 8$

(2) $\log_4 27 \cdot \log_9 8$
　ヒント：底の変換に着目

演習 74 $\log_{10} 2 = a$、$\log_{10} 3 = b$ のとき、つぎの式を a、b を使って表してみましょう。

(1) $\log_{10} 12$

(2) $\log_{10} 3.6$
　ヒント：小数を見たら「〜に直す」でしたね！

(3) $\log_{10} 7.5$
　途中で必ず手が止まるはず！？
　その時点で解答を見て「ナルホド〜！」と一言！笑

復習 20

対 数 関 数

[Ⅰ] 対数関数のグラフ

対数関数

x が正の定数のとき、($a>0$、$a \neq 1$)

$y = \log_a x$　←「a を y 乗すると x である」の意！

を a を底とする対数関数と呼ぶ！ また、x を真数（>0）と言う。

まずは、この「$y = \log_a x$」のグラフはどのような形なのか？

対数関数のグラフ

$y = \log_a x$（$x>0$、$a>0$、$a \neq 1$）

ⅰ：$a>1$ のとき

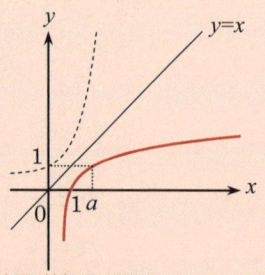

"単調増加" 関数（$x>0$）

必ず x 軸上の 1 を通る。

2 点 （1, 0）（a, 1）を記入

漸近線：$x=0$（y 軸）

ⅱ：$0<a<1$ のとき

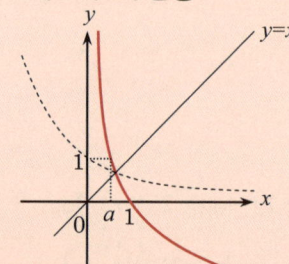

"単調減少" 関数（$x>0$）

必ず x 軸上の 1 を通る。

2 点 （1, 0）（a, 1）を記入

漸近線：$x=0$（y 軸）

・漸近線は「（真数）＝0」となる x の値！

補足：上の両グラフに点線のグラフもありますよね。これは、対数関数の逆関数のグラフを表しています。なんだか、どこかで見たような形のグラフだと思いませんか？ 実は「指数関数：$y = a^x$」のグラフなんですよ。詳しくは、逆関数の項目で！

i：対数関数 $y = \log_a x$ のグラフ

・どんなグラフでも必ず2点以上の座標を書き込んでください！

$y = \log_a x$（$x > 0$、$a > 0$、$a \neq 1$）に関しては、

2点 $(1, 0)$ $(a, 1)$ を書き込み、y 軸に近づくイメージ！

例題：つぎの2つのグラフ（底>1、0<底<1）をかいてみますね。

(1) $y = \log_3 x$ 　　　　　　　　(2) $y = \log_{\frac{1}{2}} x$

<解説>

最初は、表を作り具体的に点を取っていきましょう。

(1) $y = \log_3 x$ → 2点 $(1, 0)$ $(3, 1)$ を書き込む！

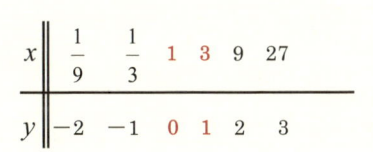

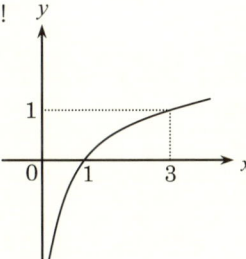

x	$\frac{1}{9}$	$\frac{1}{3}$	1	3	9	27
y	-2	-1	0	1	2	3

注：漸近線 y 軸に近づくイメージでかいてください。

(2) $y = \log_{\frac{1}{2}} x$ → 2点 $(1, 0)$ $\left(\frac{1}{2}, 1\right)$ を書き込む！

x	$\frac{1}{8}$	$\frac{1}{4}$	$\frac{1}{2}$	1	4	8
y	3	2	1	0	-2	-3

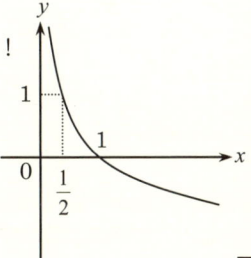

着眼点⇒真数部分が1になる x の値が x 軸との交点の値になる！

演習75　つぎのグラフをかいてみましょう。

(1) $y = \log_2 x$ 　　　　　　　　(2) $y = \log_{\frac{1}{3}} x$

ヒント：点 $(1, 0)$、（底の値, 1）この2点を基本的に書き込み、そして、y 軸に近づくイメージでかけば問題なし。y 軸に触れたらバツですからね！

ⅱ： $y = \log_a(x-p) + q$ （ $x > 0$、$a > 0$、$a \neq 1$、p、q は実数）のグラフ
真数：$(x-p) > 0$ より、「漸近線 $x = p$」に注意し「x 軸の交点の値」
と「真数が 1 になる x」を座標とする 2 点を書き込めばグラフは十分。
でも、"平行移動"の観点からも解説しておきたいと……。

$$y = \log_a(x-p) + q \quad \leftarrow \quad y = \log_a x \text{ のグラフを}$$
$$x \text{ 軸方向へ } p \text{、} y \text{ 軸方向へ } q \text{ 平行移動}$$

例題：つぎのグラフをかいてみますね。
$$y = \log_3(x-2) + 1$$

〈解法〉重要⇒初めに、漸近線となる「真数部分が 0」になる x の値を探す！

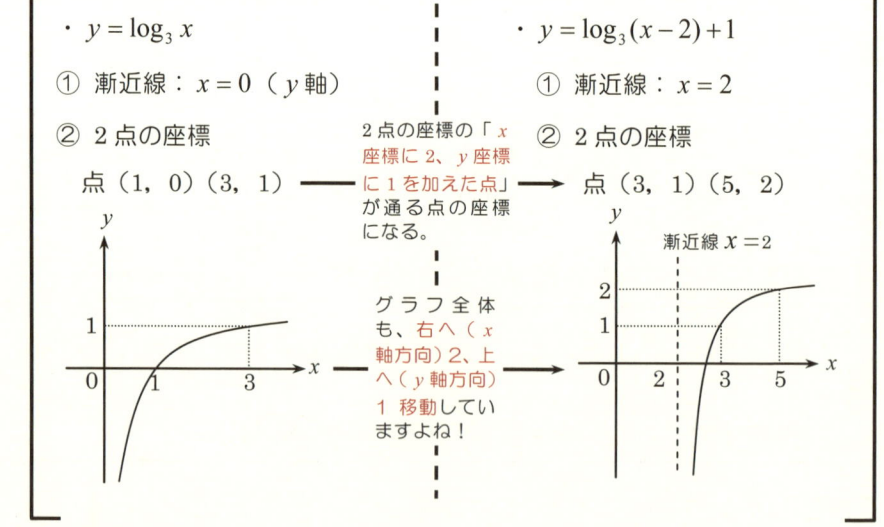

$$y = \log_3(x-2) + 1 \Rightarrow y = \log_3 x \begin{cases} x \text{ 軸方向へ } 2 \\ y \text{ 軸方向へ } 1 \text{ 平行移動} \end{cases}$$

・ $y = \log_3 x$　　　　　　　　　　　　・ $y = \log_3(x-2) + 1$

① 漸近線：$x = 0$（y 軸）　　　　　① 漸近線：$x = 2$

② 2 点の座標　　　　　　　　　　② 2 点の座標

点 $(1, 0)$ $(3, 1)$ 　──→ 　点 $(3, 1)$ $(5, 2)$

2 点の座標の「x 座標に 2、y 座標に 1 を加えた点」が通る点の座標になる。

グラフ全体も、右へ（x 軸方向）2、上へ（y 軸方向）1 移動していますよね！

漸近線 $x = 2$

演習 76 つぎのグラフをかいてみましょう。

　　　（1）$y = \log_3 3x$ 　　　　　　　　（2）$y = \log_2(2x-6)$

ヒント：(1) $y = \log_3 3x = \log_3 3 + \log_3 x = \log_3 x + 1$

　　　(2) $y = \log_2(2x-6) = \log_2 2(x-3) = \log_2 2 + \log_2(x-3) = \log_2(x-3) + 1$

[Ⅱ] 対数の大小関係

対数関数のグラフを再度思い出していただければ一目瞭然ゆえ、グラフを使って解説しますね！

対数の大小関係 ⇒ 底に着目！

・（底：a）＞1

$P = \log_a p$
$Q = \log_a q$

$\log_a q < \log_a p$

真数の大小関係も一致！
$Q < P \Rightarrow 0 < q < p$

・0＜（底：a）＜1

$\log_a q < \log_a p$

真数の大小関係は逆転！
$Q < P \Rightarrow 0 < p < q$

例題：つぎの数を小さい順に並べてみますね。

(1) 1、2、$\log_2 3$、3、$\log_2 5$ (2) 1、$\log_3 2$、$\log_4 5$

＜解法＞

(1) 1、2、$\log_2 3$、3、$\log_2 5$ において、対数の底が2より、1、2、3 を底2の対数で表すと、「$1 = \log_2 2$」より、$\log_2 2$ を2、3 にかける。

$1 = \log_2 2$、$2 = 2\log_2 2 = \log_2 2^2 = \log_2 4$、$3 = 3\log_2 2 = \log_2 2^3 = \log_2 8$

また、（底：2）＞1より、真数部分の大小関係と一致！

よって、$\log_2 2 < \log_2 3 < \log_2 4 < \log_2 5 < \log_2 8$ より、

$1 < \log_2 3 < 2 < \log_2 5 < 3$ （答）

(2) 1、$\log_3 2$、$\log_4 5$ において、$1 = \log_3 3$、$1 = \log_4 4$ より、

$\log_3 2 < \log_3 3 (=1)$、$(1=) \log_4 4 < \log_4 5$

よって、　$\log_3 2 < 1 < \log_4 5$ （答）

演習77　つぎの数を小さい順に並べてみましょう。

(1) $\log_{0.2} 5$、$\log_{0.2} 0.1$、1   (2) $\log_2 3$、$\log_4 8$、$\log_8 30$

[Ⅲ] 対数方程式

対数方程式の解法は大きく分けて 2 パターン！

基本は、必ず「真数条件をチェック」してから、解答をはじめる！
$$\log_a x : \quad \text{真数条件} \Rightarrow \text{「（真数：}x\text{）}>0\text{：正」}$$
そして、以下の解法へ！
　　ⅰ：真数部分に着目（底を等しくする）
　　ⅱ：$\log_a x = t$ 置き換え

では、順に ⅰ、ⅱ を具体的な問題を通してお話しします。

ⅰ：真数部分に着目

底が等しければ、真数部分も等しい！　$\log_a p = \log_a q \Leftrightarrow p = q$

例題 1：つぎの方程式を解いてみますね。

(1) $\log_3 x = \log_3 (4-x)$　　　(2) $\log_4(x+8) = \log_2(x+2)$

〈解法〉

(1) $\log_3 x = \log_3 (4-x)$　　　← 必ず最初に「真数条件」のチェック！

真数条件より
　　$x>0$、かつ、$4-x>0$　　← 両不等式の共通部分
　　∴ $0<x<4$ ・・・（＊）
また、
　　$x = 4-x$　　← 底：3 ゆえ、真数部分は等しい
　　∴ $x = 2$（答）　　←（＊）を満たすゆえ(答)となる

(2) $\log_4(x+8) = \log_2(x+2)$　　← 真数条件のチェック！

真数条件より
　　$x+8>0$、かつ、$x+2>0$　　← 両不等式の共通部分
　　$x>-8$、かつ、$x>-2$
　　∴ $x>-2$ ・・・（＊）

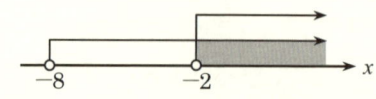

つぎに、底を 2 にそろえる。　← （左辺）底の変換公式の利用

$$\frac{\log_2(x+8)}{\log_2 4} = \log_2(x+2)$$ 　← 左辺分母：$\log_2 4 = \log_2 2^2 = 2\underset{1}{\log_2 2} = 2$

$$\frac{\log_2(x+8)}{2} = \log_2(x+2)$$ 　← 両辺 2 倍し分母を払う

$$\log_2(x+8) = 2\log_2(x+2)$$ 　← 右辺：(真数)^2 とする

$$\log_2(x+8) = \log_2(x+2)^2$$ 　← 底：2 ゆえ、真数部分は等しい

∴　$x+8 = (x+2)^2$ 　← 2 次方程式：$x^2 + 3x - 4 = 0$

　　$(x+4)(x-1) = 0$

　　$x = -4、1$ 　← （＊）より「$x > -2$」を満たすか？

（＊）より　$x = 1$（答）

演習 78　つぎの方程式を解いてみましょう。

（1）　$\log_5(2x+1) = \log_5(5-x)$　　（2）　$\log_3(x-1) = \log_9(7-x)$

例題 2：方程式 $\log_6(x-2) + \log_6(x+3) = 1$ を解いてみますね。

＜解法＞

　　真数条件より

　　　　$x-2 > 0$、かつ、$x+3 > 0$　← 両不等式の共通部分

　　　　$x > 2$、かつ、$x > -3$

　　∴　$x > 2$　・・・（＊）

$\log_6(x-2) + \log_6(x+3) = 1$ 　← 左辺：$\log_a xy = \log_a x + \log_a y$

　　　$\log_6(x-2)(x+3) = 1$ 　← $\log_a x = b \Leftrightarrow x = a^b$

　　　　$(x-2)(x+3) = 6$ 　← $x^2 + x - 12 = 0$

　∴　$(x+4)(x-3) = 0$

　　　$x = -4、3$ 　← （＊）より「$x > 2$」を満たすか？

（＊）より、$x = 3$（答）

演習 79　方程式 $\log_{10}(x-1) + \log_{10}(x-4) = 1$ を解いてみましょう。

ⅱ：$\log_a x = t$（＞0）と置き換え

> 文字式を他の文字で置き換えるときは、
> 必ず、その文字式の取りうる値の条件を確認！

しつこいようですが、$t = \log_a x$
のグラフを見て、$x > 0$ において
t はすべての実数を取っていますよね！
よって、ここでは心配なく対数「$\log_a x = t$」と置き換えができます。

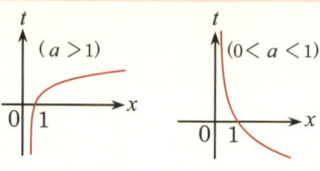

例題：方程式 $(\log_2 x)^2 - \log_2 x^2 - 3 = 0$ を解いてみますね。

＜解法＞

$(\log_2 x)^2 - \log_2 x^2 - 3 = 0$ 　　←　真数の指数部分 2 を前に出す　（指数に注意）

$(\log_2 x)^2 - 2\log_2 x - 3 = 0$ 　　←　$\log_2 x = t$ とおく

ここで $\log_2 x = t$（t は実数）・・・（＊）とおく

$t^2 - 2t - 3 = 0$ 　　←　2次方程式を解く（因数分解）

$(t-3)(t+1) = 0$

$t = -1、3$ 　　←　「t は実数」ゆえ安心！笑

（＊）より

$\log_2 x = -1$ 　∴ 　$x = 2^{-1} = \dfrac{1}{2}$ 　　←　$\log_a x = b \Leftrightarrow x = a^b$

$\log_2 x = 3$ 　∴ 　$x = 2^3 = 8$

よって、

$x = \dfrac{1}{2}、8$ （答）

「いかがですか？」対数方程式と名前はイカツイですが、基本的な部分は、単なる "2次方程式" ですね！　　　　　　　　ウン！ウン！

演習 80　つぎの方程式を解いてみましょう。

$$(\log_3 x)^2 + \log_3 x^3 - 4 = 0$$

[Ⅳ] 対数不等式

対数不等式は「底と真数との関係で解決！」
必ず、真数条件をチェックしてから、解答をはじめる！ $p>0$、$q>0$

- $a>1$　　⇒　$\log_a q < \log_a p$　⇔　$0<q<p$（真数の大小関係一致）
- $0<a<1$　⇒　$\log_a q < \log_a p$　⇔　$0<p<q$（真数の大小関係逆転）

例題1：つぎの不等式を解いてみますね。

(1) $\log_{\frac{1}{3}}(2-x) < \log_{\frac{1}{3}}(x+1)$　　(2) $\log_2(x-3) < 2$

＜解法＞

(1) 真数条件より

$2-x>0$、かつ、$x+1>0$　　← 両不等式の共通部分

∴　$-1 < x < 2$　・・・(＊)

そして、底＜1 より　　　　　　← 真数の大小関係逆転

$2-x > x+1$　　　　　　　　　← 不等式を解く

$x < \dfrac{1}{2}$　　　　　　　　　← (＊)との共通部分

よって、(＊)より

$-1 < x < \dfrac{1}{2}$（答）

(2) 真数条件より

$x-3>0$　∴ $x>3$　・・・(＊)

そして、両辺底（＞1）をそろえる。

$\log_2(x-3) < \log_2 4$

底＞1より、$x-3 < 4$　　∴ $x<7$　　← (＊)との共通部分

よって、(＊)より

$3 < x < 7$（答）

$*1$ の利用　⇒　$1 = \log_2 2$

$2 = 2 \times 1$
$= 2 \times \log_2 2$
$= \log_2 2^2$　← $2\log_2 2 = \log_2 2^2$
$= \log_2 4$

演習81　つぎの不等式を解いてみましょう。

(1) $\log_3(2x-3) < \log_3(6-x)$　　(2) $\log_{\frac{1}{2}} x \geqq -2$

例題2：つぎの不等式を解いてみますね。
$$\log_{\frac{1}{2}}(x-1) + \log_{\frac{1}{2}}(x+1) \geqq -3$$

<解法>

真数条件：$x-1>0$、かつ、$x+1>0$　より
$$x > 1 \cdots (*)$$

$\log_{\frac{1}{2}}(x-1) + \log_{\frac{1}{2}}(x+1) \geqq -3$　← 右辺の底をそろえる

$\log_{\frac{1}{2}}(x-1)(x+1) \geqq -3 \log_{\frac{1}{2}} \frac{1}{2}$　← 1の利用！「$1 = \log_a a$」

$\log_{\frac{1}{2}}(x-1)(x+1) \geqq \log_{\frac{1}{2}} \left(\frac{1}{2}\right)^{-3}$　← 指数の知識の確認！

$\log_{\frac{1}{2}}(x-1)(x+1) \geqq \log_{\frac{1}{2}} 8$　← 底共通ゆえ、真数に着目

∴　$(x-1)(x+1) \leqq 8$　←「底<1」：不等号逆転

$(x+3)(x-3) \leqq 0$　← $x^2 - 9 \leqq 0$ より

∴　$-3 \leqq x \leqq 3$

よって、(*)より
$$1 < x \leqq 3 \quad (答)$$

「いかがでしょうか？」だいぶ対数には慣れてきたかとは思いますが！？この時点でお気づきのことでしょうが、対数の計算だけでも、

「・指数の知識　・因数分解　・連立不等式　・2次不等式 etc……」

たくさんの別項目の知識が必要になってきます。

　数学は積み重ねの学問ゆえ、もし、少しでもあやふやな知識がありましたら、ちゅうちょすることなく復習し、基本を固めてくださいね！

演習82　つぎの不等式を解いてみましょう。

(1) $\log_2 x + \log_2 (x-3) \geqq 2$　　(2) $\log_2 (x+2) - \log_2 (1-x) < 1$

［Ⅴ］対数関数の最大値・最小値

指数関数に引き続き、対数関数でも扱ってみたいと思います。

例題：関数 $y = (\log_2 x)^2 + \log_2 x^4 + 1$ の最小値を求めてみますね。

＜解法＞

$$y = (\log_2 x)^2 + \log_2 x^4 + 1 = (\log_2 x)^2 + 4\log_2 x + 1$$ より

$t = \log_2 x$（t はすべての実数）・・・（＊）とおくと、

$$y = t^2 + 4t + 1$$
$$= (t+2)^2 - 3 \quad \cdots ①$$

$t = -2$ で最小値 -3 をとる。

①のグラフ

よって、（＊）より

$$\log_2 x = -2 \quad \therefore x = 2^{-2} = \frac{1}{4}$$

したがって、

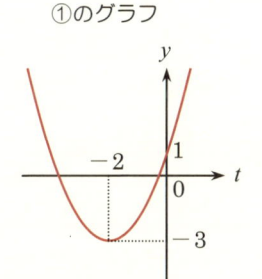

最小値：-3（$x = \dfrac{1}{4}$） （答）

指数関数においても扱いましたが、やはり、2次関数が基本です。
実は、この発想は三角関数の最大・最小の問題でも扱われます。
そして、この解法で一番重要な点は、文字式を1文字で置き換えたとき、その「文字の変域」なんですね。
よって、何度もお話ししてますが、

「文字式を1文字で置き換えたときは、
　　　必ずその文字式の変域を確認してください！」

演習83　つぎの関数において、最大値、もしくは最小値があれば求めてみましょう。

(1) 関数 $y = (\log_3 x)^2 + \log_3 x^2 + 2$

(2) 関数 $y = \log_{10}(x-5) + \log_{10}(25-x)$

復習 21

常用対数

底を 10 とする対数 $\log_{10} x$ を「常用対数」と呼び、この常用対数は、整数の桁数および小数点の位置を調べるのに大変便利なモノ。

では、具体的に問題を通して説明して行きたいと思います。

---

i：$\log_{10} 2$、$\log_{10} 3$ を利用し対数の値を調べる！

例題：$\log_{10} 2 = 0.3010$、$\log_{10} 3 = 0.4771$ とするとき、つぎの値を求めてみますね。

(1) $\log_{10} 6$　　(2) $\log_{10} 18$　　(3) $\log_3 8$

＜解法＞

(1) $\log_{10} 6 = \log_{10}(2 \times 3)$
$= \log_{10} 2 + \log_{10} 3$
$= 0.3010 + 0.4771$
$= 0.7781$

(2) $\log_{10} 18 = \log_{10}(2 \times 9)$
$= \log_{10} 2 + \log_{10} 3^2$
$= \log_{10} 2 + 2\log_{10} 3$
$= 0.3010 + 2 \times 0.4771$
$= 1.2552$

(3) $\log_3 8 = \dfrac{\log_{10} 2^3}{\log_{10} 3}$　← 底を 10 に変換

$= \dfrac{3\log_{10} 2}{\log_{10} 3}$

$= \dfrac{3 \times 0.3010}{0.4771}$

$= 1.89268\cdots$

$\fallingdotseq 1.8927$　← 与えられている値に合わせ、小数第 5 位を四捨五入して小数第 4 位まで求めた。

演習 84　$\log_{10} 2 = 0.3010$、$\log_{10} 3 = 0.4771$ とするとき、つぎの値を求めてみましょう。

(1) $\log_{10} 30$　　　　　　　　(2) $\log_2 9$

ⅱ：整数の桁数および小数点の位置を調べる

$\log_{10} P$ において　　　　　　枠内は噛み砕いた具体例
・$P \geqq 1$ のとき，P の整数部分が n 桁
　　$10^{n-1} \leqq P < 10^n \Leftrightarrow n-1 \leqq \log_{10} P < n$

「$\log_{10} p$」とは，
「10 を何乗すると p になるか？」
例：$\log_{10} p = 3 \therefore p = 10^3$
よって，
$p = 1000 \to 4 (3+1)$ 桁

・$0 < P < 1$ のとき，P は小数第 n 位に初めて 0 でない数をもつ。
　　$\dfrac{1}{10^n} \leqq P < \dfrac{1}{10^{n-1}} \Leftrightarrow -n \leqq \log_{10} P < -n+1$

例題：$\log_{10} 2 = 0.3010$ とするとき，つぎの問いの値を求めてみますね。

(1) 2^{100} は何桁の数ですか。

(2) $\left(\dfrac{1}{2}\right)^{100}$ は，小数第何位に初めて 0 でない数が現れますか。

＜解法＞　　　　　　　　　　　　　　　　［対数方程式（ⅰ）参照 P138］

(1) $x = 2^{100}$ とおくと，← 両辺に「底を 10 とする対数」をとる。

　　$\underline{\log_{10} x = \log_{10} 2^{100}} = 100 \log_{10} 2 = 100 \times 0.3010 = 30.10$

　これより，　　$30 < \log_{10} x < 31 \therefore 10^{30} < x < 10^{31}$

　したがって，2^{100} は **31 桁の整数**である。

　　　　　　　　　　　10^{30} より大きく 10^{31} より小さいゆえ，x は 10^{30}
　　　　　　　　　　　の桁数であるのは確か！10^{30} は先頭の桁の後
　　　　　　　　　　　ろに 0 が 30 個あるゆえ，桁数は 31 桁となる。

(2) $x = \left(\dfrac{1}{2}\right)^{100}$ とおくと，← 両辺に「底を 10 とする対数」をとる。

　　$\underline{\log_{10} x = \log_{10} 2^{-100}} = -100 \log_{10} 2 = -100 \times 0.3010 = -30.10$

　これより，　　$-31 < \log_{10} x < -30 \therefore 10^{-31} < x < 10^{-30}$

　したがって，$\left(\dfrac{1}{2}\right)^{100}$ は**小数第 31 位**に初めて 0 でない数が現れる。
　　　　　　　「ピーンと来ない方は，$10^{-3} < x < 10^{-2}$ を小数に直して数えてみて！」

演習 85　$\log_{10} 3 = 0.4771$ とするとき，9^{50} は何桁の整数であるか求めてみましょう。

復習22

分数関数

中学1年での反比例 $y = \dfrac{a}{x}$ のグラフを覚えていますか？ 実は、コレが分数関数の基本なんですね。では、基本となるポイントをまとめてみます。

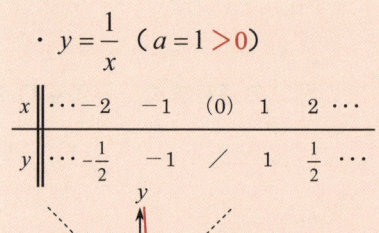

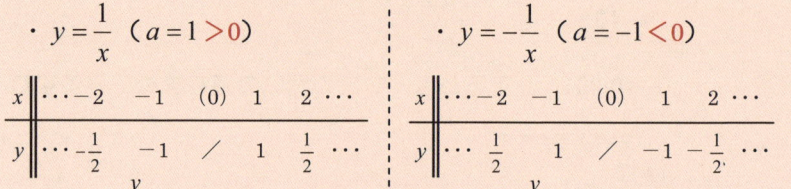

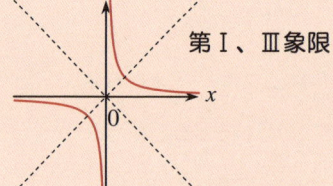

・$y = \dfrac{1}{x}$ （$a = 1 > 0$）

x	···	-2	-1	(0)	1	2	···
y	···	$-\dfrac{1}{2}$	-1	/	1	$\dfrac{1}{2}$	···

第Ⅰ、Ⅲ象限

・$y = -\dfrac{1}{x}$ （$a = -1 < 0$）

x	···	-2	-1	(0)	1	2	···
y	···	$\dfrac{1}{2}$	1	/	-1	$-\dfrac{1}{2}$	···

第Ⅱ、Ⅳ象限

＊上記のグラフの特徴：直角双曲線

・原点対称、$y = \pm x$ に対称

・漸近線：x軸（$y = 0$）　　y軸（$x = 0$）

＊ $y = \dfrac{a}{x-p} + q$ （$a \neq 0$）のグラフ

この式が**分数関数の一般形**（？）と思ってくださいね。

考え方としては、$y = \dfrac{a}{x}$ を平行移動したモノ！

$y = \dfrac{a}{x-p} + q$ （$a \neq 0$）のグラフのポイント！

・$y = \dfrac{a}{x}$ を x軸方向に p、y軸方向に q 平行移動したモノ。

・漸近線：$x = p$、　　$y = q$　　・点（p, q）に関して対称
　　（分母＝0 となる x の値）

例題1：$y = \dfrac{1}{x-2} + 1$ のグラフをかいてみますね。

<解法>流れを通し番号で表示

x の値を下の数直線上で左右に動かすと y の値が漸近線に近づきます！

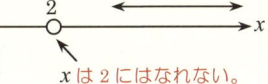

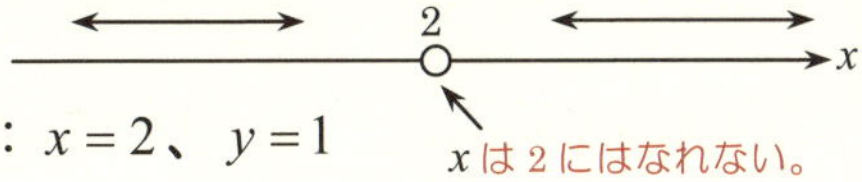

［グラフをかく前の作業］

① 漸近線を求める。⇒ **漸近線**：$x = 2$、$y = 1$

x は2にはなれない。

② x、y 軸との交点を求める。⇒ $(1, 0)$ $\left(0, \dfrac{1}{2}\right)$

・x 軸との交点：$y = 0$ を代入、$\dfrac{1}{x-2} + 1 = 0$　$\dfrac{1}{x-2} = -1$　∴ $x = 1$

・y 軸との交点：$x = 0$ を代入、$y = \dfrac{1}{-2} + 1 = \dfrac{1}{2}$

［グラフをかく順番］

③ 漸近線「$x = 2$，$y = 1$」を書き込む。

④ 点 $(2, 1)$ を原点のイメージで、②で求めた交点を意識し、$y = \dfrac{1}{x}$ のグラフをかき込む。

⑤ 2点 $(1, 0)$ $\left(0, \dfrac{1}{2}\right)$ と右上のグラフ上の適当な1点をかき込む。

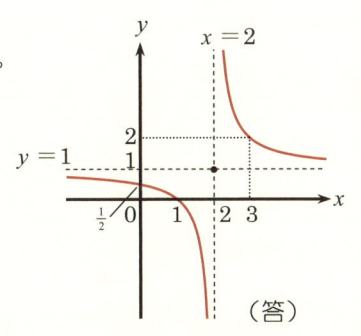

（答）

例題のグラフは、$y = \dfrac{1}{x}$ のグラフを x 軸方向へ 2、y 軸方向へ 1 平行移動したグラフです。なぜ、そうなるのか理解できない方は、今は「漸近線にグラフが引っ張られた」と思って、上記の①→⑤の順番でグラフをかいてください。

例題2：$y = -\dfrac{2x+1}{2x+4}$ のグラフをかいてみますね。

<解法> 分子の次数は必ず分母より下げる！

（分子）÷（分母）＝ 商・・・余り

⇒「$y = \dfrac{余}{2x+4} + 商$」の一般形に直す。

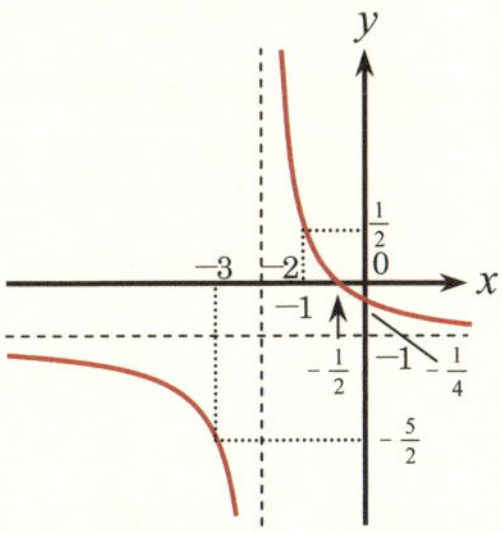

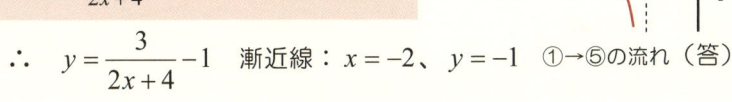

∴ $y = \dfrac{3}{2x+4} - 1$　漸近線：$x = -2$、$y = -1$　①→⑤の流れ（答）

演習86　分数関数 $y = \dfrac{-x+3}{x-1}$ のグラフをかいてみましょう。

4章 関数の章

復習 23

無理関数

無理関数とは？　　　　無理なら、ムリにやらなくてもいいのにね！ ぷぅ〜！

$y = \sqrt{2x+1}$ のように、$\sqrt{}$（根号）の中に文字を含む式を**無理式**と呼び、このような x の無理式で表された関数を「x の**無理関数**」と言います。

ここの主題は、やはり "**無理関数のグラフがかけるようになる**" この一語に尽きます！

では、基本となる無理関数 "$y = \sqrt{ax}$" の説明をし、つぎに、これを平行移動する形で "$y = \sqrt{ax+b} + c$（$a \neq 0$）" **基本形**のグラフのかき方へと話を進めて行きますね。

ⅰ：$y = \sqrt{ax}$（$a \neq 0$）のグラフ

注：頂点およびグラフ上の他の1点の座標を書き込めばOK！

・$y = \sqrt{x}$（$a = 1 > 0$）・・・①

この関係式を見て、x、y について条件を読み取ってみましょう。

まず、$\sqrt{}$ の中は 0 以上より、$x \geq 0$。
また、右辺が正より、$y \geq 0$。
これでグラフは、**第Ⅰ象限**だけ。
あとは、適当な数値、たとえば

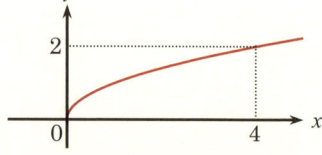

図1　$a > 0 : x \geq 0$、$y \geq 0$

「$x = 4$ で $y = 2$」と、当然「ルートの中が 0」になる点がグラフの頂点になりますから「$x = 0$ で $y = 0$」の 2 点をとり、滑らかな放物線をかけば完成！（図1）

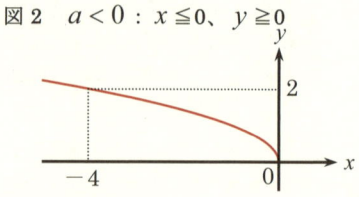

・$y = \sqrt{-x}$（$a = -1 < 0$）・・・②

$\sqrt{}$ の中は 0 以上より、$x \leq 0$ また、右辺が正より、$y \geq 0$。よって、
第Ⅱ象限だけとなり、**頂点（0, 0）**で適当な数値「$x = -4$ で $y = 2$」の 2 点をとり、滑らかな放物線をかけば完成！（図2）

図2　$a < 0 : x \leq 0$、$y \geq 0$

ⅱ： $y = -\sqrt{ax}$ （$a \neq 0$）のグラフ

・ $y = -\sqrt{x}$ （$a = 1 > 0$）・・・③ 　　・ $y = -\sqrt{-x}$ （$a = -1 < 0$）・・・④

　　　$x \geqq 0$、 $y \leqq 0$ 　　　　　　　　　　　$x \leqq 0$、 $y \leqq 0$

①の x 軸対称のグラフ 　　　　　　　　②の x 軸対称のグラフ

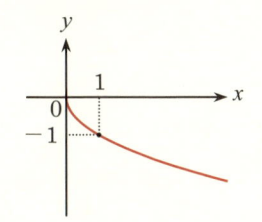

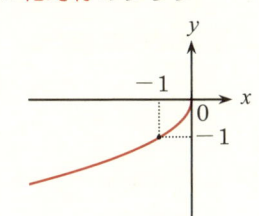

ⅲ： $y = \sqrt{ax+b} + q$ （$a \neq 0$）基本形のグラフ

　　"$y = \sqrt{ax+b} + q$" を変形！ ⇒ 　$y = \sqrt{a(x-p)} + q$ ・・・（＊）

（＊）は $y = \sqrt{ax}$ を「x 軸方向へ p 、y 軸方向へ q」平行移動。
　　　点（p、q）を原点のイメージで $y = \sqrt{ax}$ のグラフをかく。

例題：つぎの関数のグラフをかいてみますね。

　　　　（1） $y = \sqrt{x+2}$ 　　　　　　（2） $y = \sqrt{x-1} + 2$

＜解法＞ $\sqrt{}$ の中が 0 になる x の値が頂点の x 座標

（1） $y = \sqrt{x+2}$

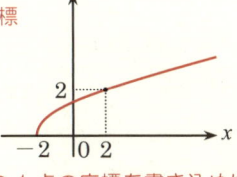

　点（-2, 0）を頂点のイメージで
　$y = \sqrt{x}$ のグラフをかく。

頂点と他の 1 点の座標を書き込めば OK！

（2） $y = \sqrt{x-1} + 2$

　点（1, 2）を頂点のイメージで
　$y = \sqrt{x}$ のグラフをかく。

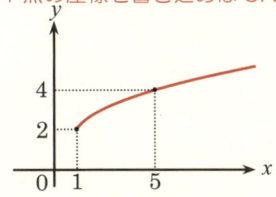

演習87　つぎの関数のグラフをかいてみましょう。

　　　　（1） $y = \sqrt{2x-1}$ 　　　　　　（2） $y = -\sqrt{2-x} + 1$

復習 24

逆 関 数

　数学は国語ではないので、直接示したほうがわかりやすいモノもあるんですね。それがこの逆関数。

例題 1： $y = 2x + 6$ の逆関数を求めてみますね。

＜解法＞　①→②の順で逆関数を求める！

① $y = 2x + 6$ ・・・（ⅰ）を x について解く。

$$2x + 6 = y \quad \therefore \quad x = \frac{y}{2} - 3 \cdots (*)$$

②（*）の x と y を入れかえる。

$$y = \frac{x}{2} - 3 \cdots (ⅱ)（答）$$

これで（ⅰ）の"逆関数（ⅱ）"の完成！

　このことから、逆関数とは、つぎのように言えるのでは！？

　　（ⅰ）は「x の側から y との関係を考えていた」が、

　　（ⅱ）はそれとは逆に、「y の側から x との関係を考える」

　また、（ⅰ）で $y = f(x)$ とおくと、

関数 $f(x)$ の逆関数は

　「$f^{-1}(x)$：（f のインバース x）と読む」と表す！

注：$f^{-1}(x) \neq \{f(x)\}^{-1} = \dfrac{1}{f(x)}$

　あと、（ⅰ）（ⅱ）の関数をグラフに表すと、

直線「$y = x$」に関して"対称"である。

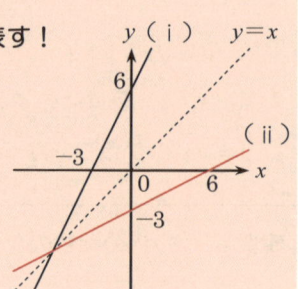

演習 88 つぎの関数の逆関数を求めてみましょう。

(1) $y = -3x + 2$　　(2) $y = \log_2 x$　　(3) $y = \dfrac{x}{x-1}$

ヒント：(3) は等式変形の確認にはモッテコイデスネ！ 笑

＊定義域がある逆関数

例題 2： $y = -2x + 4$ （$-1 \leqq x \leqq 3$）の逆関数を求め、両方のグラフもかいてみますね。

＜解法＞①～③の順で逆関数を求める！

① 値域（yの変域）を求める。　$-2 \leqq y \leqq 6$　・・・（ⅰ）

② xについて解く

$$x = -\dfrac{1}{2}y + 2 \quad \cdots (ⅱ)$$

③ （ⅰ）のyをxに入れ換える。

（ⅱ）のxとyを入れ換える。

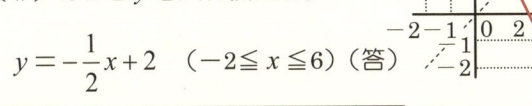

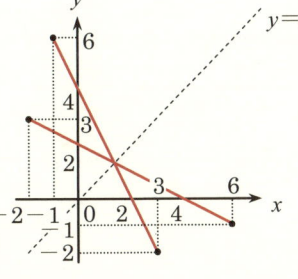

$y = -\dfrac{1}{2}x + 2$　（$-2 \leqq x \leqq 6$）（答）

ポイント： 最初の関数の**値域**が、逆関数における**定義域**になる！

演習 89 つぎの関数の逆関数を求め、グラフをかいてみましょう。

(1) $y = -\dfrac{1}{2}x + 1$ （$0 \leqq x \leqq 4$）　　(2) $y = \sqrt{2x - 6}$

ヒント：(2) では、式から「定義域」および「値域」を自分で求める！

復習25

合成関数

当初、関数は「函数」と表記されていました。函とは箱の意味でもあり、よく語られることですが、イメージとしては以下のようなものです。

箱に適当な x を投げ込むと、それに対する値 y が出てくる。そこで、合成関数とは、ある函（関数）の中に、別の函を入れる感覚でしょうか！？

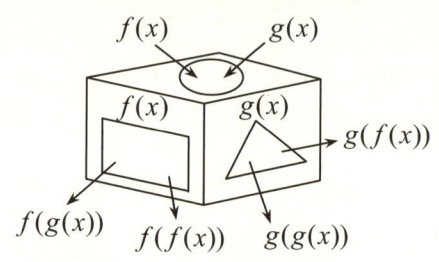

具体的にお話した方が、わかりやすいと思いますので早速例題を！

例題：$f(x) = 2x+1$、$g(x) = x-5$ のとき、$f(g(x))$、$g(f(x))$ を求めてみますね。

〈解法〉一方の変数 x にもう一方の関数を丸ごと代入するイメージ！

$$f(g(x)) = 2 \cdot g(x) + 1 = 2(x-5) + 1 = 2x - 9$$

$$g(f(x)) = f(x) - 5 = (2x+1) - 5 = 2x - 4$$

この上記の計算を「合成関数」と呼びます。

そして、この合成関数の表記法ですが、

$$f(g(x)) \longleftrightarrow f \circ g(x), \quad g(f(x)) \longleftrightarrow g \circ f(x)$$

とも表します。

ただし、つぎの2点には気をつけてください！

合成関数の性質

・交換法則は成り立たない。⇒ $f \circ g \neq g \circ f$

・結合法則は成り立つ。⇒ $f \circ (g \circ h) = (f \circ g) \circ h$

例題2：$f(x) = x+1$、$g(x) = x^2$、$h(x) = x-3$のとき、つぎの関数を求めてみますね。

(1) $f \circ g(x)$　(2) $g \circ f(x)$　(3) $f \circ (g \circ h)$　(4) $(f \circ g) \circ h$

＜解法＞　"右の関数"を"左の関数の箱"に入れるイメージね！

(1) $f \circ g(x) = \underline{f(g(x))} = (x^2) + 1 = x^2 + 1$

(2) $g \circ f(x) = \underline{g(f(x))} = (x+1)^2 = x^2 + 2x + 1$

(3) $g \circ h = g(h(x)) = (x-3)^2$ より、　←（カッコ）の中を先にやる

　　$f \circ (g \circ h) = f((x-3)^2) = (x-3)^2 + 1$

(4) $f \circ g = f(g(x)) = x^2 + 1$ より、　←（カッコ）の中を先にやる

　　$\underline{(f \circ g) \circ h} = \underline{(x-3)^2 + 1}$
　　　　　　　　　↑
　　　　　["x^2+1" の x に "$x-3$" を代入する意味！]

ここで（1）と（2）を比較することで、交換法則が成り立たないことがわかっていただけるかと……。また、（3）（4）を比較することで、結合法則は成り立つことが感覚的に理解していただけると思います。

ついでに老婆心ながら合成関数の表記について、本や問題集によってはいくつか表現方法があり、これで案外悩む方もいらっしゃると思います。そこで、すべてのパターンを示しておきますね！

変数を x とし、

　合成関数「$f \circ g$、　$f \circ g(x)$、　$(f \circ g)(x)$」 ⇒ $f(g(x))$ の計算

　　（これはすべて、関数 $g(x)$ を関数 $f(x)$ の箱に入れるという意味）

　補足：$f \circ f(x) = \underline{f^2(x)} = f(f(x))$　←注：$\underline{f^2(x)} \neq \{f(x)\}^2$

演習90　$f(x) = -x+1$、$g(x) = \dfrac{1}{x-2}$ のとき、つぎの関数を求めてみましょう。

　　　　(1) $(f \circ g)(x)$　　　　(2) $g^2(x)$

4章　関数の章

復習26

三角関数（三角比の範囲）

ときどき「三角比」と「三角関数」の違いを聞かれるんですが、大した相違はありません。いわゆる扱う角度が「0°〜180°」か「0°〜360°」かの違いだけなんです。ただし、三角関数になると、突然、公式が津波のように押し寄せてきますがね！笑・汗

では、まず、三角比（関数）の基本である、sin、cos、tanの説明からはじめたいと思います。

[Ⅰ]：三角比とは？

三角比とは「直角三角形のある角度における"斜辺"に対する"高さ"および"底辺"、また、"底辺"に対する"高さ"の比の値のことを言います。

右図のように直角を右側にし、その左側の角度（θ）によって、三角比は決まってしまいます。

最近、中学では筆記体を教えず、ブロック体ゆえ、右図に書き込んだ

♫、C、人

この覚え方の効果は疑問視されますが、しかし、それでもこれが一番かと！？

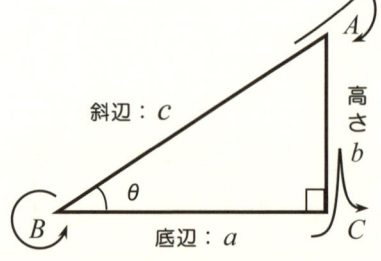

図形の基本的知識！
一般的に頂点を大文字、その頂点に対する辺（対辺）は、その頂点の小文字で表す。また、数学では反時計回りにアルファベットを打っていきます。

＊三角比の定義　　　　　　　　（上図の直角三角形を参照）

・正弦（sin e：サイン　　♫）：$\sin\theta = \dfrac{\text{高さ}}{\text{斜辺}} = \dfrac{b}{c}$

・余弦（cos ine：コサイン　C）：$\cos\theta = \dfrac{\text{底辺}}{\text{斜辺}} = \dfrac{a}{c}$

・正接（tan gent：タンジェント　人）：$\tan\theta = \dfrac{\text{高さ}}{\text{底辺}} = \dfrac{b}{a}$

例題1：右図において、$\sin\theta$、$\cos\theta$、$\tan\theta$
　　　の値を求めてみますね。

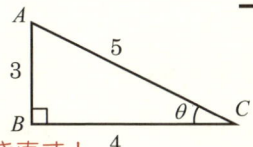

<解法>図は必ず角度θを左側、直角を右側へ書き直す！

・$\sin\theta = \dfrac{AB}{AC}$　・$\cos\theta = \dfrac{CB}{AC}$　・$\tan\theta = \dfrac{AB}{CB}$

　$\quad = \dfrac{3}{5}$　　　　　$\quad = \dfrac{4}{5}$　　　　　$\quad = \dfrac{3}{4}$

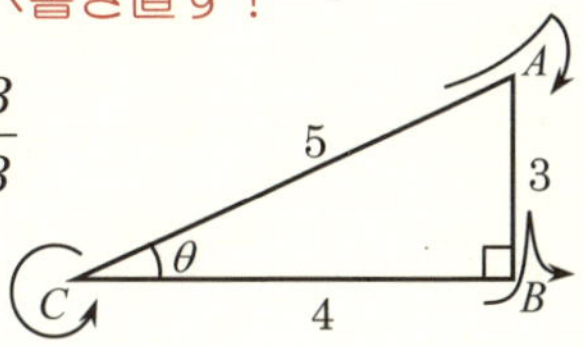

例題2：右図における各問いについて答えてみますね。

（1）辺ACの長さを求めてください。

（2）辺ABとθを使い、辺AC、辺BC
　　の長さを表してください。

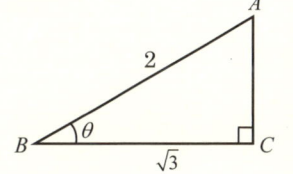

<解法>

（1）三角比とは直接関係ないのですが、
　　直角三角形といえば、「三平方の定理」
　　に触れなくてはね！

　　よって、$AB^2 = AC^2 + BC^2$ より
　　$\quad AC^2 = AB^2 - BC^2 = 2^2 - (\sqrt{3})^2 = 1$
　　$\therefore \quad AC = 1 \; (>0)$

・三平方の定理

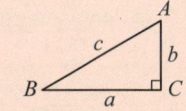

直角三角形において、
斜辺の2乗は他の2辺の2乗の和に等しい
$$a^2 + b^2 = c^2$$

（2）結果が重要！

$\sin\theta = \dfrac{AC}{AB}$（右辺の分母を払う）$\therefore AC = AB\sin\theta = 2\sin\theta$（答）

$\cos\theta = \dfrac{BC}{AB}$（右辺の分母を払う）$\therefore BC = AB\cos\theta = 2\cos\theta$（答）

4章　関数の章

演習91　右図において、辺ABの長さ、および、
　　　$\sin\theta$、$\cos\theta$、$\tan\theta$の値を求めてみましょう。

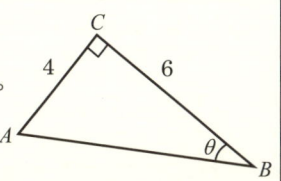

[Ⅱ]:「30° 60° 90°」「45° 45° 90°」の直角三角形

　期待を込め、三角比のイメージができたところで、つぎは絶対に知らなければいけない "2つの直角三角形の三角比" についてのお話です。

　懐かしい記憶、小学生のときの「三角定規」を思い出してください。

　少しだけ細長い三角形と直角二等辺三角形の2つです。

　実はこの2つの直角三角形の3辺の比はつぎのように決まっています。

「30° 60° 90°の直角三角形」の三角比 ⇒ 「$1 : 2 : \sqrt{3}$」

・ $\sin 30° = \dfrac{1}{2}$、 $\cos 30° = \dfrac{\sqrt{3}}{2}$、 $\tan 30° = \dfrac{1}{\sqrt{3}}$

・ $\sin 60° = \dfrac{\sqrt{3}}{2}$、 $\cos 60° = \dfrac{1}{2}$、 $\tan 60° = \sqrt{3}$

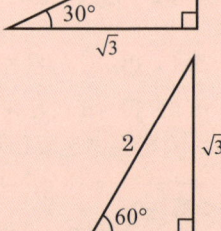

必ず、知りたい三角比の角度を左側、直角を右側にする!

「45° 45° 90°の直角三角形」の三角比 ⇒ 「$1 : 1 : \sqrt{2}$」

・ $\sin 45° = \dfrac{1}{\sqrt{2}}$、 $\cos 45° = \dfrac{1}{\sqrt{2}}$、 $\tan 45° = \dfrac{1}{1} = 1$

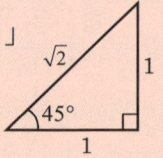

　30°、45°、60°の三角比は絶対に覚えてはダメ! 頭の中で、三角形を動かし、そこから読み取る! サッと三角形を書いて読み取ってもOKですよ!

例題1:つぎの計算をしてみますね。

　　　(1) $\sin 60° + \cos 30°$　　　(2) $\sin 30° + \cos 60° - \tan 60°$

<解法>

　　(1) $\sin 60° + \cos 30° = \dfrac{\sqrt{3}}{2} + \dfrac{\sqrt{3}}{2} = \dfrac{2\sqrt{3}}{2} = \sqrt{3}$

　　(2) $\sin 30° + \cos 60° - \tan 60° = \dfrac{1}{2} + \dfrac{1}{2} - \sqrt{3} = 1 - \sqrt{3}$

見た目と違ってただの分数計算でしょ!? な〜んだ、わかれば簡単じゃん! 笑

演習 92　つぎの計算をしてみましょう。

（1）$\tan 30° - \sin 60°$　　　　（2）$\sin 45° - \sin 30° + \tan 45°$

あと、2問例題を通し解説させてください。基本は常に $\sin\theta$、$\cos\theta$、$\tan\theta$ を辺の比で（分数）で表してから考える！　これを守ってください。

例題 2：右図の直角三角形において、
辺 AC、BC の長さを求めてみますね。

<解法>

・$\dfrac{AC}{AB} = \sin 60°$　∴　$AC = \underline{AB \times \sin 60°} = 4 \times \dfrac{\sqrt{3}}{2} = 2\sqrt{3}$、

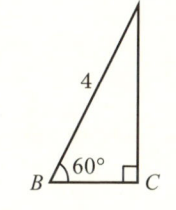

・$\dfrac{BC}{AB} = \cos 60°$　∴　$BC = \underline{AB \times \cos 60°} = 4 \times \dfrac{1}{2} = 2$

すぐに下線部の式が浮かぶようになるまで練習してくださいね！

演習 93　右図の直角三角形において、
辺 AC、BC の長さを求めてみましょう。

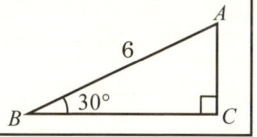

例題 3：右図の直角三角形において、　$\cos 76° = 0.24$、$\tan 76° = 4.01$
辺 AB、AC の長さを求めてみますね。

<解法>

・$\cos 76° = \dfrac{BC}{AB}$　∴　$AB = \dfrac{BC}{\cos 76°} = \dfrac{3}{0.24} = 12.5$

・$\tan 76° = \dfrac{AC}{BC}$　∴　$AC = \underline{BC \tan 76°} = 3 \times 4.01 = 12.03$

すぐに下線部の式が浮かぶようになるまで練習してくださいね！

演習 94　右図の直角三角形において、　$\sin 35° = 0.57$、$\tan 35° = 0.70$
辺 AB、BC の長さを求めてみましょう。

[Ⅲ]「sinθ、cosθ、tanθ」の符号と変域

　つぎに、直角三角形の斜辺、高さ、底辺で考えると矛盾がありますが、実は「sinθ、cosθ、tanθ」は、符号の変化が起きるんです。詳しくは三角関数の項目でお話しします。そこで、誠に不本意とは思いますが、今は、「そんなもんなのかぁ～」という感覚で符号の変化を覚えてください。

　今後、三角比（関数）で「角度θにおける符号の変化」はすべて
　　　　　　　「ス（s）トッ（t）ク（c）」で一発解決！

x 軸上の長さ1の棒（動径）が反時計周りに動いたとき、
　　　　　　　　　x 軸となす角を θ とする。

棒が位置する象限により、三角比の符号が決定！

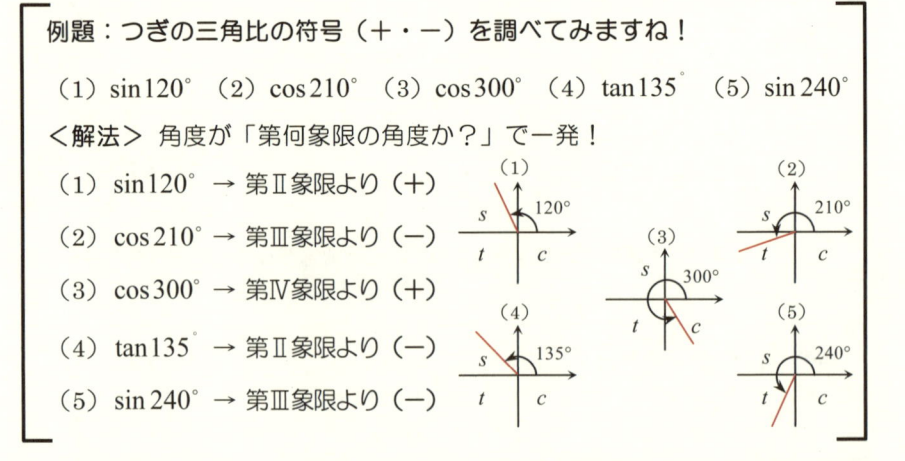

第Ⅰ象限（全部 ：＋）
第Ⅱ象限（s in θ ：＋）
第Ⅲ象限（t an θ ：＋）
第Ⅳ象限（c os θ ：＋）

Ⅱ　ス s：(＋)　$90°<θ<180°$
Ⅰ　全部：(＋)　$0°<θ<90°$
Ⅲ　トッ t：(＋)　$180°<θ<270°$
Ⅳ　ク c：(＋)　$270°<θ<360°$

＊sinθ、cosθ、tanθ の範囲！
　・$-1 \leq \sinθ \leq 1$　　・$-1 \leq \cosθ \leq 1$　　・$-\infty \leq \tanθ \leq +\infty$

例題：つぎの三角比の符号（＋・－）を調べてみますね！

（1）$\sin 120°$　（2）$\cos 210°$　（3）$\cos 300°$　（4）$\tan 135°$　（5）$\sin 240°$

＜解法＞　角度が「第何象限の角度か？」で一発！

（1）$\sin 120°$ → 第Ⅱ象限より（＋）
（2）$\cos 210°$ → 第Ⅲ象限より（－）
（3）$\cos 300°$ → 第Ⅳ象限より（＋）
（4）$\tan 135°$ → 第Ⅱ象限より（－）
（5）$\sin 240°$ → 第Ⅲ象限より（－）

演習95　$\sin 135°$、$\cos 120°$、$\tan 210°$ の符号を調べてみましょう。

[Ⅳ] 三角比の相互関係：1

さぁ～て、ここからが本番ですよ！　　　　　　　　　ドキドキ……汗

これから先は、もう三角関数と考えてもらっても構いませんからね。

ここでは今後基本となる「$\sin\theta$、$\cos\theta$、$\tan\theta$の関係式」を 3 つ示します。

大変重要ですから、シッカリと覚え、使えるようになってください。

---

i：$\sin^2\theta + \cos^2\theta = 1$（超重要）

[証明]

右図の直角三角形 ABC において、

$AB = c$、$AC = c\sin\theta$、$BC = c\cos\theta$

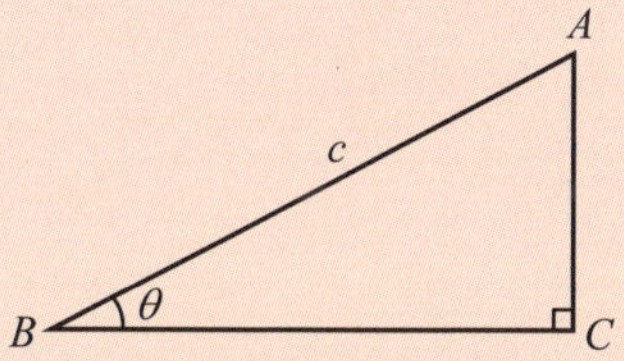

三平方の定理：$AB^2 = AC^2 + BC^2$ より

$c^2 = (c\sin\theta)^2 + (c\cos\theta)^2$

$c^2 = c^2\sin^2\theta + c^2\cos^2\theta$　　←両辺 c^2（$c \neq 0$）で割る

∴ $\sin^2\theta + \cos^2\theta = 1$

おわり

例題：θ が第Ⅱ象限の角で、$\sin\theta = \dfrac{2}{3}$ であるとき、$\cos\theta$ の値を求めてみますね。

<解法>「ストックで第Ⅱ象限(ス)における $\cos\theta$ の符号チェック！」

$\sin^2\theta + \cos^2\theta = 1$ より、

$\cos^2\theta = 1 - \sin^2\theta = 1 - \left(\dfrac{2}{3}\right)^2 = \dfrac{5}{9}$

θ が第Ⅱ象限の角ゆえ、$\cos\theta < 0$

∴ $\cos\theta = -\sqrt{\dfrac{5}{9}} = -\dfrac{\sqrt{5}}{3}$　　（答）

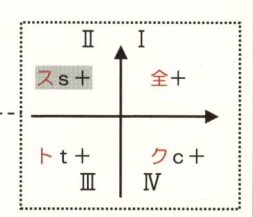

	Ⅱ	Ⅰ
	ス s ＋	全 ＋
	Ⅲ	Ⅳ
	ト t ＋	ク c ＋

演習96　$0 \leq \theta \leq 180°$ で $\sin\theta = \dfrac{3}{5}$ であるとき、$\cos\theta$ の値を求めてみましょう。

ヒント：一言だけ！　θ は第Ⅰ、Ⅱ象限の角度ですからね！

ii : $\tan\theta = \dfrac{\sin\theta}{\cos\theta}$

[証明]

右図の直角三角形 ABC において、

$AB = c$、$AC = c\sin\theta$、$BC = c\cos\theta$

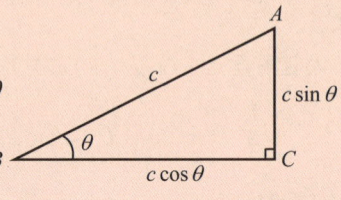

また、$\tan\theta = \dfrac{AC}{BC}$ より

$$\tan\theta = \dfrac{c\sin\theta}{c\cos\theta} = \dfrac{\sin\theta}{\cos\theta}$$

おわり

例題：$90° \leqq \theta \leqq 180°$、$\sin\theta = \dfrac{4}{5}$ のとき、$\tan\theta$ を求めてみますね。

<解法> 方針はとにかく $\cos\theta$ を求める！

$\sin^2\theta + \cos^2\theta = 1$ より、

$$\cos^2\theta = 1 - \sin^2\theta = 1 - \left(\dfrac{4}{5}\right)^2 = \dfrac{9}{25}$$

θ が第Ⅱ象限の角ゆえ、$\cos\theta < 0$

$$\therefore \cos\theta = -\sqrt{\dfrac{9}{25}} = -\dfrac{3}{5}$$

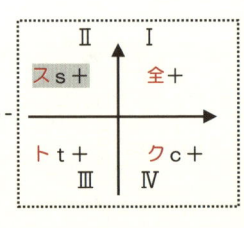

よって、

$$\tan\theta = \dfrac{\sin\theta}{\cos\theta} = \dfrac{4}{5} \div \left(-\dfrac{3}{5}\right) = \dfrac{4}{5} \times \left(-\dfrac{5}{3}\right) = -\dfrac{4}{3} \quad (\text{答})$$

「いかがですか？」だんだん数学をやっている気分になりませんか？
また、「ストック」が使えれば、符号の心配がないでしょ！　　ウン！

演習97　$0° \leqq \theta \leqq 90°$、$\sin\theta = \dfrac{5}{6}$ のとき、$\tan\theta$ の値を求めてみましょう。

iii：$1+\tan^2\theta = \dfrac{1}{\cos^2\theta}$

[証明]

（左辺）$= 1 + \left(\dfrac{\sin\theta}{\cos\theta}\right)^2 = \dfrac{\cos^2\theta}{\cos^2\theta} + \dfrac{\sin^2\theta}{\cos^2\theta} = \dfrac{\cos^2\theta + \sin^2\theta}{\cos^2\theta} = \dfrac{1}{\cos^2\theta}$

（分子）$\sin^2\theta + \cos^2\theta = 1$

よって、
$$1+\tan^2\theta = \dfrac{1}{\cos^2\theta}$$

おわり

例題：鈍角 θ において、$\tan\theta = -2$ のとき、$\sin\theta$、$\cos\theta$ の値を求めてみますね。

<解法> 鈍角 θ ⇒ 第Ⅱ象限 ⇒ $90° < \theta < 180°$ ・・・（＊）

$1 + \tan^2\theta = \dfrac{1}{\cos^2\theta}$ より、$\cos^2\theta = \dfrac{1}{1+\tan^2\theta}$

両辺同時に逆数をとる
$$\dfrac{1+\tan^2\theta}{1} = \dfrac{1}{\cos^2\theta}$$
$$\dfrac{1}{1+\tan^2\theta} = \dfrac{\cos^2\theta}{1}$$

よって、$\cos^2\theta = \dfrac{1}{1+(-2)^2} = \dfrac{1}{5}$ ・・・①

$\therefore \cos\theta = -\dfrac{1}{\sqrt{5}} = -\dfrac{\sqrt{5}}{5}$（∵ ＊）（答）← 鈍角 θ：第Ⅱ象限（c：ー）

また、$\sin^2\theta + \cos^2\theta = 1$ より、

$\sin^2\theta + \dfrac{1}{5} = 1$（∵ ①）

$\sin^2\theta = \dfrac{4}{5}$

$\therefore \sin\theta = \dfrac{2}{\sqrt{5}} = \dfrac{2\sqrt{5}}{5}$（∵ ＊）（答）← 鈍角 θ：第Ⅱ象限（s：＋）

Ⅱ	Ⅰ
ス s ＋	全 ＋
ト t ＋	ク c ＋
Ⅲ	Ⅳ

補足：（答）の下線部を解答にしても大丈夫。有理化はさほど気にせずに！
あと、$\sin\theta$ はもっと簡単に求まるんです！ それは下の演習で別解を。

演習98 鋭角 θ において、$\tan\theta = \dfrac{1}{2}$ のとき、$\sin\theta$、$\cos\theta$ の値を求めてみましょう。

［Ⅴ］　三角比の相互関係：2

「鈍角（90°＜θ＜180°）を鋭角の三角比で表す方法」ですが、ここでも「エッ！？　それでいいの？」という感覚で、流れをつかんでください。後半で、グラフを見れば納得できますからね！

> 覚える3つの約束！
>
> 1：$\sin\theta$と$\cos\theta$は背中合わせ。「$\sin\theta \Leftrightarrow \cos\theta$」と変化する。
>
> 2：「180°と90°では、**90°の方が中途半端に感じてください！笑**」
>
> 　　90°を基準にしたときだけ中途半端ゆえ「$\sin\theta \Leftrightarrow \cos\theta$」と変化
>
> 3：s、t、c（ストック）はプラス！

この3つの約束を守ってもらえれば、下の18個の公式のうち16個までは覚えないでOK！　うっそぉ〜……？驚　「本当です！笑」

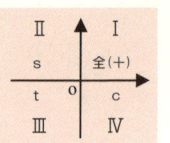

	Ⅱ	Ⅰ
s		全(+)
t	o	c
	Ⅲ	Ⅳ

ⅰ：θ：鋭角（0°＜θ＜90°）

第Ⅰ象限　全(+)
- $\sin(\theta) = +\sin\theta$
- $\cos(\theta) = +\cos\theta$
- $\tan(\theta) = +\tan\theta$

第Ⅳ象限　c(+)
- $\sin(-\theta) = -\sin\theta$
- $\cos(-\theta) = +\cos\theta$
- $\tan(-\theta) = -\tan\theta$

ⅱ：90°を基準にしたパターン（0°＜θ＜90°）

第Ⅰ象限　全(+)
- $\sin(90°-\theta) = +\cos\theta$
- $\cos(90°-\theta) = +\sin\theta$
- $\tan(90°-\theta) = +\dfrac{1}{\tan\theta}$

第Ⅱ象限　s(+)
- $\sin(90°+\theta) = +\cos\theta$
- $\cos(90°+\theta) = -\sin\theta$
- $\tan(90°+\theta) = -\dfrac{1}{\tan\theta}$

ⅲ：180°を基準にしたパターン（0°＜θ＜90°）

第Ⅱ象限　s(+)
- $\sin(180°-\theta) = +\sin\theta$
- $\cos(180°-\theta) = -\cos\theta$
- $\tan(180°-\theta) = -\tan\theta$

第Ⅲ象限　t(+)
- $\sin(180°+\theta) = -\sin\theta$
- $\cos(180°+\theta) = -\cos\theta$
- $\tan(180°+\theta) = +\tan\theta$

では、例題を通して"3つの約束"を確認してみましょう！

例題：つぎの鈍角の三角比を鋭角の三角比に直してみますね。

(1) $\underline{\sin 110°}_{\text{第Ⅱ象限}} = \sin(180° - 70°)$
$\phantom{\underline{\sin 110°}}_{\text{s}(+)} = +\sin 70°$

$\underline{\sin 110°}_{\text{第Ⅱ象限}} = \sin(90° + 20°)$
$\phantom{\underline{\sin 110°}}_{\text{s}(+)} = +\cos 20°$

＊変換の流れ：①→②
① 90°のときだけ、sin⇔cos に変化
　180°のときは、すべて不変！
② 最初の三角比の角度で符号決定！
注：（180°±θ）、（90°±θ）における
　　カッコ内の±は符号決定に無関係

(2) $\underline{\cos 170°}_{\text{第Ⅱ象限}} = \cos(180° - 10°)$
$\phantom{\underline{\cos 170°}}_{\text{s}(+)} = -\cos 10°$

・$\underline{\cos 170°}_{\text{第Ⅱ象限}} = \cos(90° + 80°)$
$\phantom{\underline{\cos 170°}}_{\text{s}(+)} = -\sin 80°$

(3) $\underline{\tan 130°}_{\text{第Ⅱ象限}} = \tan(180° - 50°)$
$\phantom{\underline{\tan 130°}}_{\text{s}(+)} = -\tan 50°$

・$\underline{\tan 130°}_{\text{第Ⅱ象限}} = \tan(90° + 40°)$
$\phantom{\underline{\tan 130°}}_{\text{s}(+)} = -\dfrac{1}{\tan 40°}$

90°のときの $\tan\theta$ は逆数になる！
$\tan\theta \to \dfrac{1}{\tan\theta}$

(4) $\underline{\sin 230°}_{\text{第Ⅲ象限}} = \sin(180° + 50°)$
$\phantom{\underline{\sin 230°}}_{\text{t}(+)} = -\sin 50°$

(5) $\underline{\cos 192°}_{\text{第Ⅲ象限}} = \cos(180° + 12°)$
$\phantom{\underline{\cos 192°}}_{\text{t}(+)} = -\cos 12°$

(6) $\underline{\sin(-10°)}_{\text{第Ⅳ象限}} = -\sin 10°$
$\phantom{\underline{\sin(-10°)}}_{\text{c}(+)}$

(7) $\underline{\cos(-42°)}_{\text{第Ⅳ象限}} = +\cos 42°$
$\phantom{\underline{\cos(-42°)}}_{\text{c}(+)}$

90°を基準にしたときだけ、三角比が変化し、「ストック」で符号を決める！
「3つの約束」で16個の公式を覚えなくて済んだでしょ！？

演習 99 つぎの三角比を $0° < \theta < 45°$ の三角比に直してみましょう。

(1) $\sin 120°$　　　(2) $\cos 152°$　　　(3) $\tan 200°$

[Ⅵ]：正弦定理

「正弦定理」は字のごとく"$\sin\theta$"を使って、下図のように外接円の半径と、その三角形との関係を表しています。

正弦定理

- $\dfrac{a}{\sin A} = \dfrac{b}{\sin B} = \dfrac{c}{\sin C} = 2R$

（R：外接円の半径）
↑
三角形の3つの頂点を通る円

「一般的に1組の向かい合った辺と角がわかれば正弦定理と考える」

例題1：△ABCにおいて、$\sin A : \sin B : \sin C = a : b : c$ を証明してみますね。

［証明］
　正弦定理より
$$\frac{a}{\sin A} = 2R、\quad \frac{b}{\sin B} = 2R、\quad \frac{c}{\sin C} = 2R$$
∴ $a = 2R\sin A、\quad b = 2R\sin B、\quad c = 2R\sin C$

よって、
$a : b : c = 2R\sin A : 2R\sin B : 2R\sin C = \sin A : \sin B : \sin C$

　　　　　　　　　　　　　　　　　　　　　　　　おわり

例題2：△ABCにおいて、$a = 6$、$A = 45°$、$B = 60°$ のとき、辺CA（$= b$）の長さを求めてみますね。

<解法> 正弦定理より　$\dfrac{6}{\sin 45°} = \dfrac{b}{\sin 60°}$

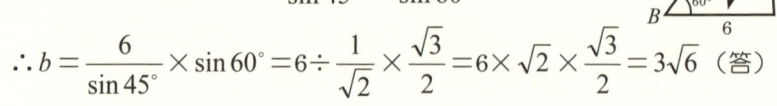

∴ $b = \dfrac{6}{\sin 45°} \times \sin 60° = 6 \div \dfrac{1}{\sqrt{2}} \times \dfrac{\sqrt{3}}{2} = 6 \times \sqrt{2} \times \dfrac{\sqrt{3}}{2} = 3\sqrt{6}$ （答）

＊必ず、自分で図をかき、わかっている値を書き込んでくださいね！

演習100　ABCにおいて、$c = 5$、$A = 120°$、$C = 30°$ のとき、辺BC（$= a$）の長さを求めてみましょう。

[Ⅶ]：余弦定理

「余弦定理」も字のごとく"$\cos\theta$"を使い、三角形の 3 辺と 1 つの内角の関係を表しています。

> **余弦定理**　規則性があるので、どれかヒトツ覚えれば OK！
> - $a^2 = b^2 + c^2 - 2bc\cos A$
> - $b^2 = c^2 + a^2 - 2ca\cos B$
> - $c^2 = a^2 + b^2 - 2ab\cos C$

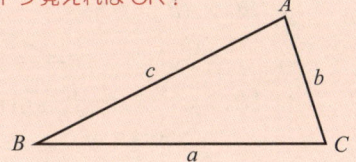

「一般的に 2 辺とその間の角、または 3 辺がわかれば余弦定理と考える」

> **例題**：△ABC において、つぎの各問いについて求めてみますね。
> 　(1) $b=3$、$c=4$、$A=60°$ のとき、辺 BC（$=a$）の長さ
> 　(2) $a=3$、$b=\sqrt{5}$、$c=\sqrt{2}$ のとき、$\cos B$ の値と角 B の大きさ
>
> <解法>　図をかくクセをつけましょう。
> 　(1) 余弦定理：$a^2 = b^2 + c^2 - 2bc\cos A$ より 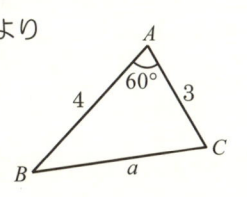
> 　　$a^2 = 3^2 + 4^2 - 2\cdot 3\cdot 4\cos 60°$
> 　　　$= 9 + 16 - 24 \times \dfrac{1}{2}$
> 　　　$= 13$
>
> 　よって、$a>0$ より、$a = \sqrt{13}$　（答）
>
> 　(2) 余弦定理：$b^2 = c^2 + a^2 - 2ca\cos B$ より、　$\cos B = \dfrac{c^2 + a^2 - b^2}{2ca}$
>
> 　∴ $\cos B = \dfrac{(\sqrt{2})^2 + 3^2 - (\sqrt{5})^2}{2\cdot\sqrt{2}\cdot 3} = \dfrac{2+9-5}{6\sqrt{2}} = \dfrac{6}{6\sqrt{2}} = \dfrac{1}{\sqrt{2}}$　（答）
>
> 　$\cos B = \dfrac{1}{\sqrt{2}}$ より、$B = 45°$　（答）

コレは公式となっていますが、余弦定理を変形するだけ！　覚えない！　笑

> **演習 101**　△ABC において、つぎの各問いについて求めてみましょう。
> 　(1) $b=3$、$c=4$、$A=120°$ のとき、辺 BC（$=a$）の長さ
> 　(2) $a=\sqrt{5}$、$b=\sqrt{2}$、$c=1$ のとき、$\cos A$ の値と角 A の大きさ

[Ⅷ] 三角形の面積：1 ［高さを $\sin\theta$ で表す］

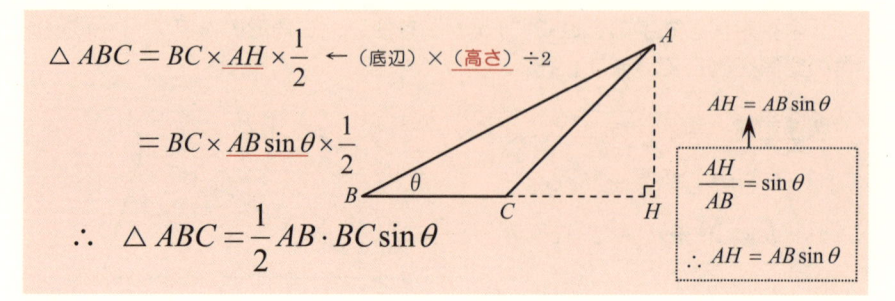

$\triangle ABC = BC \times \underline{AH} \times \dfrac{1}{2}$ ← （底辺）× （高さ）÷2

$= BC \times \underline{AB\sin\theta} \times \dfrac{1}{2}$

$\therefore \triangle ABC = \dfrac{1}{2} AB \cdot BC \sin\theta$

$AH = AB\sin\theta$

$\dfrac{AH}{AB} = \sin\theta$

$\therefore AH = AB\sin\theta$

例題：つぎの△ABCの面積を求めてみますね。

$a = 8$、 $c = 5$、 $\angle ABC = 30°$

＜解法＞
　必ず図をかいて、与えられている数値を書き込みましょう。

$a = BC = 8$、 $c = AB = 5$

対応する辺の長さに注意！

$\triangle ABC = \dfrac{1}{2} \cdot 8 \cdot 5 \sin 30°$

$= \dfrac{1}{2} \cdot 8 \cdot 5 \cdot \dfrac{1}{2} = 10$ （答）

ポイント 「2辺とその間の角がわかれば三角形の面積は求まる！」

でも、チョット待って！？

例題：つぎの△ABCの面積を求めてみますね。

$b = 3\sqrt{2}$、 $c = 4$、 $\cos A = \dfrac{1}{\sqrt{3}}$

＜解法＞

$\triangle ABC = \dfrac{1}{2} \cdot 3\sqrt{2} \cdot 4 \sin A \cdots$ ①　「アレッ？ でも、$\sin A$ がない！汗」

2辺の間の角度 θ を知りたいのではなく、本質は正弦 $\sin\theta$ の値がわかればいいんですね！

ここで、$\underline{\sin^2 A + \cos^2 A = 1}$ より、

$\sin^2 A = 1 - \cos^2 A$

$\therefore \sin A = \sqrt{1 - \left(\dfrac{1}{\sqrt{3}}\right)^2} = \sqrt{\dfrac{2}{3}} = \dfrac{\sqrt{6}}{3}$

$(0° < A < 180° \therefore \sin A > 0)$

よって、①より

$\triangle ABC = \dfrac{1}{2} \cdot 3\sqrt{2} \cdot 4 \cdot \dfrac{\sqrt{6}}{3}$

$= 2\sqrt{2} \cdot \sqrt{6} = 4\sqrt{3}$ （答）

[Ⅸ] 三角形の面積：2 ［ヘロンの公式］

ヘロンの公式：3辺の長さがわかれば、面積は求まる！

△ABCにおいて、各辺を右図のようにおくと、

面積：$S = \sqrt{s(s-a)(s-b)(s-c)}$　ただし、$s = \dfrac{a+b+c}{2}$

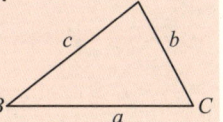

公式に三角比が使われていませんよね！ 実は、この公式を導くのに三角比が利用されるんです。では、一緒にこの証明をしてみましょう！

「証明」

右図の△ABCにおいて、面積 S は

$S = \dfrac{1}{2}bc\sin A$ …①　$(0° < A < 180° \therefore \sin A > 0)$

また、余弦定理より　$\cos A = \dfrac{b^2+c^2-a^2}{2bc}$ …②

ここで、$\sin^2 A + \cos^2 A = 1$ より、

$\sin^2 A = 1 - \underline{\cos^2 A}$　←②を代入

$= 1 - \dfrac{(b^2+c^2-a^2)^2}{(2bc)^2}$

$= \dfrac{(2bc)^2 - (b^2+c^2-a^2)^2}{(2bc)^2}$　「和と差の積」$a^2-b^2=(a+b)(a-b)$ 分子：因数分解

$= \dfrac{\{2bc+(b^2+c^2-a^2)\}\{2bc-(b^2+c^2-a^2)\}}{(2bc)^2}$

$= \dfrac{\{(b^2+2bc+c^2)-a^2\}\{a^2-(b^2-2bc+c^2)\}}{(2bc)^2}$　和と差の積で分子：因数分解

$= \dfrac{\{(b+c)^2-a^2\}\{a^2-(b-c)^2\}}{(2bc)^2}$

$= \dfrac{(b+c+a)(b+c-a)(a+b-c)(a-b+c)}{(2bc)^2}$

ここで、$a+b+c = 2s$ とおくと、

　$b+c+a = 2s$
　$b+c-a = (a+b+c) - 2a = 2(s-a)$
　$a+b-c = (a+b+c) - 2c = 2(s-c)$
　$a-b+c = (a+b+c) - 2b = 2(s-b)$

$= \dfrac{2s \cdot 2(s-a) \cdot 2(s-c) \cdot 2(s-b)}{(2bc)^2}$

$= \dfrac{4s(s-a)(s-b)(s-c)}{b^2c^2}$

$\sin A = \dfrac{2\sqrt{s(s-a)(s-b)(s-c)}}{bc}$

よって、①に代入

$S = \dfrac{1}{2}bc \times \dfrac{2\sqrt{s(s-a)(s-b)(s-c)}}{bc}$

$= \sqrt{s(s-a)(s-b)(s-c)}$

ただし、$S = \dfrac{a+b+c}{2}$

おわり

適当な三角形で試してみてくださいね！
知っていると便利な公式です！

復習27

三角関数（弧度法・一般角・単位円）

　ここからは、三角関数の後半戦！　大量の公式、そして、一番の悩みであるグラフも登場します。ドキッ！汗

　では、今までとは違う角度の表記法のお話からはじめたいと思います。

・弧度法（こどほう）

　今まで角度を表すのには度（°）を使っていました。しかし、数学において、今後はこの"**度数法**"ではなく、"**弧度法**"が一般的になります。

> **弧度法とは？**
>
> 　半径に等しい長さの弧に対する中心角の大きさを 1rad（ラジアン）と言い、これを基本単位とし角度を表すことを弧度法と言う。

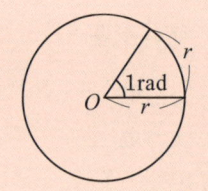

　そこで、半径1の円で考えると、中心角180°に対し弧の長さは半円周 π。よって、$1\text{rad} = \left(\dfrac{180}{\pi}\right)^\circ$（180°を π 分したうちの1コ）・・・（＊）

　また、（＊）より、$\pi\,\text{rad} = 180°$。ゆえに、$1° = \left(\dfrac{\pi}{180}\right)\text{rad}$ となる。

　ここまで読んで、たぶん（radian：ラジアン）読んでいると、わかったようでわからないでしょ！？　ウン・汗　そこで、まとめ！

> **まとめ！**　下記↓のこの1行だけ頭の中に入れていただければ十分です！
> 　　弧度法では、「$180° = \pi\,(\text{rad})$」と考えてくれればOK！
> 　ただし、弧度法では一般的に**無名数**ゆえ「$180° = \pi$」と考える。
> 　　注：このとき π は円周率を表すのではなく、$\pi\,\text{rad}$ を意味しますよ。
>
> 　　・$1\text{rad} = \left(\dfrac{180}{\pi}\right)^\circ$　　　・$1° = \left(\dfrac{\pi}{180}\right)\text{rad}$
>
> 誤解を恐れずに言えば、上記の弧度法と度数法の関係式、今は気にしないでOK！

例題：30°、120°、360° を弧度法で表してみますね。

＜解法＞ 弧度法の角を θ とすると、

「180°＝π」より、$\theta = \dfrac{x°}{180°} \times \pi$ に「$x=30°\ 45°\ \cdots$」を代入！

・30°： $\theta = \dfrac{30°}{180°} \times \pi = \dfrac{\pi}{6}$　∴ $30° = \dfrac{\pi}{6}$　　分子が1のとき、π は分子に載せるのが一般的

・120°： $\theta = \dfrac{120°}{180°} \times \pi = \dfrac{2}{3}\pi$　∴ $120° = \dfrac{2}{3}\pi$

・360°： $\theta = \dfrac{360°}{180°} \times \pi = 2\pi$　∴ $360° = 2\pi$　　「簡単でしょ！？」

演習102 つぎの角度を弧度法で表してみましょう。

（1） 45°　　　　（2） 90°　　　　（3） 135°

では、念のために今度は今の逆、弧度法を度数法への変換ね！

例題：つぎの弧度法で表された角を度数法で表してみますね。

（1） $\dfrac{3}{4}\pi$　　　　（2） $\dfrac{5}{3}\pi$

＜解法＞ 弧度法の角 θ（rad）、度数法の角度を $x°$ とすると、

$1\text{rad} = \left(\dfrac{180}{\pi}\right)°$ より、$x° = \theta\,\text{rad} \times \left(\dfrac{180}{\pi}\right)°$ に $\theta = \dfrac{3}{4}\pi$、$\dfrac{5}{3}\pi$ を代入！

（1） $\dfrac{3}{4}\pi = \dfrac{3}{4}\pi \times \left(\dfrac{180}{\pi}\right)° = \dfrac{3}{4} \times 180° = 135°$

（2） $\dfrac{5}{3}\pi = \dfrac{5}{3}\pi \times \left(\dfrac{180}{\pi}\right)° = \dfrac{5}{3} \times 180° = 300°$

補足！
（1）（2）の途中式の下線部を見て気がつかれたように、実際は直接 π を 180°に換え計算しちゃってます！

演習103 つぎの角度を度数法で表してみましょう。

（1） $\dfrac{3}{2}\pi$　　　　　　（2） $\dfrac{4}{3}\pi$

・一般角

　右図の線分 OX 上に線分 OP が重なっているとイメージしてください。そして、線分 OP が反時計回り（＋）に動き出しました。このとき 2 つの線分がなす角（∠XOP）を一般角と言います。（OX を始線、OP を動径と呼ぶ）

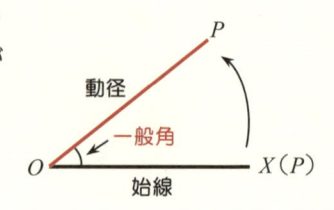

　そこで、この一般角の表し方なんですが、点 O を支点とし、グルッと 1 周すると当然もとに戻っちゃう訳ね！
そこで、つぎのように一般角を表します。

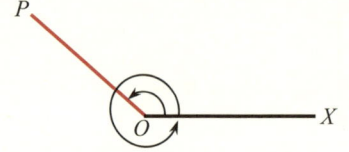

＊ **一般角の表記法**　注：時計回りの場合（－）となるので n は±となる。

・弧度法 θ（rad）： $\theta + 2n\pi$ 　　（n は整数：±1、±2、・・・）

・度数法 $x°$ 　　　： $x° + 360° \times n$ 　（n は整数：±1、±2、・・・）

例題：右図の角度を、度数法および弧度法の一般角 θ で表してみますね。

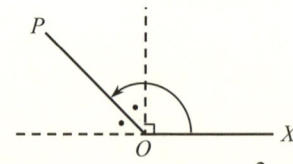

<解法>

・度数法 ∠$XOP = 90° + 45° = 135°$ 　・弧度法 ∠$XOP = \dfrac{\pi}{2} + \dfrac{\pi}{4} = \dfrac{3}{4}\pi$

よって、

・度数法での一般角： $\theta = 135° + 360° \times n$ （$n = \pm 1、\pm 2、\cdots$）

・弧度法での一般角： $\theta = \dfrac{3}{4}\pi + 2n\pi$ （$n = \pm 1、\pm 2、\cdots$）

演習 104　右図の角度を、度数法および弧度法の一般角 θ で表してみましょう。

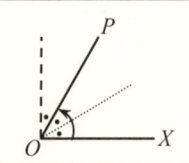

・一般角の三角関数

［Ⅲ］で三角比の値でマイナスがあることに違和感を覚えたはず！？お待たせいたしました。やっとここでその違和感も解消されるかと……。

三角関数では「$\sin\theta$、$\cos\theta$、$\tan\theta$」をつぎのように定義しています。

＊ 一般角の三角関数

半径 r の円周上の動点 P (x, y) とし、動径 OP と x 軸とのなす角が θ のとき、

$$\sin\theta = \frac{y}{r}、\quad \cos\theta = \frac{x}{r}、\quad \tan\theta = \frac{y}{x}$$

と定義する。

例題：$\theta = 210°$ のときの、$\sin\theta$、$\cos\theta$、$\tan\theta$ の値を求めてみますね。

〈解法〉

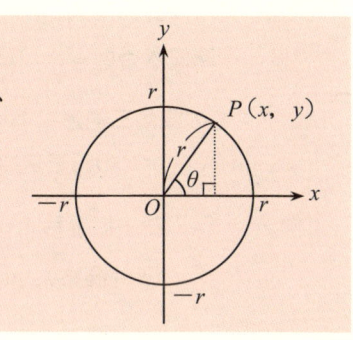

図1のように動径が 210° となる点 P をとる。つぎに、点 P から x 軸に垂線をひき、その足を Q とする。

ここで △OPQ は ∠POQ＝30° の直角三角形（図2）である。よって、3辺の比は

$$\text{PQ} : \text{OP} : \text{OQ} = 1 : 2 : \sqrt{3}$$

より、半径 $r = 2$ の円と考え

$|\text{PQ}| = 1$、$|\text{OP}| = 2$、$|\text{OQ}| = \sqrt{3}$

ゆえに、符号に注意して点 P の座標は

点 $P(x, y) = (-|\text{OQ}|, -|\text{PQ}|) = (-\sqrt{3}, -1)$

したがって、

・$\sin\theta = \dfrac{y}{r} = \dfrac{-1}{2} = -\dfrac{1}{2}$　　　・$\cos\theta = \dfrac{x}{r} = \dfrac{-\sqrt{3}}{2} = -\dfrac{\sqrt{3}}{2}$

・$\tan\theta = \dfrac{y}{x} = \dfrac{-1}{-\sqrt{3}} = \dfrac{1}{\sqrt{3}}$　　（答）

これで、$\sin\theta$、$\cos\theta$、$\tan\theta$ の値がマイナスになっても納得いただけたかと……。では、つぎは比の値から角度を求める方法、単位円のお話です。

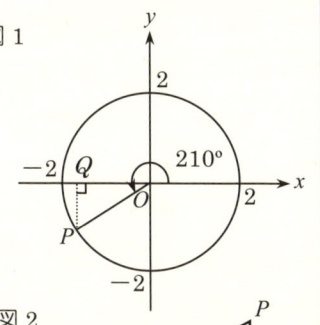

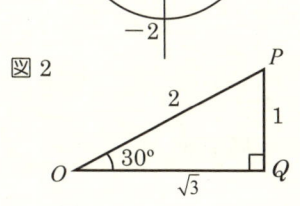

・単位円 [半径1の円]

　ここでは「$\sin\theta$、$\cos\theta$、$\tan\theta$」の値から、角度θの求め方のお話です。そこで、まず確認したいことは「"30°、45°、60°"における$\sin\theta$、$\cos\theta$、$\tan\theta$の値を覚えていますか？」コレは絶対に必要な道具ゆえ、シッカリと確認してくださいね。

　では、本題に入る前に、つぎのことを理解しておきましょう。

> 例題1：右の直角三角形において、
> $\sin\theta$、$\cos\theta$の値を求めてみますね。 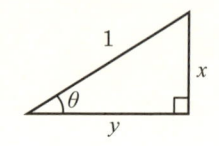
>
> <解法> 斜辺が1に着目！
> $$\sin\theta = \frac{x}{1} = x \text{（高さ）}、\quad \cos\theta = \frac{y}{1} = y \text{（底辺）}$$
>
> 例題2：右の直角三角形において、
> $\tan\theta$の値を求めてみますね。 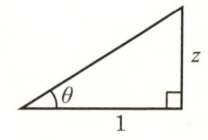
>
> <解法> 底辺が1に着目！
> $$\tan\theta = \frac{z}{1} = z \text{（高さ）}$$

この例題で確認したかったことはつぎの点なんです。

直角三角形において、

・斜辺が"1"ならば、　　$\sin\theta =$ 高さ、　　　$\cos\theta =$ 底辺

・底辺が"1"ならば、　　$\tan\theta =$ 高さ

では、下図は半径1の円です。上枠と比較しながらよぉ〜く見てください。

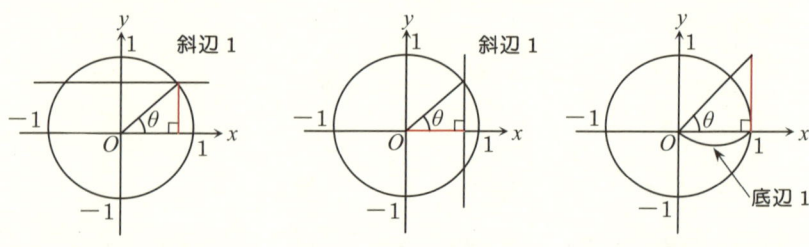

[1] 赤い線は$\sin\theta$の値　　[2] 赤い線は$\cos\theta$の値　　[3] 赤い線は$\tan\theta$の値

[1] $\sin\theta = \dfrac{1}{2}$ （$0° \leqq \theta \leqq 180°$）を満たす θ の値を求めてみますね。

① $x y$ 平面上の原点を中心とし、半径 1 の円をかく。

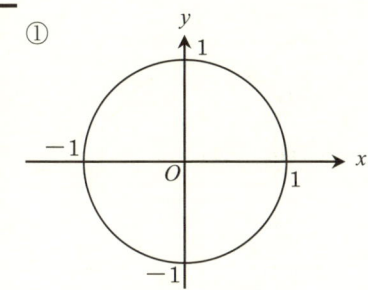

② 半径 1 より、$\sin\theta$ は高さゆえ、y 軸上の 0.5 を通り、x 軸に平行な線をひき、円との交点を P、P' とする。

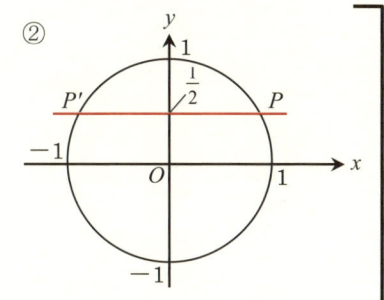

③ 点 P、P' より x 軸に垂線を下ろし、その足を Q、Q' とし、また、原点と点 P、P' を結ぶ。

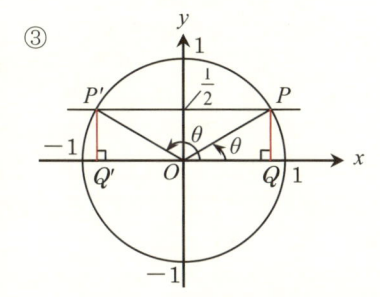

④ △OPQ は直角三角形より、各辺を 2 倍すると、3 辺の比が「$1:2:\sqrt{3}$」。
よって、∠POQ＝30°

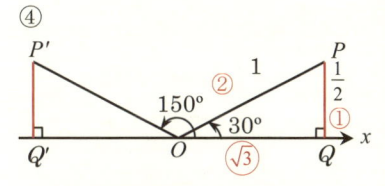

⑤

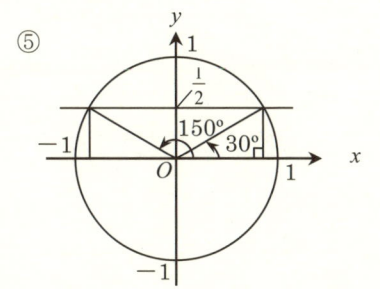

⑥ よって、
$$\theta = 30°、150° \quad (答)$$

演習 105 $\sin\theta = \dfrac{\sqrt{3}}{2}$ （$0° \leqq \theta \leqq 180°$）を満たす θ の値を求めてみましょう。

[2]　$\cos\theta = -\dfrac{1}{\sqrt{2}}$（$0° \leqq \theta \leqq 360°$）を満たす θ の値を求めてみますね。

① $x y$ 平面上の原点を中心とし、半径 1 の円をかく。

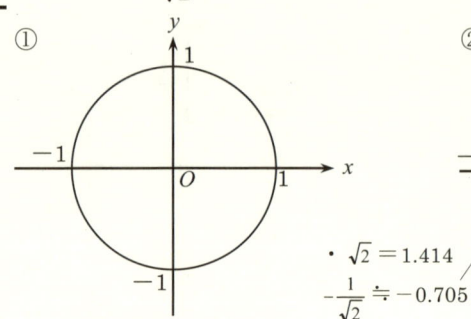

・$\sqrt{2} = 1.414$
$-\dfrac{1}{\sqrt{2}} \fallingdotseq -0.705$

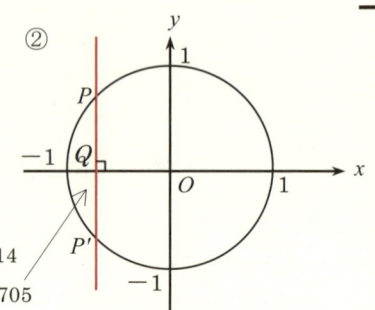

② 半径 1 より、$\cos\theta$ は底辺ゆえ、x 軸上の -0.7 を通り、y 軸に平行な線をひき、円との交点を P、P'、x 軸との交点を Q とする。

③ 原点と点 P、P' を結ぶ。

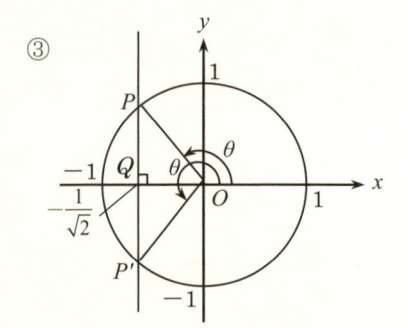

④ △OPQ は直角三角形より、各辺を $\sqrt{2}$ 倍すると、3 辺の比が「$1 : 1 : \sqrt{2}$」。
よって、∠POQ＝45°

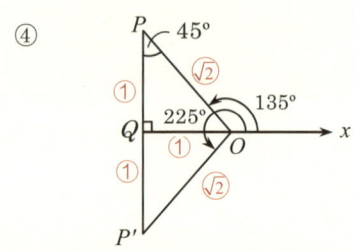

⑤

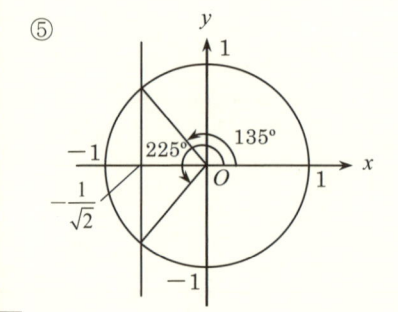

⑥ よって、
　　　$\theta = 135°$、$225°$（答）

演習 106　$\cos\theta = -\dfrac{1}{2}$（$0° \leqq \theta \leqq 360°$）を満たす θ の値を求めてみましょう。

[3] $\tan\theta = \sqrt{3}$（$0° \leqq \theta \leqq 360°$）を満たす θ の値を求めてみますね。

① xy 平面上の原点を中心とし、半径 1 の円をかく。

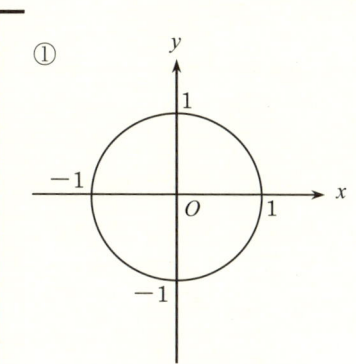

② 半径 1 より、$\tan\theta$ は高さゆえ、x 軸上の 1 と -1 より、上図のように、高さ $\sqrt{3}$ で y 軸に平行な線をひく。

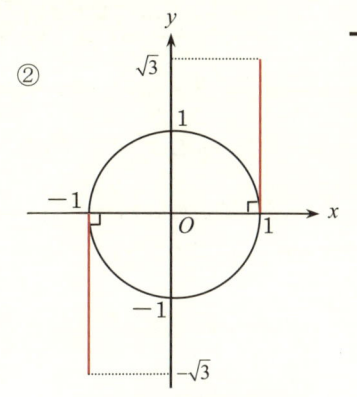

③ 点 P、P' を結ぶ。

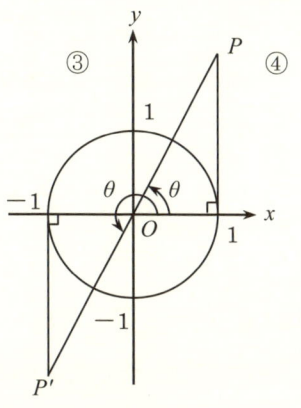

④ △OPQ は直角三角形より、3 辺の比が「$1:2:\sqrt{3}$」。よって、∠POQ = 60°

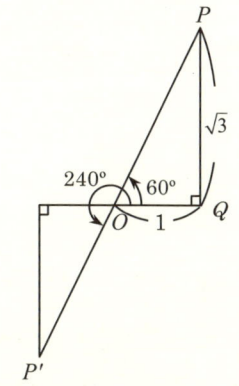

⑤ よって、
$\theta = 60°$、$240°$（答）

演習 107 $\tan\theta = -1$（$0° \leqq \theta \leqq 360°$）を満たす θ の値を求めてみましょう。

復習 28

三角関数（加法定理etc）

[Ⅰ] 三角関数の加法定理　[1]～[6]

これは大変便利な公式でね！　今、私たちがすぐにわかる三角比の値は $\theta=30°、45°、60°$ だけ。しかし、コレを使えば、$15°、75°$ が求まるのね。　　　　　　　　　　　　　　　　　　　　　　　　本当かなぁ～？

では、先に次ページの [1] の例題として「$\cos15°$」を求めてみますよ！

$$
\begin{aligned}
\cos15° &= \cos(45°-30°) \quad\leftarrow\quad [1]\ \cos(\alpha-\beta)=\cos\alpha\cos\beta+\sin\alpha\sin\beta \\
&= \cos45°\cos30°+\sin45°\sin30° \\
&= \frac{1}{\sqrt{2}}\cdot\frac{\sqrt{3}}{2}+\frac{1}{\sqrt{2}}\cdot\frac{1}{2} \\
&= \frac{\sqrt{6}+\sqrt{2}}{4} \quad \text{(答)}
\end{aligned}
$$

$$
\begin{aligned}
\frac{1}{\sqrt{2}}\cdot\frac{\sqrt{3}}{2}+\frac{1}{\sqrt{2}}\cdot\frac{1}{2} &= \frac{\sqrt{3}+1}{2\sqrt{2}} \\
&= \frac{\sqrt{2}(\sqrt{3}+1)}{2\sqrt{2}\cdot\sqrt{2}} \quad\leftarrow\text{有理化} \\
&= \frac{\sqrt{6}+\sqrt{2}}{4}
\end{aligned}
$$

また、加法定理からつぎの便利な公式も導き出せるんですね。

・2倍角の公式　・半角の公式　・3倍角の公式　・和と積の公式

では、加法定理の説明に入る前に、この証明をするための知識として、つぎのことを、確認しておきましょう。

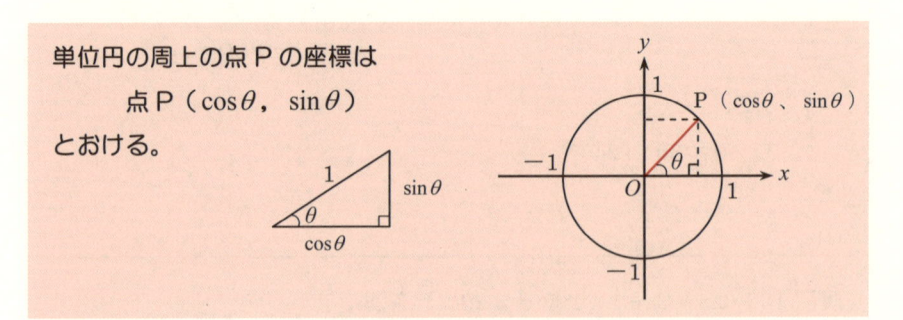

単位円の周上の点 P の座標は
　　点 P（$\cos\theta$, $\sin\theta$）
とおける。

では、加法定理の「証明の流れの順」に説明を進めて行きます。

[1] $\cos(\alpha-\beta) = \cos\alpha\cos\beta + \sin\alpha\sin\beta$

[証明：1]
単位円において、動径 OP、OQ のなす角をそれぞれ α、β とすると、
点 $P(\cos\alpha,\ \sin\alpha)$、$Q(\cos\beta,\ \sin\beta)$
そこで、2点間 PQ の長さは（2点間の距離：右下参照）

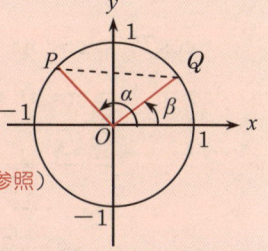

$$PQ^2 = (\cos\alpha - \cos\beta)^2 + (\sin\alpha - \sin\beta)^2$$
$$= 2 - 2(\cos\alpha\cos\beta + \sin\alpha\sin\beta) \cdots ①$$

また、△OPQ において、余弦定理（$\angle POQ = |\alpha - \beta|$）より

$$PQ^2 = 1^2 + 1^2 - 2\cdot 1 \cdot 1\cos|\alpha-\beta|$$
$$= 2 - 2\cos|\alpha-\beta| \cdots ②$$

[2点間の距離の公式]
2点 $A(x_1,\ y_1)$、$B(x_2,\ y_2)$
$AB = \sqrt{(x_2-x_1)^2 + (y_2-y_1)^2}$

①②より
$$2 - 2\cos|\alpha-\beta| = 2 - 2(\cos\alpha\cos\beta + \sin\alpha\sin\beta)$$
$$\therefore \cos|\alpha-\beta| = \cos\alpha\cos\beta + \sin\alpha\sin\beta$$

よって、$\cos|\alpha-\beta| = \cos(\alpha-\beta) = \cos(\beta-\alpha)$ より ← $\alpha>\beta$、$\beta>\alpha$ の場合
$\cos(-\theta) = \cos\theta$ より

$$\cos(\alpha-\beta) = \cos\alpha\cos\beta + \sin\alpha\sin\beta$$

おわり

演習 108　$\cos 45°$、$\cos 60°$ を使って、$\cos 15°$ の値を求めてみましょう。

[2] $\cos(\alpha+\beta) = \cos\alpha\cos\beta - \sin\alpha\sin\beta$

[証明：2]
「$\cos(\alpha-\beta) = \cos\alpha\cos\beta + \sin\alpha\sin\beta$」において、$\beta$ を $(-\beta)$ とすると

$$\cos(\alpha-(-\beta)) = \cos\alpha\cos(-\beta) + \sin\alpha\sin(-\beta)$$ ← $\sin(-\beta) = -\sin\beta$
$\cos(-\beta) = \cos\beta$

$$\cos(\alpha+\beta) = \cos\alpha\cos\beta + \sin\alpha\cdot(-\sin\beta)$$

よって、
$$\cos(\alpha+\beta) = \cos\alpha\cos\beta - \sin\alpha\sin\beta$$

おわり

例題：$\cos 75°$ の値を求めてみますね。

＜解法＞　$\cos(\alpha+\beta) = \cos\alpha\cos\beta - \sin\alpha\sin\beta$

$\cos 75° = \cos(30° + 45°)$

$= \cos 30° \cos 45° - \sin 30° \sin 45°$

$= \dfrac{\sqrt{3}}{2} \cdot \dfrac{1}{\sqrt{2}} - \dfrac{1}{2} \cdot \dfrac{1}{\sqrt{2}}$

$= \dfrac{\sqrt{6} - \sqrt{2}}{4}$ （答）

$\dfrac{\sqrt{3}}{2} \cdot \dfrac{1}{\sqrt{2}} - \dfrac{1}{2} \cdot \dfrac{1}{\sqrt{2}} = \dfrac{\sqrt{3}-1}{2\sqrt{2}}$

$= \dfrac{\sqrt{2}(\sqrt{3}-1)}{2\sqrt{2}\cdot\sqrt{2}}$ ← 有理化

$= \dfrac{\sqrt{6}-\sqrt{2}}{4}$

演習 109　$\cos 105°$ の値を求めてみましょう。

---

[3]　$\sin(\alpha+\beta) = \sin\alpha\cos\beta + \cos\alpha\sin\beta$

[証明：3]　⇒　「三角比の相互関係2」を復習してください！

「$\cos(\alpha-\beta) = \cos\alpha\cos\beta + \sin\alpha\sin\beta$」において、$\alpha$ を $\left(\dfrac{\pi}{2}-\alpha\right)$ とすると

$\cos\left\{\left(\dfrac{\pi}{2}-\alpha\right)-\beta\right\} = \underline{\cos\left(\dfrac{\pi}{2}-\alpha\right)}\cos\beta + \underline{\sin\left(\dfrac{\pi}{2}-\alpha\right)}\sin\beta$

$\cos\left\{\dfrac{\pi}{2}-(\alpha+\beta)\right\} = \underline{\sin\alpha\cos\beta} + \underline{\cos\alpha\sin\beta}$

・$\sin\left(\dfrac{\pi}{2}-\theta\right) = \cos\theta$
・$\cos\left(\dfrac{\pi}{2}-\theta\right) = \sin\theta$

よって、　$\sin(\alpha+\beta) = \sin\alpha\cos\beta + \cos\alpha\sin\beta$

おわり

例題：$\sin 105°$ の値を求めてみますね。

＜解法＞　$\sin(\alpha+\beta) = \sin\alpha\cos\beta + \cos\alpha\sin\beta$

$\sin 105° = \sin(45° + 60°)$

$= \sin 45° \cos 60° + \cos 45° \sin 60°$

$$= \frac{1}{\sqrt{2}} \cdot \frac{1}{2} + \frac{1}{\sqrt{2}} \cdot \frac{\sqrt{3}}{2}$$

$$= \frac{\sqrt{6} + \sqrt{2}}{4} \quad \text{(答)}$$

> $\frac{1}{\sqrt{2}} \cdot \frac{1}{2} + \frac{1}{\sqrt{2}} \cdot \frac{\sqrt{3}}{2} = \frac{1+\sqrt{3}}{2\sqrt{2}}$
>
> $= \frac{\sqrt{2}(1+\sqrt{3})}{2\sqrt{2} \cdot \sqrt{2}}$ ← 有理化
>
> $= \frac{\sqrt{6}+\sqrt{2}}{4}$

演習 110 $\sin 135°$ の値を求めてみましょう。三角関数の定義より $\sin 90° = 1$

[4] $\sin(\alpha - \beta) = \sin\alpha\cos\beta - \cos\alpha\sin\beta$

[証明：4]

「$\sin(\alpha + \beta) = \sin\alpha\cos\beta + \cos\alpha\sin\beta$」において、$\beta$ を $(-\beta)$ とすると

$\sin(\alpha + (-\beta)) = \sin\alpha\underline{\cos(-\beta)} + \cos\alpha\underline{\sin(-\beta)}$ ← $\sin(-\beta) = -\sin\beta$
$\cos(-\beta) = \cos\beta$

$\sin(\alpha - \beta) = \sin\alpha\underline{\cos\beta} + \cos\alpha\underline{(-\sin\beta)}$

よって、
$\sin(\alpha - \beta) = \sin\alpha\cos\beta - \cos\alpha\sin\beta$

おわり

例題：$\sin 15°$ の値を求めてみますね。

＜解法＞ $\sin(\alpha - \beta) = \sin\alpha\cos\beta - \cos\alpha\sin\beta$

$\sin 15° = \sin(45° - 30°)$

$= \sin 45° \cos 30° - \cos 45° \sin 30°$

$= \frac{1}{\sqrt{2}} \cdot \frac{\sqrt{3}}{2} - \frac{1}{\sqrt{2}} \cdot \frac{1}{2}$

$= \frac{\sqrt{6} - \sqrt{2}}{4}$ （答）

> $\frac{1}{\sqrt{2}} \cdot \frac{\sqrt{3}}{2} - \frac{1}{\sqrt{2}} \cdot \frac{1}{2} = \frac{\sqrt{3}-1}{2\sqrt{2}}$
>
> $= \frac{\sqrt{2}(\sqrt{3}-1)}{2\sqrt{2} \cdot \sqrt{2}}$ ← 有理化
>
> $= \frac{\sqrt{6}-\sqrt{2}}{4}$

演習 111 $\sin 45°$、$\sin 120°$ を使って、$\sin 165°$ の値を求めてみましょう。

[5] $\tan(\alpha + \beta) = \dfrac{\tan\alpha + \tan\beta}{1 - \tan\alpha\tan\beta}$

[証明：5]

$$\tan(\alpha + \beta) = \dfrac{\sin(\alpha + \beta)}{\cos(\alpha + \beta)} = \dfrac{\sin\alpha\cos\beta + \cos\alpha\sin\beta}{\cos\alpha\cos\beta - \sin\alpha\sin\beta}$$

よって、$\cos\alpha\cos\beta \neq 0$ のとき、右辺の分母・分子を $\cos\alpha\cos\beta$ で割る。

∴ $\tan(\alpha + \beta) = \dfrac{\tan\alpha + \tan\beta}{1 - \tan\alpha\tan\beta}$

分子 $= \dfrac{\sin\alpha\cos\beta}{\cos\alpha\cos\beta} + \dfrac{\cos\alpha\sin\beta}{\cos\alpha\cos\beta} = \tan\alpha + \tan\beta$

分母 $= \dfrac{\cos\alpha\cos\beta}{\cos\alpha\cos\beta} - \dfrac{\sin\alpha\cdot\sin\beta}{\cos\alpha\cdot\cos\beta} = 1 - \tan\alpha\tan\beta$

おわり

例題：$\tan 165°$ の値を求めてみますね。

＜解法＞

$\tan 165° = \tan(120° + 45°)$

$= \dfrac{\tan 120° + \tan 45°}{1 - \tan 120° \cdot \tan 45°}$

$= \dfrac{-\sqrt{3} + 1}{1 - (-\sqrt{3})\cdot 1}$

$= \dfrac{1 - \sqrt{3}}{1 + \sqrt{3}}$

$= \dfrac{(1 - \sqrt{3})^2}{(1 + \sqrt{3})(1 - \sqrt{3})}$

$= -2 + \sqrt{3}$ （答）

$\tan 120° = \tan(180° - 60°)$
$= -\tan 60°$
$= -\sqrt{3}$

← 有理化：分母・分子に「$1 - \sqrt{3}$」をかける

$\dfrac{(1 - \sqrt{3})^2}{(1 + \sqrt{3})(1 - \sqrt{3})} = \dfrac{1 - 2\sqrt{3} + 3}{1 - 3}$
$= \dfrac{4 - 2\sqrt{3}}{-2}$
$= -2 + \sqrt{3}$

演習112　$\tan 105°$ の値を求めてみましょう。

[6] $\tan(\alpha - \beta) = \dfrac{\tan\alpha - \tan\beta}{1 + \tan\alpha\tan\beta}$

[証明：6]

「$\tan(\alpha + \beta) = \dfrac{\tan\alpha + \tan\beta}{1 - \tan\alpha\tan\beta}$」において、$\beta$を$(-\beta)$とすると

$\tan(\alpha - \beta) = \dfrac{\tan\alpha + \tan(-\beta)}{1 - \tan\alpha\tan(-\beta)} = \dfrac{\tan\alpha - \tan\beta}{1 + \tan\alpha\tan\beta}$ ← $\tan(-\beta) = -\tan\beta$

よって、 $\tan(\alpha - \beta) = \dfrac{\tan\alpha - \tan\beta}{1 + \tan\alpha\tan\beta}$

おわり

例題：$\tan\alpha = -\dfrac{1}{2}$、$\tan\beta = \dfrac{1}{3}$のとき、つぎの問いに答えてみますね。

（1）$\tan(\alpha - \beta)$の値を求めてください。

（2）$(\alpha - \beta)$の値（角度）を求めてください。$0° < \alpha - \beta < 180°$

＜解法＞

（1）$\tan(\alpha - \beta) = \dfrac{\tan\alpha - \tan\beta}{1 + \tan\alpha\tan\beta} = \dfrac{-\dfrac{1}{2} - \dfrac{1}{3}}{1 + \left(-\dfrac{1}{2}\right) \cdot \dfrac{1}{3}} = -1$

（2）$\tan(\alpha - \beta) = -1$ は右図の単位円より、

$\alpha - \beta = 135°$ （答）

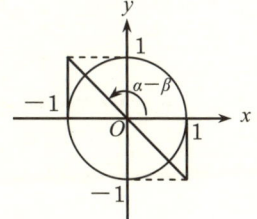

演習113 2直線 $y = 2x \cdots$①と $y = \dfrac{1}{3}x \cdots$②のなす角θを求めてみましょう。

ヒント：（①の直線の傾き：2）$= \tan\alpha$

（②の直線の傾き：$\dfrac{1}{3}$）$= \tan\beta$

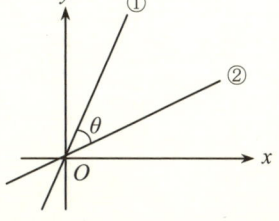

[Ⅱ] 2倍角の公式 ← 加法定理より導く！

[1] $\sin 2\alpha = 2\sin\alpha\cos\alpha$

[証明：1]

「$\sin(\alpha+\beta) = \sin\alpha\cos\beta + \cos\alpha\sin\beta$」において、$\beta$を$\alpha$とすると

$\sin 2\alpha = \sin(\alpha+\alpha) = \sin\alpha\cos\alpha + \cos\alpha\sin\alpha = 2\sin\alpha\cos\alpha$

おわり

[2] $\cos 2\alpha = \cos^2\alpha - \sin^2\alpha = 2\cos^2\alpha - 1 = 1 - 2\sin^2\alpha$

[証明：2]

「$\cos(\alpha+\beta) = \cos\alpha\cos\beta - \sin\alpha\sin\beta$」において、$\beta$を$\alpha$とすると

$\cos 2\alpha = \cos(\alpha+\alpha) = \cos\alpha\cos\alpha - \sin\alpha\sin\alpha = \cos^2\alpha - \sin^2\alpha$

∴ $\cos 2\alpha = \cos^2\alpha - \sin^2\alpha$ ・・・①

また、$\sin^2\alpha + \cos^2\alpha = 1$ より、

$\sin^2\alpha = 1 - \cos^2\alpha$ ・・・②　　$\cos^2\alpha = 1 - \sin^2\alpha$ ・・・③

①②より、$\cos 2\alpha = \cos^2\alpha - (1 - \cos^2\alpha) = 2\cos^2\alpha - 1$ ・・・④

①③より、$\cos 2\alpha = (1 - \sin^2\alpha) - \sin^2\alpha = 1 - 2\sin^2\alpha$ ・・・⑤

したがって、①④⑤より、

$\cos 2\alpha = \cos^2\alpha - \sin^2\alpha = 2\cos^2\alpha - 1 = 1 - 2\sin^2\alpha$

おわり

[3] $\tan 2\alpha = \dfrac{2\tan\alpha}{1 - \tan^2\alpha}$

[証明：3]

「$\tan(\alpha+\beta) = \dfrac{\tan\alpha + \tan\beta}{1 - \tan\alpha\tan\beta}$」において、$\beta$を$\alpha$とすると

$\tan 2\alpha = \tan(\alpha+\alpha) = \dfrac{\tan\alpha + \tan\alpha}{1 - \tan\alpha\tan\alpha} = \dfrac{2\tan\alpha}{1 - \tan^2\alpha}$

おわり

例題：$\sin\theta = \dfrac{2}{3}$（$90° < \theta < 180°$）のとき、つぎの値を求めてみますね。

(1) $\sin 2\theta$ 　　　　(2) $\cos 2\theta$ 　　　　(3) $\tan 2\theta$

<解法>

左ページを見ておわかりのように、とにかく、$\cos\theta$ の値が必要！そこで、あの公式「$\sin^2\theta + \cos^2\theta = 1$」の利用です。

$$\cos^2\theta = 1 - \sin^2\theta = 1 - \left(\dfrac{2}{3}\right)^2 = \dfrac{5}{9}$$

$\therefore \cos\theta = -\dfrac{\sqrt{5}}{3}$ ← （$90° < \theta < 180°$）より、第Ⅱ象限「$\cos\theta < 0$」

(1)
$$\sin 2\theta = 2\sin\theta\cos\theta = 2 \cdot \dfrac{2}{3} \cdot \left(-\dfrac{\sqrt{5}}{3}\right) = -\dfrac{4\sqrt{5}}{9} \quad（答）$$

(2) $\cos 2\theta = \cos^2\theta - \sin^2\theta = 2\cos^2\theta - 1 = 1 - 2\sin^2\theta$ のどれを使いますか？　どれでも構いませんからね！

$$\cos 2\theta = 1 - 2\sin^2\theta = 1 - 2 \cdot \left(\dfrac{2}{3}\right)^2 = 1 - \dfrac{8}{9} = \dfrac{1}{9} \quad（答）$$

(3)「アレ？　$\tan\theta$ の値を求めなければ！」と思いませんでした！？

$$\tan 2\theta = \dfrac{\sin 2\theta}{\cos 2\theta} = -\dfrac{4\sqrt{5}}{9} \div \dfrac{1}{9} = -\dfrac{4\sqrt{5}}{9} \times 9 = -4\sqrt{5} \quad（答）$$

ここまで来ますと、当然のことながら、今までお話しした**公式を道具**として自由に使えないと解答ができなくなります。よって、ゆっくりで構いませんので確実な歩みが大切！

演習 114 $\sin\theta = \dfrac{3}{5}$（$90° < \theta < 180°$）のとき、つぎの値を求めてみましょう。

(1) $\sin 2\theta$ 　　　　(2) $\cos 2\theta$ 　　　　(3) $\tan 2\theta$

[Ⅲ] 半角の公式 ← 2倍角の公式より導く！

[1] $\sin^2 \dfrac{\theta}{2} = \dfrac{1-\cos\theta}{2}$

> [証明：1]
> $\cos 2\alpha = 1 - 2\sin^2\alpha$ より、
> $2\sin^2\alpha = 1 - \cos 2\alpha \quad \therefore \sin^2\alpha = \dfrac{1-\cos 2\alpha}{2}$
> ここで $\alpha = \dfrac{\theta}{2}$ とおくと、$\sin^2 \dfrac{\theta}{2} = \dfrac{1-\cos\theta}{2}$
> おわり

半角の公式は、実際の問題において、この形での利用度が高い。

[2] $\cos^2 \dfrac{\theta}{2} = \dfrac{1+\cos\theta}{2}$

> [証明：2]
> $\cos 2\alpha = 2\cos^2\alpha - 1$ より、
> $2\cos^2\alpha = 1 + \cos 2\alpha \quad \therefore \cos^2\alpha = \dfrac{1+\cos 2\alpha}{2}$
> ここで $\alpha = \dfrac{\theta}{2}$ とおくと、$\cos^2 \dfrac{\theta}{2} = \dfrac{1+\cos\theta}{2}$
> おわり

半角の公式は、実際の問題において、この形での利用度が高い。

[3] $\tan^2 \dfrac{\theta}{2} = \dfrac{1-\cos\theta}{1+\cos\theta}$

> [証明：3]
> $\tan^2 \dfrac{\theta}{2} = \dfrac{\sin^2 \dfrac{\theta}{2}}{\cos^2 \dfrac{\theta}{2}} = \dfrac{\dfrac{1-\cos\theta}{2}}{\dfrac{1+\cos\theta}{2}} = \dfrac{1-\cos\theta}{1+\cos\theta}$
>
> $\tan\theta = \dfrac{\sin\theta}{\cos\theta}$ より　　　分母・分子を2倍
> おわり

例題：$0 < \theta < \pi$、$\cos\theta = -\dfrac{5}{8}$ のとき、つぎの値を求めてみますね。

（1）$\sin\dfrac{\theta}{2}$　　　　（2）$\cos\dfrac{\theta}{2}$　　　　（3）$\tan\dfrac{\theta}{2}$

＜解法＞ 弧度法での表記にも慣れていただきたく、意識して表示しています。

(1) $\sin^2\dfrac{\theta}{2} = \dfrac{1-\cos\theta}{2} = \dfrac{1}{2}\left\{1-\left(-\dfrac{5}{8}\right)\right\} = \dfrac{1}{2}\times\left(1+\dfrac{5}{8}\right) = \dfrac{1}{2}\times\dfrac{13}{8} = \dfrac{13}{16}$

よって、$\sin\dfrac{\theta}{2} = \pm\dfrac{\sqrt{13}}{4}$ （誤答ですよ！）　ナンデダぶぅ～！　怒

ポイント ⇒ θ の範囲を問題における角度の範囲に設定し直す！

$0 < \theta < \pi$ より、$0 < \dfrac{\theta}{2} < \dfrac{\pi}{2}$ ゆえ、$\sin\dfrac{\theta}{2} > 0$　　（$0° < \dfrac{\theta}{2} < 90°$）ゆえ、

∴ $\sin\dfrac{\theta}{2} = \dfrac{\sqrt{13}}{4}$（正答）　　　　　　　第Ⅰ象限：$\sin\dfrac{\theta}{2} > 0$

(2) $0 < \theta < \pi$ より、$0 < \dfrac{\theta}{2} < \dfrac{\pi}{2}$（第1象限）ゆえ、$\cos\dfrac{\theta}{2} > 0 \cdots (*)$

$\cos^2\dfrac{\theta}{2} = \dfrac{1+\cos\theta}{2} = \dfrac{1}{2}\left\{1+\left(-\dfrac{5}{8}\right)\right\} = \dfrac{1}{2}\times\left(1-\dfrac{5}{8}\right) = \dfrac{1}{2}\times\dfrac{3}{8} = \dfrac{3}{16}$

よって、$(*)$ より、$\cos\dfrac{\theta}{2} = \dfrac{\sqrt{3}}{4}$（答）

(3) $\tan\dfrac{\theta}{2} = \dfrac{\sin\dfrac{\theta}{2}}{\cos\dfrac{\theta}{2}} = \dfrac{\sqrt{13}}{4}\div\dfrac{\sqrt{3}}{4} = \dfrac{\sqrt{13}}{4}\times\dfrac{4}{\sqrt{3}} = \sqrt{\dfrac{13}{3}}$（答）

分母・分子が分数の場合「（分子）÷（分母）」の計算で対応！

演習 115 つぎの値を求めてみましょう。

（1）$\sin^2\dfrac{\pi}{8}$　　　　　　　　（2）$\cos\dfrac{\pi}{12}$

半角公式の証明を見れば、ヒントが隠れています！

[IV] 3倍角の公式 ← 加法定理より導く！

ここでは、証明するという作業を通じ「今まで触れてきた三角比の公式を、式の途中でどのよう利用し、変換するのか？」ということを実感していただきたいと思います。

[1] $\sin 3\alpha = 3\sin\alpha - 4\sin^3\alpha$

[証明：1]

「$\sin(\alpha+\beta) = \sin\alpha\cos\beta + \cos\alpha\sin\beta$」において、$3\alpha = 2\alpha + \alpha$ より

$\sin 3\alpha = \sin(2\alpha + \alpha)$　　　　　方針 ⇒ 右辺を"$\sin\alpha$"で統一！

$= \sin 2\alpha \cdot \cos\alpha + \cos 2\alpha \cdot \sin\alpha$　　←"2倍角"で変換

$= 2\sin\alpha\cos\alpha \cdot \cos\alpha + (1 - 2\sin^2\alpha) \cdot \sin\alpha$

$= 2\sin\alpha\cos^2\alpha + (1 - 2\sin^2\alpha) \cdot \sin\alpha$　　← $\sin^2\alpha + \cos^2\alpha = 1$の利用

$= 2\sin\alpha(1 - \sin^2\alpha) + (1 - 2\sin^2\alpha) \cdot \sin\alpha$

$= 2\sin\alpha - 2\sin^3\alpha + \sin\alpha - 2\sin^3\alpha$

$= 3\sin\alpha - 4\sin^3\alpha$

よって、
$$\sin 3\alpha = 3\sin\alpha - 4\sin^3\alpha$$
　　　　　　　　　　　　　　　おわり

たぶん、上記の証明を見た印象は、「ゲッ！　もぉ～やだよぉ～！　涙」
　　　　　　　　　　　　　　　　　　　　　　違いますか！？　笑

でもね、だまされたと思って、一行ずつ、鉛筆で紙に証明を写し確認作業を繰り返してみてください。たぶん、「エッ！？　わかる！ナルホドォ～」と感じるはず！？

自ら証明することで、今までに触れた公式を使い「どのように式を変形して行くのか？」という感覚がつかめるようになり、かつ、今まで暗号としか思えなかった公式が、自然と覚えられるようになるものなんです。

そこで、[3] $\tan 3\alpha$ の証明まではさせていただきますが、[2] $\cos 3\alpha$ の証明は演習とさせてくださいね！

演習 116 つぎの「3 倍角の公式」を証明してみましょう。

[2] $\cos 3\alpha = 4\cos^3 \alpha - 3\cos \alpha$

ヒント ［証明：1］と同様な流れです。楽しんでください！！

[3] $\tan 3\alpha = \dfrac{3\tan \alpha - \tan^3 \alpha}{1 - 3\tan^2 \alpha}$

［証明：3］

$\tan 3\alpha = \dfrac{\sin 3\alpha}{\cos 3\alpha}$ ← $\tan \theta = \dfrac{\sin \theta}{\cos \theta}$ に3倍角の公式を代入

$= \dfrac{3\sin \alpha - 4\sin^3 \alpha}{4\cos \alpha^3 - 3\cos \alpha}$ ← 分母・分子を $4\cos^3 \alpha$ でわる。

(分子)$= \dfrac{3\sin \alpha}{4\cos^3 \alpha} - \dfrac{4\sin^3 \alpha}{4\cos^3 \alpha}$

$= \dfrac{3}{4} \cdot \dfrac{\sin \alpha}{\cos \alpha} \cdot \dfrac{1}{\cos^2 \alpha} - \tan^3 \alpha$

$= \dfrac{3}{4}\tan \alpha \cdot \dfrac{1}{\cos^2 \alpha} - \tan^3 \alpha$

$= \dfrac{\dfrac{3}{4}\tan \alpha \cdot \dfrac{1}{\cos^2 \alpha} - \tan^3 \alpha}{1 - \dfrac{3\cos \alpha}{4\cos^3 \alpha}}$

$= \dfrac{\dfrac{3}{4}\tan \alpha(1 + \tan^2 \alpha) - \tan^3 \alpha}{1 - \dfrac{3}{4}(1 + \tan^2 \alpha)}$ ← 下線部：$\dfrac{1}{\cos^2 \alpha} = 1 + \tan^2 \alpha$

分母・分子を4倍

$= \dfrac{3\tan \alpha(1 + \tan^2 \alpha) - 4\tan^3 \alpha}{4 - 3(1 + \tan^2 \alpha)}$

$= \dfrac{3\tan \alpha + 3\tan^3 \alpha - 4\tan^3 \alpha}{4 - 3 - 3\tan^2 \alpha}$

$= \dfrac{3\tan \alpha - \tan^3 \alpha}{1 - 3\tan^2 \alpha}$

おわり

[V] 和と積の公式（I）　正弦の加法定理から導く！

[1] 積 ⇒ 和（差）

（ⅰ）$\sin\alpha\cos\beta = \dfrac{1}{2}\{\sin(\alpha+\beta)+\sin(\alpha-\beta)\}$

（ⅱ）$\cos\alpha\sin\beta = \dfrac{1}{2}\{\sin(\alpha+\beta)-\sin(\alpha-\beta)\}$

[証明]

$\sin(\alpha+\beta) = \sin\alpha\cos\beta + \cos\alpha\sin\beta$　・・・①

$\sin(\alpha-\beta) = \sin\alpha\cos\beta - \cos\alpha\sin\beta$　・・・②

①＋②より（計算後、左辺と右辺を逆転させると）

$2\sin\alpha\cos\beta = \sin(\alpha+\beta) + \sin(\alpha-\beta)$

∴　$\sin\alpha\cos\beta = \dfrac{1}{2}\{\sin(\alpha+\beta)+\sin(\alpha-\beta)\}$　・・・（ⅰ）

①－②より（計算後、左辺と右辺を逆転させると）

$2\cos\alpha\sin\beta = \sin(\alpha+\beta) - \sin(\alpha-\beta)$

∴　$\cos\alpha\sin\beta = \dfrac{1}{2}\{\sin(\alpha+\beta)-\sin(\alpha-\beta)\}$　・・・（ⅱ）

おわり

例題：$\sin\theta\cos 3\theta$ を和または差の形に変形してみますね。

＜解法＞　積は交換法則が成り立ちますが、公式の右辺で角度の引き算や符号が逆になるので要注意！　よって、どちらか一方を覚えればOK！

・$\sin\theta\cos 3\theta = \dfrac{1}{2}\{\sin(\theta+3\theta)+\sin(\theta-3\theta)\} = \dfrac{1}{2}\{\sin 4\theta + \sin(-2\theta)\}$

　積を交換　$= \dfrac{1}{2}(\sin 4\theta - \sin 2\theta)$　（答）

・$\cos 3\theta\sin\theta = \dfrac{1}{2}\{\sin(3\theta+\theta)-\sin(3\theta-\theta)\} = \dfrac{1}{2}(\sin 4\theta - \sin 2\theta)$　（答）

演習117　$4\sin 3\theta\cos 5\theta$ を和または差の形に変形してみましょう。

[2] 和（差） ⇒ 積

(ⅲ) $\sin A + \sin B = 2\sin\dfrac{A+B}{2}\cos\dfrac{A-B}{2}$

(ⅳ) $\sin A - \sin B = 2\cos\dfrac{A+B}{2}\sin\dfrac{A-B}{2}$

［証明］
$\sin\alpha\cos\beta = \dfrac{1}{2}\{\sin(\alpha+\beta) + \sin(\alpha-\beta)\}$ ・・・(ⅰ)において、

$\alpha+\beta = A$、$\alpha-\beta = B$とすると、$\alpha = \dfrac{A+B}{2}$、$\beta = \dfrac{A-B}{2}$ゆえ、
(ⅰ)に代入 └（連立方程式を解く）→

$\sin\dfrac{A+B}{2}\cos\dfrac{A-B}{2} = \dfrac{1}{2}(\sin A + \sin B)$ ← 両辺2倍し、左右を入れ換える

∴ $\sin A + \sin B = 2\sin\dfrac{A+B}{2}\cos\dfrac{A-B}{2}$ ・・・(ⅲ)

同様に左ページの(ⅱ)に代入

$\cos\dfrac{A+B}{2}\sin\dfrac{A-B}{2} = \dfrac{1}{2}(\sin A - \sin B)$ ← 両辺2倍し、左右を入れ換える

∴ $\sin A - \sin B = 2\cos\dfrac{A+B}{2}\sin\dfrac{A-B}{2}$ ・・・(ⅳ)

おわり

例題：(1)は値を求め、(2)は積の形にしてみますね。

(1) $\sin 75° + \sin 15°$ （2) $\sin 5\theta - \sin 3\theta$

＜解法＞

(1) $\sin 75° + \sin 15° = 2\sin\dfrac{75°+15°}{2}\cos\dfrac{75°-15°}{2} = 2\sin 45°\cos 30°$

$= 2\cdot\dfrac{1}{\sqrt{2}}\cdot\dfrac{\sqrt{3}}{2} = \sqrt{\dfrac{3}{2}} = \dfrac{\sqrt{6}}{2}$ （答）

(2) $\sin 5\theta - \sin 3\theta = 2\cos\dfrac{5\theta+3\theta}{2}\sin\dfrac{5\theta-3\theta}{2} = 2\cos 4\theta\sin\theta$ （答）

演習118　$\sin\theta - \sin 7\theta$ を積の形に変形してみましょう。

・和と積の公式（Ⅱ）　余弦の加法定理から導く！

[3] 積 ⇒ 和（差）

(ⅴ) $\cos\alpha\cos\beta = \dfrac{1}{2}\{\cos(\alpha+\beta) + \cos(\alpha-\beta)\}$

(ⅵ) $\sin\alpha\sin\beta = -\dfrac{1}{2}\{\cos(\alpha+\beta) - \cos(\alpha-\beta)\}$

[証明]

$\cos(\alpha+\beta) = \cos\alpha\cos\beta - \sin\alpha\sin\beta$ ・・・①

$\cos(\alpha-\beta) = \cos\alpha\cos\beta + \sin\alpha\sin\beta$ ・・・②

①＋②より（計算後、左辺と右辺を逆転させると）

$2\cos\alpha\cos\beta = \cos(\alpha+\beta) + \cos(\alpha-\beta)$

∴ $\cos\alpha\cos\beta = \dfrac{1}{2}\{\cos(\alpha+\beta) + \cos(\alpha-\beta)\}$ ・・・(ⅴ)

①－②より（計算後、左辺と右辺を逆転させると）

$-2\sin\alpha\sin\beta = \cos(\alpha+\beta) - \cos(\alpha-\beta)$

∴ $\sin\alpha\sin\beta = -\dfrac{1}{2}\{\cos(\alpha+\beta) - \cos(\alpha-\beta)\}$ ・・・(ⅵ)

おわり

例題：$2\sin\theta\sin 3\theta$ を和または差の形に変形してみますね。

＜解法＞　　マイナス（－）を忘れないでくださいね！

$2\sin\theta\sin 3\theta = 2 \times \left(-\dfrac{1}{2}\right)\{\cos(\theta+3\theta) - \cos(\theta-3\theta)\}$

$= -\{\cos 4\theta - \cos(-2\theta)\}$

$= -(\cos 4\theta - \cos 2\theta)$

$= \cos 2\theta - \cos 4\theta$　　（答）

・$\cos(-\theta) = \cos\theta$
より、$\cos(-2\theta) = \cos 2\theta$

演習119　$6\cos 2\theta\cos 4\theta$ を和または差の形に変形してみましょう。

［4］和（差）⇒ 積

(vii) $\cos A + \cos B = 2\cos\dfrac{A+B}{2}\cos\dfrac{A-B}{2}$

(viii) $\cos A - \cos B = -2\sin\dfrac{A+B}{2}\sin\dfrac{A-B}{2}$

［証明］

$\cos\alpha\cos\beta = \dfrac{1}{2}\{\cos(\alpha+\beta) + \cos(\alpha-\beta)\}$ ・・・(v)において、

$\alpha+\beta = A$、$\alpha-\beta = B$ とすると、$\alpha = \dfrac{A+B}{2}$、$\beta = \dfrac{A-B}{2}$ ゆえ、(v)に代入

$\cos\dfrac{A+B}{2}\cos\dfrac{A-B}{2} = \dfrac{1}{2}(\cos A + \cos B)$ ← 両辺2倍し、左右を入れ換える

∴ $\cos A + \cos B = 2\cos\dfrac{A+B}{2}\cos\dfrac{A-B}{2}$ ・・・(vii)

同様に左ページの(vi)に代入

$\sin\dfrac{A+B}{2}\sin\dfrac{A-B}{2} = -\dfrac{1}{2}(\cos A - \cos B)$ ← 両辺−2倍し、左右を入れ換える

∴ $\cos A - \cos B = -2\sin\dfrac{A+B}{2}\sin\dfrac{A-B}{2}$ ・・・(viii)

おわり

例題：(1)を積の形にし、(2)は値を求めてみますね。

(1) $\cos\theta + \cos 3\theta$ (2) $\cos 75° - \cos 15°$

＜解法＞

(1) $\cos\theta + \cos 3\theta = 2\cos\dfrac{\theta+3\theta}{2}\cos\dfrac{\theta-3\theta}{2} = 2\cos 2\theta \underline{\cos\theta}$ （答）　$\cos(-\theta) = \cos\theta$

(2) $\cos 75° - \cos 15° = -2\sin\dfrac{75°+15°}{2}\sin\dfrac{75°-15°}{2} = -2\sin 45°\sin 30°$

$= -2\cdot\dfrac{1}{\sqrt{2}}\cdot\dfrac{1}{2} = -\dfrac{1}{\sqrt{2}}$ （答）

演習 120　$\sin\theta + \cos\theta + \sin 3\theta - \cos 3\theta$ を簡単な形に直してみましょう。

復習 29

単振動の合成（三角関数の合成）

* **単振動の合成**

$$a\sin\theta + b\cos\theta = \sqrt{a^2+b^2}\sin(\theta+\alpha)$$

$$\sin\alpha = \frac{b}{\sqrt{a^2+b^2}}, \quad \cos\alpha = \frac{a}{\sqrt{a^2+b^2}}$$

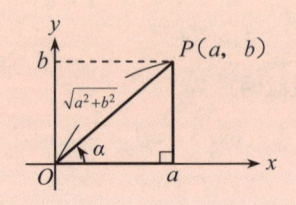

* **「単振動の合成」を導く、および「最大値・最小値」の解説**

$y = a\sin\theta + b\cos\theta$ ・・・（＊）において、xy平面上に点$P(a, b)$をとり、OPがx軸の正の向きとなす角をαとする。

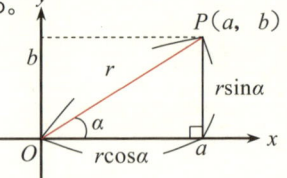

$$OP = r = \sqrt{a^2+b^2} \quad \cdots ①$$

とすると、点Pのx、y両座標はそれぞれ

$$a = r\cos\alpha, \quad b = r\sin\alpha \quad \cdots ②$$

とおける。そこで、（＊）に②を代入

$$y = a\sin\theta + b\cos\theta = r\cos\alpha\sin\theta + r\sin\alpha\cos\theta$$
$$= r(\cos\alpha\sin\theta + \sin\alpha\cos\theta)$$
$$= r\sin(\theta+\alpha) \quad \cdots ③$$

加法定理より
$\cos\alpha\sin\theta + \sin\alpha\cos\theta$
$= \sin\theta\cos\alpha + \cos\theta\sin\alpha$
$= \sin(\theta+\alpha)$

そして、$-1 \leq \sin(\theta+\alpha) \leq 1$ ・・・④ より、

$$-r \leq r\sin(\theta+\alpha) \leq r \quad \cdots ⑤ \quad \leftarrow \text{④すべてを}r（>0）\text{倍}$$

したがって、①③および①②より

$$a\sin\theta + b\cos\theta = \sqrt{a^2+b^2}\sin(\theta+\alpha), \sin\alpha = \frac{b}{\sqrt{a^2+b^2}}, \cos\alpha = \frac{a}{\sqrt{a^2+b^2}}$$

また、①③⑤より

最大値：$\sqrt{a^2+b^2}$、　最小値：$-\sqrt{a^2+b^2}$

例題1：$\sqrt{3}\sin\theta - \cos\theta$ を $r\sin(\theta+\alpha)$ の形に変形してみますね。

＜解法＞

$$（与式）= \sqrt{3}\sin\theta + (-1)\cos\theta \leftarrow a\sin\theta + b\cos\theta = \sqrt{a^2+b^2}\sin(\theta+\alpha) \text{ より}$$

$$= \sqrt{3+1}\sin(\theta+\alpha)$$

$$= 2\sin(\theta+\alpha)$$

$$= 2\sin\left(\theta + \left(-\frac{\pi}{6}\right)\right)$$

$$= 2\sin\left(\theta - \frac{\pi}{6}\right) \quad （答）$$

点 $P(\sqrt{3}, -1)$

比「$1:2:\sqrt{3}$」

αを弧度法で表記しましたが、もし、θが度数で条件設定されていた場合は、弧度法ではなく、度数法で表記してください。

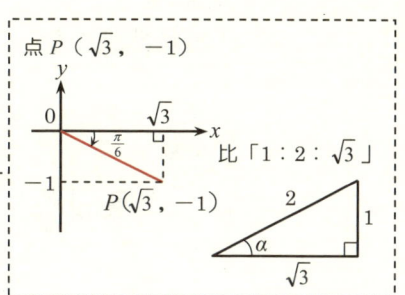

演習121 $\sin\theta + \cos\theta$ を $r\sin(\theta+\alpha)$ の形に変形してみましょう。

例題2：$0 \leqq \theta \leqq 2\pi$ のとき、$\sin\theta + 2\cos\theta$ の最大値、最小値を求めてみますね。

＜解法＞

$$\sin\theta + 2\cos\theta = \sqrt{1^2 + 2^2}\sin(\theta+\alpha)$$

$$= \sqrt{5}\sin(\theta+\alpha)$$

$$\left(\sin\alpha = \frac{2}{\sqrt{5}}, \cos\alpha = \frac{1}{\sqrt{5}}\right)$$

よって、

$$-1 \leqq \sin(\theta+\alpha) \leqq 1$$

$$\therefore -\sqrt{5} \leqq \sqrt{5}\sin(\theta+\alpha) \leqq \sqrt{5} \text{ より}$$

最大値：$\sqrt{5}$、 最小値：$-\sqrt{5}$ （答）

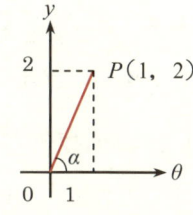

「アレッ！？
　αがわからないよぉ〜涙」

そんなときは、αにおける「$\sin\alpha$、$\cos\alpha$」の値を示しておけばOK！ ナルホドネ！ホッ・汗

演習122 $0 \leqq \theta \leqq 2\pi$ のとき、$3\sin\theta + 4\cos\theta$ の最大値、最小値を求めてみましょう。

復習 30

三角関数のグラフをかく

ここでのテーマはただヒトツ。

　　　　　「三角関数のグラフをかく！！」

コレだけ！

> そこで "三角関数"
> $$y = 3\sin\left(2\theta - \frac{\pi}{3}\right) + 1$$
> 　　　　　　　　　　　のグラフがかけるようになる！

これを目標に解説を進めて行きたいと思います。当然、このグラフがかければ、余弦（cos）に関してもマッタク同じだから問題ナシ！
では、まずは基本となる「$\sin\theta$、$\cos\theta$、$\tan\theta$」のグラフから説明しますね。

基本は単位円！　単位円の半径が 1（斜辺が 1 となる）より、
　　　「$\sin\theta =$（高さ）、$\cos\theta =$（底辺）、$\tan\theta =$（高さ）」
と考えてよかったんですね！

そこで、3 つの三角比のグラフはつぎのようになります。
これは絶対に覚えてください！　絶対に！！！

[1] 正弦のグラフ：$y = \sin\theta$ 　　　　　　　　[角度は度数法で表記]

・単位円の高さ（y 座標）の変化に着目し、グラフを理解してください。

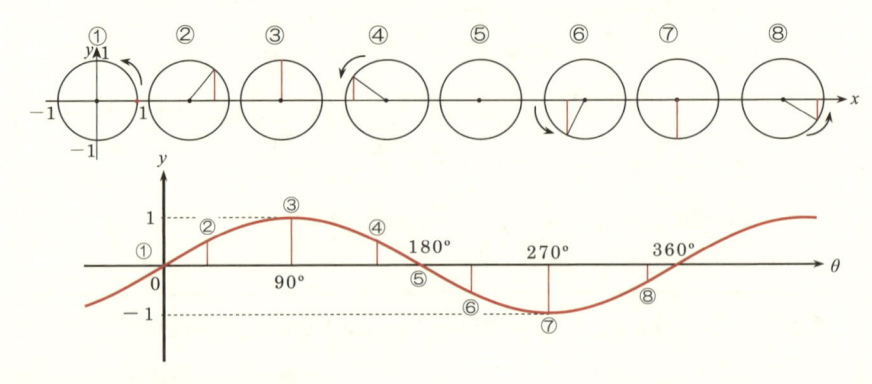

[2] 余弦のグラフ： $y = \cos\theta$ 　　　　　　　　　[角度は度数法で表記]

・単位円の x 軸上の底辺の変化に着目し、グラフを理解してください。

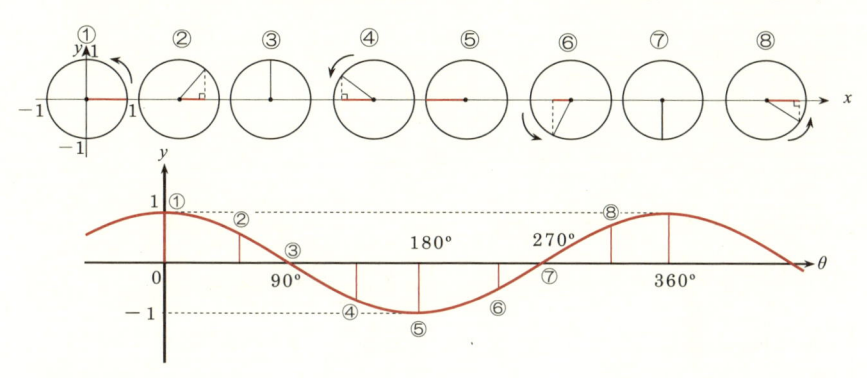

[3] 正接のグラフ： $y = \tan\theta$ 　　　　　　　　　[角度は度数法で表記]

　図をかくなり、また、三角関数の定義からでもおわかりのように、
　$\tan\theta$ は「$\theta = 90°$」を取れません。
　よって、$\tan\theta$ の周期が $180°$ より
θ は「$90° + 180° \times n$」の値は取れないことから、$\theta = 90° + 180n$
　（n は整数）
が漸近線になります。

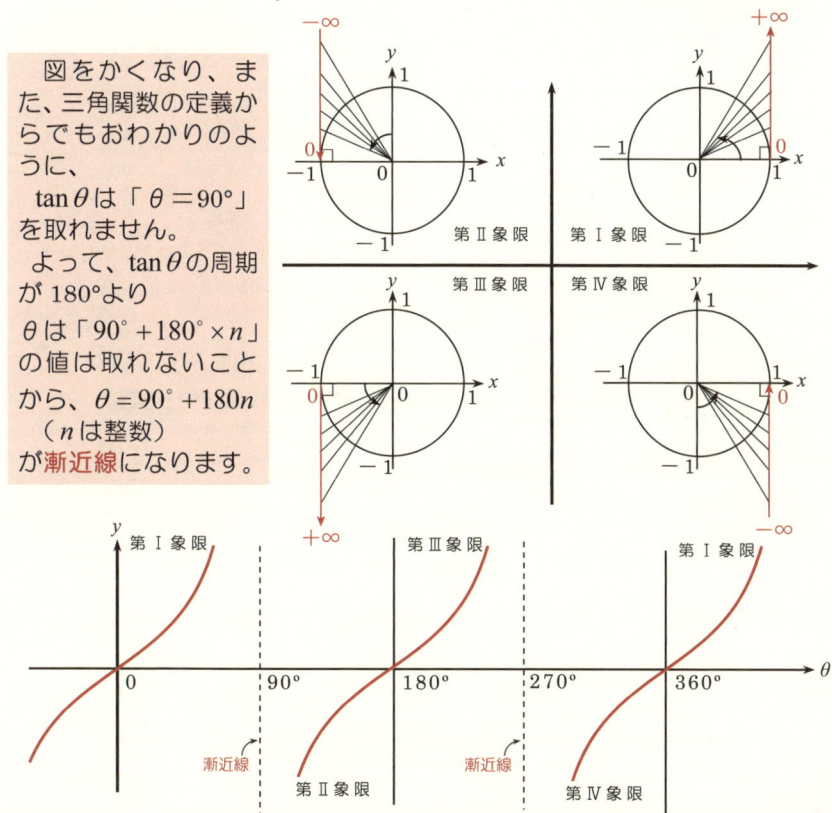

[I] 正弦のグラフ

$y = \sin\theta$ （基本グラフ） ⇒ ・周期：360°（2π）　・振幅：1

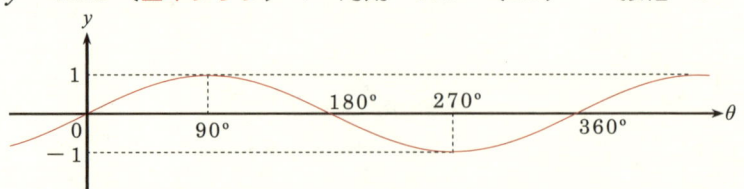

① $y = a\sin\theta$　・周期：360°（2π）　・振幅：$1 \times a$ 倍

⇒ "$y = \sin\theta$" のグラフを「a 倍だけ上下へ伸び縮み」

例：$y = 2\sin\theta$ のグラフ ⇒ $y = \sin\theta$ を上下に 2 倍伸ばすイメージ！

変化がわかりやすいよう、①〜④ 1周期だけ表示！
赤線：基本グラフ、黒線：求めるグラフ

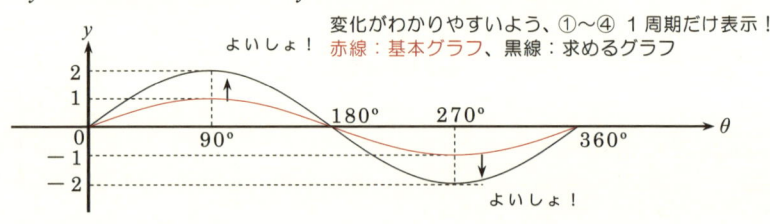

よいしょ！
よいしょ！

② $y = \sin a\theta$　・周期：$360° \times \dfrac{1}{a}$（$2\pi \times \dfrac{1}{a}$）　・振幅：1

⇒ "$y = \sin\theta$" のグラフを「$\dfrac{1}{a}$ 倍だけ左右へ伸び縮み」

例1：$y = \sin 2\theta$ のグラフ ⇒ $y = \sin\theta$ を右から半分に縮めるイメージ！

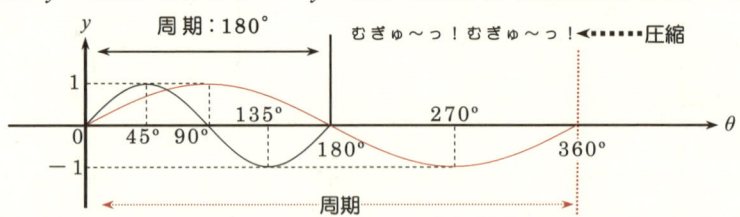

周期：180°
むぎゅ〜っ！むぎゅ〜っ！◀┄┄ 圧縮
周期

例2：$y = \sin\dfrac{1}{2}\theta$ のグラフ ⇒ $y = \sin\theta$ を右へ 2 倍伸ばすイメージ！

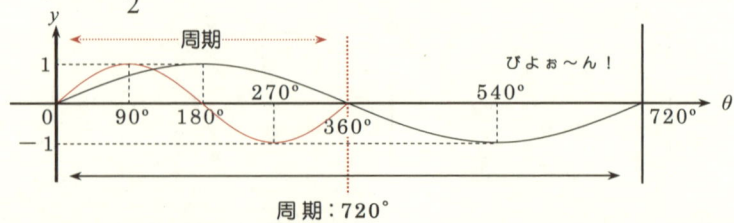

周期
ぴょぉ〜ん！
周期：720°

③ $y = \sin(\theta - \alpha)$　　　・周期：360°（2π）　・振幅：1

⇒ "$y = \sin\theta$" のグラフを「α だけ θ 軸方向へ平行移動」

例1：$y = \sin(\theta - 30°)$ のグラフ ⇒ $y = \sin\theta$ を「30° だけ θ 軸方向へ平行移動」

スル！スル〜！

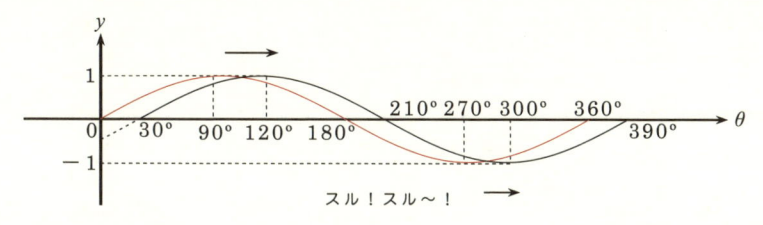

例2：$y = \sin(\theta + 30°)$ のグラフ ⇒ $y = \sin\theta$ を「−30° だけ θ 軸方向へ平行移動」

スル！スル〜！

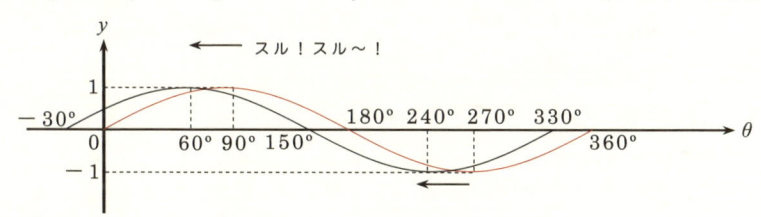

④ $y = \sin\theta + p$　　　・周期：360°（2π）　・振幅：1

⇒ "$y = \sin\theta$" のグラフを「p だけ y 軸方向へ平行移動」

例1：$y = \sin\theta + 1$ のグラフ ⇒ $y = \sin\theta$ を「1 だけ y 軸方向へ平行移動」

ヒョイ！　　ヒョイ！

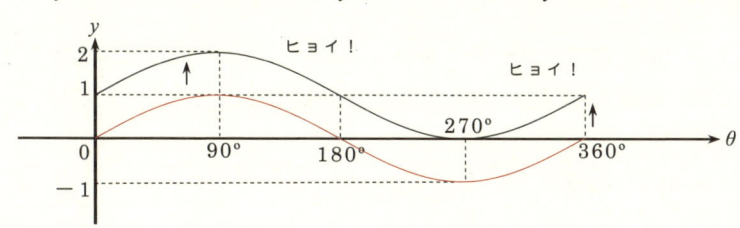

例2：$y = \sin\theta - 2$ のグラフ ⇒ $y = \sin\theta$ を「−2 だけ y 軸方向へ平行移動」

ヒョイ！　　ヒョイ！

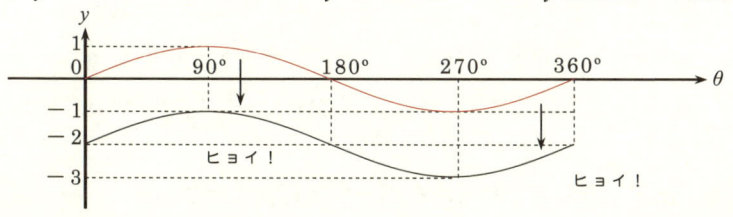

①〜④までのグラフのかき方ができれば、最初の目標であるグラフをかいてみることにしましょうか！

ドキドキ！　汗

「目標であるつぎの三角関数のグラフをかく！」

$$y = 3\sin\left(2\theta - \frac{\pi}{3}\right) + 1$$

どうも、①〜⑤までの関数の式とは違いますよねぇ〜……？

ポイント！

角度の部分における「θ（変数）の係数を1」にする！

そこで、まずこのような式を見たならば、まずは、この関係式をつぎのように書き直すんです！

$$y = 3\sin 2\left(\theta - \frac{\pi}{6}\right) + 1$$

注意：
　このグラフは、弧度法で出題されているゆえ、弧度法で対応すべきもの。しかし、弧度法は慣れるまでイメージが沸きにくく、そこで、右ページのグラフは度数法で示しました。よって、最後にご自分で、弧度法に直していただければ変換の練習にもなり、一石二鳥ということで！よろしくお願いします。笑

では、これで準備は終了！
早速、先ほどの①〜④の順に解説します。

しかし、何人かの人は自力で頑張ってみたいと思われますよね！
そこで、老婆心ながら、簡単にですが順番を説明させてください。

"$y = \sin\theta$" のグラフを「①→②→③→④」で完了！

① 3倍上下に伸ばす（周期360°は不変、振幅3）
② 左右に半分縮める（周期180°：半分、振幅3は不変）
③ 30°右へずらす　　（周期180°、振幅3は共に不変）
④ グラフ全体を上へ1ずらす（周期180°、振幅3は共に不変）

では、出来上がりましたら、右ページをご覧ください！

順番：$\left(\theta - \dfrac{\pi}{6}\right) = x$ とし、「$y = 3\sin 2x + 1$」のグラフからスタート！

① $y = 3\sin x$ のグラフをかく

⇒ $y = \sin x$ のグラフを**上下に3倍伸ばすイメージ！**

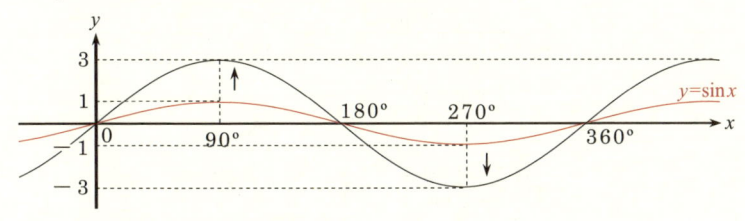

② $y = 3\sin 2x$ のグラフをかく

⇒ $y = 3\sin x$：①のグラフを**右から半分に縮めるイメージ！**

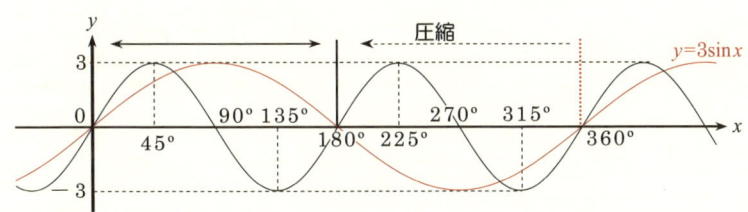

③ $y = 3\sin 2\left(\theta - \dfrac{\pi}{6}\right)$ のグラフをかく。ここで x を $\left(\theta - \dfrac{\pi}{6}\right)$ に戻す！

⇒ $y = 3\sin 2\theta$：②のグラフを **30°右へずらすイメージ！**

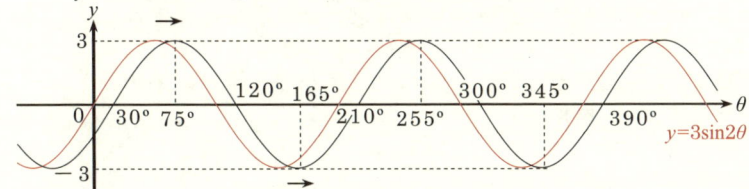

④ $y = 3\sin 2\left(\theta - \dfrac{\pi}{6}\right) + 1$ のグラフをかく

⇒ $y = 3\sin 2\left(\theta - \dfrac{\pi}{6}\right)$：③のグラフ全体を**上へ1ずらすイメージ！**

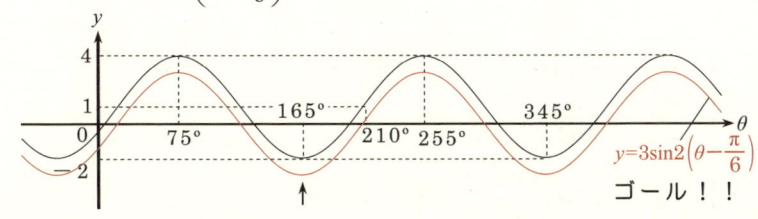

ゴール！！

4章 関数の章

[Ⅱ] 余弦のグラフ

$y = \cos\theta$（**基本グラフ**）⇒ ・周期：360°（2π） ・振幅：1

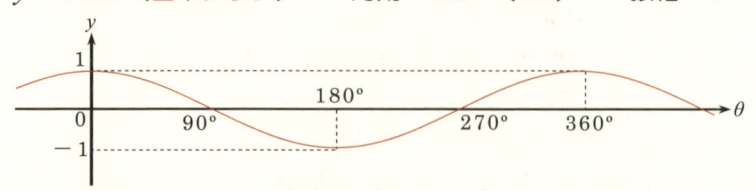

① $y = a\cos\theta$ ・周期：360°（2π） ・振幅：$1 \times a$ 倍

⇒ "$y = \cos\theta$" のグラフを「a 倍だけ上下へ伸び縮み」

例1：$y = 2\cos\theta$ のグラフ ⇒ $y = \cos\theta$ を上下に **2倍伸ばすイメージ**！

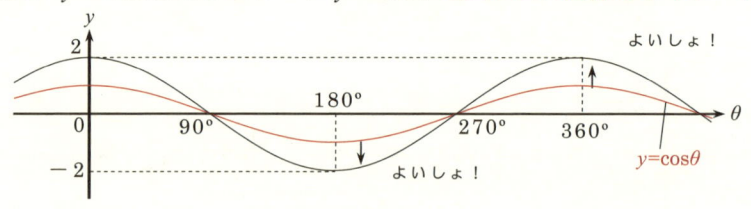

よいしょ！
$y=\cos\theta$
よいしょ！

② $y = \cos a\theta$ ・周期：$360° \times \dfrac{1}{a}$（$2\pi \times \dfrac{1}{a}$） ・振幅：1

⇒ "$y = \cos\theta$" のグラフを「$\dfrac{1}{a}$ 倍だけ左右へ伸び縮み」

例1：$y = \cos 2\theta$ のグラフ ⇒ $y = \cos\theta$ を右から**半分に縮めるイメージ**！

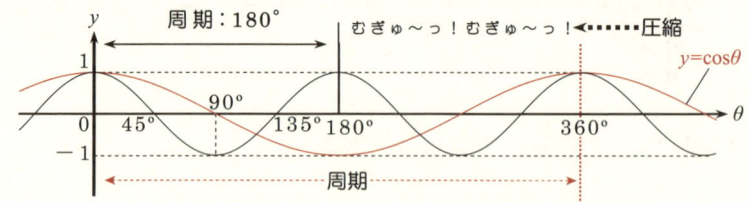

周期：180°
むぎゅ〜っ！むぎゅ〜っ！ ◀┄┄ 圧縮
$y=\cos\theta$
周期

例2：$y = \cos\dfrac{1}{2}\theta$ のグラフ ⇒ $y = \cos\theta$ を右へ **2倍伸ばすイメージ**！

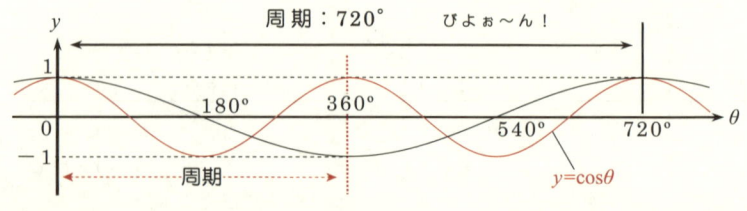

周期：720°
びょぉ〜ん！
周期
$y=\cos\theta$

③ $y = \cos(\theta - \alpha)$　　　・周期：360°（2π）　・振幅：1

⇒ "$y = \cos\theta$" のグラフを「α だけ θ 軸方向へ平行移動」

例1： $y = \cos(\theta - 30°)$ のグラフ ⇒ $y = \cos\theta$ を「30° θ 軸方向へ平行移動」

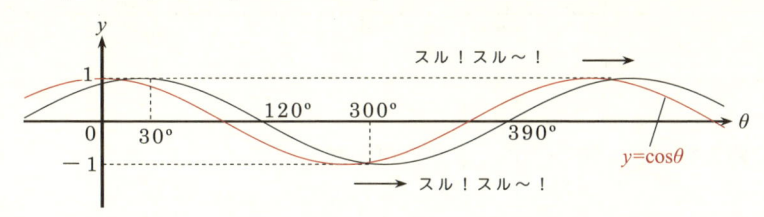

例2： $y = \cos(\theta + 30°)$ のグラフ ⇒ $y = \cos\theta$ を「−30° θ 軸方向へ平行移動」

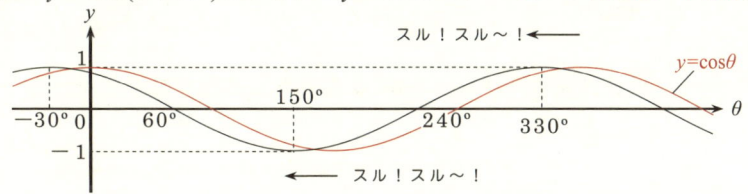

④ $y = \cos\theta + p$　　　・周期：360°（2π）　・振幅：1

⇒ "$y = \cos\theta$" のグラフを「p だけ y 軸方向へ平行移動」

例1： $y = \cos\theta + 1$ のグラフ ⇒ $y = \cos\theta$ を「1 だけ y 軸方向へ平行移動」

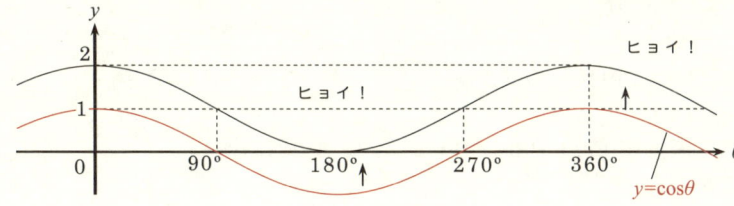

例2： $y = \cos\theta - 2$ のグラフ ⇒ $y = \cos\theta$ を「−2 だけ y 軸方向へ平行移動」

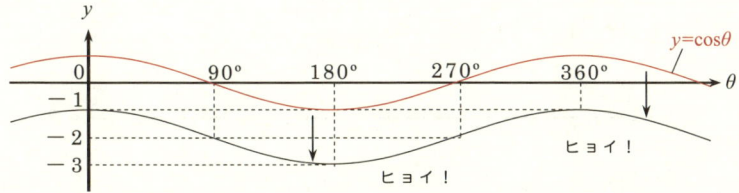

[Ⅲ] 正接のグラフ
　　$y = \tan\theta$（基本グラフ）⇒ ・周期：180°（π）

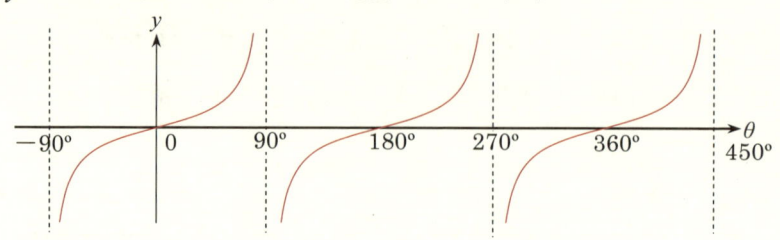

漸近線：$\theta = 90° + 180° \times n$（$n$ は整数）

---

① $y = a\tan\theta$　　・周期：180°（π）
　⇒ "$y = \tan\theta$" のグラフを「a 倍だけ上下へ伸び縮み」

例：$y = 2\tan\theta$ のグラフ ⇒ $y = \tan\theta$ を上下に 2 倍伸ばすイメージ！

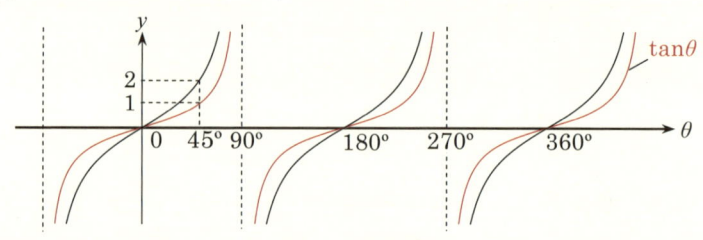

漸近線：$\theta = 90° + 180° \times n$（$n$ は整数）

---

② $y = \tan a\theta$　　・周期：$180° \times \dfrac{1}{a}$ （$\pi \times \dfrac{1}{a}$）
　⇒ "$y = \tan\theta$" のグラフを「$\dfrac{1}{a}$ 倍だけ左右へ伸び縮み」

　　漸近線：$\theta = (90° + 180° \times n) \cdot \dfrac{1}{a}$（$n$ は整数）

例：$y = \tan\dfrac{1}{2}\theta$ のグラフ ⇒ $y = \tan\theta$ を左右に 2 倍伸ばすイメージ！

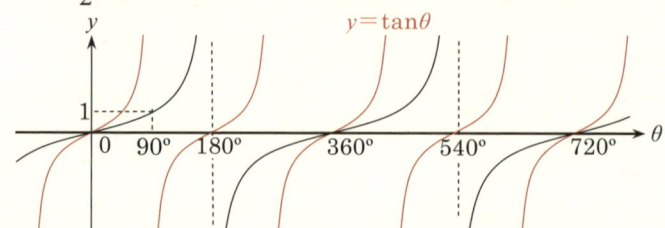

③ $y = \tan(\theta - \alpha)$　　　・周期：180°（π）

⇒ "$y = \tan\theta$" のグラフを「α だけ θ 軸方向へ平行移動」

また、漸近線も「α だけ θ 軸方向へ平行移動」

例：$y = \tan(\theta - 30°)$ のグラフ⇒ $y = \tan\theta$ を「30°　θ 軸方向へ平行移動」

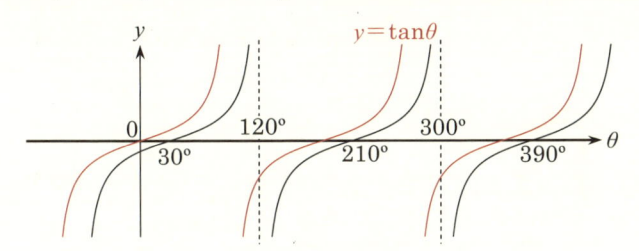

④ $y = \tan\theta + p$　　　・周期：180°（π）

⇒ "$y = \tan\theta$" のグラフを「p だけ y 軸方向へ平行移動」

漸近線は不変！

例：$y = \tan\theta + 1$ のグラフ ⇒ $y = \tan\theta$ を「1 だけ y 軸方向へ平行移動」

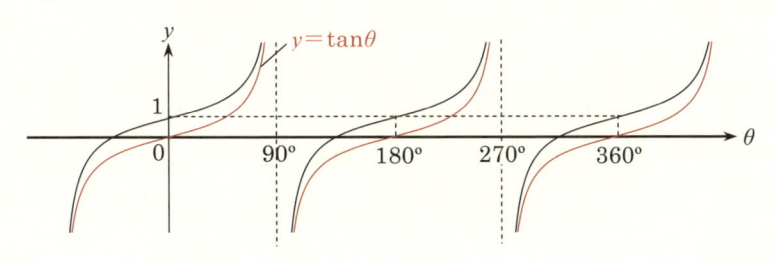

ここまで「$y = \sin\theta$、$y = \cos\theta$、$y = \tan\theta$」のグラフについてお話ししてきましたが、なんとなくでもグラフのイメージがつかめたでしょうか！？

このグラフが頭に入っていれば、「ストック」における符号および、「180°、90°の基準にした変換公式」も当然な気がするでしょ！？

では、慣れるまでは小まめにグラフをかく練習もしてくださいね。

復習31 三角方程式・不等式

　ここは、今までの総復習の意味合いがあります。たくさんの公式が目の前を通り過ぎて行きましたよね！　笑・汗

　ここでは解こうとは思わず、解法の流れをつかんでください！

[1] 三角方程式を解く！

基本例題：$0 \leqq x \leqq 2\pi$ のとき、つぎの方程式を解いてみますね。

　　(1) $2\sin x - 1 = 0$　　(2) $\cos\left(x - \dfrac{\pi}{6}\right) = \dfrac{1}{2}$

＜解法＞　基本は単位円です！

(1) $2\sin x - 1 = 0$　∴ $\sin x = \dfrac{1}{2}$

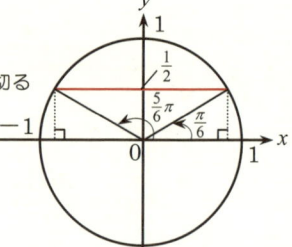

単位円より、$x = \dfrac{\pi}{6}, \dfrac{5}{6}\pi$　（答）

高さに対応
y軸の $\dfrac{1}{2}$ を切る

(2) $\cos\left(x - \dfrac{\pi}{6}\right) = \dfrac{1}{2}$　カッコは1つのモノと考える

$x - \dfrac{\pi}{6} = t \cdots$①　とおくと、$\cos t = \dfrac{1}{2}$

また、$0 \leqq x \leqq 2\pi$ より、$-\dfrac{\pi}{6} \leqq t \leqq \dfrac{11}{6}\pi$

置き換えたら、その文字における変域の確認！

単位円より、$t = \dfrac{\pi}{3}, \dfrac{5}{3}\pi$

よって、①より

$x - \dfrac{\pi}{6} = \dfrac{\pi}{3}$　∴ $x = \dfrac{\pi}{2}$、　$x - \dfrac{\pi}{6} = \dfrac{5}{3}\pi$　∴ $x = \dfrac{11}{6}\pi$

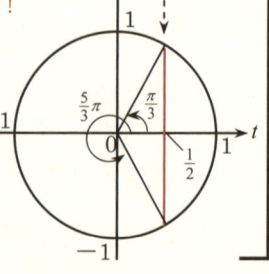

したがって、

$x = \dfrac{\pi}{2}, \dfrac{11}{6}\pi$　（答）

底辺に対応
x軸の $\dfrac{1}{2}$ を切る

応用例題：$0 \leqq x \leqq 2\pi$ のとき、つぎの方程式を解いてみますね。

(1) $2\cos^2 x - \sin x = 1$　　(2) $\cos 2x + \cos x = 0$

(3) $\sin x = 1 - \cos x$

＜解法＞「$0 \leqq x \leqq 2\pi$」より、$-1 \leqq \sin x \leqq 1$、$-1 \leqq \cos x \leqq 1$ の確認！

(1) $2\cos^2 x - \sin x = 1$　　←次数の低い $\sin x$ に統一

　$2(1 - \sin^2 x) - \sin x = 1$　　←$\sin^2 x + \cos^2 x = 1$

　$2\sin^2 x + \sin x - 1 = 0$　　←因数分解

　$(2\sin x - 1)(\sin x + 1) = 0$　∴ $\sin x = -1,\ \dfrac{1}{2}$

よって、$x = \dfrac{\pi}{6},\ \dfrac{5}{6}\pi,\ \dfrac{3}{2}\pi$　（答）

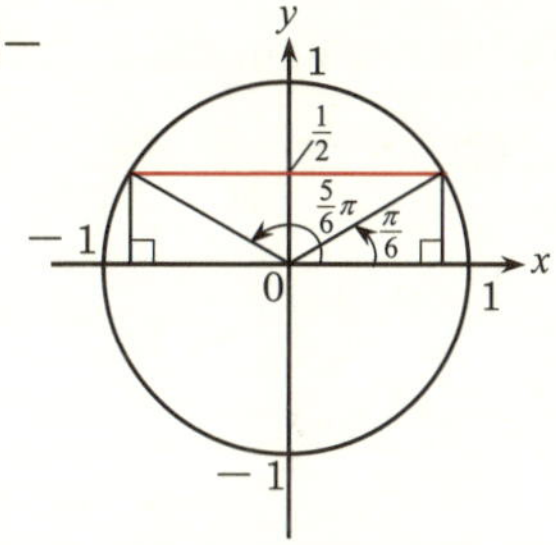

$\sin x = 0,\ \pm 1$ の値は、頭の中でグラフをイメージし、すぐに読み取ってね！

(2) $\cos 2x + \cos x = 0$　　←2倍角の公式：$\cos 2x = 2\cos^2 x - 1$

　$2\cos^2 x - 1 + \cos x = 0$

　$(2\cos x - 1)(\cos x + 1) = 0$　∴ $\cos x = -1,\ \dfrac{1}{2}$

よって、$x = \dfrac{\pi}{3},\ \pi,\ \dfrac{5}{3}\pi$　（答）

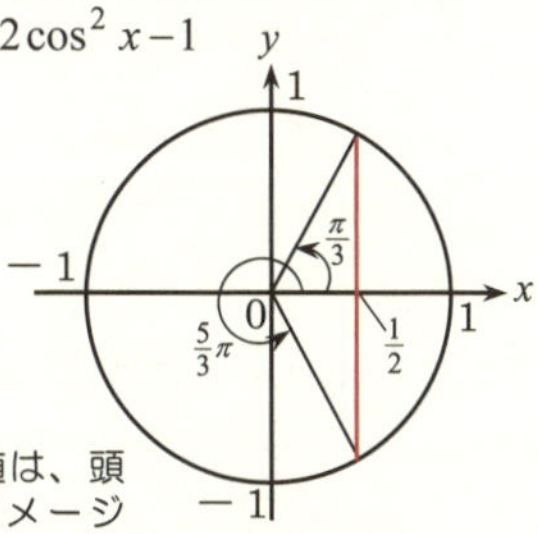

$\cos x = 0,\ \pm 1$ の値は、頭の中でグラフをイメージし、すぐに読み取ってね！

(3) $\sin x = 1 - \cos x$

　$\sin x + \cos x = 1$　←三角関数の合成

　$\sqrt{2} \sin\left(x + \dfrac{\pi}{4}\right) = 1$

　∴ $\sin\left(x + \dfrac{\pi}{4}\right) = \dfrac{1}{\sqrt{2}}$

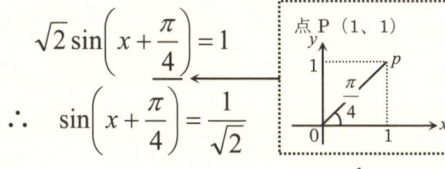

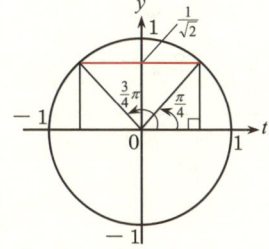

点 P (1, 1)

$x + \dfrac{\pi}{4} = t$ …① とおくと、$\sin t = \dfrac{1}{\sqrt{2}}$

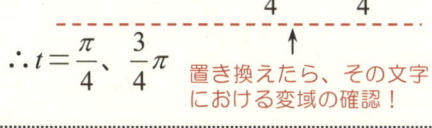

また、$0 \leqq x \leqq 2\pi$ より、$\dfrac{\pi}{4} \leqq t \leqq \dfrac{9}{4}\pi$

∴ $t = \dfrac{\pi}{4},\ \dfrac{3}{4}\pi$

置き換えたら、その文字における変域の確認！

よって、①より

$x + \dfrac{\pi}{4} = \dfrac{\pi}{4}$　∴ $x = 0$

$x + \dfrac{\pi}{4} = \dfrac{3}{4}\pi$　∴ $x = \dfrac{\pi}{2}$

ゆえに、$x = 0,\ \dfrac{\pi}{2}$　（答）

別解：$\sin^2 x + \cos^2 x = 1$ に代入し、
$(1 - \cos x)^2 + \cos^2 x = 1$ の2次方程式を解く

4章 関数の章

[2] 三角不等式を解く！

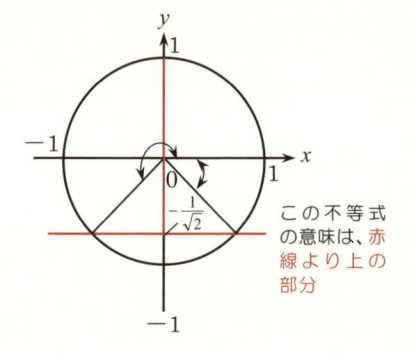

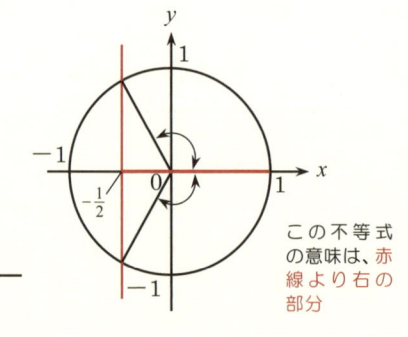

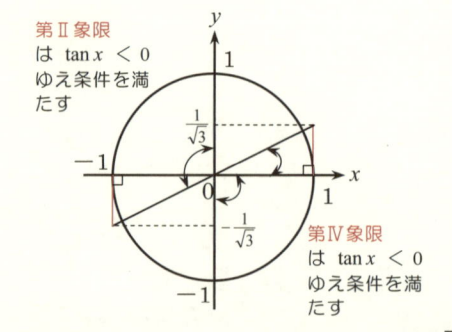

基本例題：$0 \leq x < 2\pi$ のとき、つぎの不等式を解いてみますね。

(1) $\sin x > -\dfrac{1}{\sqrt{2}}$

(2) $2\cos x + 1 \geq 0$

(3) $\sqrt{3}\tan x \leq 1$

＜解法＞ 慣れない方は、単位円よりもグラフから読み取る方が楽かも！？

(1) $\sin x > -\dfrac{1}{\sqrt{2}}$

単位円より、

$0 \leq x < \dfrac{5}{4}\pi, \quad \dfrac{7}{4}\pi < x < 2\pi$ （答）

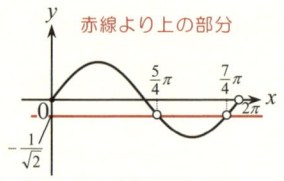

この不等式の意味は、赤線より上の部分

赤線より上の部分

(2) $2\cos x + 1 \geq 0$ より、

$\cos x \geq -\dfrac{1}{2}$

単位円より、

$0 \leq x \leq \dfrac{2}{3}\pi, \quad \dfrac{4}{3}\pi \leq x < 2\pi$ （答）

この不等式の意味は、赤線より右の部分

赤線より上の部分

(3) $\tan x \leq \dfrac{1}{\sqrt{3}}$

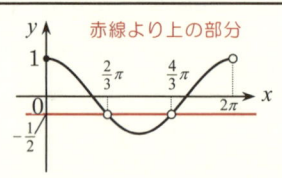

単位円より、

$0 \leq x \leq \dfrac{\pi}{6}, \quad \dfrac{\pi}{2} < x \leq \dfrac{7}{6}\pi$

$\dfrac{3}{2}\pi < x < 2\pi$ （答）

第Ⅱ象限は $\tan x < 0$ ゆえ条件を満たす

第Ⅳ象限は $\tan x < 0$ ゆえ条件を満たす

応用例題：$0 \leqq x < 2\pi$ のとき、つぎの不等式を解いてみますね。

$$\cos 2x + \sin x > 0$$

<解法> 角度の部分をできれば x に統一したいですね！

$\cos 2x + \sin x > 0$ ←2倍角：$\cos 2x = 1 - 2\sin^2 x$

$1 - 2\sin^2 x + \sin x > 0$ ←両辺にマイナスをかけ最高次数を＋に。

$2\sin^2 x - \sin x - 1 < 0$ ←因数分解（不等号の向き逆転！チェック）

$(2\sin x + 1)(\sin x - 1) < 0$ ←$-\dfrac{1}{2} < \sin x < 1$。

∴ $-1 \leqq \sin x \leqq 1$ より ←$\sin x$ の範囲との共通部分

$-\dfrac{1}{2} < \sin x < 1 \cdots$ ① ←2つの不等式に分ける

よって、①より

$\begin{cases} \sin x > -\dfrac{1}{2} \cdots ② \\ \sin x < 1 \cdots ③ \end{cases}$ ←②③の共通部分が解

ここで、$y = \sin x$ グラフより

②より、赤線より上の部分　　　③より、赤線より下の部分

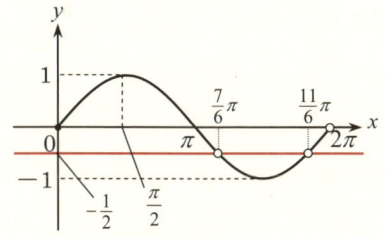

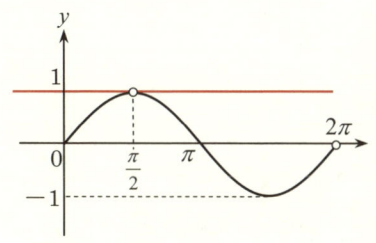

$0 \leqq x < \dfrac{7}{6}\pi$、$\dfrac{11}{6}\pi < x < 2\pi$　　$0 \leqq x < \dfrac{\pi}{2}$、$\dfrac{\pi}{2} < x < 2\pi$

したがって、②の変域から $x = \dfrac{\pi}{2}$ を除いた部分となる。

$$0 \leqq x < \dfrac{\pi}{2}, \quad \dfrac{\pi}{2} < x < \dfrac{7}{6}\pi, \quad \dfrac{11}{6}\pi < x < 2\pi \quad （答）$$

いかがでしたか？　この三角方程式・不等式は例題を何度か解いて、納得してから、問題集などで練習してみてください。

演習の解答

演習 48

(1) パターン ⅱ：$y = -4\{x-(-1)\} + 2 = -4(x+1) + 2 = -4x - 2$

(2) パターン ⅲ：$y - 1 = \dfrac{1-3}{2-(-4)}(x-2)$　　$y - 1 = \dfrac{-2}{6}(x-2)$　$\therefore\ y = -\dfrac{1}{3}x + \dfrac{5}{3}$

演習 49　右辺を平方完成ですね！

$$y = 3x^2 - 6x + 1 = 3(x^2 - 2x) + 1 = 3\{(x-1)^2 - 1\} + 1 = 3(x-1)^2 - 3 + 1 = \underline{3(x-1)^2 - 2}$$

よって、頂点の座標 $(1,\ -2)$、

　　　　軸の方程式 $x = 1$

演習 50

(1) 2次関数 $y = ax^2 + bx + c$ のグラフが右図のとき、

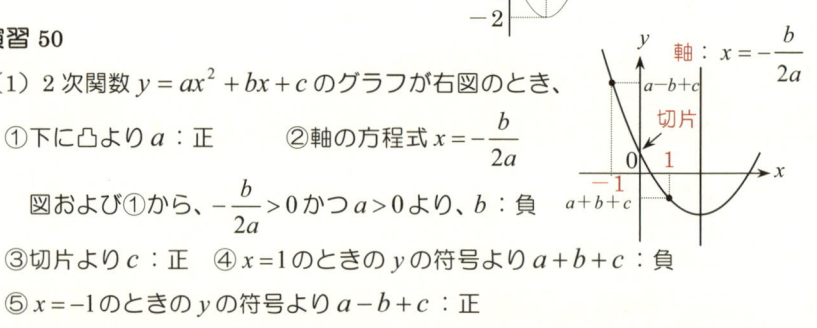

① 下に凸より a：正　　② 軸の方程式 $x = -\dfrac{b}{2a}$

図および①から、$-\dfrac{b}{2a} > 0$ かつ $a > 0$ より、b：負

③ 切片より c：正　　④ $x = 1$ のときの y の符号より $a + b + c$：負

⑤ $x = -1$ のときの y の符号より $a - b + c$：正

⑥ x軸の方程式は $y = 0$ より、x軸との交点の個数から異なる 2 実解。

よって、判別式：$b^2 - 4ac > 0$ より、正

(2) つぎの条件を満たす 2 次関数を求めてください。

① 2次関数の決定（ⅰ）：$y = a(x-p)^2 + q$、頂点 $(p,\ q)$ より、

求める 2 次関数を $y = a(x-1)^2 - 3$ とおけ、点 $(-1,\ 5)$ より、$x = -1$、$y = 5$

を代入。$5 = a(-1-1)^2 - 3$　$\therefore\ a = 2$　よって、$y = 2(x-1)^2 - 3$ より、

$y = 2x^2 - 4x - 1$（答）

② 2次関数の決定（ⅱ）：$y = a(x-p)^2 + q$、軸の方程式 $x = p$ より、

求める 2 次関数を $y = a(x-1)^2 + q$ とおけ、2 点の座標より、$x = -2$、$y = 11$

と、$x = 0$、$y = 3$ を代入。$9a + q = 11 \cdots$ ①　　$a + q = 3 \cdots$ ②

［①－②］より、$a = 1$。また、②より、$q = 2$。$\therefore\ y = 1(x-1)^2 + 2$ より

$y = x^2 - 2x + 3$（答）

③ 2次関数の決定（ⅲ）：2点の y 座標が 0 から、$y = a(x-\alpha)(x-\beta)$ の利用！
点 $(2, 0)(-1, 0)$ より、求める2次関数を $y = a(x-2)\{x-(-1)\} = a(x-2)(x+1)$
とおけ、コレに点 $(1, -4)$ を通ることから、$x = 1$、$y = -4$ を代入。
$a(1-2)(1+1) = -4$ ∴ $a = 2$。よって、$y = 2(x-2)(x+1) = 2x^2 - 2x - 4$（答）

④ 2次関数の決定（ⅳ）：$y = ax^2 + bx + c$ に各座標を代入。$a + b + c = -1$・・①
$4a + 2b + c = 1$・・②　$9a - 3b + c = 11$・・③　　[②−①]：$3a + b = 2$・・④
[③−②]：$5a - 5b = 10$ ∴ $a - b = 2$・・⑤　　[④+⑤]：$4a = 4$ ∴ $a = 1$。
⑤より、$b = -1$　①より、$1 - 1 + c = -1$ ∴ $c = -1$　よって、$y = x^2 - x - 1$（答）

演習 51

$y = -2x^2 + 10x - 7$ で x^2 の係数が負より、グラフは上に凸。また、定義域がないので、頂点の y が最大値となり、最小値はない。

$$y = -2x^2 + 10x - 7 = -2(x^2 - 5x) - 7 = -2\left\{\left(x - \frac{5}{2}\right)^2 - \frac{25}{4}\right\} - 7 = -2\left(x - \frac{5}{2}\right)^2 + \frac{11}{2}$$

よって、最大値 $\dfrac{11}{2}\left(x = \dfrac{5}{2}\right)$　（答）

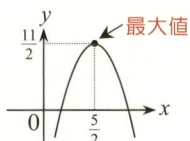

演習 52　コレは定義域（ x の範囲）があるので、グラフをかきましょう。

$y = x^2 - 6x + 7 = (x-3)^2 - 9 + 7 = (x-3)^2 - 2$　　$(1 \leq x \leq 6)$

∴ 頂点 $(3, -2)$ で下に凸。よって、グラフは右図のようになり、

最大値 7（$x = 6$）、最小値 −2（$x = 3$）（答）

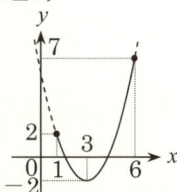

演習 53

（1）・x 軸対称：$(x, y) \Rightarrow (x, -y)$

　　　$y = -x^2 + x - 2$　$\Rightarrow$　$-y = -x^2 + x - 2$　　∴ $y = x^2 - x + 2$（答）

　　・y 軸対称：$(x, y) \Rightarrow (-x, y)$

　　　$y = -x^2 + x - 2$　$\Rightarrow$　$y = -(-x)^2 + (-x) - 2$　　∴ $y = -x^2 - x - 2$（答）

　　・原点対称：$(x, y) \Rightarrow (-x, -y)$

　　　$y = -x^2 + x - 2$　$\Rightarrow$　$-y = -(-x)^2 + (-x) - 2$　　∴ $y = x^2 + x + 2$（答）

（2）「x 軸方向へ −1、y 軸方向へ 3」より、「x に $x+1$、y に $y-3$」を代入

　　　$y - 3 = -(x+1)^2 + (x+1) - 2$　∴ $y = -x^2 - x + 1$（答）

別解は、この演習解答の最後に！

演習 54

(1) $x^2 = 49$ より, $x = \pm 7$ ∴ ± 7　(2) $\sqrt[3]{-27} = \sqrt[3]{(-3)^3} = -3$　(3) $\sqrt[4]{\dfrac{16}{81}} = \sqrt[4]{\left(\dfrac{2}{3}\right)^4} = \dfrac{2}{3}$

演習 55

(1) $3^{\frac{1}{3}} \times 3^{\frac{1}{6}} \times 3^{\frac{1}{2}} = 3^{\frac{1}{3}+\frac{1}{6}+\frac{1}{2}} = 3^1 = 3$　　(2) $2^{\frac{3}{2}} \div 2^3 \div 2^{-\frac{1}{3}} = 2^{\frac{3}{2}-3-\left(-\frac{1}{3}\right)} = 2^{-\frac{7}{6}}$

(3) $\left[\left\{\left(\dfrac{3}{5}\right)^2\right\}^{\frac{4}{3}}\right]^{-\frac{3}{8}} = \left(\dfrac{3}{5}\right)^{2 \times \frac{4}{3} \times \left(-\frac{3}{8}\right)} = \left(\dfrac{3}{5}\right)^{-1} = \dfrac{5}{3}$　(4) $x^4 y^6 \div xy^2 \div x^2 y^2 = x^{4-1-2} y^{6-2-2} = xy^2$

演習 56　問題の式を省いて計算をしているのもあります！

(1) $(2^5)^{-\frac{2}{5}} = 2^{5 \times \left(-\frac{2}{5}\right)} = 2^{-2} = (2^2)^{-1} = \dfrac{1}{4}$　(2) $(64^{-\frac{1}{3}})^{-2} = \{(2^6)^{-\frac{1}{3}}\}^{-2} = 2^{6 \times \left(-\frac{1}{3}\right) \times (-2)} = 2^4 = 16$

(3) $(5^2)^{-\frac{3}{2}} \times (10^2)^{\frac{3}{2}} = 5^{-3} \times 10^3 = \dfrac{10 \times 10 \times 10}{5 \times 5 \times 5} = 8$　(4) $2^{3 \times \frac{2}{3}} \times 3^{-3 \times \frac{2}{3}} = 2^2 \times 3^{-2} = \dfrac{2^2}{3^2} = \dfrac{4}{9}$

演習 57

(1) $\sqrt[3]{64} = (64)^{\frac{1}{3}} = (2^6)^{\frac{1}{3}} = 2^2 = 4$　(2) $\sqrt[5]{-32} = (-32)^{\frac{1}{5}} = \{(-2)^5\}^{\frac{1}{5}} = -2^1 = -2$

(3) $\sqrt[3]{\sqrt[2]{4^6}} = \sqrt[3 \times 2]{4^6} = \sqrt[6]{4^6} = 4$　(4) $25^{-1.5} = (5^2)^{-\frac{3}{2}} = 5^{-3} = (5^3)^{-1} = \dfrac{1}{5^3} = \dfrac{1}{125}$

(5) $\sqrt[3]{2}\sqrt[3]{4} = \sqrt[3]{2 \times 4} = \sqrt[3]{2^3} = 2$　(6) $\sqrt[4]{\sqrt[2]{5^{16}}} = \sqrt[4 \times 2]{5^{16}} = \sqrt[8]{5^{16}} = (5^{16})^{\frac{1}{8}} = 5^2 = 25$

(7) $(\sqrt[4]{3})^8 = (3^{\frac{1}{4}})^8 = 3^2 = 9$

演習 58

(1) $\sqrt{a^3} \times (\sqrt[3]{a^2})^{-1} \times \sqrt[6]{a} = a^{\frac{3}{2}} \times (a^{\frac{2}{3}})^{-1} \times a^{\frac{1}{6}} = a^{\frac{3}{2}+\left(-\frac{2}{3}\right)+\frac{1}{6}} = a$

(2) $\sqrt{a^{1.5} b^4} \times \sqrt[4]{a} = \sqrt{a^{\frac{3}{2}} b^4} \times \sqrt[4]{a} = (a^{\frac{3}{2}} b^4)^{\frac{1}{2}} \times a^{\frac{1}{4}} = a^{\frac{3}{4}} b^2 \times a^{\frac{1}{4}} = a^{\frac{1}{4}+\frac{3}{4}} b^2 = ab^2$

演習 59

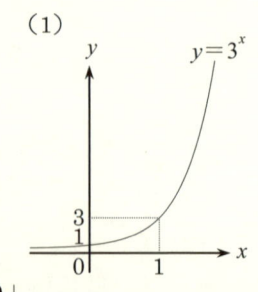

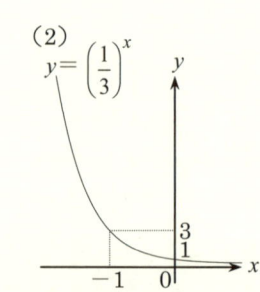

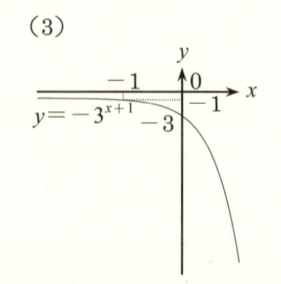

(1) グラフ：$y = 3^x$

(2) グラフ：$y = \left(\dfrac{1}{3}\right)^x$

(3) グラフ：$y = -3^{x+1}$

演習 60

(1) $\sqrt[3]{2} = 2^{\frac{1}{3}}$、 $4^{\frac{1}{2}} = (2^2)^{\frac{1}{2}} = 2$、 $\sqrt[4]{8} = 8^{\frac{1}{4}} = (2^3)^{\frac{1}{4}} = 2^{\frac{3}{4}}$、 $16^{\frac{1}{8}} = (2^4)^{\frac{1}{8}} = 2^{\frac{1}{2}}$

底をそろえる！ ⇒ 底：2（＞1）ゆえ、指数の大小関係と一致！

よって、$2^{\frac{1}{3}} < 2^{\frac{1}{2}} < 2^{\frac{3}{4}} < 2$ ∴ $\sqrt[3]{2} < 16^{\frac{1}{8}} < \sqrt[4]{8} < 4^{\frac{1}{2}}$（答）

(2) $\dfrac{1}{3}$、 $\left(\dfrac{1}{3}\right)^3$、 $3^{-2} = (3^{-1})^2 = \left(\dfrac{1}{3}\right)^2$、 $\left(\sqrt[5]{3^3}\right)^{-1} = \{(3^3)^{\frac{1}{5}}\}^{-1} = (3^{\frac{3}{5}})^{-1} = (3^{-1})^{\frac{3}{5}} = \left(\dfrac{1}{3}\right)^{\frac{3}{5}}$

底をそろえる！ ⇒ 底：$\dfrac{1}{3}$（＜1）ゆえ、指数の大小関係と逆！

よって、$\left(\dfrac{1}{3}\right)^3 < \left(\dfrac{1}{3}\right)^2 < \dfrac{1}{3} < \left(\dfrac{1}{3}\right)^{\frac{3}{5}}$ ∴ $\left(\dfrac{1}{3}\right)^3 < 3^{-2} < \dfrac{1}{3} < \left(\sqrt[5]{3^3}\right)^{-1}$（答）

演習 61

(1) $5^{2x-1} = 5^3$（指数の比較） ∴ $2x - 1 = 3$ $x = 2$（答）

(2) （左辺）$= (2^2)^x = 2^{2x}$、（右辺）$= \dfrac{1}{2^5} = 2^{-5}$ ∴ $2x = -5$ $x = -\dfrac{5}{2}$（答）

演習 62

一番小さい底にそろえる。$9^x = (3^2)^x = 3^{2x} = (3^x)^2$、 $3^{x+1} = 3 \cdot 3^x$ より、

$(3^x)^2 - 6 \cdot 3^x - 27 = 0$、 $3^x = t \ (t > 0)$ とおくと、$t^2 - 6t - 27 = 0$

$(t-9)(t+3) = 0$ ∴ $t = 9 \ (>0)$ よって、$3^x = 9 = 3^2$ より、$x = 2$（答）

演習 63

(1) $2^x < 8$、 $2^x < 2^3$ ∴ $x < 3$（答）

(2) $8^{5-x} < 2^{2x}$、 $(2^3)^{5-x} < 2^{2x}$、 $2^{15-3x} < 2^{2x}$ ∴ $15 - 3x < 2x$ より、$x > 3$（答）

(3) $5^{x+1} < \sqrt{5^x}$、 $5^{x+1} < (5^x)^{\frac{1}{2}}$、 $5^{x+1} < 5^{\frac{1}{2}x}$ ∴ $x + 1 < \dfrac{1}{2}x$ より、$x < -2$（答）

(4) $\left(\dfrac{1}{6}\right)^{3x-1} \geqq \left\{\left(\dfrac{1}{6}\right)^2\right\}^{x+1}$、 $\left(\dfrac{1}{6}\right)^{3x-1} \geqq \left(\dfrac{1}{6}\right)^{2x+2}$ ∴ $3x - 1 \leqq 2x + 2$ より、$x \leqq 3$（答）

0＜底＜1 より、指数の大小関係逆！

演習 64

$f(x) = -(3^2)^x + 2 \cdot 3 \cdot 3^x + 3 = -(3^x)^2 + 6 \cdot 3^x + 3$、 $3^x = t \ (t > 0) \cdots ①$ とおき、

$f(x) = -t^2 + 6t + 3$ ここで $g(t) = -t^2 + 6t + 3$ とし、右辺を"平方完成"

$g(t) = -(t^2 - 6t) + 3 = -\{(t-3)^2 - 9\} + 3 = -(t-3)^2 + 12$

∴ $t = 3 (>0)$ で最大値 12 をとる。最小値なし。

よって①より、$3^x = 3$ ∴ $x = 1$

したがって、$f(x)$ は、$x = 1$ で最大値 12（答）

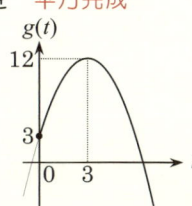

演習 65

(1) $2 = \log_4 16$ (2) $0 = \log_7 1$ (3) $-3 = \log_{10} 0.001$ (4) $-2 = \log_{\sqrt{3}} \dfrac{1}{3}$

演習 66

(1) $\log_a 64 = 6$ ∴ $a^6 = 64 = 2^6$ よって、$a = 2$ [または $a = \sqrt[6]{64} = \sqrt[6]{2^6} = 2$]（答）

(2) $\log_a 2 = -\dfrac{1}{3}$ ∴ $a^{-\frac{1}{3}} = 2 \rightarrow \underline{(a^{-1})^{\frac{1}{3}} = 2} \rightarrow a^{-1} = 2^3 \rightarrow \dfrac{1}{a} = 8$ より、$a = \dfrac{1}{8}$（答）
　　　　　　　　　　　　　　　両辺 3 乗

(3) $\log_a 125 = -3$ ∴ $a^{-3} = 125 \rightarrow a^{-3} = 5^3 \rightarrow \left(\dfrac{1}{a}\right)^3 = 5^3$ よって、$\dfrac{1}{a} = 5$　$a = \dfrac{1}{5}$（答）

演習 67

(1) $\log_2 32 = \log_2 2^5 = 5\log_2 2 = 5$　(2) $\log_7 49 = \log_7 7^2 = 2\log_7 7 = 2$

(3) $\log_5 \dfrac{1}{25} = \log_5 \left(\dfrac{1}{5}\right)^2 = \log_5 (5^{-1})^2 = \log_5 5^{-2} = -2$　(4) $\log_{\sqrt{3}} 9 = \log_{\sqrt{3}} (\sqrt{3})^4 = 4$

演習 68

(1) $\log_{\frac{6}{5}} 1.2 = \log_{\frac{6}{5}} \dfrac{6}{5} = 1$　(2) $\log_{\sqrt{3}} 1 = 0$　(3) $\log_2 100 = \log_2 10^2 = 2\log_2 10$

演習 69

(1) $\log_2 28 + \log_2 \dfrac{1}{7} = \log_2 \left(28 \times \dfrac{1}{7}\right) = \log_2 4 = \log_2 2^2 = 2\underline{\log_2 2} = 2$ （答）← $\log_2 2 = 1$

(2) $\log_5 9 + \log_5 3 + \log_5 \dfrac{1}{135} = \log_5 \left(9 \times 3 \times \dfrac{1}{135}\right) = \log_5 \dfrac{1}{5} = \log_5 5^{-1} = (-1)\log_5 5 = -1$ （答）

演習 70

(1) $\log_2 48 - \log_2 3 = \log_2 \dfrac{48}{3} = \log_2 16 = \log_2 2^4 = 4\log_2 2 = 4$ （答）

(2) $\log_2 6 + \underline{\dfrac{1}{2}\log_2 20} - \underline{\dfrac{1}{2}\log_2 90} = \log_2 6 + \log_2 \sqrt{20} - \log_2 \sqrt{90} = \log_2 \left(6 \times \sqrt{20} \times \dfrac{1}{\sqrt{90}}\right)$

　　　　↓
　$\boxed{\log_2 20^{\frac{1}{2}} - \log_2 90^{\frac{1}{2}}}$
　
$= \log_2 \left(6 \times \sqrt{20} \times \dfrac{1}{3\sqrt{10}}\right) = \log_2 2\sqrt{2}$ ← 和に直す！

$= \log_2 2 + \log_2 \sqrt{2} = 1 + \log_2 2^{\frac{1}{2}} = 1 + \dfrac{1}{2} = \dfrac{3}{2}$ （答）

演習 71

(1) $\log_4 8 + \log_8 2 + \log_{16} 4 = \dfrac{\log_2 8}{\log_2 4} + \dfrac{\log_2 2}{\log_2 8} + \dfrac{\log_2 4}{\log_2 16} = \dfrac{\log_2 2^3}{\log_2 2^2} + \dfrac{1}{\log_2 2^3} + \dfrac{\log_2 2^2}{\log_2 2^4}$

下線部の変換は大丈夫？
$\log_a a^p = p\log_a a = p$ 　$= \dfrac{3}{2} + \dfrac{1}{3} + \dfrac{2}{4} = \dfrac{3}{2} + \dfrac{1}{3} + \dfrac{1}{2} = \dfrac{9 + 2 + 3}{6} = \dfrac{14}{6} = \dfrac{7}{3}$ （答）

(2) 性質 7 の利用！ $6^{2\log_6 2} = 6^{\log_6 2^2} = 2^2 = 4$ （答）　$a^{\log_a P} = P$

演習 72

(1) $\log_4 64 = \dfrac{\log_2 64}{\log_2 4} = \dfrac{\log_2 2^6}{\log_2 2^2} = \dfrac{6}{2} = 3$（答）← 底・真数に共通な素数 2 に着目！

分母・分子を 2 倍！

(2) $\log_9 \sqrt{3} = \dfrac{\log_3 \sqrt{3}}{\log_3 9} = \dfrac{\log_3 3^{\frac{1}{2}}}{\log_3 3^2} = \dfrac{\frac{1}{2}}{2} = \dfrac{1}{4}$（答）← 底・真数に共通な素数 3 に着目！

(3) $\log_3 \dfrac{1}{81} = \log_3 81^{-1} = \log_3 (3^4)^{-1} = \log_3 3^{-4} = -4\log_3 3 = -4$（答）

演習 73

(1) $\log_3 4 - 5\log_3 2 + \log_3 8 = \log_3 2^2 - \log_3 2^5 + \log_3 2^3 = \log_3 \left(2^2 \times \dfrac{1}{2^5} \times 2^3\right) = \log_3 1 = 0$

(2) 底を "2" または "3" のどちらに変換してもできます！

底 2： $\log_4 27 \cdot \log_9 8 = \dfrac{\log_2 27}{\log_2 4} \cdot \dfrac{\log_2 8}{\log_2 9} = \dfrac{\log_2 3^3}{\log_2 2^2} \cdot \dfrac{\log_2 2^3}{\log_2 3^2} = \dfrac{3\log_2 3}{2} \cdot \dfrac{3}{2\log_2 3} = \dfrac{3}{2} \cdot \dfrac{3}{2} = \dfrac{9}{4}$

底 3： $\log_4 27 \cdot \log_9 8 = \dfrac{\log_3 27}{\log_3 4} \cdot \dfrac{\log_3 8}{\log_3 9} = \dfrac{\log_3 3^3}{\log_3 2^2} \cdot \dfrac{\log_3 2^3}{\log_3 3^2} = \dfrac{3}{2\log_3 2} \cdot \dfrac{3\log_3 2}{2} = \dfrac{3}{2} \cdot \dfrac{3}{2} = \dfrac{9}{4}$

演習 74　$\log_{10} 2 = a$、$\log_{10} 3 = b$ より、"2" "3" の積で真数部分を表現する！

(1) $\log_{10} 12 = \log_{10}(4 \cdot 3) = \log_{10} 4 + \log_{10} 3 = \log_{10} 2^2 + \log_{10} 3 = 2\log_{10} 2 + \log_{10} 3 = 2a + b$

(2) $\log_{10} 3.6 = \log_{10} \dfrac{36}{10} = \log_{10} 36 - \log_{10} 10 = \log_{10}(4 \cdot 9) - 1 = \log_{10} 4 + \log_{10} 9 - 1$

$= \log_{10} 2^2 + \log_{10} 3^2 - 1 = 2\log_{10} 2 + 2\log_{10} 3 - 1 = 2a + 2b - 1$（答）

(3) $\log_{10} 7.5 = \log_{10} \dfrac{75}{10} = \log_{10} 75 - \log_{10} 10 = \log_{10}(3 \cdot 25) - 1 = \log_{10} 3 + \log_{10} 5^2 - 1$

$= \log_{10} 3 + 2\log_{10} 5 - 1$　・・・（∗）

ここでほとんどの方は手が止まったはず！？ "$\log_{10} 5$" をどうするか？

・$\log_{10} 5 = \log_{10} \dfrac{10}{2} = \log_{10} 10 - \log_{10} 2 = 1 - \log_{10} 2 = 1 - a$

実際は**公式化**しているような観もありますが、でも、**覚える必要はなし！**

　　公式（？）：　$\log_{10} 5 = 1 - \log_{10} 2$

よって、（∗）の続きね！

$= \log_{10} 3 + 2(1 - \log_{10} 2) - 1 = \log_{10} 3 + 2 - 2\log_{10} 2 - 1$

$= -2a + b + 1$（答）

4 章 関数の章

演習 75

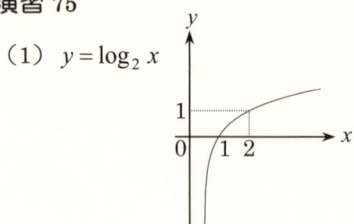

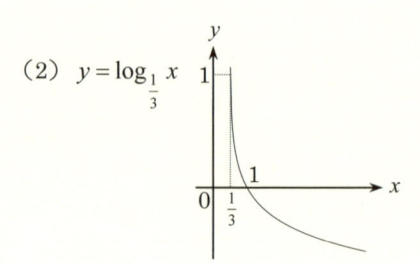

(1) $y = \log_2 x$

(2) $y = \log_{\frac{1}{3}} x$

演習 76

(1) $y = \log_3 3x = \log_3 x + 1$

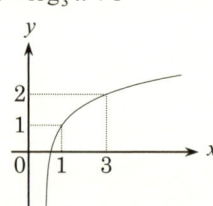

(2) $y = \log_2(2x-6) = \log_2(x-3) + 1$

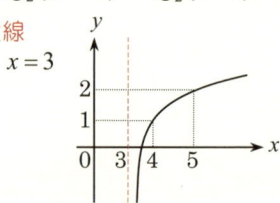

漸近線 $x = 3$

演習 77

(1) 底をそろえ、0＜底＜1 より、真数部分の大小関係と逆！

$\log_{0.2} 5$、$\log_{0.2} 0.1$、$1 = \log_{0.2} 0.2$ より、$\log_{0.2} 5 < 1 (= \log_{0.2} 0.2) < \log_{0.2} 0.1$ （答）

(2) 底がそれぞれ 2、4、8 より、すべて 2 にそろえる。

$$\log_4 8 = \frac{\log_2 8}{\log_2 4} = \frac{\log_2 8}{\log_2 2^2} = \frac{\log_2 8}{2\log_2 2} = \frac{\log_2 8}{2} = \frac{1}{2}\log_2 8 = \log_2 8^{\frac{1}{2}} = \log_2 \sqrt{8}$$

$$\log_8 30 = \frac{\log_2 30}{\log_2 8} = \frac{\log_2 30}{\log_2 2^3} = \frac{\log_2 30}{3\log_2 2} = \frac{\log_2 30}{3} = \frac{1}{3}\log_2 30 = \log_2 30^{\frac{1}{3}} = \log_2 \sqrt[3]{30}$$

底＞1 より、真数の大小関係と一致！

$\sqrt{8}$ の整数部分は「2 乗して 8 を越さない最大の整数より、2」

$\sqrt[3]{30}$ の整数部分は「3 乗して 30 を越さない最大の整数より、3」

よって、真数部分の関数大小関係が "$\sqrt{8} < 3 < \sqrt[3]{30}$" より、

$\log_2 \sqrt{8} < \log_2 3 < \log_2 \sqrt[3]{30}$　ゆえに、$\log_4 8 < \log_2 3 < \log_8 30$ （答）

演習 78

(1) 真数条件 $2x+1 > 0 \therefore x > -\frac{1}{2}$ かつ、$5 - x > 0 \therefore 5 > x$ より、$-\frac{1}{2} < x < 5$ （*）

底が等しいので、$2x + 1 = 5 - x \therefore x = \frac{4}{3}$ （*）を満たす。（答）

(2) 真数条件 $x-1>0$ ∴ $x>1$ かつ、$7-x>0$ ∴ $7>x$ より、$1<x<7$ （＊）

$$\log_9(7-x) = \frac{\log_3(7-x)}{\log_3 9} = \frac{\log_3(7-x)}{\log_3 3^2} = \frac{\log_3(7-x)}{2} = \frac{1}{2}\log_3(7-x) = \log_3(7-x)^{\frac{1}{2}}$$
$$= \log_3\sqrt{7-x}$$

∴ $\log_3(x-1) = \log_3\sqrt{7-x}$ より、$(x-1) = \sqrt{7-x}$ （両辺2乗）$(x-1)^2 = (\sqrt{7-x})^2$
$x^2 - 2x + 1 = 7 - x$　$x^2 - x - 6 = 0$　∴ $(x-3)(x+2) = 0$　（＊）より　$x = 3$（答）

演習 79

真数条件　$x-1>0$　∴ $x>1$　かつ　$x-4>0$　∴ $x>4$ より、$x>4$ ・・・（＊）
$\log_{10}(x-1) + \log_{10}(x-4) = 1$　$\log_{10}(x-1)(x-4) = 1$　$(x-1)(x-4) = 10$
$x^2 - 5x + 4 = 10$　$x^2 - 5x - 6 = 0$　$(x-6)(x+1) = 0$　（＊）より ∴ $x = 6$（答）

演習 80

$(\log_3 x)^2 + \log_3 x^3 - 4 = 0$　∴ $(\log_3 x)^2 + 3\log_3 x - 4 = 0$

ここで $\log_3 x = t$（t 実数）・・・（＊）とおく。$t^2 + 3t - 4 = 0$　$(t+4)(t-1) = 0$　∴ $t = -4, 1$
（＊）より、$\log_3 x = -4$ ∴ $x = 3^{-4} = \frac{1}{81}$、$\log_3 x = 1$ ∴ $x = 3^1 = 3$　　$x = \frac{1}{81}, 3$（答）

演習 81

(1) 真数条件 $2x-3>0$ ∴ $x > \frac{3}{2}$　かつ　$6-x > 0$ ∴ $x < 6$ より、$\frac{3}{2} < x < 6$（＊）

底＞1 より、$2x - 3 < 6 - x$ ∴ $x < 3$　よって、（＊）より $\frac{3}{2} < x < 3$（答）

(2) 真数条件 $x > 0$（＊）$\log_{\frac{1}{2}} x \geqq -2\log_{\frac{1}{2}}\frac{1}{2}$ ∴ $\log_{\frac{1}{2}} x \geqq \log_{\frac{1}{2}}\left(\frac{1}{2}\right)^{-2} = \log_{\frac{1}{2}} 4$

0＜底＜1 より、真数の大小関係は逆！よって、（＊）より $0 < x \leqq 4$（答）

演習 82

(1) 真数条件　$x > 0$　かつ　$x-3 > 0$　∴ $x > 3$ ・・・（＊）

$\log_2 x + \log_2(x-3) \geqq 2$　∴ $\log_2 x(x-3) \geqq 2\log_2 2 = \log_2 2^2 = \log_2 4$

底＞1 より $x(x-3) \geqq 4$　$x^2 - 3x - 4 \geqq 0$　$(x-4)(x+1) \geqq 0$　∴ $x \leqq -1, 4 \leqq x$
よって、（＊）より、$4 \leqq x$（答）

(2) 真数条件 $x+2 > 0$ ∴ $x > -2$ かつ $1-x > 0$ ∴ $x < 1$ より、$-2 < x < 1$ ・・・（＊）

$\log_2(x+2) - \log_2(1-x) < 1$　∴ $\log_2\frac{x+2}{1-x} < 1 \cdot \log_2 2 = \log_2 2$

底＞1 より、$\frac{x+2}{1-x} < 2$　両辺に $(1-x)$ をかけて、分母を払う。$x+2 < 2(1-x)$
$x + 2 < 2 - 2x$　$3x < 0$　∴ $x < 0$　よって、（＊）より $-2 < x < 0$（答）

4章　関数の章

演習 83

(1) $y = (\log_3 x)^2 + \log_3 x^2 + 2$ ∴ $y = (\log_3 x)^2 + 2\log_3 x + 2 \cdots (*)$ ここで $\log_3 x = t$ (t 実数)・・・① とおくと、(*) より、$y = t^2 + 2t + 2$　右辺を平方完成より、$y = (t+1)^2 + 1 \cdots$ ② よって、$t = -1$ で最小値 1。ゆえに、①より、$\log_3 x = -1$ ∴ $x = 3^{-1} = \dfrac{1}{3}$ したがって、最小値 1（$x = \dfrac{1}{3}$）（答）

②は定義域はなく、下に凸のグラフゆえ、最大値はない。

(2) 真数条件 $x - 5 > 0$ ∴ $x > 5$、$25 - x > 0$ ∴ $x < 25$ よって、$5 < x < 25 \cdots (*)$
$y = \log_{10}(x-5) + \log_{10}(25-x)$ ∴ $y = \log_{10}(x-5)(25-x) = \log_{10}(-x^2 + 30x - 125) \cdots$ ①
そこで、底 > 1 より、真数部分が最大値を取るとき、y の最大値 となる。
よって、$p = -x^2 + 30x - 125 \cdots$ ② とし、p の最大値を求める。
$p = -(x^2 - 30x) - 125 = -\{(x-15)^2 - 225\} - 125 = -(x-15)^2 + 225 - 125 = -(x-15)^2 + 100$
ゆえに、(*) より $x = 15$ で最大値 100 を取る。そこで、①②より、$p = 100$ のとき $y = \log_{10} 100 = \log_{10} 10^2 = 2\log_{10} 10 = 2$　したがって、最大値 2（$x = 15$）（答）

演習 84

(1) $\log_{10} 30 = \log_{10}(10 \times 3) = \log_{10} 10 + \log_{10} 3 = 1 + 0.4771 = 1.4771$（答）

(2) $\log_2 9 = \dfrac{\log_{10} 9}{\log_{10} 2} = \dfrac{\log_{10} 3^2}{\log_{10} 2} = \dfrac{2\log_{10} 3}{\log_{10} 2} = \dfrac{2 \times 0.4771}{0.3010} = 3.17009\cdots ≒ 3.1701$（答）

演習 85

$x = 9^{50}$ とおくと、（両辺底を 10 とする対数をとる。）$\log_{10} x = \log_{10} 9^{50} = 50 \log_{10} 9$
$= 50 \log_{10} 3^2 = 50 \times 2\log_{10} 3 = 100 \times 0.4771 = 47.71$ ∴ $x = 10^{47.71}$ より 48 桁（答）

演習 86

「(分子) ÷ (分母)」により、分子の次数を分母より下げる！

$y = \dfrac{-x+3}{x-1} = -1 + \dfrac{2}{x-1}$

漸近線：$x = 1$、$y = -1$

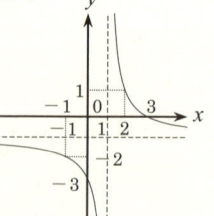

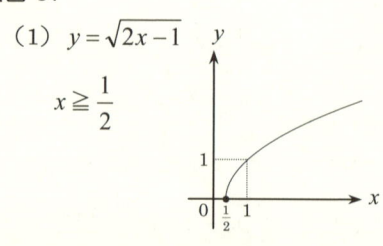

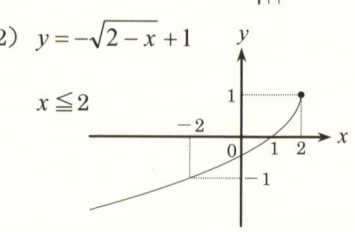

演習 87

(1) $y = \sqrt{2x-1}$

$x \geqq \dfrac{1}{2}$

(2) $y = -\sqrt{2-x} + 1$

$x \leqq 2$

演習88　xについて解き、最後にxとyを入れ換えるだけ！

（1）$y = -3x + 2$

$3x = -y + 2 \to x = -\dfrac{1}{3}y + \dfrac{2}{3} \quad \therefore \quad y = -\dfrac{1}{3}x + \dfrac{2}{3}$ （答）

（2）$y = \log_2 x$

$\log_2 x = y \to x = 2^y \quad \therefore \quad y = 2^x$ （答）

（3）$y = \dfrac{x}{x-1}$

$y(x-1) = x \to yx - y = x \to yx - x = y \to (y-1)x = y \to x = \dfrac{y}{y-1} \quad \therefore \quad y = \dfrac{x}{x-1}$ （答）

演習89　赤いグラフだけかければいいんですよ！

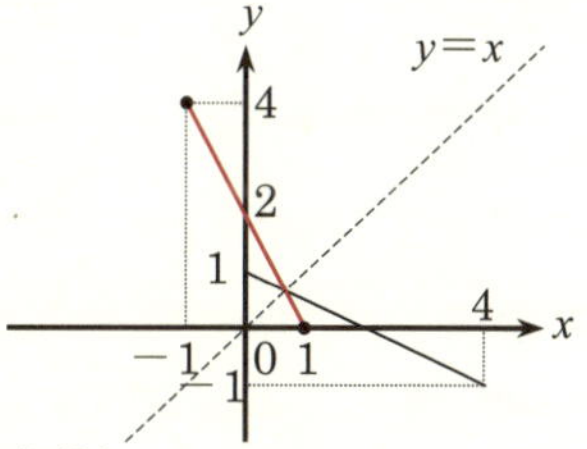

（1）$0 \leqq x \leqq 4$ より、$-1 \leqq y \leqq 1 \cdots$ ①

$y = -\dfrac{1}{2}x + 1 \to \dfrac{1}{2}x = -y + 1 \to x = -2y + 2$

$\therefore \quad y = -2x + 2$ （①より $-1 \leqq x \leqq 1$）（答）

（2）$y = \sqrt{2x - 6}$ （$\sqrt{\ }$ の中は0以上！ $2x - 6 \geqq 0$ より）

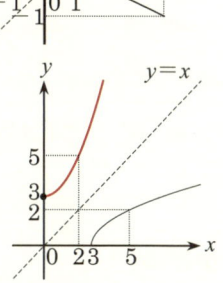

定義域：$x \geqq 3$ $\therefore$ 値域：$y \geqq 0 \cdots$ ①

$\sqrt{2x - 6} = y$ （両辺2乗）$\to 2x - 6 = y^2 \to 2x = y^2 + 6$

$\to x = \dfrac{1}{2}y^2 + 3 \quad \therefore \quad y = \dfrac{1}{2}x^2 + 3$ （①より $x \geqq 0$）（答）

演習90

（1）$(f \circ g)(x) = f(g(x)) = -\dfrac{1}{x-2} + 1 = -\dfrac{1}{x-2} + \dfrac{x-2}{x-2} = \dfrac{x-3}{x-2}$

（2）$g^2(x) = g(g(x)) = \dfrac{1}{\dfrac{1}{x-2} - 2} = \dfrac{(x-2) \times 1}{(x-2)\left(\dfrac{1}{x-2} - 2\right)} = \dfrac{x-2}{1 - 2(x-2)} = \dfrac{x-2}{1 - 2x + 4} = \dfrac{x-2}{5 - 2x}$

演習91

三平方の定理：$AB^2 = AC^2 + BC^2$ より、

$AB = \sqrt{AC^2 + BC^2} = \sqrt{4^2 + 6^2} = \sqrt{16 + 36} = \sqrt{52} = \sqrt{4 \times 13} = 2\sqrt{13}$

・$\sin\theta = \dfrac{AC}{AB} = \dfrac{4}{2\sqrt{13}} = \dfrac{2}{\sqrt{13}}$

θを左、直角を右に配置し考える！

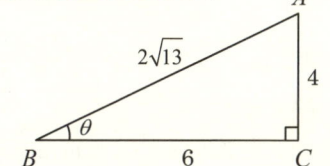

・$\cos\theta = \dfrac{BC}{AB} = \dfrac{6}{2\sqrt{13}} = \dfrac{3}{\sqrt{13}}$

・$\tan\theta = \dfrac{AC}{BC} = \dfrac{4}{6} = \dfrac{2}{3}$

演習 92

(1) $\tan 30° - \sin 60° = \dfrac{1}{\sqrt{3}} - \dfrac{\sqrt{3}}{2} = \dfrac{\sqrt{3}}{3} - \dfrac{\sqrt{3}}{2} = \dfrac{2\sqrt{3} - 3\sqrt{3}}{6} = -\dfrac{\sqrt{3}}{6}$ （答）

(2) $\sin 45° - \sin 30° + \tan 45° = \dfrac{1}{\sqrt{2}} - \dfrac{1}{2} + 1 = \dfrac{\sqrt{2}}{2} - \dfrac{1}{2} + \dfrac{2}{2} = \dfrac{\sqrt{2} + 1}{2}$ （答）

演習 93

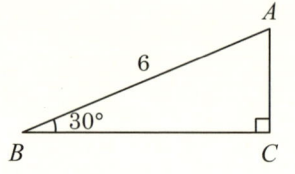

$AC = AB\sin 30° = 6 \cdot \dfrac{1}{2} = 3$

$BC = AB\cos 30° = 6 \cdot \dfrac{\sqrt{3}}{2} = 3\sqrt{3}$

演習 94

$AC = AB\sin 35°$ ∴ $AB = \dfrac{AC}{\sin 35°} = \dfrac{2}{0.57} = 3.508\cdots ≒ 3.51$

$AC = BC\tan 35°$ ∴ $BC = AC \div \tan 35° = 2 \div 0.70 = 2.857\cdots ≒ 2.86$

演習 95

$\sin 135°$：第Ⅱ象限（＋）、 $\cos 120°$：第Ⅱ象限（－）、 $\tan 210°$：第Ⅲ象限（＋）

演習 96

$\sin^2\theta + \cos^2\theta = 1$ より、 $\cos^2\theta = 1 - \sin^2\theta = 1 - \left(\dfrac{3}{5}\right)^2 = 1 - \dfrac{9}{25} = \dfrac{25-9}{25} = \dfrac{16}{25}$

よって、$0° \leqq \theta \leqq 180°$ より、$\cos\theta = \pm\dfrac{4}{5}$ （答） 第Ⅰ象限（＋）、第Ⅱ象限（－）

演習 97

$\sin^2\theta + \cos^2\theta = 1$ より、 $\cos^2\theta = 1 - \sin^2\theta = 1 - \left(\dfrac{5}{6}\right)^2 = 1 - \dfrac{25}{36} = \dfrac{36-25}{36} = \dfrac{9}{36}$

$0° \leqq \theta \leqq 90°$ より、$\cos\theta = \dfrac{3}{6}$ ∴ $\tan\theta = \dfrac{\sin\theta}{\cos\theta} = \sin\theta \div \cos\theta = \dfrac{5}{6} \div \dfrac{3}{6} = \dfrac{5}{6} \times \dfrac{6}{3} = \dfrac{5}{3}$ （答）

演習 98

θ が鋭角より、$0° < \theta < 90°$。 ∴ $\sin\theta > 0$、 $\cos\theta > 0$ ・・・（＊）

$1 + \tan^2\theta = \dfrac{1}{\cos^2\theta}$ より、 $\cos^2\theta = \dfrac{1}{1+\tan^2\theta} = \dfrac{1}{1+\left(\dfrac{1}{2}\right)^2} = \dfrac{1}{1+\dfrac{1}{4}} = \dfrac{4}{4+1} = \dfrac{4}{5}$

↑分母・分子を4倍

よって、（＊）より、 $\cos\theta = \sqrt{\dfrac{4}{5}} = \dfrac{2}{\sqrt{5}}$ （答）

また、$\sin\theta = \cos\theta \tan\theta = \dfrac{2}{\sqrt{5}} \cdot \dfrac{1}{2} = \dfrac{1}{\sqrt{5}}$ （答） ←

気づけば当然の関係式
$\cos\theta \cdot \tan\theta = \cos\theta \cdot \dfrac{\sin\theta}{\cos\theta} = \sin\theta$

演習 99

(1) 第Ⅱ象限より、 $\sin 120° > 0$ （＋）： $\sin 120° = \sin(90° + 30°) = \cos 30°$

（2）第Ⅱ象限より、$\cos 152° < 0$ （−）： $\cos 152° = \cos(180° - 28°) = -\cos 28°$

（3）第Ⅲ象限より、$\tan 200° > 0$ （＋）： $\tan 200° = \tan(180° + 20°) = \tan 20°$

演習 100

正弦定理より、$\dfrac{a}{\sin 120°} = \dfrac{5}{\sin 30°}$ ∴ $a = \dfrac{5}{\sin 30°} \times \sin 120° = \dfrac{5}{\frac{1}{2}} \times \dfrac{\sqrt{3}}{2} = 5\sqrt{3}$ （答）

・$\sin 120° = \sin(180° - 60°) = \sin 60° = \dfrac{\sqrt{3}}{2}$ または $\sin 120° = \sin(90° + 30°) = \cos 30° = \dfrac{\sqrt{3}}{2}$

演習 101

（1）余弦定理より、$a^2 = 3^2 + 4^2 - 2 \cdot 3 \cdot 4 \cos 120° = 9 + 16 - 24 \cdot (-\dfrac{1}{2}) = 37$

よって、$a > 0$ より、$a = \sqrt{37}$ （答）・$\boxed{\cos 120° = \cos(180° - 60°) = -\cos 60°}$

（2）余弦定理より、$a^2 = b^2 + c^2 - 2bc \cos A$ ∴ $\cos A = \dfrac{b^2 + c^2 - a^2}{2bc}$

よって、$\cos A = \dfrac{(\sqrt{2})^2 + 1^2 - (\sqrt{5})^2}{2 \cdot \sqrt{2} \cdot 1} = \dfrac{2 + 1 - 5}{2\sqrt{2}} = \dfrac{-2}{2\sqrt{2}} = -\dfrac{1}{\sqrt{2}}$ （答）

また、$(0° < A < 180°)$ $\cos A = -\dfrac{1}{\sqrt{2}}$ より、$A = 135°$ （答）←単位円参照！

演習 102

（1）$\dfrac{45°}{180°} \pi = \dfrac{\pi}{4}$ （2）$\dfrac{90°}{180°} \pi = \dfrac{\pi}{2}$ （3）$\dfrac{135°}{180°} \pi = \dfrac{3}{4}\pi$

演習 103

（1）$\dfrac{3}{2}\pi = \dfrac{3}{2}\pi \times \left(\dfrac{180°}{\pi}\right) = \dfrac{3}{2} \times 180° = 270°$ （2）$\dfrac{4}{3}\pi = \dfrac{4}{3}\pi \times \left(\dfrac{180°}{\pi}\right) = \dfrac{4}{3} \times 180° = 240°$

演習 104

・度数法：$\theta = 60° + 360° \times n$、 ・弧度法：$\theta = \dfrac{\pi}{3} + 2n\pi$

演習 105   演習 106   演習 107

$\sin \theta = \dfrac{\sqrt{3}}{2} \fallingdotseq 0.8$ $\cos \theta = -\dfrac{1}{2} = -0.5$ $\tan \theta = -1$

$\theta = 60°$、$120°$ $\theta = 120°$、$240°$ $\theta = 135°$、$315°$

演習 108

$\cos 15° = \cos(60° - 45°) = \cos 60° \cos 45° + \sin 60° \sin 45°$

$= \dfrac{1}{2} \cdot \dfrac{1}{\sqrt{2}} + \dfrac{\sqrt{3}}{2} \cdot \dfrac{1}{\sqrt{2}} = \dfrac{1+\sqrt{3}}{2\sqrt{2}} = \dfrac{\sqrt{2}(1+\sqrt{3})}{2\sqrt{2} \cdot \sqrt{2}} = \dfrac{\sqrt{2}+\sqrt{6}}{4}$ （答）

演習 109

$\cos 105° = \cos(60° + 45°) = \cos 60° \cos 45° - \sin 60° \sin 45°$

$= \dfrac{1}{2} \cdot \dfrac{1}{\sqrt{2}} - \dfrac{\sqrt{3}}{2} \cdot \dfrac{1}{\sqrt{2}} = \dfrac{1-\sqrt{3}}{2\sqrt{2}} = \dfrac{\sqrt{2}(1-\sqrt{3})}{2\sqrt{2} \cdot \sqrt{2}} = \dfrac{\sqrt{2}-\sqrt{6}}{4}$ （答）

演習 110

$\sin 135° = \sin(90° + 45°) = \sin 90° \cos 45° + \cos 90° \sin 45° = 1 \cdot \dfrac{1}{\sqrt{2}} + 0 \cdot \dfrac{1}{\sqrt{2}} = \dfrac{1}{\sqrt{2}}$ （答）

演習 111

$\sin 165° = \sin(120° + 45°) = \sin 120° \cos 45° + \cos 120° \sin 45° \cdots (*)$

・$\sin 120° = \sin(180° - 60°) = \sin 60° = \dfrac{\sqrt{3}}{2}$ ・ $\cos 120° = \cos(180° - 60°) = -\cos 60° = -\dfrac{1}{2}$

よって、（*）より、

$\sin 165° = \sin(120° + 45°) = \dfrac{\sqrt{3}}{2} \cdot \dfrac{1}{\sqrt{2}} + \left(-\dfrac{1}{2}\right) \cdot \dfrac{1}{\sqrt{2}} = \dfrac{\sqrt{3}-1}{2\sqrt{2}} = \dfrac{\sqrt{2}(\sqrt{3}-1)}{2\sqrt{2} \cdot \sqrt{2}} = \dfrac{\sqrt{6}-\sqrt{2}}{4}$ （答）

演習 112

$\tan 105° = \tan(60° + 45°) = \dfrac{\tan 60° + \tan 45°}{1 - \tan 60° \tan 45°} = \dfrac{\sqrt{3}+1}{1-\sqrt{3}} = \dfrac{(1+\sqrt{3})^2}{(1+\sqrt{3})(1-\sqrt{3})}$

$= \dfrac{1+2\sqrt{3}+3}{1-3} = -\dfrac{4+2\sqrt{3}}{2} = -2-\sqrt{3}$ （答）

演習 113

$\tan\theta = \tan(\alpha - \beta) = \dfrac{\tan\alpha - \tan\beta}{1 + \tan\alpha \tan\beta} = \dfrac{2-\dfrac{1}{3}}{1+2\cdot\dfrac{1}{3}} = \dfrac{6-1}{3+2} = \dfrac{5}{5} = 1$ ∴ $\theta = 45°$ （答）

↙ 分母、分子をそれぞれ 3 倍

演習 114

（1） $\sin 2\theta = 2\sin\theta \cos\theta \cdots (*)$ より、$\cos\theta$ の値を求めたい！

$\cos^2\theta = 1 - \sin^2\theta = 1 - \left(\dfrac{3}{5}\right)^2 = 1 - \dfrac{9}{25} = \dfrac{16}{25}$ ∴ $90° < \theta < 180°$ より、$\cos\theta = -\dfrac{4}{5}$

ゆえに、（*）より、$\sin 2\theta = 2 \cdot \dfrac{3}{5} \cdot \left(-\dfrac{4}{5}\right) = -\dfrac{24}{25}$ （答）

（2） $\cos 2\theta = 1 - 2\sin^2\theta = 1 - 2 \cdot \left(\dfrac{3}{5}\right)^2 = 1 - \dfrac{18}{25} = \dfrac{7}{25}$ （答）

（3） $\tan 2\theta = \dfrac{\sin 2\theta}{\cos 2\theta} = \sin 2\theta \div \cos 2\theta = -\dfrac{24}{25} \div \dfrac{7}{25} = -\dfrac{24}{25} \times \dfrac{25}{7} = -\dfrac{24}{7}$ （答）

演習 115

（1）$\sin^2\theta = \dfrac{1-\cos 2\theta}{2}$ より、$\sin^2\dfrac{\pi}{8} = \dfrac{1-\cos 2\cdot\dfrac{\pi}{8}}{2} = \dfrac{1}{2}\left(1-\cos\dfrac{\pi}{4}\right) = \dfrac{1}{2}\left(1-\dfrac{1}{\sqrt{2}}\right)$

$\qquad\qquad\qquad\qquad = \dfrac{1}{2}\cdot\dfrac{\sqrt{2}-1}{\sqrt{2}} = \dfrac{\sqrt{2}(\sqrt{2}-1)}{2\sqrt{2}\cdot\sqrt{2}} = \dfrac{2-\sqrt{2}}{4}$　（答）

（2）$\cos^2\dfrac{\pi}{12} = \dfrac{1+\cos 2\cdot\dfrac{\pi}{12}}{2} = \dfrac{1}{2}\left(1+\cos\dfrac{\pi}{6}\right) = \dfrac{1}{2}\left(1+\dfrac{\sqrt{3}}{2}\right) = \dfrac{1}{2}\cdot\dfrac{2+\sqrt{3}}{2} = \dfrac{2+\sqrt{3}}{4}$

ここで、2 乗を消すため右辺にルートを付けます。**二重根号**の登場・・・！

$\cos\dfrac{\pi}{12} = \sqrt{\dfrac{2+\sqrt{3}}{4}} = \dfrac{\sqrt{2+\sqrt{3}}}{2} = \dfrac{2\sqrt{2+\sqrt{3}}}{2\times 2} = \dfrac{\sqrt{4(2+\sqrt{3})}}{4} = \dfrac{\sqrt{8+4\sqrt{3}}}{4} = \dfrac{\sqrt{8+2\sqrt{3\cdot 2^2}}}{4}$

↑分母を出す　　↑分母・分子を2倍　　↑分子：2を$\sqrt{3}$の中に入れる

$= \dfrac{\sqrt{(2+6)+2\sqrt{2\times 6}}}{4} = \dfrac{\sqrt{(\sqrt{2}+\sqrt{6})^2}}{4} = \dfrac{\sqrt{2}+\sqrt{6}}{4}$　（答）　← $\begin{cases}\dfrac{\pi}{12}\text{は度数法で }15°\\ \text{第Ⅰ象限ゆえ、}\cos\dfrac{\pi}{12}>0\end{cases}$

↑分子：和が 8、積が 12 となる 2 数を捜す！

演習 116

[証明]

$\cos 3\alpha = \cos(2\alpha + \alpha)$　　　　　← $\cos(\alpha+\beta) = \cos\alpha\cos\beta - \sin\alpha\sin\beta$

$\qquad = \underline{\cos 2\alpha}\cos\alpha - \underline{\sin 2\alpha}\sin\alpha$　　← 2倍角の利用

$\qquad = \underline{(2\cos^2\alpha - 1)}\cos\alpha - \underline{2\sin\alpha\cos\alpha}\sin\alpha$

$\qquad = 2\cos^3\alpha - \cos\alpha - 2\underline{\sin^2\alpha}\cos\alpha$　← $\sin^2\theta + \cos^2\theta = 1$ より

$\qquad = 2\cos^3\alpha - \cos\alpha - 2(1-\cos^2\alpha)\cos\alpha$

$\qquad = 2\cos^3\alpha - \cos\alpha - 2\cos\alpha + 2\cos^3\alpha$

$\qquad = 4\cos^3\alpha - 3\cos\alpha$

おわり

演習 117

$4\sin 3\theta\cos 5\theta = 4\cdot\dfrac{1}{2}\{\sin(3\theta+5\theta) + \sin(3\theta-5\theta)\} = 2\{\sin 8\theta + \sin(-2\theta)\} = 2(\sin 8\theta - \sin 2\theta)$

演習 118

$\sin\theta - \sin 7\theta = 2\cos\dfrac{\theta+7\theta}{2}\sin\dfrac{\theta-7\theta}{2} = 2\cos 4\theta\sin(-3\theta) = -2\cos 4\theta\sin 3\theta$

演習 119

$6\cos 2\theta\cos 4\theta = 6\cdot\dfrac{1}{2}\{\cos(2\theta+4\theta) + \cos(2\theta-4\theta)\} = 3(\cos 6\theta + \underline{\cos 2\theta})$

$\qquad\qquad\qquad\qquad\qquad\qquad\qquad\qquad\qquad\qquad\qquad \|$
$\qquad\qquad\qquad\qquad\qquad\qquad\qquad\qquad\qquad\qquad\cos(-2\theta)$

演習 120

$\sin\theta + \cos\theta + \sin 3\theta - \cos 3\theta$ ← 並べ替え

$= (\sin\theta + \sin 3\theta) + (\cos\theta - \cos 3\theta)$ ← 和を積へ、差を積へ！

$= 2\sin\dfrac{\theta+3\theta}{2}\cos\dfrac{\theta-3\theta}{2} + \left(-2\sin\dfrac{\theta+3\theta}{2}\sin\dfrac{\theta-3\theta}{2}\right)$

$= 2\sin 2\theta \cos(-\theta) - 2\sin 2\theta \sin(-\theta)$ ← $\cos(-\theta) = \cos\theta$、$\sin(-\theta) = -\sin\theta$

$= 2\sin 2\theta \cos\theta - 2\sin 2\theta(-\sin\theta)$ ← 共通因数 $2\sin 2\theta$ でククル

$= 2\sin 2\theta(\underline{\cos\theta + \sin\theta})$ （答） ← 下線部はつぎの項目で話す「単振動の合成」の利用でさらに簡単な形に！ でも、ここは OK！

演習 121

$\sin\theta + \cos\theta = \sqrt{1^2 + 1^2}\sin(\theta + \alpha) = \sqrt{2}\sin(\theta + \alpha)$ ・・・（＊）

ここで、$\sin\alpha = \dfrac{1}{\sqrt{2}}$、$\cos\alpha = \dfrac{1}{\sqrt{2}}$ より、$\alpha = 45°$

よって、（＊）より、(指定が無いので、"弧度法" "度数法" どちらでも OK)

$\sin\theta + \cos\theta = \sqrt{2}\sin(\theta + 45°)$ または $\sqrt{2}\sin\left(\theta + \dfrac{\pi}{4}\right)$ （答）

演習 122

$3\sin\theta + 4\cos\theta = \sqrt{3^2 + 4^2}\sin(\theta + \alpha) = \sqrt{25}\sin(\theta + \alpha) = 5\sin(\theta + \alpha)$ ・・・（＊）

（すべて 5 倍）　　$\left(\sin\alpha = \dfrac{4}{5},\ \cos\alpha = \dfrac{3}{5}\right)$

よって、$-1 \leq \sin(\theta + \alpha) \leq 1$ ∴ $-5 \leq 5\sin(\theta + \alpha) \leq 5$ より

最大値：5、　最小値：−5　（答）

演習 53（別解）

グラフは頂点を動かせば、グラフ全体が同様に動く！

$y = -(x^2 - x) - 2 = -\left\{\left(x - \dfrac{1}{2}\right)^2 - \dfrac{1}{4}\right\} - 2 = -\left(x - \dfrac{1}{2}\right)^2 + \dfrac{1}{4} - 2 = -\left(x - \dfrac{1}{2}\right)^2 - \dfrac{7}{4}$

∴ 頂点$\left(\dfrac{1}{2},\ -\dfrac{7}{4}\right)$　この頂点を「x 軸方向に −1、y 軸方向に 3」動かすので

平行移動した頂点 $\left(\dfrac{1}{2} - 1,\ -\dfrac{7}{4} + 3\right) = \left(-\dfrac{1}{2},\ \dfrac{5}{4}\right)$。よって、求める放物線の式は

$y = -\left(x + \dfrac{1}{2}\right)^2 + \dfrac{5}{4} = -\left(x^2 + x + \dfrac{1}{4}\right) + \dfrac{5}{4} = -x^2 - x - \dfrac{1}{4} + \dfrac{5}{4} = -x^2 - x + 1$ （答）

5章
数列および極限

1、3、□、□、8、10、12

さぁ～て「上の□に入る数字がおわかりになりますか？」

正確には覚えていませんが、
東京都の私立小学校の入学試験にこのような問題があったそうです。
答えは一番下！

「**数列**」を一言でいえば、

　　　　「**ある規則性を持った数の並び！**」

よって、ここでは、
その規則性を見つけ、それを式で表す。
いわゆる「**一般項を求める！**」ことが
中心になります。

　　　　　　　　　　　　　　一般項とは
　　　　　　　　　　　　　　なんぞや!?
　　　　　　　　　　　　　　わからんぶぅ～！

そこで、私たちとしては
「隣り合った数同士の規則性を見つけるゲーム」
という感覚で向き合えば、少しは楽しくなるかもしれませんね！

　　　　　　　　そんな感覚など
　　　　　　　　持てるわけないじゃん！
　　　　　　　　無理・ムリ…！怒

答え：4、6（テレビチャンネルの順番ゆえ、これは**数列とは言いません！**）

復習 32
数列とはナニ？

　ここでお話しする内容を最初にお知らせしておきますね。

　Ⅰ　等差数列：・一般項　・等差中項　・等差数列の和　・調和数列
　Ⅱ　等比数列：・一般項　・等比中項　・等比数列の和
　Ⅲ　Σ計算　：シグマの意味を理解する
　Ⅳ　階差数列
- -
　Ⅴ　数列の極限
　Ⅵ　無限等比数列
　Ⅶ　無限等比級数：統計に必要な知識
　Ⅷ　無限級数

　項目を見て、案外多いような気がしますよね！　でも、高校数学で扱う数列に関する項目は、他にも「群数列」「漸化式」など受験において重要な項目がまだまだあります。しかし、このⅠ～Ⅷが理解できれば十分。ちなみにⅤ～Ⅷは数学Ⅲの範囲ゆえ、難しく感じられるかもしれませんが、できる限り噛み砕いて解説を心がけるつもりでいます。また、Ⅲ「Σ計算」、Ⅶ「無限等比級数」は統計を勉強される方のお役に立つはず。

　そこで、各項目のお話に入る前に、Ⅰ、Ⅱ、Ⅳの内容に関して簡単に触れておきたいと……。

　まず、最初に質問なのですが、皆さんは「数列とはナニ？」とたずねられたら、どのようなイメージを持たれますか？

　「数列」とは、「ある規則性をもった数の並び」のことを言います。

　そこで、つぎの数の並びの中で、皆さんが数列と思われるものを選んでみてください。

$\begin{bmatrix} ① & 1、2、3、4、5、6、7・・・・・ \\ ② & 1、3、4、7、8、9、15・・・・・ \\ ③ & 2、4、8、16、32・・・・ \\ ④ & 1、3、7、15、31、63・・・・・ \\ ⑤ & 6、3、2、・・・・ \end{bmatrix}$

「いかがでしょうか？」この①〜⑤の中で、実は②以外はすべてある「数列」を意味しています。　へぇ〜……！？

では、①③④⑤を分類してみると、つぎのようになります。

① 等差数列　③ 等比数列　④階差数列　⑤調和(ちょうわ)数列

では、①、③、④、⑤を簡単に説明しておきます。

①：並んでいる数の差が常に 1 でしょ！？ よって、**差が等しい**数列ゆえ「**等差数列**」と言います。

③：「(右の数)÷(左の数)＝2」 となりますよね。このように、常に**比が一定**の数列ゆえ「**等比数列**」と言います。

④：「(右の数)−(左の数)」の計算した値を並べると、

「2、4、8、16、32・・・」

ホラ！ この数の並びは③の数列になっているでしょ！ このように、**並んでいる差が数列**になっている場合、これを「**階差数列**」と言います。

⑤：これは難しいですよね？ そこで、この並んでいる数の**逆数**をとってみますよ。

$\dfrac{1}{6}$、$\dfrac{1}{3}$、$\dfrac{1}{2}$ ・・・ ←「(右の数)−(左の数)＝$\dfrac{1}{6}$」

このように「**逆数の隣同士の数の差が等しい数列：等差数列**」となる数列を「**調和数列**」と言います。

では、そろそろⅠ〜Ⅷのお話をはじめたいと思います。

復習33

等差数列

等差数列とは？

　　一言で言えば「隣り合う2項の差が一定」

　　例：　1、3、5、7、9・・・・・　①

この数の並びのヒトツ・ヒトツを「項」と言い、最初の項を「初項」また、隣り合う2項の差（ここでは 2 ）を「公差」と呼びます。よって、①は、差が等しい数列ゆえ「初項 1、公差 2 の等差数列」と言います。

では、これを一般性を持たせるために文字で表してみましょう。

等差数列： a_1、a_2、a_3、a_4、a_5、・・・・・a_n・・・・

初項 a、**公差** d とすると、第 n 番目の項 a_n（一般項と言う）は、

$$a_n = a + (n-1)d \quad \cdots (*)$$

と表せます。

---

①を使って一般項を具体的に求めてみますね。

$n=1$ ： $a_1 = 1\ +\underline{0}\cdot 2$　　←　初項 a_1 に公差を加えて行くイメージで順に追ってみてくださいね！

$n=2$ ： $a_2 = a_1 + \underline{1}\cdot 2$

$n=3$ ： $a_3 = a_2 + 2 =(a_1 + 2) + 2 = a_1 + \underline{2}\cdot 2$

$n=4$ ： $a_4 = a_3 + 2 =(a_1 + 2 + 2) + 2 = a_1 + \underline{3}\cdot 2$

　　　　　　・　　　　・
　　　　　　・　　　　・
　　　　　　・　　　　・

n 番目 ： $a_n = a_1 + \underline{(n-1)}\cdot 2$　　←　n 番目の n より 1 引いた $(n-1)$ の値が公差への積になっていませんか！

　　　$\therefore\ a_n = 1 + (n-1)\cdot 2 = 2n - 1$

いかがですか？　実際には上記のようには一般項を求めず、$(*)$ の公式を利用し、計算で求めます。では、問題を解いてみましょう。

例題：つぎの一般項 a_n を求めてみますね。

(1) 初項 3、公差 4 の等差数列の一般項 a_n

(2) 第 5 項が -7、第 9 項が -15 である等差数列の一般項 a_n

<解法>

(1) 初項：$a=3$、公差：$d=4$ ゆえ、一般式 $a_n=a+(n-1)d$ より
$a_n=3+(n-1)\times 4$　　　∴　$a_n=4n-1$　（答）

(2) $a_5=-7$, $a_9=-15$ ゆえ、$a_n=a+(n-1)d$ ・・・(*) より
$a_5=-7 \Rightarrow a+(5-1)d=-7$　∴　$a+4d=-7$ ・・・①
$a_9=-15 \Rightarrow a+(9-1)d=-15$　∴　$a+8d=-15$ ・・・②
よって、①②（連立方程式を解く）より、$a=1$, $d=-2$
したがって(*)より、$a_n=1+(n-1)\times(-2)$　∴　$a_n=-2n+3$（答）

演習 123　第 4 項が 4、第 7 項が 10 の等差数列があります。つぎの問について答えてみましょう。

(1) 初項と公差を求めてください。　(2) 38 は第何項でしょうか。

等差中項：　a、b、c が等差数列をなすとき、
$$2b=a+c$$
が成り立つ！

[証明] 公差を d とし、$a=n-d$、$b=n$、$c=n+d$ とおくと、
（右辺）$=(n-d)+(n+d)$
　　　　$=2n=$（左辺）
　　　　　　　　　おわり

例題：17、x、41 が等差数列をなすとき、x の値を求めてみますね。

<解法>　等差中項より、　$2x=17+41$　∴　$x=29$　（答）

5章　数列および極限

復習 34

等差数列の和

等差数列の和の公式
両方使いこなせるようにしてください。

初項 a、公差 d、項数 n、末項 l のとき、等差数列の和 S_n は

[1] $S_n = \dfrac{1}{2}n(a+l)$　　　　[2] $S_n = \dfrac{1}{2}n\{2a+(n-1)d\}$

[証明]

初項 a_1、公差 d、項数 n の等差数列の和は

$S_n = a_1 + (a_1+d) + (a_1+2d) + \cdots + \{a_1+(n-1)d\}$　$\cdots$ ①

また、この数列を逆から見て、末項の l を初項と考えると、公差 $-d$、項数 n の等差数列と見ることができる。すると、この数列の和は

$S_n = l + (l-d) + (l-2d) + \cdots + \{l-(n-1)d\}$　$\cdots$ ②

つぎに、①+②より

$\begin{array}{r} S_n = a_1 + (a_1+d) + (a_1+2d) + \cdots + \{a_1+(n-1)d\} \\ +\underline{)\,S_n = l + (l-d) + (l-2d) + \cdots + \{l-(n-1)d\}} \\ 2S_n = (a_1+l) + (a_1+l) + (a_1+l) + \cdots + (a_1+l) \end{array}$

全部で n 個あります！

∴ $S_n = \dfrac{1}{2}n(a_1+l)$　$\cdots$ [1]

また、l はこの数列の第 n 番目の項（末項）ゆえ、$l = a_1 + (n-1)d$ を [1] に代入すると

$S_n = \dfrac{1}{2}n\{a_1 + a_1 + (n-1)d\} = \dfrac{1}{2}n\{2a_1+(n-1)d\}$　$\cdots$ [2]

注：初項を強調するためここでは初項を a_1 と表記

おわり

さて、一応証明はしましたので、とにかく今は公式が使えるようになることが大切！ 早速、等差数列の和を求めてみましょう。

例題：つぎの等差数列の和を求めてみますね。

(1) 初項 2、公差 3、項数 17

(2) 初項 10、末項 -32、項数 15

＜解法＞

(1) 初項：$a=2$、公差：$d=3$、項数：$n=17$。公式 [2] より、

$$S_{17} = \frac{1}{2} \times 17 \times \{2 \times 2 + (17-1) \times 3\} = 442 \quad (答)$$

(2) 初項：$a=10$、末項：$l=-32$、項数：$n=15$。公式 [1] より、

$$S_{15} = \frac{1}{2} \times 15 \times \{10 + (-32)\} = -165 \quad (答)$$

公式 [2] が多少覚えにくいかもしれませんが、コレばっかりは慣れるしかありませんので……。

突然ですが、ここで数列の表現の決まりに関して一言！
まず、つぎの文章を読んで何か違和感を覚えますか？

・数列 a_n は、初項 2、公差 3 の等差数列である。

細かいことのようですが、通常この文章は以下のように表します。

・数列 $\{a_n\}$ は、初項 2、公差 3 の等差数列である。

赤で示したように、数列の一般項を表す部分は必ず数列{中カッコ}と表記してください。漸化式の解法などでも、必ずこのような 1 行を書かなければならず、当然の知識ゆえ常に意識しておいてくださいね！

演習 124　等差数列の和を求めてみましょう。

(1) 初項 15、公差 -3、項数 15

(2) 初項 8、末項 90、項数 17

復習 35

調和数列および数列の和と一般項

調和数列とは？

a、b、c の順に各項の逆数をとったとき、等差数列となる数列。

$$\frac{1}{a}、\frac{1}{b}、\frac{1}{c} \Rightarrow 公差：\frac{1}{b}-\frac{1}{a}=\frac{1}{c}-\frac{1}{b}$$

初項 $\frac{1}{a}=p$、公差 d とすると、$\frac{1}{a_n}=p+(n-1)d$ ∴ $\frac{1}{a_n}=\frac{p+(n-1)d}{1}$

より、**逆数**をとり、**一般項**は $a_n=\dfrac{1}{p+(n-1)d}$ と表せる。

例題：調和数列 6、3、2・・・の一般項 a_n を求め、また、第 6 項目を求めてみますね。

＜解法＞

調和数列より、逆数 $\dfrac{1}{6}$、$\dfrac{1}{3}$、$\dfrac{1}{2}$ はこの順で等差数列となる。

よって、公差：$\dfrac{1}{3}-\dfrac{1}{6}=\dfrac{1}{6}$ より、

数列 $\left\{\dfrac{1}{a_n}\right\}$ は、初項 $\dfrac{1}{6}$、公差 $\dfrac{1}{6}$ の等差数列である。

> 数列の表現の決まり！
> 思い出してくださいね。

したがって、$\dfrac{1}{a_n}=\dfrac{1}{6}+(n-1)\dfrac{1}{6}=\dfrac{n}{6}$ ∴ $a_n=\dfrac{1}{\frac{n}{6}}=\dfrac{6}{n}$ （答）

また、第 6 項目は $a_6=\dfrac{6}{6}=1$ ∴ $a_6=1$ （答）

演習 125 x、y、z が、この順で調和数列になるとき、y を x、z で表してみましょう。

ヒント：逆数をとれば等差数列より、等差中項が使えますよね！「**調和中項**」と言います。

等差数列の和 S_n と一般項 a_n の関係　（超重要）

等差数列 $\{a_n\}$：a_1、a_2、a_3、a_4、a_5、・・・・a_n

[1] $a_1 = S_1$ ：S_1 を「数列 $\{a_n\}$ の初項 a_1 までの和」と考えればいいでしょ！

[2] $a_n = S_n - S_{n-1}$ （$n \geq 2$）←この条件を絶対に忘れないでね！

$$
\begin{array}{rl}
S_n =& a_1 + a_2 + a_3 + \cdots\cdots + a_{n-1} + a_n \\
-)\ S_{n-1} =& a_1 + a_2 + a_3 + \cdots\cdots + a_{n-1} \\
\hline
S_n - S_{n-1} =& \phantom{a_1 + a_2 + a_3 + \cdots\cdots + a_{n-1} + } a_n
\end{array}
$$

上記のことから、等差数列の和 S_n が n で表されていれば、このヒトツの式からその数列の一般項 a_n が求まってしまうのです！凄いでしょ！？「…」

例題：初項から第 n 項までの和が $S_n = 3n^2 - n$ である数列の一般項を求めてみますね。

〈解法〉ここで体験すれば感動してくれるはず！Ｖサイン

$n \geq 2$ のとき、

$$
\begin{aligned}
a_n &= S_n - S_{n-1} = (3n^2 - n) - \{3(n-1)^2 - (n-1)\} \\
&= 3n^2 - n - (3n^2 - 7n + 4)
\end{aligned}
$$

∴ $a_n = 6n - 4$ ・・・①

つぎに、$n = 1$ のとき、

$S_1 = 3 \times 1 - 1 = 2$ ・・・②

← この $n=1$ を確認することで、すべての自然数で a_n が成り立つことを示すことができ、大変重要な作業なんですね！

ここで①に $n = 1$ を代入すると、$a_1 = S_1 = 2$ となり②を満たす。

よって、①は任意の自然数において成り立つゆえ、一般項は、

$a_n = 6n - 4$ 　（答）

演習 126　初項から第 n 項までの和が $S_n = n^2 + 3n$ である数列の一般項を求めてみましょう。

復習36
等比数列

等比数列とは？

　一言で言えば「隣り合う2項の比が一定」← 比とは $\dfrac{右の項}{左の項}$ の値

　　例： 2、4、8、16、32・・・・・　①

　①は初項から順に同じ数"2"をかけた値を並べた数列と言えますね。また、このときの隣り合った項の比を「公比」と呼びます。よって、①は比が等しい数列より「初項2、公比2の等比数列」と言います。

　では、この等比数列①の一般項を求めてみますね。

等比数列：a_1、a_2、a_3、a_4、a_5、・・・・・a_n・・・・・
初項 a、公比 r とすると、第 n 番目の項 a_n（一般項と言う）は、

$$a_n = a\, r^{n-1} \quad \cdots (\ast)$$

と表せる。

---

①を使って一般項を具体的に求めてみますね。

$n=1$： $a_1 = 2$ （$= 2 \times 2^0$）　← 初項 a_1 に公比をかけて行くイメージで順に追って行ってくださいね！
$n=2$： $a_2 = a_1 \times 2 = a_1 \times 2^1$
$n=3$： $a_3 = a_2 \times 2 = (a_1 \times 2^1) \times 2 = a_1 \times 2^2$
$n=4$： $a_4 = a_3 \times 2 = (a_1 \times 2^2) \times 2 = a_1 \times 2^3$
　　　　　　　　　　⋮
n番目： $a_n = a_1 \times 2^{n-1}$ ← 指数の部分が常に n 番目に対し $(n-1)$ の値になっているでしょ！
　　∴ $a_n = 2 \times 2^{n-1} = 2^n$

いかがですか？　当然、ここでも上記のようには一般項を求めません。（＊）の公式を利用し、計算で求めます。指数の復習は大丈夫ですか？汗

例題：つぎの問いについて答えてみますね。

(1) 初項 3、公比 -2 の等比数列の一般項 a_n を求めてください。

(2) 第 4 項が 24、第 11 項が 3072 である等比数列において、192 は第何項目であるか求めてください。

<解法>

(1) これは公式 $a_n = ar^{n-1}$ より、$a_n = 3(-2)^{n-1}$　（答）

(2) 初項 a、公比 r とすると、$a_n = ar^{n-1}$ より

$$a_4 = ar^{4-1} = ar^3 \quad \therefore \quad ar^3 = 24 \quad \cdots ①$$

$$a_{11} = ar^{11-1} = ar^{10} \quad \therefore \quad ar^{10} = 3072 \quad \cdots ②$$

この計算方法、案外見えそうで見えないようです。でも、ときどき、使いますよ！

② ÷ ① より　[r を求めるため，両辺割り算で係数 a を消す！]

$$\frac{ar^{10}}{ar^3} = \frac{3072}{24} \quad r^7 = 128 = 2^7 \quad \therefore \quad r = 2 \quad ① より、a \cdot 2^3 = 24 \quad \therefore \quad a = 3$$

よって、一般項　$a_n = 3 \cdot 2^{n-1} \quad \cdots (*)$

だから、$a_n = 192$ より（*）を利用し

底が等しいので、指数部分の比較

$$3 \cdot 2^{n-1} = 192 \quad 2^{n-1} = 64 = 2^6 \quad \therefore \quad n-1 = 6 \quad n = 7$$

ゆえに、192 は第 7 項目である。（答）

演習 127　第 2 項が 10、第 7 項が 320 である等比数列において、5120 は第何項目であるか求めてみましょう。

等比中項　a、b、c がこの順で等比数列をなすとき、
「$b^2 = ac$」が成り立つ！

[証明] 公比を r とし、$a = \dfrac{n}{r}$、$b = n$、$c = nr$（$nr \neq 0$）とおくと、

（右辺）$= \dfrac{n}{r} \cdot nr = n^2 =$（左辺）　　　おわり

例題：3、x、48 が等比数列をなすとき、x の値を求めてみますね。

<解法> 等比中項より、$x^2 = 3 \times 48 = 144 \quad \therefore \quad x = \pm 12$　（答）

5 章　数列および極限

復習 37

等比数列の和

等比数列の和の公式 証明方法も重要ゆえ、証明もできるようにね！

初項 a、公比 r、項数 n の等比数列の和 S_n は

[1] $r=1$: $S_n = na$　　　[2] $r \neq 1$: $S_n = \dfrac{a(1-r^n)}{1-r} = \dfrac{a(r^n-1)}{r-1}$

　　　　　　　　　　　　　　　　　　　　　　　（$r<1$ のとき）（$r>1$ のとき）

[証明]

初項 a、公比 r、項数 n の等比数列の和は

$$S_n = a + ar + ar^2 + ar^3 + \cdots + ar^{n-1} \quad \cdots ①$$

[1] $r = 1$ のとき、

$$S_n = a + a + a + a + \cdots + a = na$$

[2] $r \neq 1$ のとき、①の両辺を r 倍する

$$rS_n = ar + ar^2 + ar^3 + \cdots + ar^{n-1} + ar^n \quad \cdots ②$$

①－②（両辺同士ひく）　←　この公比をかけヒトツ項をずらし、元の式からひくという方法はよく使いますので、等比数列の和の公式は導けるように練習する価値あり。

$$\begin{aligned}S_n &= a + \overline{ar + ar^2 + ar^3 + \cdots + ar^{n-1}} \\ -)\ rS_n &= \underline{ar + ar^2 + ar^3 + \cdots + ar^{n-1}} + ar^n \\ (1-r)S_n &= a \phantom{+ ar + ar^2 + ar^3 + \cdots + ar^{n-1}} - ar^n\end{aligned}$$

$$S_n = \dfrac{a - ar^n}{1-r} = \dfrac{a(1-r^n)}{1-r}$$

おわり

補足：[2] に関して、$r>1$ のとき、分母・分子がマイナスになるので、

$S_n = \dfrac{a(r^n - 1)}{r - 1}$ が表記されているだけ。両方覚える必要なし！

例題：つぎの等比数列の第 n 項までの和 S_n を求めてみますね。

(1) 初項 2、公比 3　　　(2) 1、x、x^2、x^3、…

＜解法＞

(1) 初項 $a=2$、公比 $r=3$ より　念のため、両方の公式で解いてみますね！

・$r<1$：$S_n = \dfrac{a(1-r^n)}{1-r}$: $S_n = \dfrac{2(1-3^n)}{1-3} = \dfrac{2(1-3^n)}{-2} = -(1-3^n) = 3^n - 1$

・$r>1$：$S_n = \dfrac{a(r^n-1)}{r-1}$: $S_n = \dfrac{2(3^n-1)}{3-1} = \dfrac{2(3^n-1)}{2} = 3^n - 1$ （答）

別に無理して使い分けしなくても、一方だけで十分でしょ！？

(2) これは場合分けが必要！←大切な基本的な考え方です！

　i：$x=1$ のとき、［各項が文字で表されているときは、十分注意が必要！］

$$S_n = \underbrace{1+1+1+1+1+\cdots+1}_{\text{全部で } n \text{ 個}} = n$$

　ii：$x \neq 1$ のとき、

$$S_n = \dfrac{1 \cdot (1-x^n)}{1-x} = \dfrac{1-x^n}{1-x}$$

補足：「$x<1$」「$1<x$」の場合分けは無意味ですからね！（1）の結果でわかっていただけますよね！

よって、i、ii より

・$x=1$ のとき　$S_n = n$　　・$x \neq 1$ のとき　$S_n = \dfrac{1-x^n}{1-x} \left(= \dfrac{x^n-1}{x-1} \right)$ （答）

積み立て預金の元利合計（1 年ごとの複利）

　毎年、年の初めに a 円を年利率 r の 1 年複利で積み立て、n 年末の元利合計 S_n の計算方法　［初項：$a(1+r)$、公比 $(1+r)$、項数：n］

　　　　　1 年目末　2 年目末　3 年目末　…　n 年目末

$$S_n = a(1+r) + a(1+r)^2 + a(1+r)^3 + \cdots + a(1+r)^n = \dfrac{a(1+r)\{(1+r)^n - 1\}}{(1+r)-1}$$

$$\therefore S_n = \dfrac{a}{r}(1+r)\{(1+r)^n - 1\} \leftarrow （公式）$$

例題：毎年はじめに 1 万円ずつ年利率 6％（複利）で 5 年間積み立てたときの元利合計は、$S_5 = \dfrac{10000}{0.06}(1+0.06)\{(1+0.06)^5 - 1\} \fallingdotseq 59700$

復習 38

記号 Σ (シグマ) の意味

突然ですが「1 から 20 までの自然数の和を式で表し、計算してください」と言われたら、たぶんほとんどの方がつぎのように書きますよね！？

$1+2+3+4+5+6+7+8+9+10+11+12+13+14+15+16+17+18+19+20＝$ （電卓もしくは筆算で　ぅ〜ん……）$＝210$

「なんて面倒なんでしょ〜！」でもね、Σ を使うと驚くほど簡単に表せ、かつ、計算も楽に済んでしまうのですよ！　つぎの式を見てください。

$$\sum_{k=1}^{20} k = \frac{1}{2} \cdot 20 \cdot (20+1) = 210 \quad \cdots ①$$

「ホラ！凄いでしょ！？」では、①を利用し Σ の意味をお話ししますね。

$\sum_{k=1}^{20} k$ の意味：k に 1〜20 まで順に自然数を入れ、それをすべて加える！

ただ、コレだけの意味なんです。また、①の計算は「初項 1、公差 1 の等差数列の 20 項目までの和」とも言えますよね。よって、この記号を使って数列 $\{a_n\}$ の初項 a_1 から第 n 項までの和はつぎのように表せます。

$$a_1 + a_2 + a_3 + a_4 + a_5 + \cdots + a_n = \sum_{k=1}^{n} a_k$$

自然数の累乗の和の公式　　　　　　絶対にゼッタイに覚える！！

- $\sum_{k=1}^{n} k = 1+2+3+\cdots+n = \dfrac{1}{2}n(n+1)$

- $\sum_{k=1}^{n} k^2 = 1^2+2^2+3^2+\cdots+n^2 = \dfrac{1}{6}n(n+1)(2n+1)$

- $\sum_{k=1}^{n} k^3 = 1^3+2^3+3^3+\cdots+n^3 = \left\{\dfrac{1}{2}n(n+1)\right\}^2$

まず、Σの意味を理解していただくために、和の式をΣを使って表す練習からはじめたいと！

例題：つぎの和の式をΣを使って表してみますね。

(1) $2+4+6+8+10+12$ (2) $1^2+3^2+5^2+7^2+9^2$

(3) $1\cdot2+2\cdot3+3\cdot4+4\cdot5+5\cdot6$

＜解法＞

(1) 偶数の和であることから、偶数を$2k$と表し、このkに1〜6までを順に代入すれば、式の偶数すべてを表せますね。

$$\therefore\ 2+4+6+8+10+12 = \sum_{k=1}^{6}2k\quad（答）$$

(2) 奇数の2乗の和ゆえ、まず、奇数の2乗を$(2k-1)^2$と表し、このkに1〜5までを順に代入すれば、式の奇数すべてを表せます。

$$\therefore\ 1^2+3^2+5^2+7^2+9^2 = \sum_{k=1}^{5}(2k-1)^2\quad（答）$$

(3) この場合は、積の"左"と"右"別々に着目し規則性を探す。

　　左：1, 2, 3, 4, 5 ⇒ kと表せる。

　　右：2, 3, 4, 5, 6 ⇒ $(k+1)$と表せる。

$$\therefore\ 1\cdot2+2\cdot3+3\cdot4+4\cdot5+5\cdot6=\sum_{k=1}^{5}k(k+1)\quad（答）$$

いかがですか？　記号Σに嫌悪感をお持ちの方でも、ここまでの話でだいぶそれも薄らいで来たのではないでしょうか？

とは言われてもねぇ〜……「ふぅ〜！」

演習128　つぎの和の式をΣを使って表してみましょう。

(1) $5+10+15+20+25+30+35$

(2) $1+8+27+64+\cdots\cdots+1000$

(3) $2\cdot4+4\cdot6+6\cdot8+8\cdot10+10\cdot12$

復習 39

Σの性質および計算

記号Σの意味が理解できたところで、つぎはコレを使いこなさなければなりません。そこで、まず計算の前にΣの性質を確認しましょう。

Σの性質

複号同順：符号が複数あり、符号の位置が対応する意味。

[1] $\displaystyle\sum_{k=1}^{n}(a_k \pm b_k) = \sum_{k=1}^{n}a_k \pm \sum_{k=1}^{n}b_k$ （複号同順）

数列$\{a_n\}\{b_n\}$において

（左辺）$= (a_1+b_1)+(a_2+b_2)+(a_3+b_3)+(a_4+b_4)+\cdots+(a_n+b_n)$

（右辺）$= (a_1+a_2+a_3+a_4+\cdots+a_n)+(b_1+b_2+b_3+b_4+\cdots+b_n)$

となり、問題ないですね！ ← 「$a_k - b_k = a_k + (-b_k)$」と考えれば、和の形での確認で十分ですよね！

[2] $\displaystyle\sum_{k=1}^{n}ca_k = c\sum_{k=1}^{n}a_k$

数列$\{a_n\}$において

（左辺）$= ca_1+ca_2+ca_3+ca_4+\cdots+ca_n$ ・・・・（＊）

（右辺）$= c(a_1+a_2+a_3+a_4+\cdots+a_n)$

となり、問題ないですね！

- $\displaystyle\sum_{k=1}^{n}k = \frac{1}{2}n(n+1)$
- $\displaystyle\sum_{k=1}^{n}k^2 = \frac{1}{6}n(n+1)(2n+1)$
- $\displaystyle\sum_{k=1}^{n}k^3 = \left\{\frac{1}{2}n(n+1)\right\}^2$

[3] $\displaystyle\sum_{k=1}^{n}c = nc$ （cはkには無関係な定数）

$\displaystyle\sum_{k=1}^{n}c = \underbrace{c+c+c+c+\cdots+c}_{n個} = nc$ ← （＊）において、数列$\{a_n\}$の項がすべて1であると考えれば理解できませんか！？

では、上の性質にしたがい、Σの和の公式を利用した計算の演習へと進んで行きましょう。

例題 1： つぎの和を Σ を使って表し、計算してみますね。

(1) $1^2 + 2^2 + 3^2 + \cdots + 10^2$　　(2) $1^3 + 2^3 + 3^3 + \cdots + 7^3$

〈解法〉 左のページに小さく点線枠で公式を書いておきましたからね！

(1) （与式）$= \sum_{k=1}^{10} k^2 = \dfrac{1}{6} \cdot 10\,(10+1)\,(2 \cdot 10 + 1) = 385$

(2) （与式）$= \sum_{k=1}^{7} k^3 = \left\{ \dfrac{1}{2} \cdot 7(7+1) \right\}^2 = 784$

演習 129 つぎの計算をしてみましょう。

(1) $\displaystyle\sum_{k=1}^{20} k$　　(2) $\displaystyle\sum_{k=1}^{8} k^2$

例題 2： つぎの計算をしてみますね。

(1) $\displaystyle\sum_{k=1}^{n} (2k-1)$　　(2) $\displaystyle\sum_{k=1}^{n} k(k-1)$

〈解法〉

(1) $\displaystyle\sum_{k=1}^{n}(2k-1) = 2\sum_{k=1}^{n} k - \sum_{k=1}^{n} 1 = 2 \cdot \dfrac{1}{2} n(n+1) - n = n^2 + n - n = n^2$

(2) $\displaystyle\sum_{k=1}^{n} k(k-1) = \sum_{k=1}^{n}(k^2 - k) = \sum_{k=1}^{n} k^2 - \sum_{k=1}^{n} k$

　　$= \dfrac{1}{6} n\,(n+1)\,(2n+1) - \dfrac{1}{2} n(n+1)$　← 因数分解の形での表記がベスト！また、分数がある場合は、分母同士の最小公倍数でククル。

　　$= \dfrac{1}{6} n\,(n+1)\{(2n+1) - 3\}$

　　$= \dfrac{1}{6} n\,(n+1)\,(2n-2)$　← 共通因数 2 を出し、約分！

　　$= \dfrac{1}{3} n\,(n+1)\,(n-1)$

演習 130 つぎの計算をしてみましょう。

(1) $\displaystyle\sum_{k=1}^{n}(4k-3)$　　(2) $\displaystyle\sum_{k=1}^{n} 3k(2k-1)$

例題 3：つぎの計算をしてみますね。

(1) $\displaystyle\sum_{k=1}^{n} 3^k$ 　　　　(2) $\displaystyle\sum_{k=1}^{n} 2^{k-1}$

<解法>

これは、Σ計算の意味が本当に理解できているかを試すにはもってこいの問題なんです。右枠にたまぁ～に見る誤答をお見せします。

(1) 多くの方が「こんな形の公式知らない！」とお手上げになります。でも、Σの基本に戻れば簡単なんですね。

> **笑えない誤答！**汗
> (1) $\displaystyle\sum_{k=1}^{n} 3^k = 3^{\frac{1}{2}n(n+1)}$

$$\sum_{k=1}^{n} 3^k = \underline{3 + 3^2 + 3^3 + \cdots + 3^n}$$

← Σの意味は、指数の k に「1から順に n」まで入れ、そのすべてを加える！

↑「初項 3、公比 3 の等比数列の初項から第 n 項までの和」の意味！

いかがですか？ 意味を理解できていれば難しいことはありません。そこで、この**指数のΣ計算**のときは、**等比数列の一般項の形に直す**よう心がけてみてください。

$$\sum_{k=1}^{n} 3^k = \sum_{k=1}^{n} 3 \cdot 3^{k-1}$$

← 等比数列の一般項：$a_n = a \cdot r^{n-1}$ より
　$3^k = 3 \cdot 3^{k-1}$ と指数をヒトツ減らし 3 を前に出す

$$= \frac{3(3^n - 1)}{3 - 1}$$

← 等比数列の和：$S_n = \dfrac{a(1-r^n)}{1-r} = \dfrac{a(r^n-1)}{r-1}$

$$= \frac{3}{2}(3^n - 1) \quad \text{（答）}$$

(2) $\displaystyle\sum_{k=1}^{n} 2^{k-1} = \sum_{k=1}^{n} \underline{1 \cdot 2^{k-1}} = \frac{1(2^n - 1)}{2 - 1} = 2^n - 1$ ← 無理に 1 を出す必要はありませんが、初項 1 を強調するために出してみました。

演習 131 つぎの計算をしてみましょう。

(1) $\displaystyle\sum_{k=1}^{n} 2 \cdot 5^k$ 　　　　(2) $\displaystyle\sum_{k=1}^{n} \left(\frac{1}{2}\right)^k$

例題4：つぎの数列の第 n 項までの和 S_n を求めてみますね。

$$3\cdot 2+6\cdot 3+9\cdot 4+\cdots\cdots$$

<解法>

・規則性を見つけ一般項 a_n を求め、$S_n = \sum_{k=1}^{n} a_k$ で解決！

$a_n = 3n\cdot(n+1)$ ← 左・右別々の数列と考え、規則性を読み取る。

よって、　　　左　右

$$S_n = \sum_{k=1}^{n} 3k(k+1) = \sum_{k=1}^{n}(3k^2+3k) = 3\sum_{k=1}^{n}k^2 + 3\sum_{k=1}^{n}k$$

$$= 3\cdot\frac{1}{6}n(n+1)(2n+1) + 3\cdot\frac{1}{2}n(n+1) = \frac{1}{2}n(n+1)(2n+1) + \frac{3}{2}n(n+1)$$

$$= \frac{1}{2}n(n+1)\{(2n+1)+3\} = \frac{1}{2}n(n+1)(2n+4) = n(n+1)(n+2)　（答）$$

演習132　つぎの数列の第 n 項までの和 S_n を求めてみましょう。

$$1\cdot 2+3\cdot 4+5\cdot 6+\cdots\cdots$$

例題5：数列 $1、1+3、1+3+5、1+3+5+7、\cdots$ についてつぎの問いを求めてみますね。

（1）第 k 項 a_k 　　　　　　　　（2）第 n 項までの和 S_n

<解法>

（1）各項が奇数の和で、また、項の番号と足される数が一致。

よって、$a_k = \sum_{j=1}^{k}(2j-1) = 2\sum_{j=1}^{k}j - \sum_{j=1}^{k}1 = 2\cdot\frac{1}{2}k(k+1) - k = k^2$ （答）

注：Σの下の部分の変数に使う文字は k でなくとも構いません！

（2）$S_n = \sum_{k=1}^{n}k^2 = \frac{1}{6}n(n+1)(2n+1)$　（答）

このような「各項が和の数列」は、苦手な人が多いんですよ！

演習133　数列 $1、1+2、1+2+4、1+2+4+8、\cdots$ の第 k 項 a_k と第 n 項までの和 S_n を求めてみましょう。

復習 40

分数数列の和

右のように、分数の分母が 2 数の積で表せる場合、その 2 数をそれぞれ分母とした「分数の差」として表すことを「"部分分数"に分ける」と言います。

$$\frac{1}{2\times 3} = \frac{1}{2} - \frac{1}{3}$$

[I] "部分分数"（積が 2 個）の分け方！

$$\frac{1}{小 \times 大} = \frac{1}{(大-小)}\left(\frac{1}{小} - \frac{1}{大}\right) \Leftrightarrow \frac{1}{3\times 7} = \frac{1}{7-3}\left(\frac{1}{3} - \frac{1}{7}\right) = \frac{1}{4}\left(\frac{1}{3} - \frac{1}{7}\right)$$

例：$a > b$

$$\frac{1}{(k+b)(k+a)} = \frac{1}{(k+a)-(k+b)}\left(\frac{1}{k+b} - \frac{1}{k+a}\right) = \frac{1}{a-b}\left(\frac{1}{k+b} - \frac{1}{k+a}\right)$$

「ナゼ？ コレが重要なのか！」を早速、例題を使ってお話ししましょう。

例題 1：つぎの第 n 項までの和 S_n を求めてみますね。

$$\frac{1}{1\cdot 2} + \frac{1}{2\cdot 3} + \frac{1}{3\cdot 4} + \cdots\cdots + \frac{1}{n(n+1)}$$

<解法> 第 n 項の n を k に直して Σ 計算！

$$S_n = \sum_{k=1}^{n} \frac{1}{k(k+1)} = \sum_{k=1}^{n}\left(\frac{1}{k} - \frac{1}{k+1}\right) \quad \leftarrow \frac{1}{k(k+1)} = \frac{1}{(k+1)-k}\left(\frac{1}{k} - \frac{1}{k+1}\right) = \frac{1}{k} - \frac{1}{k+1}$$

$$= \left(\frac{1}{1} - \frac{1}{2}\right) + \left(\frac{1}{2} - \frac{1}{3}\right) + \left(\frac{1}{3} - \frac{1}{4}\right) + \cdots\cdots + \left(\frac{1}{n} - \frac{1}{n+1}\right)$$

← Σ の意味から、k に 1 〜 n まで代入し、各項の和。気持よく真ん中の部分が消えて行く。V サイン！

$$= 1 - \frac{1}{n+1} = \frac{n+1}{n+1} - \frac{1}{n+1} = \frac{n}{n+1} \quad \text{（答）}$$

いかがですか？ チョットだけ感動でしょ！ ここまでで、Σ の意味がわかっていただけたでしょうか？

よぉ〜くわかりました！ たぶんね！ 笑

演習 134 つぎの第 n 項までの和 S_n を求めてみましょう。

$$\frac{1}{1\cdot 3} + \frac{1}{3\cdot 5} + \frac{1}{5\cdot 7} + \cdots\cdots$$

← 第 n 項を考え、部分分数に分ける！

[Ⅱ] "部分分数"（積が3個）の分け方！

$$\frac{1}{\text{小}\times\text{中}\times\text{大}} = \frac{1}{(\text{大}-\text{小})}\left(\frac{1}{\text{小}\times\text{中}} - \frac{1}{\text{中}\times\text{大}}\right)$$

$$\Leftrightarrow \quad \frac{1}{3\times 5\times 7} = \frac{1}{7-3}\left(\frac{1}{3\times 5} - \frac{1}{5\times 7}\right) = \frac{1}{4}\left(\frac{1}{3\times 5} - \frac{1}{5\times 7}\right)$$

例： $a > b$、 $k+a > k+b$

$$\frac{1}{k(k+b)(k+a)} = \frac{1}{(k+a)-k}\left(\frac{1}{k(k+b)} - \frac{1}{(k+b)(k+a)}\right)$$

$$= \frac{1}{a}\left(\frac{1}{k(k+b)} - \frac{1}{(k+b)(k+a)}\right)$$

例題2：つぎの第 n 項までの和 S_n を求めてみますね。

$$\frac{1}{1\cdot 2\cdot 3} + \frac{1}{2\cdot 3\cdot 4} + \frac{1}{3\cdot 4\cdot 5} + \cdots\cdots + \frac{1}{n(n+1)(n+2)}$$

＜解法＞

$$S_n = \sum_{k=1}^{n} \frac{1}{k(k+1)(k+2)} = \sum_{k=1}^{n} \frac{1}{(k+2)-k}\left(\frac{1}{k(k+1)} - \frac{1}{(k+1)(k+2)}\right)$$

消えますよ！ルンルン！

$$= \frac{1}{2}\left\{\left(\frac{1}{1\cdot 2} - \frac{1}{2\cdot 3}\right) + \left(\frac{1}{2\cdot 3} - \frac{1}{3\cdot 4}\right) + \cdots\cdots + \left(\frac{1}{n(n+1)} - \frac{1}{(n+1)(n+2)}\right)\right\}$$

$$= \frac{1}{2}\left\{\frac{1}{1\cdot 2} - \frac{1}{(n+1)(n+2)}\right\} = \frac{1}{2}\cdot\frac{(n+1)(n+2)-2}{2(n+1)(n+2)} = \frac{n^2+3n+2-2}{4(n+1)(n+2)}$$

$$= \frac{n^2+3n}{4(n+1)(n+2)} = \frac{n(n+3)}{4(n+1)(n+2)} \quad \text{（答）} \quad \leftarrow \text{できるだけ因数分解の形に！}$$

復習 41

階差数列

階差数列とは？

一言で言えば「隣り合う 2 項の差が"等差 or 等比数列"である」

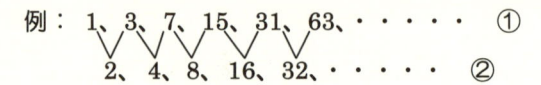

例： 1、3、7、15、31、63、‥‥‥ ①
      2、4、8、16、32、‥‥‥ ②

①の各項の差を順に並べたモノが②の数列です。

②は「初項 2、公比 2 の等比数列：$b_n = 2 \cdot 2^{n-1} = 2^n$」になっていますよね。
このように最初の数列①は一見なにも規則性がなさそうだが、しかし、
"各項の差がある数列になっている"ものが「階差数列」なんです。
そこで、①②の数列をそれぞれ $\{a_n\}\{b_n\}$ とすると、この 2 つの関係はつぎのように表せます。（下の点線を境に左右を比較し、見てくださいね！）

① ⇒ a_1　a_2　a_3　a_4　a_5　‥‥数列$\{a_n\}$　項数は n 個
② ⇒ 　b_1　b_2　b_3　b_4　b_5　‥‥数列$\{b_n\}$　項数は $(n-1)$ 個

a_1

$a_2 = a_1 + b_1$

$a_3 = a_2 + b_2 = a_1 + (b_1 + b_2)$

$a_4 = a_3 + b_3 = a_1 + (b_1 + b_2 + b_3)$

$\vdots$

$a_n = a_1 + \overbrace{(b_1 + b_2 + b_3 + \cdots\cdots + b_{n-1})}^{n-1 個}$

$ = a_1 + \sum_{k=1}^{n-1} b_k \quad \cdots (*)$

1

$3 = 1 + 2$

$7 = 3 + 4 = 1 + (2 + 4)$

$15 = 7 + 8 = 1 + (2 + 4 + 8)$

$\vdots$

$a_n = 1 + \overbrace{(2 + 4 + 8 + \cdots\cdots + 2^{n-1})}^{n-1 個}$

$ = 1 + \sum_{k=1}^{n-1} 2 \cdot 2^{k-1} \quad \cdots (*)$

$ = 1 + \dfrac{2(2^{n-1} - 1)}{2 - 1}$ ← 等比数列「初項 2、公比 2」の第 $n-1$ 項までの和

$\therefore \ a_n = 2^n - 1$ （答）

補足：$(*)$ は $n \geqq 2$ でしか成立せず、それゆえ、$n = 1$ における確認が必要！そこで、$a_1 = 1$ ゆえ、満たす。よって、（答）となるんですね！　詳しくは、右ページをご覧ください。→

階差数列：a_1、a_2、a_3、a_4、・・・・a_n、a_{n+1}、・・・・・

数列$\{a_n\}$において、
$$b_n = a_{n+1} - a_n \quad (n=1,2,3,4\cdots)$$
と表せる数列$\{b_n\}$を数列$\{a_n\}$の階差数列と言う。

そして、数列$\{a_n\}$は、 $\quad a_n = a_1 + \sum_{k=1}^{n-1} b_k \quad (n \geq 2)$

と表せる。

補足：数列$\{b_n\}$を数列$\{a_n\}$の第1階差数列とも言い、数列$\{b_n\}$を同様に新たな数列$\{c_n\}$からも求める場合もある。このとき、数列$\{c_n\}$は数列$\{a_n\}$の第2階差数列、数列$\{b_n\}$の第1階差数列と言う。

例題：つぎの数列の一般項a_nを求め、また、第n項までの和S_nを求めてみますね。

$$2、4、8、14、22、32、・・・・・$$

<解法> 数列$\{a_n\}$の階差数列を$\{b_n\}$とすると、

$\{a_n\}$：2、4、8、14、22、32、・・・・・
$\{b_n\}$：2、4、6、8、10、・・・・・

数列$\{b_n\}$は「初項2、公差2の等差数列」ゆえ、一般項b_nは

$$b_n = 2 + (n-1)\cdot 2 \quad \therefore \quad b_n = 2n$$

$n \geq 2$ のとき

（注意してね！）

$$a_n = 2 + \sum_{k=1}^{n-1} 2k = 2 + 2\cdot\frac{1}{2}n(n-1) = n^2 - n + 2$$

また、$n=1$のとき、$a_1 = 2$で成り立つゆえ、一般項a_nは

$$a_n = n^2 - n + 2 \quad （答）$$

↑
この$n=1$の確認、忘れないでね！

つぎに、

$$S_n = \sum_{k=1}^{n} a_k = \sum_{k=1}^{n}(k^2 - k + 2) = \sum_{k=1}^{n} k^2 - \sum_{k=1}^{n} k + \sum_{k=1}^{n} 2$$

$$= \frac{1}{6}n(n+1)(2n+1) - \frac{1}{2}n(n+1) + 2n = \frac{1}{6}n\{(n+1)(2n+1) - 3(n+1) + 12\}$$

$$= \frac{1}{6}n(2n^2 + 10) = \frac{1}{6}n\cdot 2(n^2 + 5) = \frac{1}{3}n(n^2 + 5) \quad （答）$$

復習42

数列の極限

今、4つの数列$\{a_n\}\{b_n\}\{c_n\}\{d_n\}$があります。

① 数列$\{a_n\}$：1、2、3、4、・・・、n、・・・

② 数列$\{b_n\}$：-2、-4、-6、-8、・・・、$-2n$、・・・

③ 数列$\{c_n\}$：2、-4、8、-16、・・・$-(-2)^n$、・・・

④ 数列$\{d_n\}$：$\dfrac{1}{2}$、$\dfrac{1}{4}$、$\dfrac{1}{8}$、$\dfrac{1}{16}$、・・・、$\left(\dfrac{1}{2}\right)^n$、・・・

「さて、ここで質問です！」 上記の各数列をこのまま書き続けたとき、どんな数になって行くと思いますか？ 難しく考える必要はありませんからね！ "n" がどんどん大きな数となるときをイメージしてください！

① 数列$\{a_n\}$「どんどん大きな数になり、1億、1兆とキリがないよぉ～」

② 数列$\{b_n\}$「どんどん小さな数になり、マイナス1兆とキリがないぞ！」

③ 数列$\{c_n\}$「プラス（＋）、マイナス（－）を繰り返すから、ゥ～ン・・・？」

④ 数列$\{d_n\}$「分母がどんどん大きくなるので、最後は0に近づくはず？」

「いかがですか？」皆さんも同じイメージをお持ちいただけましたか？ 数学では「nを限りなく大きくしたとき、その数列の項があるヒトツの数に近づくか否かで」ある数に近づかない場合は「発散」、近づく場合は「収束」と表現します。では、①～④をこれに当てはめてみますね。

① a_n が限りなく大きくなるとき、$\{a_n\}$は正の無限大に発散する。

② b_n が負で、$|b_n|$ が限りなく大きくなるとき、$\{b_n\}$は負の無限大に発散する。

|絶対値|は符号を＋として考える意味

③ c_n が一定の値に収束せず、符号が交互に代わることを「振動」と言い、$\{c_n\}$は振動する。

④ d_n が0に限りなく近づくとき、$\{d_n\}$は0に収束する。

では、①〜④に関して言葉ではなく式で表すとどうなるかお話しします。

① 「a_n が限りなく大きくなるとき、$\{a_n\}$ は正の無限大に発散する。」
 ⇔ 「$\lim_{n\to\infty} a_n = +\infty$、または、$a_n \to +\infty$ （$n \to \infty$）」と示す。

② 「b_n が負で、$|b_n|$ が限りなく大きくなるとき、
 $\{b_n\}$ は負の無限大に発散する。」
 ⇔ 「$\lim_{n\to\infty} b_n = -\infty$、または、$\underline{b_n \to -\infty\ (n \to \infty)}$」と示す。
 　　　　　　　　　　　　　↑
 　　　　　　　　n を ∞ にすると、b_n は $-\infty$ になるの意

③ 振動は、$c_n = (-1)^n$ の形の場合。

④ 「d_n が 0 に限りなく近づくとき、$\{d_n\}$ は 0 に収束する。」
 ⇔ 「$\lim_{n\to\infty} d_n = 0$、または、$d_n \to 0$ （$n \to \infty$）」と示す。

ここで、今までのことを"まとめ"ておきましょう。

数列の極限

・収束　　$\lim_{n\to\infty} a_n = \alpha$ （極限値） ⎫
　　　　　　　　　　　　　　　　　　　　　　　　⎪
・発散　⎧ $\lim_{n\to\infty} a_n = +\infty$　　　　　　⎬　極限がある
　　　　⎨ $\lim_{n\to\infty} a_n = -\infty$　　　　　　⎭
　　　　⎩ $\lim_{n\to\infty} a_n$ が存在しない（振動）　極限がない

補足：n を限りなく大きくしたとき、ハッキリとした結果がでる場合、「極限がある」と言い、また、その結果が一定の値に近づく場合、その値を「極限値」と言う。よって、振動では結果がハッキリしないので「極限はない」となります。

演習 135　第 n 項がつぎの式で表されている数列の極限を①、②、③、④に分類してみましょう。①正の無限大に発散　②負の無限大に発散　③収束する　④振動する

(1) $n^{-\frac{1}{2}}$　(2) $-n^2$　(3) $\sqrt{3n}$　(4) $-(-2)^n$　(5) $\dfrac{5}{n}$

復習 43
数列の極限の求め方

最初に「数列の極限の性質」を示し、「極限の求め方」へと進みましょう。

数列の極限の性質 数列$\{a_n\}\{b_n\}$が収束するときの計算の規則性です！

$\lim_{n\to\infty} a_n = \alpha$ 、 $\lim_{n\to\infty} b_n = \beta$ のとき、

① $\lim_{n\to\infty} ca_n = c\lim_{n\to\infty} a_n = c\alpha$ （cは定数）

② $\lim_{n\to\infty}(a_n \pm b_n) = \lim_{n\to\infty} a_n \pm \lim_{n\to\infty} b_n = \alpha \pm \beta$ （複号同順）

③ $\lim_{n\to\infty} a_n b_n = \lim_{n\to\infty} a_n \cdot \lim_{n\to\infty} b_n = \alpha\beta$ ④ $\lim_{n\to\infty} \dfrac{a_n}{b_n} = \dfrac{\lim_{n\to\infty} a_n}{\lim_{n\to\infty} b_n} = \dfrac{\alpha}{\beta}$ （$\beta \neq 0$）

「数列の極限を求める基本」はたったの2つ！　（1つめ）

指数部分による場合分け

$\lim_{n\to\infty} n^k = \begin{cases} k>0 & : +\infty \\ k=0 & : 1 \\ k<0 & : 0 \end{cases}$

・$\lim_{n\to\infty} n^k$ の意味を分解して解説！
$n \to \infty$：「nを限りなく大きくしたとき」
$\lim n^k$：「n^kはどんな値に近づきますか？
　　　　　 いわゆる、極限（値）を持ちますか？
　　　　　 持つならば、どんな値ですか？」
このようなことを言っているんです。
ちなみに、limはlim*it*の略で「極限」の意

補足

・$k>0$ のとき、

　n^kのnがどんどん限りなく大きく（$n\to\infty$）なるんですから、

　$n^k \to +\infty$ （$n\to\infty$）がイメージできればOK！

・$k=0$ のとき、$n^k = n^0 = 1$　　nに関係なく「0乗は1だもんね！」

・$k<0$ のとき、$n^k = \dfrac{1}{n^{-k}}$　　「$k<0$より、$-k>0$」

　$\therefore \lim_{n\to\infty} n^k = \lim_{n\to\infty} \dfrac{1}{n^{-k}} = 0$ ← $n \to \infty$ より、分母はどんどん大きくなるので**分数全体は0に近づく**

例題　第 n 項が与えられている数列の極限を求めてみますね。

(1) $n^3 - 4n^2$　　　(2) $\dfrac{1-n^2}{3n+1}$　　　(3) $\sqrt{n+1} - \sqrt{n}$

<解法>

(1) 慣れるまでなかなかイメージがつかめないと思いますので、はじめに「誤答」をいくつかお見せします。

誤1： $\lim\limits_{n \to \infty}(n^3 - 4n^2) = +\infty - (+\infty) = 0$

誤2： $\lim\limits_{n \to \infty}(n^3 - 4n^2) = +\infty$

誤3： $\lim\limits_{n \to \infty}(n^3 - 4n^2) \to +\infty$

> 誤1・2：この2つは、n^3 と $4n^2$ が∞になる速さが必ず n^3 の方が大きいという白黒がついていないからダメ！
> 誤3：コレはときどき見る表記法の間違い！「$\lim\limits_{n \to \infty} a_n =$」の形を確認！

$\lim\limits_{n \to \infty}(n^3 - 4n^2) = \lim\limits_{n \to \infty} \underline{n^3\left(1 - \dfrac{4}{n}\right)} = +\infty$　←最高次数 n^3 でククル！

$\dfrac{4}{n} \to 0\ (n \to \infty)\ \therefore n^3 \to \infty\ (n \to \infty)$

必ず下線部の式を書くようにしてください。

(2) $\lim\limits_{n \to \infty} \dfrac{1-n^2}{3n+1} = \lim\limits_{n \to \infty} \dfrac{\dfrac{1}{n} - n}{3 + \dfrac{1}{n}} = -\infty$　←

分母の最高次数 n で約分

・分子： $\dfrac{1}{n} - n \to -\infty\ (n \to \infty)$

・分母： $3 + \dfrac{1}{n} \to 3\ (n \to \infty)$

(3) $\lim\limits_{n \to \infty}(\sqrt{n+1} - \sqrt{n}) = \lim\limits_{n \to \infty} \dfrac{(n+1) - n}{\sqrt{n+1} + \sqrt{n}}$

分子の有理化

$\dfrac{\sqrt{n+1} - \sqrt{n}}{1} = \dfrac{(\sqrt{n+1} - \sqrt{n})(\sqrt{n+1} + \sqrt{n})}{\sqrt{n+1} + \sqrt{n}}$

$= \lim\limits_{n \to \infty} \dfrac{1}{\sqrt{n+1} + \sqrt{n}}$　←　$\sqrt{n+1} + \sqrt{n} \to +\infty\ (n \to \infty)$

$= 0$

ポイント　・式全体を最高次数でククル！

・分数の場合は、分母の最高次数で約分！

・分子の有理化

演習136　第 n 項が与えられている数列の極限を求めてみましょう。

(1) $7n - 3n^2$　　　(2) $\dfrac{5n^2 + n - 2}{n^2 - n + 1}$　　　(3) $\sqrt{2n+1} - \sqrt{n}$

復習44

無限等比数列

底の部分における場合分け（2つめ）

$$\lim_{n\to\infty} x^n = \begin{cases} 1<x & : +\infty \\ x=1 & : 1 \\ -1<x<1\ (|x|<1) & : 0 \\ x=-1 & : 振動（\pm 1） \\ x<-1 & : 振動（\pm\infty） \end{cases} \begin{matrix} \text{極限あり} \\ \\ \text{極限なし} \end{matrix}$$

補足

- $1<x$ のとき、

  x が1より大きいんですから、その累乗は当然1より大きくなる。
  よって、$x^n \to +\infty\ (n \to \infty)$ がイメージできればOK！

- $x=1$ のとき、$x^n = 1^n = 1 \to 1\ (n \to \infty)$

- $-1<x<1$ のとき、（ⅰ・ⅱ・ⅲより）

  （ⅰ）$0<x<1 : x = \dfrac{1}{a}\ (a>1)$ とおくと、$x^n = \left(\dfrac{1}{a}\right)^n$

  $\therefore x^n = \left(\dfrac{1}{a}\right)^n \to 0\ (n \to \infty)$ 　$n \to \infty$ より、分母はどんどん大きくなるので分数全体は0に近づく

  （ⅱ）$x=0$ のとき、$x^n = 0$

  （ⅲ）$-1<x<0 : x = \dfrac{1}{b}\ (b<-1)$ とおくと、$x^n = \left(\dfrac{1}{b}\right)^n$

  $\therefore x^n = \left(\dfrac{1}{b}\right)^n \to 0\ (n \to \infty)$

- $x=-1$ のとき、$x^n = (-1)^n$ ゆえ、± 1 を繰り返す。よって、振動

- $x<-1$ のとき、$x = -a\ (a>1)$ とおくと、
  $x^n = (-a)^n = (-1)^n a^n$ ゆえ、$\pm$ を繰り返しながら ∞ へ。よって、振動

補足（左ページ）の解説は軽く読み飛ばして構いませんからね！

大切なことは、底の値により「0、1に収束」「＋∞に発散」「±∞で振動（極限なし）」がイメージできれば＋分！

例題1：第n項が与えられている数列の極限を求めてみますね。

（1） $\left(\dfrac{4}{3}\right)^n$ 　　　　　（2） $\left(-\dfrac{2}{3}\right)^n$

＜解法＞ 底の値に集中し、イメージしてください。

（1） $1<\dfrac{4}{3}$ より、$\lim\limits_{n\to\infty}\left(\dfrac{4}{3}\right)^n=+\infty$

（2） $-1<-\dfrac{2}{3}<1$ より、$\lim\limits_{n\to\infty}\left(-\dfrac{2}{3}\right)^n=0$ ← $(-1)^n$ に反応し、振動と勘違いしませんでした？ しかし、0と1の間の数ゆえ、振動しながら0に収束ですね。

例題2：第n項が与えられている数列の極限を求めてみますね。

（1） 3^n-2^n 　　　　　（2） $\dfrac{3^n-2^n}{2^n+3^n}$

＜解法＞ 指数で表現されている場合の対応を理解してください。

（1） $\lim\limits_{n\to\infty}(3^n-2^n)=\lim\limits_{n\to\infty}3^n\left\{1-\left(\dfrac{2}{3}\right)^n\right\}=+\infty$ ← $3^n\to+\infty\,(n\to\infty)$

← 底が大きい数 3^n でククル！

（2） $\lim\limits_{n\to\infty}\dfrac{3^n-2^n}{2^n+3^n}=\lim\limits_{n\to\infty}\dfrac{1-\left(\dfrac{2}{3}\right)^n}{\left(\dfrac{2}{3}\right)^n+1}=1$

← 分数ゆえ、分母の底が大きい累乗の数 3^n で約分。

チョットした数学的な表記に恐れることなく、もし、不安になったなら、表記の意味を再度確認してください。

演習137 　一般項 a_n がつぎのように与えられている数列の極限を求めてみましょう。

$$a_n=\dfrac{3^n}{4^n+1}$$

復習 45

無限等比級数

まずは、言葉の説明からね！

数列$\{a_n\}$があり、各項は以下のように表せます。

$$a_1、a_2、a_3、\cdots、a_n、\cdots$$

そして、この各項の和の式

$$a_1 + a_2 + a_3 + \cdots + a_n + \cdots$$

これを"**級数**"と呼びます。

そこで、この数列の初項から第n項までの和をS_nとし、今度はこの和S_nを右のように数列$\{S_n\}$と新たにおいたとき、この**数列$\{S_n\}$**（$n = 1, 2, \cdots$無限）を「一般項a_nを持つ"**無限級数**"」と言います。

ここまではついてこられていますか……？　ぅ〜ん……微妙！

よって、数列$\{a_n\}$が**等比数列**である場合は、数列$\{S_n\}$は**無限等比級数**と呼びます。

ここまで来ると高校数学は**言葉**が難しく、それを理解するほうが計算よりもウ〜ンと大変なんです！　実は、この後の"微・積"でも、この「言葉」で多くの方が泣かされています！　ドキッ！ 汗

> 項が有限の数列を**有限数列**と呼び、末項がある。しかし、**無限数列**には末項は存在しない！

> 数列$\{s_n\}$
> $S_1 = a_1$
> $S_2 = a_1 + a_2$
> $S_3 = a_1 + a_2 + a_3$
> $\vdots$

さて、ここからやっと本題の「**無限等比級数**」のお話です。

数列$\{a_n\}$を初項a、公比r（$ar \neq 0$）の等比数列とすると、無限等比数列は

$$\underbrace{a、ar、ar^2、\cdots、ar^{n-1}}_{\text{初項から第}n\text{項まで}}、\cdots$$

とおけ、初項から第n項までの和S_nは

$$S_n = \frac{a(1-r^n)}{1-r} \quad (r \neq 1)$$

となりますね。そして、このS_nは無限に続く数列の第n項までの和ゆえ、全体の一部分でしかないでしょ！　だから、"**部分和**"と言います。

そして、この数列$\{S_n\}$が収束・発散するとき、この「無限等比級数が収束・発散する」と言います。
また、数列$\{S_n\}$が"S"に収束する場合、

$$\lim_{n\to\infty} S_n = S$$

→ この意味が理解しにくいかもしれませんね！でも、つらくても最後まで読み進めてください。最後には漠然とわかると思いますので。スミマセン！

と表せ、この"S"はこの無限等比級数

$$a + ar + ar^2 + \cdots + ar^{n-1} + \cdots$$

の和となります。

ふぅ〜、ここまでで「無限等比級数」の基本的な説明は終わりです。
　そこで、ここまでの説明を理解していただけたという前提で、この無限等比級数の"式での表し方"をここでお見せします。

↑「勝手にごめんなさい！」汗

5章 数列および極限

無限等比級数の表し方

$$\sum_{n=1}^{\infty} ar^{n-1} \quad \text{or} \quad a + ar + ar^2 + \cdots + ar^{n-1} + \cdots$$

当然、

$$\sum_{n=1}^{\infty} ar^{n-1} = a + ar + ar^2 + \cdots + ar^{n-1} + \cdots \quad (ar \neq 0)$$

となります！

では、ここから「無限等比級数」のまとめに入って行きます。
　字のごとく「無限」とはいっても無限に足し算をできませんよね！？
そこで、「無限等比級数の和」の求め方は、

第n項までの"部分和"を求め、そのnを∞（無限大）に飛ばす

よって、「無限等比級数の和」が"S"に収束する場合、

$$S_n = a + ar + ar^2 + \cdots + ar^{n-1} = \sum_{k=1}^{n} ar^{k-1} \quad \leftarrow \text{第}n\text{項までの和}$$

より、

$$S = \lim_{n\to\infty} S_n = \sum_{n=1}^{\infty} ar^{n-1}$$

← $S_n \to S \;(n \to \infty)$
「nを∞に飛ばすと、S_nは限りなくSに近づく」
を表しているだけです。

と表せますね。

無限等比級数 ⇒ 初項 a、公比 r の無限等比級数

$$\sum_{n=1}^{\infty} ar^{n-1} = a + ar + ar^2 + \cdots + ar^{n-1} + \cdots \quad (ar \neq 0)$$

・$-1 < r < 1$（$|r| < 1$）のとき、収束 ⇒ $\displaystyle\sum_{n=1}^{\infty} ar^{n-1} = \frac{a}{1-r}$

・$r \leq -1$、$1 \leq r$（$|r| \geq 1$）のとき、発散

補足：（ここの知識は統計でよく利用されるとのこと！）

・$-1 < r < 1$（$|r| < 1$）のとき、

$$\lim_{n \to \infty} S_n = \lim_{n \to \infty} \frac{a(1-r^n)}{1-r} = \lim_{n \to \infty} \left\{ \frac{a}{1-r} - \frac{a}{1-r} \cdot r^n \right\} \quad \cdots (*)$$

$|r| < 1$ において、$\displaystyle\lim_{n \to \infty} r^n = 0$ より

$$\lim_{n \to \infty} S_n = \frac{a}{1-r} \quad \text{（収束）} \qquad \leftarrow 重要$$

・$r \leq -1$、$1 \leq r$（$|r| \geq 1$）のとき、（ⅰ・ⅱ・ⅲより）

（ⅰ）$r \leq -1$ のとき、$(*)$ より振動（発散）がイメージできればOK！

（ⅱ）$r = 1$ のとき、$S_n = a + a + \cdots + a = na$ より、発散

（ⅲ）$r > 1$ のとき、$\displaystyle\lim_{n \to \infty} \frac{(1-r^n)}{1-r} = +\infty$ より、a の符号と一致で ∞ に発散

注意：無限等比数列と無限等比級数の収束条件の違い！

・無限等比数列 ⇒ $-1 < r \leq 1$（$r = 1$ はOK）

・無限等比級数 ⇒ $-1 < r < 1$（$r \neq 1$）

例題1：つぎの無限等比級数の収束・発散を調べ、もし、収束するならばその和を求めてみますね。

(1) $1 + \dfrac{1}{2} + \dfrac{1}{2^2} + \dfrac{1}{2^3} + \cdots\cdots$ 　　　(2) $3 + 3\sqrt{3} + 9 + \cdots\cdots$

<解法>

(1) 初項 $a=1$、公比 $r=\dfrac{1}{2}$ で、$|r|<1$ より収束する。

$$1+\dfrac{1}{2}+\dfrac{1}{2^2}+\dfrac{1}{2^3}+\cdots\cdots = \dfrac{1}{1-\dfrac{1}{2}} = \dfrac{1}{\dfrac{1}{2}} = 2 \text{（答）}$$

(2) 初項 $a=3$、公比 $r=\dfrac{3\sqrt{3}}{3}=\sqrt{3}$ で、$|r|>1$ より発散する。

この無限等比級数の収束・発散は、公比 $|r|$ が 1 より大きければ発散、小さければ収束で公式 $\dfrac{a}{1-r}$ への代入計算で解決！ そこで、例題 2 へ。

例題 2：つぎの「循環小数」を分数に直してみますね。

(1) $0.\dot{1}\dot{2}$　　　　(2) $0.2\dot{3}$

<解法> この循環する部分を「循環節」と言います。

(1) $0.\dot{1}\dot{2} = 0.12 + 0.0012 + 0.000012 + \cdots\cdots$

$= \dfrac{12}{10^2} + \dfrac{12}{10^4} + \dfrac{12}{10^6} + \cdots\cdots$ ← 初項 $\dfrac{12}{10^2}$、公比 $\dfrac{1}{10^2}$ の無限等比級数

$= \dfrac{\dfrac{12}{10^2}}{1-\dfrac{1}{10^2}} = \dfrac{12}{10^2-1} = \dfrac{12}{99} = \dfrac{4}{33}$

$\sum_{n=1}^{\infty} ar^{n-1} = \dfrac{a}{1-r}$、公比 $|r|<1$ より (1)(2) 共に収束ゆえ、下線部分のように上式からカンタンに求められる！

(2) $0.2\dot{3} = \dfrac{1}{10}(2+0.\dot{3})$ ← 循環しない "2" は独立させる！

$= \dfrac{1}{10}\left(2+\dfrac{3}{10}+\dfrac{3}{10^2}+\dfrac{3}{10^3}+\cdots\cdots\right)$ 初項 $\dfrac{3}{10}$、公比 $\dfrac{1}{10}$ の無限等比級数

$= \dfrac{1}{10}\left(2+\dfrac{\dfrac{3}{10}}{1-\dfrac{1}{10}}\right) = \dfrac{1}{10}\left(2+\dfrac{3}{10-1}\right) = \dfrac{1}{10}\left(2+\dfrac{1}{3}\right) = \dfrac{7}{30}$

演習 138　つぎの循環小数を分数に直してみましょう。

(1) $0.\dot{7}$　　　　(2) $0.\dot{3}2\dot{1}$

復習46

一般の無限級数

ここはジックリ勉強しないとわかりにくい項目ゆえ、「ふ〜ん、こんなものなのか!?」という感覚で読み進めてください。

一般の無限級数

> ここでの説明は、「無限等比級数」の冒頭部分とほとんど同じですが「級数」はわかりにくい項目ゆえ、再度説明させていただきました。汗

無限数列$\{a_n\}$において、

$$a_1 + a_2 + a_3 + \cdots + a_n + \cdots \quad \text{または、} \quad \sum_{k=1}^{\infty} a_k$$

で表すものを、数列$\{a_n\}$から得られる"**無限級数**"と呼びます。

そして、初項から第n項までの和S_nは

$$S_n = a_1 + a_2 + a_3 + \cdots + a_n = \sum_{k=1}^{n} a_k$$

と表せ、これをこの無限級数の"**部分和**"と言います。

そして、この部分和の数列$\{S_n\}$がSに収束するとき、

$$\lim_{n \to \infty} S_n = S \quad \cdots (*)$$

と表せ、「無限級数はSに収束する」と言え、また、この**無限級数の和**はSであるとも言える。よって、このことを式で表すと

$$a_1 + a_2 + a_3 + \cdots + a_n + \cdots = S \quad \text{または、} \quad \sum_{k=1}^{\infty} a_k = S$$

となる。

当然、部分和の数列$\{S_n\}$が発散したらば、「**無限級数は発散する**」と言います。

補足：$(*)$の式の意味は、数列の項は無限にあるので、適当な第n項までの和（部分和）をnの式で表し、そのnを∞（無限大）に飛ばしたとき、その値が限りなくSに近づくという意味です。

これから先は、問題を通しての解説にさせてください。

例題1：つぎの無限級数の収束・発散を調べ、収束するのであればその和を求めてみますね。

$$\frac{1}{1\cdot 2}+\frac{1}{2\cdot 3}+\frac{1}{3\cdot 4}+\cdots\cdots+\frac{1}{n(n+1)}+\cdots\cdots$$

＜解法＞

　　考え方 ⇒ 「部分和（第n項までの和）を求め、$n\to\infty$」

第n項までの和をS_nとし、

$$S_n=\frac{1}{1\cdot 2}+\frac{1}{2\cdot 3}+\frac{1}{3\cdot 4}+\cdots\cdots+\frac{1}{n(n+1)}$$ ← 部分分数に分ける！

$$=\left(\frac{1}{1}-\frac{1}{2}\right)+\left(\frac{1}{2}-\frac{1}{3}\right)+\left(\frac{1}{3}-\frac{1}{4}\right)+\cdots\cdots+\left(\frac{1}{n}-\frac{1}{n+1}\right)$$

$$=1-\frac{1}{n+1}$$

消える！

$$\therefore\ \lim_{n\to\infty}S_n=\lim_{n\to\infty}\left(1-\frac{1}{n+1}\right)=1\quad（答）$$

例題2：つぎの無限級数の収束・発散を調べ、収束するのであればその和を求めてみますね。

$$\left(\frac{1}{3}-\frac{2}{4}\right)+\left(\frac{2}{4}-\frac{3}{5}\right)+\left(\frac{3}{5}-\frac{4}{6}\right)+\cdots\cdots$$

注意：カッコがついている場合は、勝手にカッコははずさずに考える！

＜解法＞

　　考え方 ⇒ 「部分和（第n項までの和）を求め、$n\to\infty$」

第n項までの和をS_nとし、

第n項を考える！

$$S_n=\left(\frac{1}{3}-\frac{2}{4}\right)+\left(\frac{2}{4}-\frac{3}{5}\right)+\left(\frac{3}{5}-\frac{4}{6}\right)+\cdots\cdots+\left(\frac{n}{n+2}-\frac{n+1}{n+3}\right)$$

$$=\left(\frac{1}{3}-\frac{2}{4}\right)+\left(\frac{2}{4}-\frac{3}{5}\right)+\left(\frac{3}{5}-\frac{4}{6}\right)+\cdots\cdots+\left(\frac{n}{n+2}-\frac{n+1}{n+3}\right)$$

$$=\frac{1}{3}-\frac{n+1}{n+3}$$

消える！

$$\therefore\ \lim_{n\to\infty}S_n=\lim_{n\to\infty}\left(\frac{1}{3}-\frac{1+\frac{1}{n}}{1+\frac{3}{n}}\right)=\frac{1}{3}-1=-\frac{2}{3}\quad（答）$$

有限個における和ゆえ、カッコをはずして計算できる！　しかし、問題は無限だから、カッコを勝手にはずせない！　この違いわかりますか？

無限級数の和

無限級数 $\sum_{n=1}^{\infty} a_n$、$\sum_{n=1}^{\infty} b_n$ がともに収束し、$\sum_{n=1}^{\infty} a_n = \alpha$、$\sum_{n=1}^{\infty} b_n = \beta$ のとき、

① $\sum_{n=1}^{\infty} c a_n = c \sum_{n=1}^{\infty} a_n$ （c は定数）

② $\sum_{n=1}^{\infty}(a_n \pm b_n) = \sum_{n=1}^{\infty} a_n \pm \sum_{n=1}^{\infty} b_n$ （複号同順）

例題3：つぎの無限級数の収束・発散を調べ、収束するのであれば、その和を求めてみますね。

$$(1-1) + \left(\frac{1}{2} - \frac{1}{3}\right) + \left(\frac{1}{4} - \frac{4}{9}\right) + \left(\frac{1}{8} - \frac{1}{27}\right) \cdots\cdots$$

<解法>

第 n 項を考え、求める和を S とすると、

$$S = (1-1) + \left(\frac{1}{2} - \frac{1}{3}\right) + \left(\frac{1}{4} - \frac{1}{9}\right) + \left(\frac{1}{8} - \frac{1}{27}\right) + \cdots\cdots + \left(\frac{1}{2^{n-1}} - \frac{1}{3^{n-1}}\right) + \cdots$$

ここで、カッコ内の左側、右側に着目し、 ← 部分和を求めても打ち消しあう部分が見つからない！ 汗

左側：$1 + \dfrac{1}{2} + \dfrac{1}{4} + \dfrac{1}{8} + \cdots = \sum_{n=1}^{\infty} \dfrac{1}{2^{n-1}}$　 初項1、公比 $r = \dfrac{1}{2}$　 $|r| < 1$ より

$$\sum_{n=1}^{\infty} \frac{1}{2^{n-1}} = \frac{1}{1 - \dfrac{1}{2}} = \frac{2}{2-1} = 2$$

← 分母・分子を2倍する計算が楽！

右側：$1 + \dfrac{1}{3} + \dfrac{1}{9} + \dfrac{1}{27} + \cdots = \sum_{n=1}^{\infty} \dfrac{1}{3^{n-1}}$　 初項1、公比 $r = \dfrac{1}{3}$　 $|r| < 1$ より

$$\sum_{n=1}^{\infty} \frac{1}{3^{n-1}} = \frac{1}{1 - \dfrac{1}{3}} = \frac{3}{3-1} = \frac{3}{2}$$

← 分母・分子を3倍する計算が楽！

よって、

$$S = \sum_{n=1}^{\infty}\left(\frac{1}{2^{n-1}} - \frac{1}{3^{n-1}}\right) = \sum_{n=1}^{\infty}\frac{1}{2^{n-1}} - \sum_{n=1}^{\infty}\frac{1}{3^{n-1}} = 2 - \frac{3}{2} = \frac{1}{2} \quad \text{（答）}$$

無限級数の収束・発散

① 無限級数 $\sum_{n=1}^{\infty} a_n$ が収束ならば、$\lim_{n\to\infty} a_n = 0$

② $\lim_{n\to\infty} a_n \neq 0$ ならば、$\sum_{n=1}^{\infty} a_n$ は発散する。

実は①は、逆が成り立ちません。まぁ〜、ここは少し面倒なところゆえ「ふぅ〜ん！ そんなものか」程度で流してくださいね！ 笑・汗

補足：理解できなくても「こんなものか!?」程度で OK！

① 無限級数 $\sum_{n=1}^{\infty} a_n$ が S に収束し：$\sum_{n=1}^{\infty} a_n = S$、$\sum_{k=1}^{n} a_k = S_n$ とすると、数列 $\{S_n\}$、$\{S_{n-1}\}$ も収束。よって、$n \geq 2$ で $a_n = S_n - S_{n-1}$ より、

$$\lim_{n\to\infty} a_n = \lim_{n\to\infty}(S_n - S_{n-1}) = \lim_{n\to\infty} S_n - \lim_{n\to\infty} S_{n-1} = S - S = 0$$

② 真の命題に対する対偶も真より、成り立つ。　　意味不明！ 涙

今は気にしないで大丈夫！ 問題なし！ 笑・汗

例題 4：つぎの無限級数が収束しないことを示してみますね。

(1) $1 + \dfrac{2}{3} + \dfrac{3}{5} + \dfrac{4}{7} + \cdots\cdots$ 　　　　(2) $1 - 2 + 3 - 4 + \cdots\cdots$

＜解法＞

(1)

　［証明］一般項を a_n とすると、

$$a_n = \frac{n}{2n-1} \quad \therefore \lim_{n\to\infty} a_n = \lim_{n\to\infty} \frac{1}{2-\dfrac{1}{n}} = \frac{1}{2} \neq 0$$

したがって、$\lim_{n\to\infty} a_n \neq 0$ より、この無限級数は発散する。（∵枠の②）

おわり

(2)

　［証明］一般項を a_n とすると、

$$a_n = (-1)^{n+1} n \quad \therefore \lim_{n\to\infty} a_n = \lim_{n\to\infty} (-1)^{n+1} n \text{ は振動}$$

したがって、$\lim_{n\to\infty} a_n \neq 0$ より、この無限級数は発散する。（∵枠の②）

おわり

演 習 の 解 答

演習 123

(1) 等差数列の一般項 $a_n = a + (n-1)d$　（初項：a、公差：d）

　　第 4 項が 4 より、$a_4 = a + (4-1)d = 4$　∴ $a + 3d = 4$　・・・①

　　第 7 項が 10 より、$a_7 = a + (7-1)d = 10$　∴ $a + 6d = 10$　・・・②

よって、[②－①] より、$3d = 6$　∴ $d = 2$

また、①より、$a + 3 \times 2 = 4$　∴ $a = -2$　したがって、初項 -2、公差 2（答）

(2) (1) より、一般項：$a_n = -2 + (n-1) \times 2 = 2n - 4$　また、第 n 項が 38 より、

　　$a_n = 2n - 4 = 38$　$2n = 42$　∴ $n = 21$　よって、第 21 項（答）

演習 124

(1) 等差数列の和：$S_n = \dfrac{1}{2}n\{2a + (n-1)d\}$ に、$a = 15$、$d = -3$、$n = 15$ を代入

　　∴ $S_{15} = \dfrac{1}{2} \times 15\{2 \times 15 + (15-1) \times (-3)\} = -90$　よって、和：-90（答）

(2) 等差数列の和：$S_n = \dfrac{1}{2}n(a + l)$ に、$a = 8$、$l = 90$、$n = 17$ を代入

　　∴ $S_{17} = \dfrac{1}{2} \times 17 \times (8 + 90) = 833$　よって、和：833（答）

演習 125

x、y、z 調和数列ゆえ、逆数 $\dfrac{1}{x}$、$\dfrac{1}{y}$、$\dfrac{1}{z}$ が等差数列となる。そこで、

等差中項より、$2 \times \dfrac{1}{y} = \dfrac{1}{x} + \dfrac{1}{z}$ が成り立つ。　等式変形の確認ですよ！

よって、$\dfrac{2}{y} = \dfrac{z}{xz} + \dfrac{x}{xz}$　→　$\dfrac{2}{y} = \dfrac{x+z}{xz}$　　$\dfrac{y}{2} = \dfrac{xz}{x+z}$　∴ $y = \dfrac{2xz}{x+z}$（答）

　　↑右辺を通分し計算　　　↑両辺の逆数をとる　　↑両辺 2 倍し分母を払う

演習 126

$n \geq 2$ のとき、$a_n = S_n - S_{n-1} = (n^2 + 3n) - \{(n-1)^2 + 3(n-1)\} = n^2 + 3n - (n^2 + n - 2)$

　　∴ $a_n = 2n + 2$　・・・①

つぎに、$n = 1$ のとき、$S_1 = 1^2 + 3 \times 1 = 4$　・・・②

ここで、①に $n = 1$ を代入すると、$a_1 = S_1 = 4$ となり②を満たす。

よって、①は任意の自然数において成り立つゆえ、

　　　　　一般項：$a_n = 2n + 2$（答）

演習 127

等比数列の一般項 $a_n = ar^{n-1}$ （初項：a、公比：r）

第2項が10より、$a_2 = ar^{2-1} = 10$ $\therefore ar = 10$ ・・・①

第7項が320より、$a_7 = ar^{7-1} = 320$ $\therefore ar^6 = 320$ ・・・②

よって、[②÷①] より、$r^5 = 32 = 2^5$ $\therefore r = 2$　（←指数方程式：底をそろえる）

また、①より、$a \times 2 = 10$ $\therefore a = 5$　よって、一般項 $a_n = 5 \cdot 2^{n-1}$ ・・・（＊）

（＊）より、$5 \cdot 2^{n-1} = 5120$　$2^{n-1} = 1024 = 2^{10}$ $\therefore n - 1 = 10$　$n = 11$

ゆえに、5120 は第 11 項目である。（答）　　（$2^{10} = 1024$ は覚えておいてね！）

演習 128

単なる数の並びと考え、一般項 a_n を考える！

（1）各項は 5 の倍数ゆえ、$a_n = 5n$ $\therefore$（与式）$= \sum_{k=1}^{7} 5k$　（答）

（2）$1 + 8 + 27 + 64 + \cdots + 1000 = 1^3 + 2^3 + 3^3 + 4^3 + \cdots + 10^3$ より、$a_n = n^3$

$\therefore$（与式）$= \sum_{k=1}^{10} k^3$　（答）

（3）連続する偶数の和より、$a_n = 2n \cdot 2(n+1) = 4n^2 + 4n$

$\therefore$（与式）$= \sum_{k=1}^{5} (4k^2 + 4k)$　（答）

演習 129

（1）$\sum_{k=1}^{20} k = \frac{1}{2} \cdot 20(20+1) = 10 \cdot 21 = 210$ （答）　　← $\sum_{k=1}^{n} k = \frac{1}{2} n(n+1)$

（2）$\sum_{k=1}^{8} k^2 = \frac{1}{6} \cdot 8(8+1)(2 \cdot 8 + 1) = \frac{1}{6} \cdot 8 \cdot 9 \cdot 17 = 204$ （答）　← $\sum_{k=1}^{n} k^2 = \frac{1}{6} n(n+1)(2n+1)$

演習 130

（1）$\sum_{k=1}^{n}(4k-3) = 4\sum_{k=1}^{n} k - \sum_{k=1}^{n} 3 = 4 \cdot \frac{1}{2} n(n+1) - 3n = 2n(n+1) - 3n = 2n^2 - n = n(2n-1)$ （答）

（2）$\sum_{k=1}^{n} 3k(2k-1) = \sum_{k=1}^{n}(6k^2 - 3k) = 6\sum_{k=1}^{n} k^2 - 3\sum_{k=1}^{n} k = 6 \cdot \frac{1}{6} n(n+1)(2n+1) - 3 \cdot \frac{1}{2} n(n+1)$

$= n(n+1)(2n+1) - \frac{3}{2} n(n+1) = \frac{1}{2} n(n+1)\{2(2n+1) - 3\} = \frac{1}{2} n(n+1)(4n-1)$ （答）

共通因数 $\frac{1}{2} n(n+1)$ でククル　　　　　通常、因数分解の形で表します。

5章　数列および極限

演習 131 ヒトツも式を省かず流れをお見せします！ ご安心を！ Vサイン

(1) $\sum_{k=1}^{n} 2 \cdot 5^k = 2\sum_{k=1}^{n} 5^k = 2\sum_{k=1}^{n} 5 \cdot 5^{k-1} = 2 \cdot \frac{5(5^n-1)}{5-1} = 2 \cdot \frac{5(5^n-1)}{4} = \frac{5(5^n-1)}{2}$ （答）

　　　　　　　　　5を前に出し、
　　　　　　　　　指数計算で等比数列
　　　　　　　　　一般項の形 $a_n = ar^{n-1}$
　　　　　　　　　に直す！

初項5、公比5の等比数列ゆえ、

和の公式 $S_n = \dfrac{a(r^n-1)}{r-1}$: $(r > 1)$ より！

(2) $\sum_{k=1}^{n} \left(\dfrac{1}{2}\right)^k = \sum_{k=1}^{n} \dfrac{1}{2} \cdot \left(\dfrac{1}{2}\right)^{k-1} = \dfrac{\frac{1}{2}\left\{1-\left(\frac{1}{2}\right)^n\right\}}{1-\frac{1}{2}} = \dfrac{\frac{1}{2}\left\{1-\left(\frac{1}{2}\right)^n\right\}}{\frac{1}{2}} = 1-\left(\dfrac{1}{2}\right)^n = 1-\dfrac{1}{2^n}$ （答）

　$\dfrac{1}{2}$ を前に出し、
　指数計算で等比数列
　一般項の形 $a_n = ar^{n-1}$
　に直す！

初項 $\dfrac{1}{2}$、公比 $\dfrac{1}{2}$ の等比数列ゆえ、

和の公式 $S_n = \dfrac{a(1-r^n)}{1-r}$: $(r < 1)$ より！

演習 132

「（連続する奇数）と（連続する偶数）の積の和」ですね！

∴ $1 \cdot 2 + 3 \cdot 4 + 5 \cdot 6 + \cdots + (2n-1) \cdot 2n = \sum_{k=1}^{n}(2k-1) \cdot 2k = \sum_{k=1}^{n}(4k^2-2k) = 4\sum_{k=1}^{n}k^2 - 2\sum_{k=1}^{n}k$

$= 4 \cdot \dfrac{1}{6}n(n+1)(2n+1) - 2 \cdot \dfrac{1}{2}n(n+1)$

$= \dfrac{2}{3}n(n+1)(2n+1) - n(n+1)$

$= \dfrac{1}{3}n(n+1)\{2(2n+1)-3\}$

$= \dfrac{1}{3}n(n+1)(4n-1)$ （答）

演習 133

各項が「初項1、公比2の等比数列の和」で、項の番号と和の数が一致！

だから、第 k 項：$a_k = \sum_{j=1}^{k} 1 \cdot 2^{j-1} = \dfrac{1 \cdot (2^k-1)}{2-1} = 2^k - 1$

よって、第 n 項までの和は、

$S_n = \sum_{k=1}^{n}(2^k-1) = \sum_{k=1}^{n} 2^k - \sum_{k=1}^{n} 1 = \sum_{k=1}^{n} 2 \cdot 2^{k-1} - n = \dfrac{2 \cdot (2^n-1)}{2-1} - n = 2^{n+1} - n - 2$ （答）

初項2、公比2の等比数列ゆえ、

和の公式 $S_n = \dfrac{a(r^n-1)}{r-1}$: $(r > 1)$ より！

演習 134

「分母は連続する奇数の積」　第n項までの和はつぎのようになります。

$$S_n = \frac{1}{1\cdot 3} + \frac{1}{3\cdot 5} + \cdots + \frac{1}{(2n-1)(2n+1)} = \sum_{k=1}^{n}\frac{1}{(2k-1)(2k+1)} = \sum_{k=1}^{n}\frac{1}{2}\left(\frac{1}{2k-1} - \frac{1}{2k+1}\right)$$

$$= \frac{1}{2}\left\{\left(\frac{1}{1} - \frac{1}{3}\right) + \left(\frac{1}{3} - \frac{1}{5}\right) + \left(\frac{1}{5} - \frac{1}{7}\right) + \cdots + \left(\frac{1}{2n-1} - \frac{1}{2n+1}\right)\right\}$$

$$= \frac{1}{2}\left(\frac{1}{1} - \frac{1}{2n+1}\right) = \frac{1}{2}\left(\frac{2n+1}{2n+1} - \frac{1}{2n+1}\right) = \frac{1}{2}\cdot\frac{2n}{2n+1} = \frac{n}{2n+1} \quad \text{(答)}$$

演習 135

(1) $\lim_{n\to\infty} n^{-\frac{1}{2}} = \lim_{n\to\infty}(n^{\frac{1}{2}})^{-1} = \lim_{n\to\infty}(\sqrt{n})^{-1} = \lim_{n\to\infty}\frac{1}{\sqrt{n}} = 0$ ：収束→③

(2) $\lim_{n\to\infty} -n^2 = -\infty$ ：「負×（n^2：正の無限大）」　負の無限大に発散→②

(3) $\lim_{n\to\infty}\sqrt{3n} = +\infty$ ：正の無限大に発散→①

(4) $\lim_{n\to\infty} -(-2)^n$：「$n$が偶数で負、奇数で正」よって、振動→④

(5) $\lim_{n\to\infty}\frac{5}{n} = 0$：「分子が一定で分母が無限大ゆえ、$0$に近づく」収束→③

演習 136

(1) $\lim_{n\to\infty}(7n - 3n^2) = \lim_{n\to\infty} n^2\left(\frac{7}{n} - 3\right) = -\infty$　←　最高次数でククリ、$\lim_{n\to\infty}\left(\frac{7}{n} - 3\right) = -3$より、全体として「$\lim_{n\to\infty} -3n^2 = -\infty$」と考える！

(2) $\lim_{n\to\infty}\frac{5n^2 + n - 2}{n^2 - n + 1} = \lim_{n\to\infty}\frac{\frac{5n^2}{n^2} + \frac{n}{n^2} - \frac{2}{n^2}}{\frac{n^2}{n^2} - \frac{n}{n^2} + \frac{1}{n^2}} = \lim_{n\to\infty}\frac{5 + \frac{1}{n} - \frac{2}{n^2}}{1 - \frac{1}{n} + \frac{1}{n^2}} = 5$

分母の最高次数で分母、分子を割る。

(3) $\lim_{n\to\infty}(\sqrt{2n+1} - \sqrt{n}) = \lim_{n\to\infty}\frac{n+1}{\sqrt{2n+1} + \sqrt{n}} = \lim_{n\to\infty}\frac{\frac{n}{\sqrt{n}} + \frac{1}{\sqrt{n}}}{\sqrt{\frac{2n}{n}} + \sqrt{\frac{1}{n}} + 1} \cdot \text{（修正）} = \lim_{n\to\infty}\frac{\sqrt{n} + \frac{1}{\sqrt{n}}}{\sqrt{2 + \frac{1}{n}} + 1} = +\infty$

分子の有理化　｜　そして、極限を求める！

$$\sqrt{2n+1} - \sqrt{n} = \frac{\sqrt{2n+1} - \sqrt{n}}{1} = \frac{(\sqrt{2n+1} - \sqrt{n})(\sqrt{2n+1} + \sqrt{n})}{\sqrt{2n+1} + \sqrt{n}} = \frac{(\sqrt{2n+1})^2 - (\sqrt{n})^2}{\sqrt{2n+1} + \sqrt{n}}$$

$$= \frac{2n+1-n}{\sqrt{2n+1} + \sqrt{n}} = \frac{n+1}{\sqrt{2n+1} + \sqrt{n}} \quad \text{←完成！}$$

演習 137

$$\lim_{n\to\infty} a_n = \lim_{n\to\infty} \frac{\dfrac{3^n}{4^n}}{\dfrac{4^n}{4^n}+\dfrac{1}{4^n}} = \lim_{n\to\infty} \frac{\left(\dfrac{3}{4}\right)^n}{1+\left(\dfrac{1}{4^n}\right)} = 0$$

←分母の一番大きい方の数 4^n で約分

演習 138

（1） $0.\dot{7} = 0.7 + 0.07 + 0.007 + \cdots = \dfrac{7}{10} + \dfrac{7}{10^2} + \dfrac{7}{10^3} + \cdots = \dfrac{\dfrac{7}{10}}{1-\dfrac{1}{10}} = \dfrac{7}{10-1} = \dfrac{7}{9}$ （答）

初項 $\dfrac{7}{10}$、公比 $\dfrac{1}{10}$ の無限等比級数

∴ $\lim_{n\to\infty} S_n = \dfrac{a}{1-r}$ ： ($|r|<1$) より！

（2） $0.\dot{3}2\dot{1} = 0.321 + 0.000321 + 0.000000321 + \cdots = \dfrac{321}{1000} + \dfrac{321}{1000^2} + \dfrac{321}{1000^3} + \cdots$

初項 $\dfrac{321}{1000}$、公比 $\dfrac{1}{1000}$ の無限等比級数

$= \dfrac{\dfrac{321}{1000}}{1-\dfrac{1}{1000}} = \dfrac{321}{1000-1} = \dfrac{321}{999} = \dfrac{107}{333}$ （答） ∴ $\lim_{n\to\infty} S_n = \dfrac{a}{1-r}$ ： ($|r|<1$) より！

6章
微分法

こんなグラフや

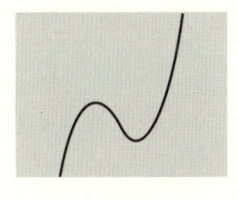

こんなグラフ！

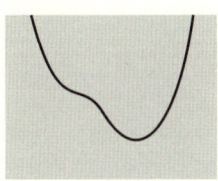

さらには、こんなグラフに、

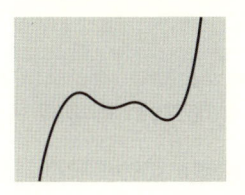

こんなグラフまでも！

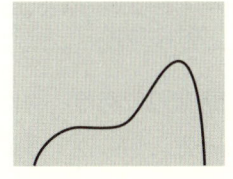

見ていて、かきたくなるでしょ !?

微分の知識を使って増減表をかけば、上のようなグラフが簡単にかけるんですね！

凄いでしょ！　なんだかワクワクしませんか !?

ペ・ツ・ニ…！

…無言！

復習 47

微分とはナニ？

　案外、多くの方が「微・積」と聞くと「難しい〜！！」というイメージを持たれるようですが、そんなことはないんですよ！
　まず、微分ですが、コレに関してはつぎのことだけを意識していただければよいかと……。

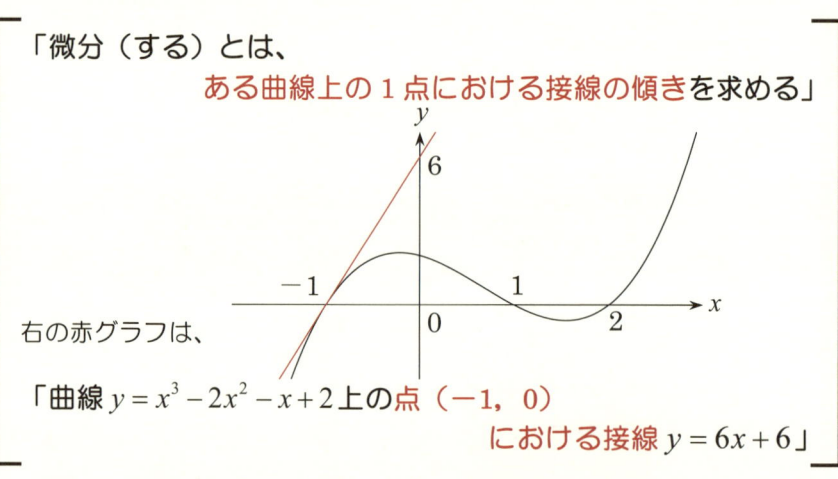

> 「**微分（する）とは、
> 　　　　ある曲線上の1点における接線の傾きを求める**」
>
> 右の赤グラフは、
> 「曲線 $y = x^3 - 2x^2 - x + 2$ 上の**点（−1，0）
> 　　　　　　　　　　　における接線** $y = 6x + 6$」

　線は点の集まりであり、当然、曲線も無数の点の集まり。そして、ここで確認しておきたいのがつぎの1点！

「グラフ上の点はそれぞれ向きを持っている」

　もしかすると、不思議に思われるかもしれませんよね！　だって、突然「点が向きを持っている！」なんて言われてもねぇ〜！　イメージできないもんね！　では、ここで「すべての点が同じ向きだったらと仮定したら、その無数の点の集まりである線は直線になる」と言い切れるでしょ。ウン！　それなら、上の曲線も無数の点の集まり。それゆえ「各点一つ一つがそれぞれ独自の向きを持っていないとなめらかな曲線にはなれない。よって、各点はそれぞれ向きを持っている。」う〜ん……、でも点は点だからなぁ〜！
　そこで、皆さんはこの「**各点の向きを傾き**」とイメージし、そして、この「**各点の傾きを求めることを微分する！**」と考えてください。

すると、この項目でのテーマはつぎのたった2つ！

① 曲線上のある1点における接線の方程式を求める！
② 関数 $y = f(x)$ の（曲線）グラフの概形をかく！

　私たちが高校数学の微分で身に付けなければいけない知識は、たったコレだけ。
「いかがですか？」　それほど難しいようには思わないでしょ！？
　そこで、すぐに本題へ入りたいところなんですが、その前にヒトツだけ話をさせてください。それは「グラフの連続性」についてなんです。
　実は、関数が微分できるためには、つぎの条件が満たされていないとダメなんですね。　　　　　　　　　　　　　　　（少しだけ噛み砕いた表現）

「グラフは連続し、かつ、曲線上の1点に対し
　　　　　　　　　接線は1本しか存在しない」

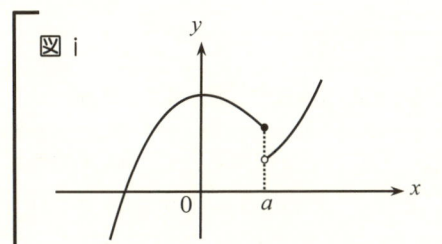

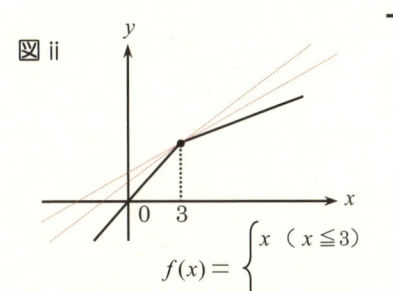

図 i

図 ii

$$f(x) = \begin{cases} x & (x \leq 3) \\ \dfrac{x+6}{3} & (3 < x) \end{cases}$$

深く触れるだけの余裕がないのですが、しかし、
大切なことゆえ、カンタンに、具体的にお話ししますね。
図 i：グラフが $x = a$ で途切れているからダメ！
図 ii：グラフは連続しているが、しかし、$x = 3$ における接線が1本に決まらないからダメ！　トンガリのあるグラフは、その点で微分不可！

　よって、関数 $f(x)$ は「グラフが連続、かつ、すべての x で微分可能」であることが微分する上での基本条件になります。

　したがって、微分するためには、まず関数 $f(x)$ について、このグラフが常に連続であるか否かを確認する必要があるんですね！

そこで、「関数の連続性」はつぎのように定義されています。

> **連続の定義**
>
> 関数 $f(x)$ において、
> $$\lim_{x \to a} f(x) = f(a)$$
> であるとき、$f(x)$ は $x = a$ で連続であると言う。また、関数 $f(x)$ がある区間のすべての各点で連続であるとき、$f(x)$ はその区間で連続であると言う。
>
> 補足：どこまで理解していただけるか難しいところですが、誰でもイメージできる関数 $f(x) = x^2$ で考えてみたいと思います。
>
> すべての実数（任意の実数）a において考えてみますと、
> $$\lim_{x \to a} x^2 = a^2 \quad \text{ゆえ、} \quad \lim_{x \to a} f(x) = f(a)$$
> よって、「この関数 $f(x)$ はすべての実数の区間で連続である。」と言えるんですね！ ただし、連続だからといって微分可能とは言えない！

　この定義だけでは意味不明ですよね！ ここを理解するためには、極限についてお話ししなければならなく、よって、興味をお持ちであれば、ぜひ参考書なりで調べてみてください。「数列の極限」で極限の基本的な考え方はお話ししましたので、読んでもさほど難しくは感じないと思います。

　また、さらに詳しく勉強されたいのであれば、つぎの本を読まれてはいかがでしょうか？　　『イプシロン・デルタ』（田島一郎著　共立出版）

　この「イプシロン・デルタ論法」は、理系学生が1年次の微積の講義において、一番最初に悩まされるモノ。たぶん、今でも多くの理系学生はこの本のお世話になっていることと思います。

　では、これから本題に入って行くわけですが、まず、関数の微分計算に関しては高校数学におけるすべてをお話しします。微分計算ができれば、ほとんどの関数のグラフがかけるようになるので！ そこで、ここで扱う項目一覧をザッ〜ト右のページに表示しておきますね。

＊微分で扱う項目一覧

＜計算に関して＞

- $y = f(x)$ の $x = a$ における微分係数　　$f'(a) = \lim_{h \to 0} \dfrac{f(a+h) - f(a)}{h}$

- $y = f(x)$ の導関数の定義　　$f'(x) = \lim_{h \to 0} \dfrac{f(x+h) - f(x)}{h}$

- $f(x) = x^n$（べき関数）の微分計算　　$f'(x) = nx^{n-1}$

- 定数倍および和・差の微分計算
  $y = kf(x)$、　$y = f(x) \pm g(x)$　　　$y' = kf'(x)$、$y' = f'(x) \pm g'(x)$

- 積の微分公式：$y = f(x)g(x)$　　$y' = f'(x) \cdot g(x) + f(x) \cdot g'(x)$

- 商の微分公式：$y = \dfrac{u}{v}$　　$y' = \dfrac{u'v - uv'}{v^2}$

- 合成関数の微分：$F(x) = f(g(x))$　　$F'(x) = f'(g(x)) \cdot g'(x)$

- 逆関数の微分

- 三角関数の微分

- 対数関数の微分

- 指数関数の微分

- 対数微分法

- 陰関数の微分

- 媒介変数表示された関数の微分

各項目において、補足または証明という形で、各公式・定理を導いてあります。
　考えながら何回も何回も写せば徐々に意味が理解できるようになりますからね！
　ぜひ、チャレンジしてください！

＜接線に関して＞

- 曲線上の1点における接線の求め方

- 曲線外の1点からの接線の求め方

＜グラフに関して＞

- 増減表から極値（極大値・極小値）を求める

- 増減表からグラフをかく　　　　　　以上

　　エッ！こんなにやるのぉ〜……涙　「実は、まだまだ足りないんですよ！ 笑」

6章 微分法

復習48

微分係数を求める

さて、ここからはまず、微分の基本的な部分のお話です。
「微分とは曲線上のある1点における傾きを求めること！」とはじめにお話ししました。そこでまず、"傾き"について復習をしてみたいと……。

"傾き"は「平均変化率（変化の割合）」とも言い、

「xが1増加したときのyの増加量（変化量）」

のこと。計算方法はつぎのようなものでした。

平均変化率（変化の割合）

関数 $y = f(x)$ において、x が a から b まで変化したとき、

$$（平均変化率）= \frac{f(b)-f(a)}{b-a} \leftarrow \frac{y の増加量}{x の増加量}$$

では、今、この変化の割合で、b の値をドンドン a に近づけていくとどのようなことが起きるかイメージしてみてください。点 A における傾きが求まる気がしませんか（赤点線）！？ ということは、x の増加量を限りなく小さく（≒0）していけば、必ず曲線上のある1点の傾きが求められると考えてよいはず。実は、この発想が微分の基本的な考え方なんですね。

そこで、この考え方から関数 $f(x)$ の $x = a$ における平均変化率（傾き）を求めることを、$x = a$ における微分係数を求めると言い、$f'(a)$ と表します。

ここから先は極限の計算になります。でも、数列の極限で解説した知識で十分ですので、ご安心ください。

では、「微分係数の求め方」へ・・・・・

微分係数 ⇒「平均変化率の極限値」と考える。

関数 $f(x)$ の $x = a$ における微分係数 $f'(a)$ の求め方

$$f'(a) = \lim_{h \to 0} \frac{f(a+h) - f(a)}{h}$$

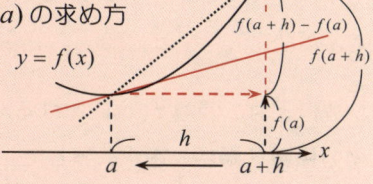

h を限りなく 0 に近づける（$h \neq 0$、 $h \fallingdotseq 0$）。$a+h \to a$ ($h \to 0$)

補足：$f'(a)$ とは「点 A (a、 $f(a)$) における接線の傾き！」

例題：関数 $f(x) = x^2 + x$ について、つぎの問いに答えてみますね。
(1) x が 1 から 2 まで変化するときの平均変化率を求める。
(2) $x = 1$ における微分係数 $f'(1)$ を求める。

<解法>

(1) $\dfrac{f(2) - f(1)}{2 - 1} = (2^2 + 2) - (1^2 + 1) = 6 - 2 = 4$ （答）

(2)

$f'(1) = \lim\limits_{h \to 0} \dfrac{f(1+h) - f(1)}{h}$ ⟶ 関数 $f(x) = x^2 + x$ 各項の x に代入！

$= \lim\limits_{h \to 0} \dfrac{\{(1+h)^2 + (1+h)\} - \{(1)^2 + 1\}}{h}$

$= \lim\limits_{h \to 0} \dfrac{1 + 2h + h^2 + 1 + h - 2}{h}$

$= \lim\limits_{h \to 0} \dfrac{h^2 + 3h}{h}$ ← h で約分

$= \lim\limits_{h \to 0} (h + 3)$ ←（$h \neq 0$、 $h \fallingdotseq 0$）

$= 3$

このように 1 から少し離れた距離 h から徐々に「$h \to 0$」とし、限りなく 1 との差を 0 に近づけることで、$x = 1$ における傾き（平均変化率）を求める！ これが微分の基本なんですね。

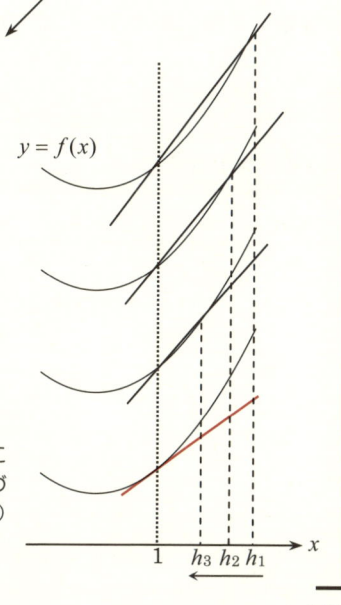

6 章 微分法

復習 49

導関数を求める

　先ほどは、関数 $f(x)$ における $x=a$、いわゆる点 $(a, f(a))$ における微分係数（傾き）を求めました。しかし、毎回、点ごとに求めていたのでは大変でしょ！　そこで、関数 $f(x)$ が連続かつすべての x について微分可能であるとした上で、$f'(x)$ が求められれば、$x=1, 2, 3 \cdots$ に対し、$f'(1)$、$f'(2)$、$f'(3) \cdots$ と対応させることができ、楽に各点における**微分係数**が求められます。よって、関数 $f(x)$ から新たに関数 $f'(x)$ を**導く**ことから、「$f'(x)$ を関数 $f(x)$ の"**導関数**"と言う」と思ってください。

　そこで、「$x=a$ における微分係数」の a を x に置き換えることで、導関数はつぎのように定義されます。

導関数の定義　　$f'(x) = \lim\limits_{h \to 0} \dfrac{f(x+h) - f(x)}{h}$

例題：定義に従って、つぎの関数の導関数を求めてみますね。
$$f(x) = x^2 + x$$

＜解法＞

$$\begin{aligned}
f'(x) &= \lim_{h \to 0} \frac{\{(x+h)^2 + (x+h)\} - (x^2 + x)}{h} \quad \leftarrow \text{分子：} f(x+h) - f(x) \\
&= \lim_{h \to 0} \frac{x^2 + 2hx + h^2 + x + h - x^2 - x}{h} \\
&= \lim_{h \to 0} \frac{(2x+1)h + h^2}{h} \quad \leftarrow h \text{で約分} \\
&= \lim_{h \to 0} (2x + 1 + h) \\
&= 2x + 1 \quad （答）
\end{aligned}$$

前ページの例題「$x=1$ の微分係数」が、この $f'(1)$ の値と一致することを確認してください。

　このように導関数が求められれば、あとは知りたい x の値を $f'(x)$ に代入すれば、それに対応した微分係数がカンタンに求まるわけ。楽チン！

あと、関数 $y = f(x)$ に対する"**導関数の表し方**"なんですが、コレにはいくつかあって、$f'(x)$ 以外にも $\dfrac{d}{dx}f(x)$、または、y'、$\dfrac{dy}{dx}$ などの記号で表すことができます。でも、ほとんどは「$f'(x)$ または y'」ですけどね。

そこで、いくつか導関数の表し方のお話をしたので、考え方は同じですが、微妙に表現の仕方が違うもうヒトツの導関数の求め方もご紹介したいと思います（理由は後ほど……）。

導関数　　$\dfrac{dy}{dx} = \lim\limits_{\varDelta x \to 0} \dfrac{\varDelta y}{\varDelta x} = \lim\limits_{\varDelta x \to 0} \dfrac{f(x+\varDelta x) - f(x)}{\varDelta x}$

$\varDelta$：デルタと読みます。

補足：x の変化量 h を「x の増分 $\varDelta x$」とし、y の変化量 $f(x+h) - f(x)$ を「y の増分 $\varDelta y$」と考えてください（定義と比較して見てね！）。
そこで、関数 $y = f(x)$ において、x が「x から $(x + \varDelta x)$ まで増加」すると、それに対応し、y が「y から $y + \varDelta y$ まで変化するので、

$\qquad y + \varDelta y = f(x + \varDelta x)$　　　← y を右辺へ移項

とおける。

$\qquad \varDelta y = f(x + \varDelta x) - y$　　← $y = f(x)$
$\qquad \quad = f(x + \varDelta x) - f(x)$

導関数は平均変化率の極限ゆえ、両辺を $\varDelta x$ で割り「平均変化率」を求め、

$\qquad \dfrac{\varDelta y}{\varDelta x} = \dfrac{f(x + \varDelta x) - f(x)}{\varDelta x}$　・・・（*）　← $\varDelta y$：y の増加量
$\varDelta x$：x の増加量

そして、（*）の極限（$\varDelta x \to 0$）を求める。

$\qquad \lim\limits_{\varDelta x \to 0} \dfrac{\varDelta y}{\varDelta x} = \lim\limits_{\varDelta x \to 0} \dfrac{f(x + \varDelta x) - f(x)}{\varDelta x}$

したがって、

$\qquad \underline{\dfrac{dy}{dx} = \lim\limits_{\varDelta x \to 0} \dfrac{\varDelta y}{\varDelta x} = \lim\limits_{\varDelta x \to 0} \dfrac{f(x + \varDelta x) - f(x)}{\varDelta x}}$

となる。　　↑この関係式をシッカリ覚えてください！

この表記のありがたさは、今後の公式証明で実感できるかと……。

復習 50

$f(x) = x^n$（べき関数）の微分計算

高次関数の微分を毎回定義に従ってやっていたらば大変！ そこで、簡単な計算公式というものがあります。今後は、それを利用し関数を微分して行きますので、ぜひマスターしてくださいね！

[1] x^n の微分計算

（n：自然数）$y = x^n$ を微分すると、$y' = nx^{n-1}$

指数 n が係数となり、次数が $(n-1)$ とヒトツ下がる。

また、

$y = c$（c は定数）を微分すると、$y' = 0$

定数項は微分するとすべて 0 になる。

補足

・ $y = x^n$（n：自然数）を定義に従って微分すると、

$$y' = \lim_{h \to 0} \frac{(x+h)^n - x^n}{h} \quad \cdots (*)$$

$$= \lim_{h \to 0} \frac{(x+h-x)\{(x+h)^{n-1} + (x+h)^{n-2}x + (x+h)^{n-3}x^2 + \cdots + x^{n-1}\}}{h}$$

$$= \lim_{h \to 0} \{\underbrace{(x+h)^{n-1} + (x+h)^{n-2}x + (x+h)^{n-3}x^2 + \cdots + (x+h)x^{n-2} + x^{n-1}}_{n \text{項あるよ！}}\}$$

$$= nx^{n-1}$$

( ) の中 $h = 0$ と考え、x だけの計算より各項はすべて x^{n-1} となります！

（*）の分子はつぎのように因数分解できるんですね！ $a = x+h$、$b = x$

分子 $= a^n - b^n = (a-b)(a^{n-1} + a^{n-2}b + a^{n-3}b^2 + \cdots + ab^{n-2} + b^{n-1})$

または、

分子の $(x+h)^n$ を二項定理（二項展開）より、展開する方法もあります。

・ $y = c$（c は定数）を定義に従って微分すると

$$y' = \lim_{h \to 0} \frac{c-c}{h} = \lim_{h \to 0} \frac{0}{h} = 0 \quad \leftarrow$$

念のため、分子の説明を……。
y は定数ゆえ、x の増加に関係なく y の値は一定。ゆえに、y は増加も減少もしないので変化の割合は常に 0。

例題：つぎの関数を微分してみますね。

(1) $y = x$　(2) $y = x^3$　(3) $y = 15$　(4) $y = -\dfrac{2}{3}$

<解法>

(1)　$y = x$　← 指数の1が見えますか？

　　　$= x^1$　← ここで微分ね！ 指数の1を係数と前に出し、次数をヒトツ下げる。

∴　$y' = 1 \cdot x^{1-1}$　← 指数部分の計算

　　　$= 1 \cdot x^0$　← 0乗はすべて"1"でした！

　　　$= 1 \cdot 1$

　　　$= 1$　（答）

実際はここまでやる必要はないですよ！ 解説ゆえ、初心者の方でも分かるように話をしているので。よって、すぐに"1"（答）でOK！

(2)　$y' = 3x^{3-1} = 3x^2$　←指数3が係数、次数はヒトツ下がり2（＝3－1）

(3)　定数項ゆえ、$y' = 0$　　(4)　定数項ゆえ、$y' = 0$

演習139 つぎの関数を微分してみましょう。

(1) $y = x^5$　(2) $y = x^2$　(3) $y = -1$　(4) $y = 1.7$

知っているとお得な微分公式

カッコの中が「xの係数が"1"の1次式」の場合だけ使える！

（n：自然数）$y = (x+p)^n$　を微分すると、$y' = n(x+p)^{n-1}$

例題：つぎの関数を微分してみますね。

$$y = (x+7)^4$$

<解法>

$y' = 4(x+7)^{4-1} = 4(x+7)^3$　←（カッコ）をヒトツの文字と考える

演習140 つぎの関数を微分してみましょう。

(1) $y = (x-4)^3$　　　　(2) $y = (x+1)^5$

復習51

定数倍および和・差の微分計算

　ここからが微分計算の本番です。やはり、多項式の微分計算ができないと意味がないですからね！

微分法の公式

① $y = kf(x)$ （k は定数）　⇒　$y' = \{kf(x)\}' = kf'(x)$

② $y = f(x) \pm g(x)$　⇒　$y' = f'(x) \pm g'(x)$

補足　①②を導いてみます。

①：$y = kf(x)$ について、定義に従って微分すると、

$$y' = \lim_{h \to 0} \frac{kf(x+h) - kf(x)}{h}$$ ← 分子を k でククル

$$= \lim_{h \to 0} \frac{k\{f(x+h) - f(x)\}}{h}$$ ← k は定数ゆえ、無関係より前に出す

$$= k \lim_{h \to 0} \frac{f(x+h) - f(x)}{h}$$ ← 下線部分は「導関数の定義」ですね！

$$= kf'(x)$$

②：$y = f(x) + g(x)$ について、定義に従って微分すると

$$y' = \lim_{h \to 0} \frac{\{f(x+h) + g(x+h)\} - \{f(x) + g(x)\}}{h}$$ 注：ここでは（＋）の場合だけ示します。（－）も同様なので！

$$= \lim_{h \to 0} \frac{f(x+h) + g(x+h) - f(x) - g(x)}{h}$$ ← それぞれの関数に分ける

$$= \lim_{h \to 0} \left\{ \frac{f(x+h) - f(x)}{h} + \frac{g(x+h) - g(x)}{h} \right\}$$ ← 下線部分は各関数の「導関数の定義」

$$= f'(x) + g'(x)$$

　これで多項式の微分計算はできるようになりました。では、本番へ！

例題1：つぎの関数を微分してみますね。

(1) $y = 2x^3 - x^2 + 4x - 7$　　　(2) $y = -\dfrac{3}{2}x^4 + x^3 - x^2 + x - \dfrac{7}{5}$

＜解法＞

(1) 各項をそれぞれ微分すればよいので、

$y' = 2(x^3)' - (x^2)' + 4(x)' - (7)'$　　← 係数部分は関係ないからね！

$ = 2 \cdot 3x^2 - 2x + 4 \cdot 1 - 0$　　← 定数項は微分で 0 になるよ。

$ = 6x^2 - 2x + 4$

(2)

$y' = -\dfrac{3}{2}(x^4)' + (x^3)' - (x^2)' + (x)' - \left(\dfrac{7}{5}\right)'$

$ = -\dfrac{3}{2} \cdot 4x^3 + 3x^2 - 2x + 1 - 0$

$ = -6x^3 + 3x^2 - 2x + 1$　　← 慣れれば一気にコノ答えを出してOK！

演習141 つぎの関数を微分してみましょう。

(1) $y = -5x - 1$　　　　　　(2) $y = 7x^2 + x - 3$

(3) $y = -2x^3 - x^2 + 9x - 5$　　(4) $y = x^5 - \dfrac{5}{6}x^3 - \dfrac{3}{4}x$

補足：「$y = r^2 x^2 - rx - 5$ の微分」と言われて、すぐに x についての微分と考えるのは間違いなんです。コノ時点では、どちらが変数かわからないでしょ！ そこで、「r について微分」しなさいと言われたら、つぎのように表します。

「y を r で微分する ⇒ $\dfrac{dy}{dr}$」　← それぞれの文字の頭に d を付け、「分母：微分する文字、分子：微分される文字」を置き、表す。

よって、「$y = r^2 x^2 - rx - 5$ を r について微分する」を式で表すと、つぎのようになります。

$\dfrac{dy}{dr} = x^2 \cdot (r^2)' - x \cdot (r)' - (5)' = x^2 \cdot 2r - x \cdot 1 - 0 = 2x^2 r - x$

復習 52

積の微分公式

ここでは「2つの関数の積における微分計算」についてお話しします。
現時点で、基本的な微分計算はできるようになりました。
たとえば、「関数 $y = (2x-1)^3$ を微分してください！」と言われれば、

・$y = (2x-1)^3 = 8x^3 - 12x^2 + 6x - 1$ より、 $(a-b)^3 = a^3 - 3a^2b + 3ab^2 - b^3$

$y' = 24x^2 - 24x + 6$ （答）

こんな感じで、問題ありませんね！ では、つぎの問題を見てください。

「関数 $y = (x-1)^5(5x^2-1)$ を微分してください！」

「どうしましょうか？ 展開します……？」絶対に嫌ですよね。ウン！
そこで、つぎの「積の微分公式」が登場するわけ！　ホッ！よかった！笑

積の微分公式

$y = f(x) \cdot g(x)$ を微分すると、

$$y' = f'(x) \cdot g(x) + f(x) \cdot g'(x)$$ ← 交互に微分して、足し算！

補足

$y = f(x) \cdot g(x)$ について、定義に従って微分すると、

$y' = \lim_{h \to 0} \dfrac{f(x+h)g(x+h) - f(x)g(x)}{h}$　　$f(x)$、$g(x)$ における、導関数の定義の形を作るために、入れた式！

$= \lim_{h \to 0} \dfrac{f(x+h)g(x+h) \boxed{- f(x)g(x+h) + f(x)g(x+h)} - f(x)g(x)}{h}$

$= \lim_{h \to 0} \left\{ \dfrac{f(x+h) - f(x)}{h} \cdot g(x+h) + f(x) \cdot \dfrac{g(x+h) - g(x)}{h} \right\}$　下線部は「導関数の定義」

[$h \to 0$ より、$g(x+h) \to g(x)$]

$= f'(x) \cdot g(x) + f(x) \cdot g'(x)$　← 交互に微分して、足し算でしょ！

そろそろ「導関数の定義」には慣れてきました？　う～ん……微妙！ 汗

例題：つぎの関数を微分してみますね。

(1) $y = (x+1)(2x^2-3)$　　　(2) $y = (x-1)^5(5x^2-1)$

＜解法＞

(1) $y' = \underline{(x+1)'}(2x^2-3) + (x+1)\underline{(2x^2-3)'}$　←　$y' = f'(x)\cdot g(x) + f(x)\cdot g'(x)$

　　　　　↓　　　　　　　　　　　↓
　　　$= \underline{1}\cdot(2x^2-3) + (x+1)\cdot\underline{2\cdot2x}$

　　　$= 2x^2 - 3 + 4x^2 + 4x$　←　降べきの順にそろえる！

　　　$= 6x^2 + 4x - 3$

(2) $y' = \underline{\{(x-1)^5\}'}(5x^2-1) + (x-1)^5\underline{(5x^2-1)'}$　←　（カッコ）はヒトツの文字と考える！

　　　　　↓　　　　　　　　　　　　　　↓
　　　$= \underline{5(x-1)^4}(5x^2-1) + (x-1)^5\cdot\underline{5\cdot2x}$　←　共通因数 $5(x-1)^4$ でククル

　　　$= 5(x-1)^4\{(5x^2-1) + 2x(x-1)\}$

　　　$= 5(x-1)^4(5x^2 - 1 + 2x^2 - 2x)$

　　　$= 5(x-1)^4(7x^2 - 2x - 1)$　←　因数分解できるものは、因数分解の形で（答）とするのがベスト！

6章 微分法

　微分計算に限らないのですが、**数学はひたすら手を動かし、何度も計算の流れを身体で覚えないダメ！** 見て・読んでという頭の中だけでの処理では悲しいかな、絶対にできるようになりません……涙

　よく、「わかるんだけど、いざ、自分で解くとできない！」と多くの方から相談を受けますが、答えはいたってシンプル！

　「**ヒタスラ・ひたすら、書いて！　書いて！　さらに書いて計算をする**」
この作業が足りないだけ！

　　　　　さぁ～、考える前に手を動かしましょう！！

演習142 つぎの関数を微分してみましょう

(1) $y = (x-3)^4(2x+7)$　　　(2) $y = (5x-1)^2$

　　　　　　　　　　　　　(2)は展開せずに微分してくださいね！　エッ！？

復習53

商の微分公式

さて、積のつぎは当然「**商の微分公式**」になります。とはいっても、どんなものかイメージできませんよね！？　　当り前田のクラッカー！

具体例として「関数 $y = \dfrac{x}{x+1}$ を微分してください！」

こんな感じの問題です。　　　　　　　ナニがなんだかわからないぶ〜！ 涙

そこで、「商の微分公式」をお見せしますね！

商の微分公式　　$u = P(x)$、$v = Q(x)$ とおけばイメージできますか？

$y = \dfrac{u}{v}$（u、v は微分可能な x の関数）を微分すると、

$$y' = \dfrac{u'v - uv'}{v^2}$$

例題：関数 $y = \dfrac{x}{x+1}$ を微分してみますね。

＜解法＞　公式とよぉ〜く比較し、$u = x$、$v = x+1$　より、

$$y' = \dfrac{x'(x+1) - x(x+1)'}{(x+1)^2} = \dfrac{1 \cdot (x+1) - x \cdot 1}{(x+1)^2} = \dfrac{x+1-x}{(x+1)^2} = \dfrac{1}{(x+1)^2}$$

別に難しい作業ではないでしょ？　ここはとにかく、この公式を利用し微分ができるようになることが先決！　では、早速……。

演習143　つぎの関数を微分してみましょう。

(1) $y = \dfrac{x}{2x-1}$　　(2) $y = \dfrac{x-1}{x^2+1}$　　(3) $y = \dfrac{3x+2}{x^2+x-1}$

う〜ん……、やはり「商の微分公式」も導いておきますね。なんとか、ここまで理解できるようになれば、コレから先、楽しくなりますから……。

補足：関数 $y = f(x)$ において、

x の増分 $\varDelta x$ に対し、y の増分を $\varDelta y$ とすると、$\displaystyle\lim_{\varDelta x \to 0} \frac{\varDelta y}{\varDelta x} = \frac{dy}{dx}$

ここまでは確認です！

では、$y = \dfrac{u}{v}$（u、v は微分可能な x の関数）$\cdots(*)$

とし、x が「x から $x + \varDelta x$ まで変化」すると、

u は「u から $u + \varDelta u$ まで変化」、v は「v から $v + \varDelta v$ まで変化」し、

y も「y から $y + \varDelta y$ まで変化」する。

だから、$(*)$ より

$y + \varDelta y = \dfrac{u + \varDelta u}{v + \varDelta v}$ となり、$y = \dfrac{u}{v}$

下の $\varDelta y$ 計算は一見難しそうですが、ただの分数計算ですからね！ 汗

$\varDelta y = \dfrac{u + \varDelta u}{v + \varDelta v} - y = \dfrac{u + \varDelta u}{v + \varDelta v} - \dfrac{u}{v} = \dfrac{v(u + \varDelta u) - u(v + \varDelta v)}{v(v + \varDelta v)} = \dfrac{vu + v\varDelta u - uv - u\varDelta v}{v(v + \varDelta v)}$

$\therefore \quad \varDelta y = \dfrac{v\varDelta u - u\varDelta v}{v(v + \varDelta v)} \cdots ①$

x の関数より、$u = P(x)$、$v = Q(x)$ とおけ、x の増分に対し、u、v の増分を考えると、$u + \varDelta u = P(x + \varDelta x)$、$v + \varDelta v = Q(x + \varDelta x)$ よって、$\varDelta x \to 0$ で、$\varDelta u \to 0$、$\varDelta v \to 0$ 下線の意味、理解できますか？ 汗

ここで①の両辺を $\varDelta x$ で割ると

$\dfrac{\varDelta y}{\varDelta x} = \dfrac{\dfrac{\varDelta u}{\varDelta x} \cdot v - \dfrac{\varDelta v}{\varDelta x} \cdot u}{v(v + \varDelta v)} \cdots ②$

また、$\underline{\varDelta x \to 0 \text{ とすると、} \varDelta u \to 0, \varDelta v \to 0} \cdots ③$ より

$\displaystyle\lim_{\varDelta x \to 0} \frac{\varDelta y}{\varDelta x} = \frac{dy}{dx} \cdots ④ \quad \lim_{\varDelta x \to 0} \frac{\varDelta u}{\varDelta x} = \frac{du}{dx} \cdots ⑤ \quad \lim_{\varDelta x \to 0} \frac{\varDelta v}{\varDelta x} = \frac{dv}{dx} \cdots ⑥$

よって、②③④⑤⑥より

$\dfrac{dy}{dx} = \dfrac{\dfrac{du}{dx} \cdot v - \dfrac{dv}{dx} \cdot u}{v^2} \quad \therefore \quad \dfrac{dy}{dx} = \dfrac{u'v - uv'}{v^2} \quad \leftarrow$ 完成！

この商の微分ができると、実は最初にお話しした、$y = x^n$ の微分に関して、このとき n は自然数となっていましたが、実は「負の整数でも成り立つ」ことが言えるんですよ！

凄いでしょ！

そこで、このことをつぎに示しておきたいと思います。

頑張ってついて来てくださいね！

「無言……」

6章 微分法

[証明]

$y = x^{-p}$（p は自然数）のとき、

$$y = x^{-p} = \frac{1}{x^p}$$

となるので、関数 $y = \dfrac{1}{x^p}$ を微分すると、

$$y' = \frac{(1)' \cdot x^p - 1 \cdot (x^p)'}{(x^p)^2} = \frac{0 - px^{p-1}}{x^{2p}} = -px^{p-1-2p} = -px^{-p-1}$$

このことから

　　　　$y = x^{-p}$ を微分した結果、$y' = -px^{-p-1}$

より、$-p < 0$ であるので、

$y = x^n$ を微分した $y' = nx^{n-1}$ は n が**負の整数**でも成り立つ。　おわり

この上記のことから、つぎの計算が楽にできるようになります。

例題：つぎの関数を微分してみますね。

$$y = \frac{1}{x^3}$$

<解法>

$$y = \frac{1}{x^3} = x^{-3} \qquad\qquad\qquad y = \frac{1}{x^3}$$

・[$y' = nx^{n-1}$] の利用　⟷　・[商の微分公式] の利用

どっちが楽ですか？

$\therefore\ y' = -3x^{-3-1}$　← 私はこっち！　　$\therefore\ y' = \dfrac{0 \cdot x^3 - 1 \cdot 3x^2}{(x^3)^2}$

$ = -3x^{-4} = -\dfrac{3x^2}{x^6}$

$ = -3(x^4)^{-1} = -\dfrac{3}{x^4}$

$ = -\dfrac{3}{x^4}$

演習 144　つぎの関数を微分してみましょう。

(1) $y = \dfrac{1}{x}$　　　(2) $y = \dfrac{3}{x^2}$　　　(3) $y = \dfrac{1}{4x^4}$

ここまでで、指数部分が整数であれば微分計算ができることがわかりました。でも、困ったことに、微分したい数が無理数（n乗根）の場合は、まだ微分できるとは言えないんですよ！　涙
　そこで、指数部分が有理数でも微分可能であれば、無理数の微分計算も簡単にできるので、この証明もしておきたいと思います。

> 指数部分が有理数なら、無理数が表せる。
> 例　・$y = \sqrt{x} = x^{\frac{1}{2}}$　・$y = \sqrt[3]{x^2} = x^{\frac{2}{3}}$

　微分計算の項目が終わった時点で、以下の証明がなんとなく理解できれば十分ですからね！　よって、読み飛ばしてください！

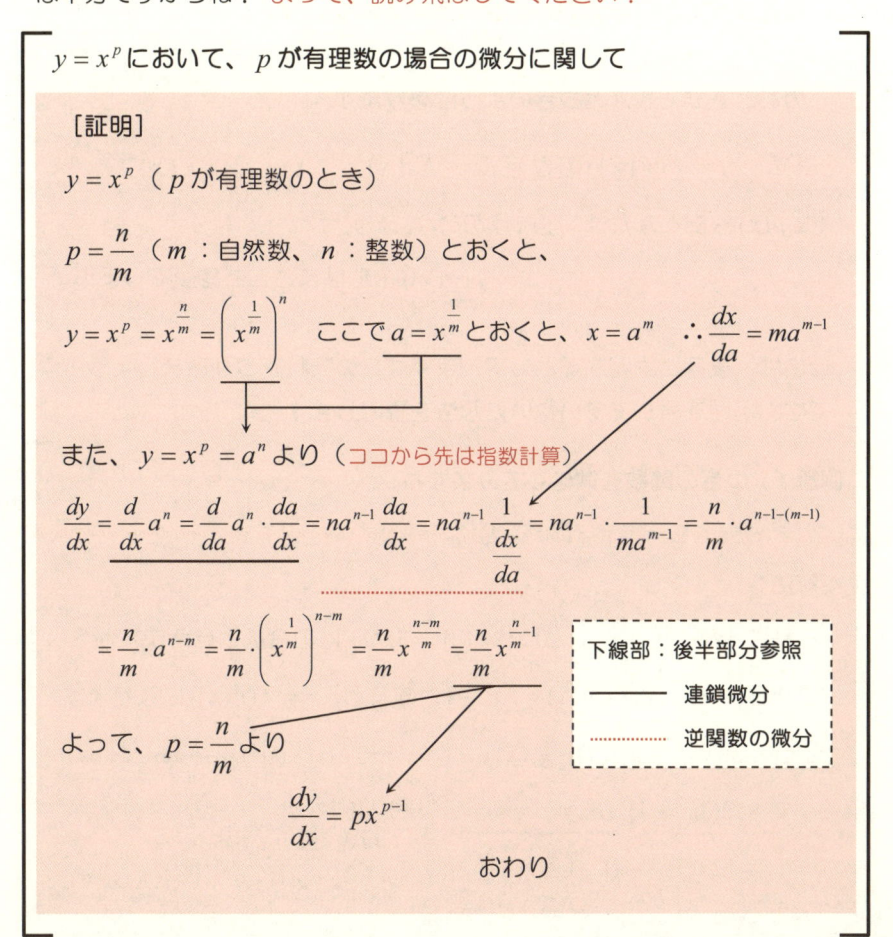

6章　微分法

$y = x^p$ において、p が有理数の場合の微分に関して

［証明］

$y = x^p$ （p が有理数のとき）

$p = \dfrac{n}{m}$ （m：自然数、n：整数）とおくと、

$y = x^p = x^{\frac{n}{m}} = \left(x^{\frac{1}{m}} \right)^n$　ここで $a = x^{\frac{1}{m}}$ とおくと、$x = a^m$　∴ $\dfrac{dx}{da} = ma^{m-1}$

また、$y = x^p = a^n$ より（ココから先は指数計算）

$\dfrac{dy}{dx} = \dfrac{d}{dx}a^n = \dfrac{d}{da}a^n \cdot \dfrac{da}{dx} = na^{n-1}\dfrac{da}{dx} = na^{n-1}\dfrac{1}{\frac{dx}{da}} = na^{n-1} \cdot \dfrac{1}{ma^{m-1}} = \dfrac{n}{m} \cdot a^{n-1-(m-1)}$

$= \dfrac{n}{m} \cdot a^{n-m} = \dfrac{n}{m} \cdot \left(x^{\frac{1}{m}} \right)^{n-m} = \dfrac{n}{m} x^{\frac{n-m}{m}} = \dfrac{n}{m} x^{\frac{n}{m}-1}$

> 下線部：後半部分参照
> ――――　連鎖微分
> ……　逆関数の微分

よって、$p = \dfrac{n}{m}$ より

$\dfrac{dy}{dx} = px^{p-1}$

おわり

復習 54

合成関数の微分

　ここでお話しする「合成関数の微分」の考え方を理解すれば、今後、微分計算に関して悩むことはないと思います！

　合成関数の意味がいまヒトツの方は、「合成関数 $f \circ g(x) = f(g(x))$」の項目（152 ページ）をサラッと読み直してみてくださいね。

　この「合成関数の微分」を簡単に言うと「お饅頭をガブリとかじらないで、皮を食べてから中のアンを食べるイメージ」

　　　　　　　　　　　実際、そのように食べたらまずそうですけどね！ 笑

このことを式で表すとつぎのようになります。

> 「$F(x) = f(g(x))$ のとき、　$F'(x) = f'(g(x)) \cdot g'(x)$」
>
> 関数 $f(x)$ を皮とすれば、$g(x)$ がアンとなり、
>
> 　　　　　　　　　　$f(g(x))$ の形はまさにお饅頭でしょ！？

　理由は、後ほど説明するとして、まずはこの流れをつかみましょう！
　では、例題を通してていねいに解法を説明します。

例題 1：つぎの関数を微分してみますね。

$$y = (3x^2 - 1)^2$$

＜解法＞

　これは「皮：$y = x^2$」と「アン：$y = 3x^2 - 1$」の合成と見えますか？

　だから、$f(x) = x^2$、$g(x) = 3x^2 - 1$ とすると、$y = f(g(x))$ になります。

　よって、$y' = f'(g(x)) \cdot g'(x)$ より　　← $g'(x) = (3x^2)' - (1)' = 6x - 0 = 6x$

　　　$y' = 2(3x^2 - 1) \cdot (6x)$　　　$f'(g(x))$ とは、

　　　　$= 12x(3x^2 - 1)$　（答）　　「$f'(x) = 2x$ の x の部分に

　　　　　　　　　　　　　　　　　　$g(x) = 3x^2 - 1$ を代入しただけ」

例題2：つぎの関数を微分してみますね。

$$y = \frac{1}{(2x-1)^3}$$

<解法>

分母が累乗になっているときは、指数（−1乗）を利用し分数を消す！

$$y = \frac{1}{(2x-1)^3} = (2x-1)^{-3}$$

これは「皮：$y = x^{-3}$」と「アン：$y = 2x-1$」の合成と考えます。

だから、$f(x) = x^{-3}$、$g(x) = 2x-1$とすると、$y = f(g(x))$になります。

よって、$y' = f'(g(x)) \cdot g'(x)$より

$$y' = -3(2x-1)^{-3-1} \cdot 2$$

$f'(g(x))$とは、
「$f'(x) = -3x^{-4}$のxの部分に
$g(x) = 2x-1$を代入しただけ」

$$= -6(2x-1)^{-4}$$

$$= -\frac{6}{(2x-1)^4} \quad （答）$$

$(2x-1)^{-4} = \{(2x-1)^4\}^{-1} = \frac{1}{(2x-1)^4}$

「いかがですか？」徐々に流れがつかめてきませんか？　　う〜ん……微妙

例題3：つぎの関数を微分してみますね。

$$y = \left(\frac{3x}{x+1}\right)^2$$

<解法>

$f(x) = x^2$、$g(x) = \frac{3x}{x+1}$とすると、$y = f(g(x))$となり

よって、$y' = f'(g(x)) \cdot g'(x)$より

$$y' = 2\left(\frac{3x}{x+1}\right) \cdot \left(\frac{3x}{x+1}\right)'$$

商の微分公式

$\left(\frac{3x}{x+1}\right)' = \frac{(3x)'(x+1) - 3x \cdot (x+1)'}{(x+1)^2} = \frac{3(x+1) - 3x \cdot 1}{(x+1)^2}$

$$= \frac{6x}{x+1} \cdot \frac{3}{(x+1)^2}$$

$= \frac{3x+3-3x}{(x+1)^2} = \frac{3}{(x+1)^2}$

$$= \frac{18x}{(x+1)^3} \quad （答）$$

例題4：つぎの関数を微分してみますね。

$$y = \sqrt{2x^2 - 1}$$

＜解法＞

無理数の場合、指数を利用し根号（ルート）をはずす。

$$y = \sqrt{2x^2 - 1} = (2x^2 - 1)^{\frac{1}{2}}$$

$f(x) = x^{\frac{1}{2}}$、$g(x) = 2x^2 - 1$ とすると、$y = f(g(x))$ となり

よって、$y' = f'(g(x)) \cdot g'(x)$ より

$$y' = \frac{1}{2}(2x^2 - 1)^{\frac{1}{2} - 1} \cdot (2x^2 - 1)'$$

$$= \frac{1}{2}(2x^2 - 1)^{-\frac{1}{2}} \cdot 4x \qquad \longrightarrow \quad (2x^2 - 1)^{-\frac{1}{2}} = \left\{(2x^2 - 1)^{\frac{1}{2}}\right\}^{-1}$$

$$= \frac{1}{2} \cdot \frac{1}{\sqrt{2x^2 - 1}} \cdot 4x \qquad\qquad\qquad = \left(\sqrt{2x^2 - 1}\right)^{-1}$$

$$= \frac{2x}{\sqrt{2x^2 - 1}} \qquad\qquad\qquad\qquad\qquad = \frac{1}{\sqrt{2x^2 - 1}}$$

例題1～4までを何度も手を動かして感覚をつかんでくださいね！

演習 145 つぎの関数を微分してみましょう。

(1) $y = (2x - 1)^4$　　　　　　(2) $y = \dfrac{1}{(x - 1)^2}$

(3) $y = \left(\dfrac{x}{2x + 1}\right)^2$　　　　(4) $y = \sqrt{x^2 + 2}$

では、そろそろ漠然とでも、全体が見えてきたところで、「合成関数の微分がナゼこのような計算になるのか？」の説明をしておきたいと思います。

たぶん、微分のイメージができていないと、単なる記号の羅列のようにしか感じられないかと……。でも、ここまでのことが理解できていれば、必ずわかりますので、時間を空けて、何度も読んでみてくださいね！

補足：合成関数の微分

微分可能な 2 つの関数 $y = f(z)$, $z = g(x)$ について、

$y = f(z)$:「y は z の関数」であり、$z = g(x)$:「z は x の関数」であることから、ドミノ倒しのように「x の値が決まると、z の値が決まり」「z の値が決まれば、y の値が決まる」。よって、この 2 つを合成することで、$y = f(g(x))$ となり「y は x の関数」となる。

そこで、x の増分 Δx に対し、z の増分 Δz、y の増分 Δy とすると $\Delta x \to 0$ のとき、$\Delta z \to 0$ より、

$$\lim_{\Delta x \to 0} \frac{\Delta z}{\Delta x} = \frac{dz}{dx} \cdots ① \quad \lim_{\Delta z \to 0} \frac{\Delta y}{\Delta z} = \frac{dy}{dz} \cdots ② \quad \lim_{\Delta x \to 0} \frac{\Delta y}{\Delta x} = \frac{dy}{dx} \cdots ③$$

また、**Δz を仲介**して

$$\frac{\Delta y}{\Delta x} = \frac{\Delta y}{\Delta z} \cdot \frac{\Delta z}{\Delta x} \cdots ④$$

よって、①②③④より

$$\frac{dy}{dx} = \frac{dy}{dz} \cdot \frac{dz}{dx}$$

となり、$y' = \{f(g(x))\}' = f'(z) \cdot g'(x)$ ← 完成！

> $\frac{dy}{dx} = \frac{dy}{dz} \cdot \frac{dz}{dx}$ の意味することは、
> 「（y を z で微分したモノ）と（z を x で微分したモノ）との積は、（y を x で微分）したことと同じである」

まだ、少し説明が難しくて、わかりにくかったかもしれませんね。

「ゴメンナサイ！ 涙 う〜ん……。説明は難しい！」

まぁ〜、とにかく、今は、微分計算をできるようになることが重要。よって、細かいことは横におき、せっかくですから、この合成関数の微分に関して、もう少し問題を解いていただきましょ〜！ 笑

演習 146 つぎの関数を微分してみましょう。

(1) $y = (2x^2 - x + 1)^3$

(2) $y = \left(x - \dfrac{1}{x}\right)^2$

(3) $y = \sqrt[3]{3x^2 + 6x - 1}$

(4) $y = \sqrt{\dfrac{x+1}{x}}$

復習 55

逆関数の微分

さて、「$y = f(x)$ の逆関数の求め方」を覚えておられますか？

> **確認**：「$y = \sqrt{x}$（$x > 0$、$y > 0$）の逆関数を求めてみますね」
> （方針）与式を「$x = g(y)$ と x を y で表し、最後に x、y を入れ換える」
> 両辺2乗し、$y^2 = x$ $\therefore x = y^2$。そして「x ←入れ換える→ y」
> よって、求める逆関数は、$y = x^2$（$x > 0$、$y > 0$）（答）

つらい方は、「逆関数（150ページ）」の項目を復習してください。
そこで、「**逆関数の微分法**」ですが、以下のように表されます。

逆関数の微分法

関数 $y = f(x)$ の逆関数 $y = g(x)$ が存在するのであれば、
$x = g(y)$ を y で微分した $\dfrac{dx}{dy}$ より、

$$\frac{dy}{dx} = \frac{1}{\dfrac{dx}{dy}} \quad \Leftrightarrow \quad f'(x) = \frac{1}{g'(y)}$$

となる。

> 関数 $y = f(x)$ の逆関数を求める最後で、x, y を入れ換えず、「$x = g(y)$」を y で微分した値の逆数が、$f'(x)$ になるということ。

補足：

$y = f(x)$ のとき $x = g(y)$ とし、x の増分 Δx に対する y の増分 Δy において、$y + \Delta y = f(x + \Delta x)$ …①、$x + \Delta x = g(y + \Delta y)$ …② とすると

$$\frac{dy}{dx} = \lim_{\Delta x \to 0} \frac{f(x + \Delta x) - f(x)}{\Delta x} = \lim_{\Delta x \to 0} \frac{(y + \Delta y) - y}{g(y + \Delta y) - g(y)}$$

$$= \lim_{\Delta x \to 0} \frac{\Delta y}{g(y + \Delta y) - g(y)}$$

ここで、$\Delta x \to 0$ のとき、$\Delta y \to 0$ より

$$= \lim_{\Delta y \to 0} \frac{1}{\dfrac{g(y + \Delta y) - g(y)}{\Delta y}} = \frac{1}{\dfrac{dx}{dy}} \quad \leftarrow 完成$$

P273 参照

> 分子：①より $f(x + \Delta x) = y + \Delta y$
> また、$f(x) = y$
>
> 分母：②より $\Delta x = g(y + \Delta y) - x$
> また、$x = g(y)$ より
> $\Delta x = g(y + \Delta y) - g(x)$

例題1: $y=\sqrt{x}$ を逆関数の微分法を利用し、微分してみますね。

<解法>

ここで理解していただきたいのが、右辺は y で微分できるが、左辺は x ゆえ y では微分できない！

そこで、**合成関数の微分**を利用し、左辺は「x で微分したモノと、x を y で微分したモノとの積」で解決！

$$x = y^2$$

$$\frac{dx}{dy} = 2y \quad (*) \qquad (\text{左辺}) = \frac{d}{dx}x \cdot \frac{dx}{dy} = 1 \cdot \frac{dx}{dy} = \frac{dx}{dy}$$

下線部の微分計算は重要！
コレを**連鎖微分**とも呼ぶ。

よって、

$$\frac{dy}{dx} = \frac{1}{\frac{dx}{dy}} = \frac{1}{2y} = \frac{1}{2\sqrt{x}} \quad (\text{答}) \quad \leftarrow \text{下線部を } y=\sqrt{x} \text{ より置き換える}$$

演習147 つぎの関数を逆関数の微分法を利用し、微分してみましょう。

(1) $y = \sqrt[4]{x}$ (2) $y = \sqrt[3]{x+2}$

例題2: $x = y^2 + y + 1$ のとき、$\dfrac{dy}{dx}$ を求めてみますね。

<解法> 右辺は y の多項式ゆえ、y で微分できるが、しかし、左辺は x ゆえ y では微分できない。そこで、左辺に合成関数の微分を利用！

$$\frac{d}{dx}x \cdot \frac{dx}{dy} = 2y+1 \quad \therefore \quad \frac{dx}{dy} = 2y+1 \quad \text{よって、} \quad \frac{dy}{dx} = \frac{1}{\frac{dx}{dy}} = \frac{1}{2y+1} \quad (\text{答})$$

合成関数の微分（連鎖微分）

$\dfrac{dx}{dx} \cdot \dfrac{dx}{dy} = \dfrac{dx}{dy}$ の利用 「(x を x で微分したモノ）と（x を y で微分したモノ）の積は、（x を y で微分）したことになる」

別解: 今度は直接、両辺 x で微分してみましょ～！

$$1 = \frac{d}{dy}y^2 \cdot \frac{dy}{dx} + \frac{d}{dy}y \cdot \frac{dy}{dx} + 0 \quad \leftarrow$$

「y を x で微分する」流れを、シッカリと確認・理解してくださいね！

$$1 = 2y \cdot \frac{dy}{dx} + 1 \cdot \frac{dy}{dx} \quad \leftarrow \text{同類項の計算ですね！}$$

$$1 = (2y+1)\frac{dy}{dx}$$

$$\therefore \quad \frac{dy}{dx} = \frac{1}{2y+1} \quad (\text{答})$$

「**合成関数の微分**」の意味が理解できれば、直接 x で微分した方がカンタンでしょ！

復習56

三角関数の微分

今度は「**三角関数の微分**」についてのお話です。ここでも、やはり微分計算ができることが大切！ また、これまでにお話しした"**合成関数の微分**"や"**積の微分公式**"など、今までの知識が散らばっていますのでシッカリ復習しつつ、先に進むようにしてくださいね。「戻る勇気も大切だよ！ ガンバ！」

三角関数の微分公式

① $y = \sin x \quad \Rightarrow \quad \dfrac{dy}{dx} = \cos x$

② $y = \cos x \quad \Rightarrow \quad \dfrac{dy}{dx} = -\sin x$

③ $y = \tan x \quad \Rightarrow \quad \dfrac{dy}{dx} = \dfrac{1}{\cos^2 x} = \sec^2 x$

補足

① $y = \sin x$ について、**定義**にしたがって微分すると、

$$y' = \lim_{h \to 0} \frac{\sin(x+h) - \sin x}{h} \quad \leftarrow \text{(分子)}: \sin A - \sin B = 2\cos\frac{A+B}{2}\sin\frac{A-B}{2} \text{ で変形}$$

$$= \lim_{h \to 0} \frac{2\cos\left(x + \dfrac{h}{2}\right)\sin\dfrac{h}{2}}{h} \quad \leftarrow \text{分母・分子を2で約分}$$

$$= \lim_{h \to 0} \frac{\cos\left(x + \dfrac{h}{2}\right)\sin\dfrac{h}{2}}{\dfrac{h}{2}}$$

$$= \lim_{h \to 0} \cos\left(x + \frac{h}{2}\right) \frac{\sin\dfrac{h}{2}}{\dfrac{h}{2}} \quad \leftarrow \text{下線部}: \lim_{\theta \to 0}\frac{\sin\theta}{\theta} = 1 \text{ より、} \lim_{h \to 0}\frac{\sin\dfrac{h}{2}}{\dfrac{h}{2}} = 1$$

$$= (\cos x) \cdot 1 = \cos x \quad \leftarrow \text{完成！} \qquad \text{右ページ下、証明あり！}$$

② ①同様、定義にしたがって微分すればよいのですが、それは、皆さんにお任せすることにして、**①の結果を利用した方法**を……。

$y' = (\cos x)'$ ← $\cos x = \sin\left(\dfrac{\pi}{2}+x\right)$: よく使う変形パターン！

$= \left\{\sin\left(\dfrac{\pi}{2}+x\right)\right\}'$ ← 合成関数の微分 $\left\{\sin\left(\dfrac{\pi}{2}+x\right)\right\}' = \left\{\sin\left(\dfrac{\pi}{2}+x\right)\right\}' \cdot \left(\dfrac{\pi}{2}+x\right)'$

$= \left\{\cos\left(\dfrac{\pi}{2}+x\right)\right\} \cdot 1$ $\qquad\qquad\qquad = \cos\left(\dfrac{\pi}{2}+x\right) \cdot 1$

$= \cos\left(\dfrac{\pi}{2}+x\right)$ ← 「ストック！」覚えていますか？

$= -\sin x$ ← 完成！

③ $y' = \left(\dfrac{\sin x}{\cos x}\right)'$ ← $\tan x = \dfrac{\sin x}{\cos x}$ 　商の微分公式の利用

$= \dfrac{(\sin x)'\cos x - \sin x (\cos x)'}{\cos^2 x}$ ← $\left(\dfrac{u}{v}\right)' = \dfrac{u'v - uv'}{v^2}$

$= \dfrac{\cos x \cdot \cos x - \sin x \cdot (-\sin x)}{\cos^2 x}$ ← ① ②より $(\sin x)' = \cos x$、 $(\cos x)' = -\sin x$

$= \dfrac{\cos^2 x + \sin^2 x}{\cos^2 x}$ ← $\sin^2 x + \cos^2 x = 1$

$= \dfrac{1}{\cos^2 x}$ ← 完成！

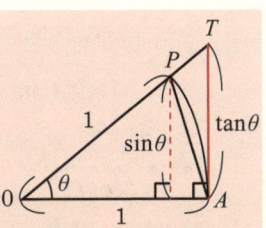

6章 微分法

証明　右上図について面積より

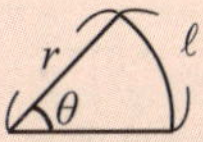

△OAP＜扇形 OAP＜△OAT　扇形の面積 $S = \dfrac{1}{2}r^2\theta = \dfrac{1}{2}\ell r$

∴ $\dfrac{1}{2}\cdot 1 \cdot \sin\theta < \dfrac{1}{2}\cdot 1^2 \cdot \theta < \dfrac{1}{2}\cdot 1 \cdot \tan\theta \cdots (\ast)$

ⅰ) $0 < \theta < \dfrac{\pi}{2}$ のとき、$\sin\theta > 0$

($\ast$) より　$\sin\theta < \theta < \tan\theta$

∴ $1 < \dfrac{\theta}{\sin\theta} < \dfrac{1}{\cos\theta}$ ← $\sin\theta$ で割る！

逆数をとり、$1 > \dfrac{\sin\theta}{\theta} > \cos\theta \cdots$ ①

ここで①の下線部：$\theta \to 0$ で $\cos\theta \to 1$

よって、①は両側が1に近づくので

$\theta \to 0$ で $\dfrac{\sin\theta}{\theta} \to 1$

ⅱ) $\theta < 0$ のとき、$\theta = -t$ とおくと

$\theta \to 0$ で $t > 0$ より、$t \to 0$

よって、(ⅰ) の結果より

$\displaystyle\lim_{\theta \to 0}\dfrac{\sin\theta}{\theta} = \lim_{t\to 0}\dfrac{\sin(-t)}{-t} = \lim_{t\to 0}\dfrac{\sin t}{t} = 1$

よって、(ⅰ)(ⅱ) より

$\displaystyle\lim_{\theta\to 0}\dfrac{\sin\theta}{\theta} = 1$ 　　おわり

例題 1：つぎの関数を微分してみますね。

(1) $y = \sin x + \cos x$ (2) $y = \cos x + \tan x$
(3) $y = \sin 2x$ (4) $y = \cos 5x$

〈解法〉

(1) $y' = (\sin x)' + (\cos x)' = \cos x + (-\sin x) = \cos x - \sin x$ （答）

　　　　　　　　　　　　　　　　↑（−）符号に気をつけてね！

(2) $y' = (\cos x)' + (\tan x)' = -\sin x + \dfrac{1}{\cos^2 x}$ （答）

(3) 合成関数の微分ですね！ ていねいに解いてみます。

> $y = \sin t$、 $t = 2x$ とすると、
>
> $\dfrac{dy}{dx} = \dfrac{dy}{dt} \cdot \dfrac{dt}{dx}$ より、$\dfrac{dy}{dt} = \cos t$、$\dfrac{dt}{dx} = 2$
>
> $\therefore \dfrac{dy}{dx} = \dfrac{dy}{dt} \cdot \dfrac{dt}{dx} = (\cos t) \cdot 2 = 2\cos t = 2\cos 2x$ （$\because t = 2x$）

いかがですか？ でも、今後はたくさん計算練習をし、つぎのように一気に計算できるようになってください！

$$y' = (\sin 2x)' \cdot (2x)' = (\cos 2x) \cdot 2 = 2\cos 2x$$ （答）

(4) 合成関数の微分が見えましたか？

> $y = \cos t$、 $t = 5x$ とすると、
>
> $\dfrac{dy}{dx} = \dfrac{dy}{dt} \cdot \dfrac{dt}{dx}$ より、$\dfrac{dy}{dt} = -\sin t$、$\dfrac{dt}{dx} = 5$
>
> $\therefore \dfrac{dy}{dx} = \dfrac{dy}{dt} \cdot \dfrac{dt}{dx} = (-\sin t) \cdot 5 = -5\sin t = -5\sin 5x$ （$\because t = 5x$）

つぎのように、一気にできるようになるまでガンバ！

$$y' = (\cos 5x)' (5x)' = (-\sin 5x) \cdot 5 = -5\sin 5x$$ （答）

演習 148 つぎの関数を微分してみましょう。

(1) $y = \sin x - \tan x$ (2) $y = \cos(2x + 1)$ (3) $y = \tan 3x$

例題2：つぎの関数を微分してみますね。

(1) $y = \cos^2 x$ 　　　　　(2) $y = \sin^2 2x$

＜解法＞

(1) これも、合成関数の微分ですよ！ 　$y = \cos^2 x = (\cos x)^2$

$y = t^2$、 　$t = \cos x$ とすると、

$$\frac{dy}{dx} = \frac{dy}{dt} \cdot \frac{dt}{dx} \text{ より、} \quad \frac{dy}{dt} = 2t、\quad \frac{dt}{dx} = -\sin x$$

$$\therefore \frac{dy}{dx} = \frac{dy}{dt} \cdot \frac{dt}{dx} = 2t \cdot (-\sin x) = -2t \sin x = -2\cos x \sin x \quad (\because t = \cos x)$$

少しでも早く、つぎのように微分計算できるようになりましょうね！

$$y' = \{(\cos x)^2\}' \cdot (\cos x)' = (2\cos x) \cdot (-\sin x) = -2\sin x \cos x$$

ココで一言。実は、通常コレを答えにはしないんですよ。突然ですが、**2倍角の公式**を覚えていますか？ ⇒ 2倍角：「$\sin 2x = 2\sin x \cos x$」

よって、$y' = -2\sin x \cos x = -\sin 2x$ （答） ← 解答はできるだけ簡潔な形にするのが鉄則

(2) またまた、これも合成関数の微分ですね！ 笑

$y = \sin^2 t$、 　$t = 2x$ とすると、

$$\frac{dy}{dx} = \frac{dy}{dt} \cdot \frac{dt}{dx} \text{ より、}$$

$$\frac{dy}{dt} = \{(\sin t)^2\}' \cdot (\sin t)' = (2\sin t) \cdot (\cos t) = 2\sin t \cos t = \sin 2t、\quad \frac{dt}{dx} = 2$$

$$\therefore \frac{dy}{dx} = \frac{dy}{dt} \cdot \frac{dt}{dx} = (\sin 2t) \cdot 2 = 2\sin 2t = 2\sin 4x \quad (\because t = 2x)$$

では、この計算も一気にやるとつぎのようになります！

$$y' = \{(\sin 2x)^2\}' \cdot (\sin 2x)' \cdot (2x)' = 2(\sin 2x) \cdot (\cos 2x) \cdot 2 = 2\sin 4x \text{（答）}$$

　　　　　　　　　　　　　　2倍角の公式

演習149 　つぎの関数を微分してみましょう。

(1) $y = \sin^2 x$ 　　　　　(2) $y = \cos^2 2x$

例題3：つぎの関数を微分してみますね。

(1) $y = \dfrac{1}{\sin x}$ (2) $y = \sin x \cos^2 x$

＜解法＞

(1) これは商の微分法ですね！⇒ 商の微分公式：$\left(\dfrac{u}{v}\right)' = \dfrac{u'v - uv'}{v^2}$

$$y' = \frac{(1)' \cdot \sin x - 1 \cdot (\sin x)'}{(\sin x)^2} = \frac{0 \cdot \sin x - 1 \cdot \cos x}{\sin^2 x} = -\frac{\cos x}{\sin^2 x} \quad \text{(答)}$$

(2) 今度は積の微分法ですよ！⇒ 積の微分公式：$(uv)' = u'v + uv'$

$$y' = (\sin x)' \cdot \cos^2 x + \sin x \cdot (\cos^2 x)' \quad \leftarrow \text{下線部：合成関数の微分}$$
$$= \cos x \cdot \cos^2 x + \sin x \cdot \{(\cos x)^2\}' \cdot (\cos x)'$$
$$= \cos^3 x + \sin x \cdot 2\cos x \cdot (-\sin x)$$
$$= \underline{\cos^3 x - 2\sin^2 x \cos x} \quad \text{(答)} \quad \cdots ①$$

（別解）

$y = \sin x \cos^2 x = \sin x(1 - \sin^2 x) = \sin x - \sin^3 x$ より、

$$y' = (\sin x)' - (\sin^3 x)' \quad \leftarrow \text{下線部：合成関数の微分}$$
$$= \cos x - \{(\sin x)^3\}' \cdot (\sin x)'$$
$$= \cos x - 3(\sin x)^2 \cdot \cos x$$
$$= \underline{\cos x - 3\sin^2 x \cos x} \quad \text{(答)} \quad \cdots ②$$

①②どちらも正解です！ 三角関数の場合、いろいろ変形ができるので、解答の形が違ってくる場合があります。ただ、一番大切なことは、例題2で2倍角の公式を使ったように、解答はできるだけシンプルな形で表現することを心がけてください！

演習150 つぎの関数を微分してみましょう。

(1) $y = \dfrac{\sin x}{\cos x}$ (2) $y = \tan x \cos^2 x$

ここまでに、高次関数（$y=x^n$）、三角関数の微分計算および、それに関連して積・商の微分法、合成関数の微分などのお話をしてきました。

しかし、高校数学における微分計算でわれわれができなければならないモノはまだあるんですね！　それもあと4つも！　それは以下のモノ！

　　　"対数関数"　　　"指数関数"　　　"対数微分法"　　　"陰関数"

そこで、この4つのお話をする前に、予備知識として必要なことを簡潔に示しておきますね。対数関数の微分で必要な知識なんですが、この件に関しては「へぇ～、ソウナンダ！」と軽く受け止めてください。そうでないと、収拾がつきませんので！　汗　毎回、右から左へ流しているので大丈夫！　笑
　　　「エッ！？　やはりソウナンダァ～涙　ムズカシイモンネ！」

6章 微分法

自然対数の底 e

まず、$a_n = \left(1+\dfrac{1}{n}\right)^n$（$n$：自然数）を考えたとき、数列 $\{a_n\}$ は2と3の間の数に収束し、その値を e とします。これは1748年、オイラーが「無限小解析入門」の中で導入したとのこと。

　　　　　　　　　　　　　　　　　　　　　　一部、『岩波数学入門辞典』引用

$$e = \lim_{n \to \infty}\left(1+\dfrac{1}{n}\right)^n \quad (e = 2.7182\cdots)$$

ちなみに、対数の創始者ネピアにちなんで、この e をネピア数とも言う。そして、さらに、つぎのことがわかっています。

$$\cdot \lim_{h \to 0}(1+h)^{\frac{1}{h}} = e \qquad \cdot \lim_{h \to 0}\dfrac{e^h - 1}{h} = 1$$

「マッタク、わけがわかりませんよね……汗！」でも、それで構いません！　笑
では、上の枠内のことを前提に、残りの微分計算に関して、お話をさせていただきたいと思います。

　　　　　　　　　　　　　コレって本当に高校数学なの！？
　　　　　　　　　　　　　「ハイ！　汗　難しいですよね！　同感」

復習57 対数関数の微分

早速ですが、対数 $\log_a x$ において、底 $a = e$ とした対数 $\log_e x$ を**自然対数**と呼び、通常底を省き、"$\log x$" と表します。

では、この**対数の微分の仕方**についてお話ししたいと思います。

対数関数の微分

[Ⅰ] $\begin{cases} y = \log_a x & \Rightarrow \quad \dfrac{dy}{dx} = \dfrac{1}{x \log a} \\[2mm] y = \log_a |x| & \Rightarrow \quad \dfrac{dy}{dx} = \dfrac{1}{x \log a} \end{cases}$ （$a > 0$、$a \neq 1$）

$a = e$ のとき、

[Ⅱ] $\begin{cases} y = \log x & \Rightarrow \quad \dfrac{dy}{dx} = \dfrac{1}{x} \\[2mm] y = \log |x| & \Rightarrow \quad \dfrac{dy}{dx} = \dfrac{1}{x} \end{cases}$

↑ 絶対値が付いていても、今は意識しないでOK！ただ、積分のときに関係してくるので！

補足

$y = \log_a x$（$a > 0$、$a \neq 1$）において、x の増分 $\varDelta x$ に対し、y の増分 $\varDelta y$ とすると、

$$y + \varDelta y = \log_a (x + \varDelta x)$$

$\therefore \varDelta y = \log_a (x + \varDelta x) - y = \log_a (x + \varDelta x) - \log_a x = \log_a \dfrac{x + \varDelta x}{x} = \log_a \left(1 + \dfrac{\varDelta x}{x}\right)$

$\therefore \dfrac{\varDelta y}{\varDelta x} = \dfrac{1}{\varDelta x} \log_a \left(1 + \dfrac{\varDelta x}{x}\right)$ ・・・① 　　$\log_a A - \log_a B = \log_a \dfrac{A}{B}$

ここで、$\dfrac{\varDelta x}{x} = h$ とおくと、$\varDelta x = xh$。また、$\varDelta x \to 0$ ならば、$h \to 0$

となり、①より、$\dfrac{\varDelta y}{\varDelta x} = \dfrac{1}{xh} \log_a (1 + h) = \dfrac{1}{x} \cdot \dfrac{1}{h} \log_a (1 + h) = \dfrac{1}{x} \log_a (1 + h)^{\frac{1}{h}}$

よって、$\dfrac{dy}{dx} = \lim_{\varDelta x \to 0} \dfrac{\varDelta y}{\varDelta x} = \lim_{h \to 0} \dfrac{1}{x} \cdot \log_a (1 + h)^{\frac{1}{h}} = \dfrac{1}{x} \log_a e$ ← $\lim_{h \to 0} (1 + h)^{\frac{1}{h}} = e$

$$\therefore \frac{dy}{dx} = \lim_{\Delta x \to 0} \frac{\Delta y}{\Delta x} = \frac{1}{x} \cdot \frac{\log_e e}{\log_e a} = \frac{1}{x \log a} \quad \leftarrow \text{[Ⅰ] 完成} \cdots ②$$

（底の変換公式：底を e にする）

また、ここで $a = e$ のとき、② より

$$\frac{dy}{dx} = \frac{1}{x \log e} = \frac{1}{x} \quad \leftarrow \text{[Ⅱ] 完成} \qquad \log e = \log_e e = 1$$

例題：つぎの関数を微分してみますね。

(1) $y = \log_2 x$ (2) $y = x - \log x$ (3) $y = \log 2x$

(4) $y = \log(3x + 2)$ (5) $y = \log|2x - 1|$ (6) $y = \log_5|x - 1|$

<解法>

(1) $y' = (\log_2 x)' = \dfrac{1}{x \log 2}$ $\leftarrow$ [Ⅰ] $(\log_a x)' = \dfrac{1}{x \log a}$

(2) $y' = 1 - \dfrac{1}{x}$ $\leftarrow$ 各項ごとの微分

(3) **合成関数の微分**であることがわかりますか？

$y = \log t$、$t = 2x$ とすると、

$$\frac{dy}{dx} = \frac{dy}{dt} \cdot \frac{dt}{dx} \text{ より、} \frac{dy}{dt} = \frac{1}{t}, \frac{dt}{dx} = 2$$

絶対値が付いていても計算過程は<解法>のとおり。そして、実は(3)～は**公式[Ⅲ]**があり、必ずそれにしたがって微分してください。

$$\therefore \frac{dy}{dx} = \frac{dy}{dt} \cdot \frac{dt}{dx} = \frac{1}{t} \cdot 2 = \frac{2}{2x} = \frac{1}{x} \quad (\because t = 2x) \quad \text{（答）}$$

(4) $y' = \dfrac{(3x+2)'}{3x+2} = \dfrac{3}{3x+2}$ (3)公式参照

(5) $y' = \dfrac{(2x-1)'}{2x-1} = \dfrac{2}{2x-1}$ (3)公式参照

(6) $y' = \dfrac{(x-1)'}{(x-1)\log 5} = \dfrac{1}{(x-1)\log 5}$

[Ⅲ] 証明はp316

① $\{\log f(x)\}' = \dfrac{f'(x)}{f(x)}$

② $\{\log_a f(x)\}' = \dfrac{f'(x)}{f(x) \log a}$

演習 151 つぎの関数を微分してみましょう。

(1) $y = \log_4 2x$ (2) $y = \log 7x$

(3) $y = \log|3x|$ (4) $y = (\log x)^3$

復習 58

指数関数の微分

今度は「指数関数の微分」です。たぶん、既存の本の多くは、指数、対数関数の順になっているかもしれませんね。でも、解説の流れとしては、対数のあとに指数関数をお話しした方がわかりやすいと私は思うので！

では、まず指数の微分の仕方をお見せします。

指数関数の微分

① $y = a^x \Rightarrow \dfrac{dy}{dx} = a^x \log a$ （$a > 0$、$a \neq 1$）

② $y = e^x \Rightarrow \dfrac{dy}{dx} = e^x$

補足

① $y = a^x$ と $y = \log_a x$ は逆関数ゆえ、どちらかが微分できるのであれば、他方の微分計算は「逆関数の微分」で求めることができる。

　　　　　わからない方は「逆関数の微分」の項を復習してください。

$y = a^x$ より、$x = \log_a y$ を y について微分。 $\dfrac{dx}{dy} = \dfrac{1}{y \log a}$

$\therefore \dfrac{dy}{dx} = \dfrac{1}{\dfrac{dx}{dy}} = \dfrac{1}{\dfrac{1}{y \log a}} = y \log a = a^x \log a$ （$\because y = a^x$）　← 完成！

② $y = e^x$ に関して、①の結果より、$a = e$ とし

$\dfrac{dy}{dx} = e^x \log e = e^x$ （$\because \log e = \log_e e = 1$）　← 完成！

上の証明を見て、すっごく簡潔に思えませんか？ このように、何度となくお話ししていますが、数学はすべて積み重ねの学問なんです。

よって、根気よくコツコツやるのが一番の早道なんですね！

例題：つぎの関数を微分してみますね！

(1) $y = e^{2x}$　　(2) $y = 2^{3x}$　　(3) $y = e^{-x^2}$　　(4) $y = xe^x$

<解法>

(1) $y = e^t$、$t = 2x$ とおくと、合成関数の微分より

$$\frac{dy}{dx} = \frac{dy}{dt} \cdot \frac{dt}{dx} = (e^t)' \cdot (2x)' = e^t \cdot 2 = 2e^{2x} \quad （答）$$

慣れれば以下のように！（公式③の利用）

$$y' = e^{2x} \cdot (2x)' = 2e^{2x} \quad （答）$$

公式③
$(e^{f(x)})' = e^{f(x)} \cdot f(x)'$

(2) $y = 2^t$、$t = 3x$ とおくと、合成関数の微分より

$$\frac{dy}{dx} = \frac{dy}{dt} \cdot \frac{dt}{dx} = (2^t)' \cdot (3x)' = (2^t \log 2) \cdot 3 = 3 \cdot 2^{3x} \log 2 \quad （答）$$

慣れれば以下のように！（公式④の利用）

$$y' = 2^{3x} \log 2 \cdot (3x)' = 3 \cdot 2^{3x} \log 2 \quad （答）$$

公式④
$(a^{f(x)})' = a^{f(x)} \log a \cdot f'(x)$

(3) $y = e^t$、$t = -x^2$ とおくと、合成関数の微分より

$$\frac{dy}{dx} = \frac{dy}{dt} \cdot \frac{dt}{dx} = (e^t)' \cdot (-x^2)' = e^t \cdot (-2x) = -2xe^{-x^2} \quad （答）$$

慣れれば以下のように！（公式③の利用）

$$y' = e^{-x^2} \cdot (-x^2)' = -2xe^{-x^2} \quad （答）$$

(4) コレは積の微分法ですね！　積の微分公式：$(uv)' = u'v + uv'$

$$\frac{dy}{dx} = (x)' \cdot e^x + x \cdot (e^x)' = 1 \cdot e^x + x \cdot e^x = e^x\underline{(1+x)} \quad （答）$$

解答はできるだけ簡潔に表現ゆえ、同類項の計算に！

「いかがですか？」微分計算に関してはだいぶ自信がついてきたのではないでしょうか！？

……無言

演習152　つぎの関数を微分してみましょう。

(1) $y = e^x - e^{-x}$　　(2) $y = 5^{x^2}$　　(3) $y = e^x \sin x$

復習 59

対数微分法

ここまで来ると、もぉ～たいていの関数は微分できる気がしますよね！でも、まだできないものがあるんです。汗 また、方法はわかるけど、いざ計算をはじめると、途方もなく複雑で面倒になるモノもあるんですよ！たとえば、つぎの 3 つの関数を微分するとして方針が立つでしょうか？

(1) $y = x^x \ (x > 0)$ (2) $y = \dfrac{x+3}{(x+1)^2(x+2)^3}$ (3) $y = \sqrt{\dfrac{x^5}{(x+1)^3}}$

しかし、今からお話しする"**対数微分法**"を利用すれば、大変スマートに微分計算ができるんです。では、問題を通して解説します。

例題：つぎの関数を微分してみますね！

(1) $y = x^x \ (x > 0)$ (2) $y = \dfrac{x+3}{(x+1)^2(x+2)^3}$ (3) $y = \sqrt{\dfrac{x^5}{(x+1)^3}}$

<解法>

(1) コレは今までの微分法がマッタク使えません。なぜなら、底も指数も共に定数ではないんですよ。今までなら、必ずどちらか一方は定数だったでしょ！ では、解答へ

両辺底を e とし対数をとる

$\log y = \log x^x$ ← 左辺 $y > 0$：$|y|$ は不要！「$A = B \Leftrightarrow \log A = \log B$」

$\qquad\quad = x \log x$ ← 真数の指数 x は前に出る！

両辺 x について微分

　　　　　　　　　　積の微分

$\dfrac{d}{dy} \log y \cdot \dfrac{dy}{dx} = (x)' \log x + x (\log x)'$

$\dfrac{1}{y} \cdot \dfrac{dy}{dx} = 1 \cdot \log x + x \cdot \dfrac{1}{x}$

$\therefore \ \dfrac{dy}{dx} = (\log x + 1) \cdot y = (\log x + 1) x^x$ （答）← y をもとに戻す

y を x で微分できないので「y を y で微分したモノ」と、「その y を x で微分したモノ」との積の計算で y を x で微分したことになる！ **連鎖微分**とも呼ぶ。合成関数の微分が理解できればわかるはず!?

（2）$\log|y| = \log\left|\dfrac{x+3}{(x+1)^2(x+2)^3}\right|$ ← |真数|に注意。$\log\dfrac{A}{B} = \log A - \log B$

$\qquad\qquad = \log|x+3| - \log|(x+1)^2(x+2)^3|$ ← $-\log AB = -(\log A + \log B)$

$\qquad\qquad = \log|x+3| - \log|(x+1)^2| - \log|(x+2)^3|$ ← $\log A^x = x\log A$

$\qquad\qquad = \log|x+3| - 2\log|x+1| - 3\log|x+2|$ ← 両辺 x で微分

$\qquad \dfrac{1}{y}\cdot\dfrac{dy}{dx} = \dfrac{(x+3)'}{x+3} - 2\cdot\dfrac{(x+1)'}{x+1} - 3\cdot\dfrac{(x+2)'}{x+2}$ ← 左辺：連鎖微分

$\therefore\ \dfrac{dy}{dx} = \left(\dfrac{1}{x+3} - \dfrac{2}{x+1} - \dfrac{3}{x+2}\right)\cdot y$ ← 右辺：通分計算

$\qquad\qquad = \dfrac{-(4x^2+19x+19)}{(x+1)(x+2)(x+3)}\cdot\dfrac{x+3}{(x+1)^2(x+2)^3}$ ← y をもとに戻す

$\qquad\qquad = -\dfrac{4x^2+19x+19}{(x+1)^3(x+2)^4}$ （答）

（3）$y = \sqrt{\dfrac{x^5}{(x+1)^3}} = \left\{\dfrac{x^5}{(x+1)^3}\right\}^{\frac{1}{2}}$ ←（右辺）>0 より、$y>0$

$\qquad \log y = \dfrac{1}{2}\log\left|\dfrac{x^5}{(x+1)^3}\right|$ ← 両辺対数をとる。左辺 $|y|$ は不要！

$\qquad\qquad = \dfrac{1}{2}\{\log|x^5| - \log|(x+1)^3|\}$

$\qquad\qquad = \dfrac{1}{2}(5\log|x| - 3\log|x+1|)$

対数微分法は大変便利なので、例題を考えながら繰り返し、繰り返し、ヒタスラ解法を写してください。最低5回かな！？

エッ！？ 汗

$\qquad \dfrac{1}{y}\cdot\dfrac{dy}{dx} = \dfrac{1}{2}\left(\dfrac{5}{x} - \dfrac{3}{x+1}\right)$ ← 両辺 x で微分

$\qquad\qquad \dfrac{dy}{dx} = \dfrac{2x+5}{2x(x+1)}\cdot y = \dfrac{2x+5}{2x(x+1)}\sqrt{\dfrac{x^5}{(x+1)^3}}$ （答）

慣れると、大変便利な微分法です。指数の微分もコレでカンタン！

演習 153 つぎの関数を対数微分法で微分してみましょう。

（1）$y = 2^x$ 　　　　　（2）$y = x^{\sin x}$

復習 60

陰関数の微分

普段、聞きなれない言葉ですが、関数には**陰関数**と**陽関数**があります。なんだかイメージがよくないですが、実はマッタク違うんですね！ 笑

陰関数：$f(x,y)=0$で表された関数。　例：$x^3-xy+y^3=0$
陽関数：$y=f(x)$で表された関数。　例：$y=x^2-x+3$

そこで、"陰関数"で表されたモノを"陽関数：$y=f(x)$"にカンタンに直せばよいのですが、実際は、できなかったり、または、できても面倒であったりといろいろなんです。そこで、もし、陰関数のまま強引にxで微分できてしまえば問題ないわけでしょ？

では、この先は問題を通して解説させてください！

例題：$x^3-3xy+y^3=0$であるとき、$\dfrac{dy}{dx}(=y')$を求めてみますね。

<解法> $y=f(x)$には直せそうか微妙。そこで、強引にxで両辺微分。

$$\dfrac{d}{dx}x^3 - 3\left(\dfrac{d}{dx}x \cdot y + x \cdot \dfrac{d}{dx}y\right) + \dfrac{d}{dy}y^3 \cdot \dfrac{dy}{dx} = \dfrac{d}{dx}0 \quad \leftarrow \dfrac{d}{dx}y = \dfrac{dy}{dx} = y'$$

$$3x^2 - 3(1 \cdot y + x \cdot y') + 3y^2 \cdot y' = 0 \quad \leftarrow \text{両辺 3 で割る。}$$

$$x^2 - y - xy' + y^2 y' = 0$$

$$(y^2 - x)y' = y - x^2 \quad \leftarrow y' \text{について解く}$$

$$\therefore y' = \dfrac{y-x^2}{y^2-x} \quad (答)$$

- - - - - ：積の微分法
———— ：連鎖微分

$$y' = \dfrac{d}{dx}y = \dfrac{dy}{dx}$$

演習 154　$x=y^2+y+1$のとき、$\dfrac{dy}{dx}(=y')$を求めてみましょう。

復習61
媒介変数表示された関数の微分

これが微分最後のお話です！ 今までのことが理解できていれば、別になんでもないことですので。　　　　ハッハッハッ……笑うしかない！ 汗

媒介変数表示された関数の微分の仕方

$$\begin{cases} x = f(t) \\ y = g(t) \end{cases} \text{のとき、} \frac{dy}{dx} = \frac{dy}{dt} \Big/ \frac{dx}{dt} = \frac{g'(t)}{f'(t)} \text{となります。}$$

それぞれを媒介変数で微分した同士の割り算ですから、カンタンです！

例題：つぎの関数の $\frac{dy}{dx}$ を求めてみますね。

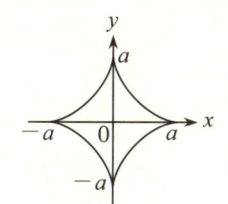

$$\begin{cases} x = a\cos^3 t \\ y = a\sin^3 t \end{cases} (a > 0)$$

この関数は右図のアステロイド（星型曲線）を表しています。

<解法>一見難しそうですが、しかし、皆さんならもう大丈夫！

$$\frac{dx}{dt} = a\{(\cos t)^3\}' \cdot (\cos t)' = a \cdot 3\cos^2 t \cdot (-\sin t) = -3a \cdot \sin t \cos^2 t$$

$$\frac{dy}{dt} = a\{(\sin t)^3\}' \cdot (\sin t)' = a \cdot 3\sin^2 t \cdot (\cos t) = 3a \cdot \cos t \sin^2 t$$

よって、

$$\frac{dy}{dx} = \frac{dy}{dt} \Big/ \frac{dx}{dt} = \frac{3a \cos t \sin^2 t}{-3a \sin t \cos^2 t} = -\frac{\cos t}{\sin t} \cdot \frac{\sin^2 t}{\cos^2 t} = -\frac{1}{\frac{\sin t}{\cos t}} \cdot \left(\frac{\sin t}{\cos t}\right)^2$$

$$\therefore \frac{dy}{dx} = -\frac{1}{\tan t} \cdot \tan^2 t = -\tan t \text{ （答）}$$

← コレはアステロイド上の接線の傾きを表しています。

演習155 つぎの関数の $\frac{dy}{dx}$ を求めてみましょう。

(1) $x = 2t + 1$、$y = t^2$
(2) $x = 2(t - \sin t)$、$y = 2(1 - \cos t)$

復習 62

接線(法線)を求める　Ⅰ

「"微分する"とは、接線の傾きを求める」という立場で、ここまで話を進めてきました。よって、コノ時点で皆さんはたいていの曲線における"傾き"は求めることができるはずなんですね！　　……無言

そこで、主題のヒトツである曲線における接線を求めるわけですが、この接線の求め方には大きく分けて2種類あります。

$$\begin{cases} Ⅰ：曲線上の1点における接線を求める。\\ Ⅱ：曲線外の1点からひく接線を求める。\end{cases}$$

では、Ⅰから説明に入りたいと思います。

Ⅰ：曲線上の1点における接線

曲線 $y = f(x)$ 上の点 $P(a, f(a))$ における接線の方程式

点 P における接線の傾き m は、

$$m = f'(a)$$

より、点 $P(a, f(a))$ における

接線の方程式は

$$y = f'(a)(x - a) + f(a)$$

法線の方程式は

$$y = -\frac{1}{f'(a)}(x - a) + f(a)$$

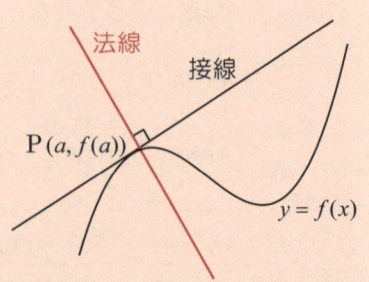

接点を通り、接線に垂直に交わる直線を法線と呼ぶ。
また、接線、法線の傾きをそれぞれ m_1、m_2 とすると、
必ず「$m_1 \cdot m_2 = -1$」となり、$m_2 = -\dfrac{1}{m_1}$

上記のように、"傾き"と、通る"1点の座標"が求まれば直線の式は1つに決まるんですね！　では、早速、接線・法線を求めてみましょう！

例題：曲線 $y = x^3 - 2x + 1$ において、つぎの問いに答えてみますね。

(1) 点（1, 0）における接線、および、法線の方程式
(2) 点（0, 1）における接線、および、法線の方程式

<解法>

$y = f(x) = x^3 - 2x + 1$ とおき、x について微分しましょう。

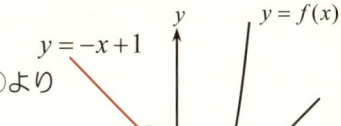

$f'(x) = 3x^2 - 2$ ・・・①

(1) 点（1, 0）における傾き m は、①より

$m = f'(1) = 3 \cdot 1^2 - 2 = 1$

したがって、求める接線の方程式は、

傾き 1、点（1, 0）を通るので

$y = 1 \cdot (x - 1) + 0$ ∴ $y = x - 1$（答）

また、求める法線の傾き m' は、

$m \cdot m' = -1$ より、$1 \cdot m' = -1$ ∴ $m' = -1$

ゆえに、求める法線の方程式は、傾き -1、点（1, 0）を通るので

$y = -1 \cdot (x - 1) + 0$ ∴ $y = -x + 1$（答）

(2) 点（0, 1）における傾き m は、①より

$m = f'(0) = 3 \cdot 0^2 - 2 = -2$

したがって、求める接線の方程式は、

傾き -2、点（0, 1）を通るので

$y = -2x + 1$ （答）

また、求める法線の傾き m' は、

$m \cdot m' = -1$ より、$-2 \cdot m' = -1$ ∴ $m' = \dfrac{1}{2}$

ゆえに、求める法線の方程式は、

傾き $\dfrac{1}{2}$、（0, 1）点を通るので、$y = \dfrac{1}{2}x + 1$（答）

点（0, 1）における接線は曲線を横切っていますが、しかし、コレも接線なんですね！

演習 156　曲線 $y = -x^3 + 2x^2 - 1$ 上の点（-1, 2）における接線の方程式を求めてみましょう。

復習 63

接線を求める Ⅱ

接線の問題でよく出題されるのが、このⅡのパターンなんですね！

Ⅱ：曲線外の1点から接線をひく。

点Q（p，q）から曲線$y=f(x)$への接線の方程式

曲線$y=f(x)$上の適当な点P（a，$f(a)$）における接線の方程式（＊）を求める。そして、その方程式に点Qの座標を代入しaの値を求め、（＊）に代入し完成！

点P（a，$f(a)$）における接線

$$y=f'(a)(x-a)+f(a) \cdots (＊)$$

コレに点Q（p，q）を代入、

$$q=f'(a)(p-a)+f(a)$$

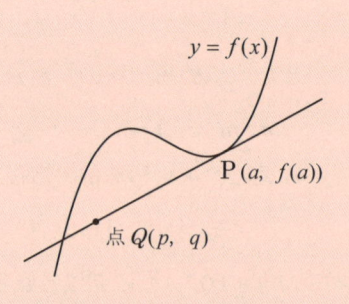

ここでaの値を求め、（＊）に代入し完成！

言葉でいくら説明してもわかりにくいですよね！ 失礼致しました。汗
では、早速例題で解法の流れを確認しましょう！

例題：点（1,5）から曲線$y=x^3$への接線の方程式を求めてみますね。

<解法>

$y=f(x)=x^3 \cdots (＊)$ とおく

$f'(x)=3x^2 \cdots ①$

曲線上の接点P（a，$f(a)$）＝（a，a^3）

とおくと、傾きmは①より

$m=f'(a)=3a^2$

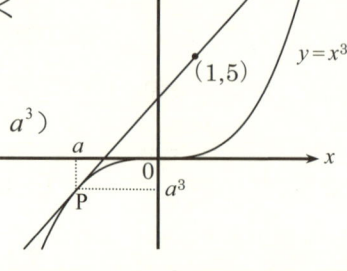

よって、点 P における接線は、

$P(a, a^3)$ を通り、傾き $3a^2$ の直線となり

$$y = 3a^2(x - a) + a^3 \quad \therefore \quad y = 3a^2 x - 2a^3 \cdots ②$$

また、②は点 $(1, 5)$ を通らないといけないので代入

$5 = 3a^2 \cdot 1 - 2a^3$ より、

$$2a^3 - 3a^2 + 5 = 0$$

$\therefore (a+1)(2a^2 - 5a + 5) = 0 \longleftarrow$ ← 因数定理 より因数分解！

a は実数より、$a = -1 \cdots ③$

「組み立て除法」より

```
-1 | 2  -3   0   5
   |    -2   5  -5
   ─────────────────
     2  -5   5   0
```

適当な数を x に代入し、（左辺）$=0$ になる数をさがす。詳しいことは、因数定理 の項目（49 ページ）を参照してください。

よって、③を②に代入

$$y = 3(-1)^2 x - 2 \cdot (-1)^3$$

ゆえに、求める接線の方程式は

$$y = 3x + 2 \quad （答）$$

あと、下線部分は、判別式 D を利用し、D＜0 より 実数解を持たない！ ここまで必ず確認してください。

曲線における接線の求め方の基本はコノ2つだけ。よって、皆さんは、高校数学における関数すべての微分計算は出来るようになっているはずゆえ、数学Ⅲの項目である、指数関数、対数関数、無理関数、三角関数などにおけるグラフに対する接線も、コレで求められるんですね！

　　　　　　　　　　　　　　　　　　　　　　　本当かナァ～……？

では、

ついに微分の最後のテーマ「グラフをかく！」に進むとしましょうか！

演習 157　点 $(-1, 2)$ から曲線 $y = x^3 - 3x$ への接線の方程式を求めてみましょう。

復習 64

増減表より極値を求める

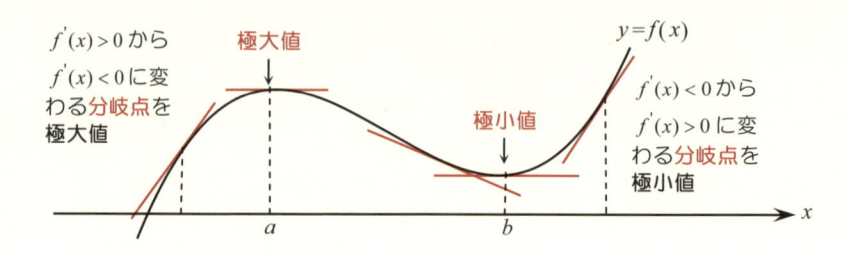

グラフに何本かの接線を書き込んでみました。ここで微分の意味を確認しておきますよ！　曲線 $y=f(x)$ において、$f'(x)$ は任意の x における曲線上の接線の傾きを表します。すると以下のことが言えますよね！？

- 接線が**右上がり**　⟶　$f'(x)>0$
- 接線が x **軸に平行**　⟶　$f'(x)=0$
- 接線が**右下がり**　⟶　$f'(x)<0$

ということは、$f'(x)=0$ となる x の前後における $f'(x)$ の符号を調べればグラフの大雑把な概形はイメージできるはず!?

上のグラフから「x の変域における $f'(x)$ の符号」について以下のようにまとめてみると、グラフの概形のイメージがハッキリしてきます！

$x<a$	$x=a$	$a<x<b$	$x=b$	$b<x$
$f'(x)>0$	$f'(x)=0$	$f'(x)<0$	$f'(x)=0$	$f'(x)>0$
↗	極大値 （極値）	↘	極小値 （極値）	↗
右上がり	x 軸に平行	右下がり	x 軸に平行	右上がり

実は、この表のことを "**増減表**" と呼び、「$f'(x)=0$ となる x を基準に増減表を作り、**グラフの概形をかくんです**」そして、$f'(x)=0$ となる $x=a,b$ に対する $f(a)$、$f(b)$ の値を "**極値（極大値・極小値まとめて）**" と言います。

さて、左のページの表から「$f'(x)=0$ となる x を基準」に増減表をかけば、グラフの概形がイメージできることがわかりました。実際の増減表は大変シンプルな形をしています。では、下の例題をご覧ください。

例題：つぎの関数における増減表をかき、極値を求めてみますね。

（1） $y = x^2 - 4x$ 　　（2） $y = x^3 - 3x^2 + 4$

＜解法＞

（1） $y = f(x) = x^2 - 4x$ とおくと

$f'(x) = 2x - 4 \cdots (*)$ 　∴ 　$f'(x) = 0$ より、$x = 2$

よって、**増減表**は以下のようになります。

（ $x = 2$ 前後の適当な値を（＊）に代入し、符号を調べる！）

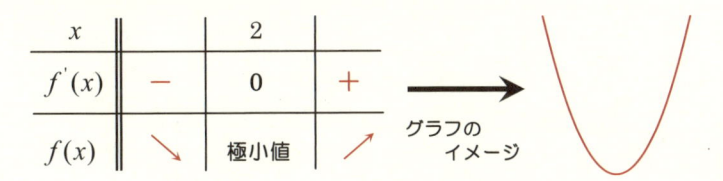

x		2	
$f'(x)$	−	0	+
$f(x)$	↘	極小値	↗

→ グラフのイメージ

極小値 $f(2) = 2^2 - 4 \cdot 2 = -4$ 　よって、**極小値 −4（$x = 2$）**　（答）

↑ 極値をとるときの x の値も示す！

（2） $y = f(x) = x^3 - 3x^2 + 4$ とおくと

$f'(x) = 3x^2 - 6x = 3x(x - 2) \cdots (*)$ 　∴ 　$f'(x) = 0$ より、$x = 0, 2$

よって、増減表は以下のようになります。

（ $x = 0, 2$ 前後の適当な値を（＊）に代入し、符号を調べる！）

x		0		2	
$f'(x)$	+	0	−	0	+
$f(x)$	↗	極大値	↘	極小値	↗

→ グラフのイメージ

極大値 $f(0) = 0 - 0 + 4 = 4$、　極小値 $f(2) = 2^3 - 3 \cdot 2^2 + 4 = 0$

よって、

極大値 4（$x = 0$）、　極小値 0（$x = 2$）　（答）

復習 65
増減表よりグラフをかく

　増減表をかき、極値を求めることでグラフの概形がイメージできることがわかりました。そこで、ここでは具体的にグラフをかいてみたいと。「アッ！」その前に、**関数を見ただけである程度グラフのイメージが持てるようになることも大切**なんですね。よって、先に代表的な **2次・3次・4次関数の一般的なグラフのイメージ**をお見せしておきます。そうすれば、増減表をかく上でも便利でしょ！　　　なるほぉ〜！　「優しいでしょ！ 私」

2次関数「$f(x) = ax^2 + bx + c$ のグラフ」イメージ！

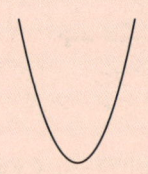

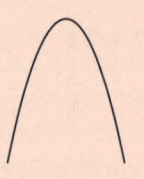

・$a > 0$　　　　　　　　　　・$a < 0$

3次関数「$f(x) = ax^3 + bx^2 + cx + d$ のグラフ」イメージ！

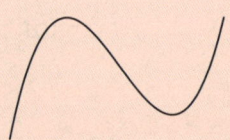

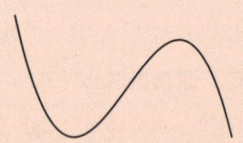

・$a > 0$　　　　　　　　　　・$a < 0$

4次関数「$f(x) = ax^4 + bx^3 + cx^2 + dx + e$ のグラフ」イメージ！

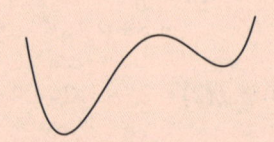

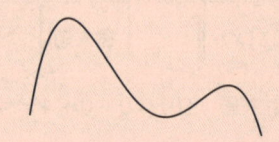

・$a > 0$　　　　　　　　　　・$a < 0$

2滴のしずくがたれるイメージ！　　　山脈のイメージ

例題：つぎの関数の極値を求め、グラフをかいてみますね。

(1) $f(x) = x^3 - 3x + 1$ (2) $f(x) = \dfrac{1}{4}x^4 + \dfrac{1}{3}x^3 - x^2$

<解法>

(1) $f(x) = x^3 - 3x + 1$

$f'(x) = 3x^2 - 3 = 3(x^2 - 1) = 3(x+1)(x-1)$ ∴ $f'(x) = 0$ より、$x = \pm 1$

よって、増減表は以下のようになり、

x		-1		$+1$	
$f'(x)$	$+$	0	$-$	0	$+$
$f(x)$	↗	極大値	↘	極小値	↗

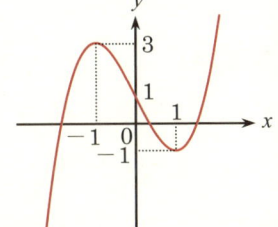

極大値：$f(-1) = (-1)^3 - 3(-1) + 1 = 3$、極小値：$f(1) = 1^3 - 3 \cdot 1 + 1 = -1$

したがって、

極大値 3（$x = -1$）、極小値 -1（$x = 1$）　また、グラフは右上図（答）

(2) $f(x) = \dfrac{1}{4}x^4 + \dfrac{1}{3}x^3 - x^2$

$f'(x) = x^3 + x^2 - 2x = x(x^2 + x - 2) = x(x+2)(x-1)$

∴ $f'(x) = 0$ より、$x = -2$、0、1

よって、増減表は以下のようになり、

x		-2		0		1	
$f'(x)$	$-$	0	$+$	0	$-$	0	$+$
$f(x)$	↘	極小値	↗	極大値	↘	極小値	↗

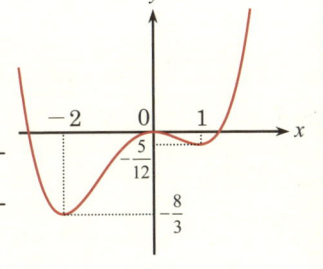

極大値：$f(0) = 0$、極小値：$f(-2) = -\dfrac{8}{3}$、$f(1) = -\dfrac{5}{12}$

したがって、

極大値 0（$x = 0$）、　極小値 $-\dfrac{8}{3}$（$x = -2$）、$-\dfrac{5}{12}$（$x = 1$）

また、グラフは右上図（答）

演習の解答

演習 139

(1) $y' = 5x^4$ (2) $y' = 2x$ (3) $y' = 0$ (4) $y' = 0$

演習 140

(1) $y' = 3(x-4)^2$ (2) $y' = 5(x+1)^4$

演習 141

(1) $y' = -5$ (2) $y' = 14x + 1$ (3) $y' = -6x^2 - 2x + 9$ (4) $y' = 5x^4 - \frac{5}{2}x^2 - \frac{3}{4}$

演習 142

(1) $y' = \{(x-3)^4\}'(2x+7) + (x-3)^4(2x+7)' = 4(x-3)^3(2x+7) + (x-3)^4 \cdot 2$

　　　　　　　　　　　　　　　　　　　　　　　　共通因数 $2(x-3)^3$ でククル

$= 2(x-3)^3\{2(2x+7) + (x-3)\} = 2(x-3)^3(5x+11)$

(2) $y' = (5x-1)'(5x-1) + (5x-1)(5x-1)' = 5(5x-1) + (5x-1) \cdot 5 = 10(5x-1)$

$y = (5x-1)(5x-1)$ と考える。

演習 143

(1) $y' = \dfrac{x'(2x-1) - x(2x-1)'}{(2x-1)^2} = \dfrac{2x-1-x \cdot 2}{(2x-1)^2} = \dfrac{-1}{(2x-1)^2} = -\dfrac{1}{(2x-1)^2}$

(2) $y' = \dfrac{(x-1)'(x^2+1) - (x-1)(x^2+1)'}{(x^2+1)^2} = \dfrac{1 \cdot (x^2+1) - (x-1) \cdot 2x}{(x^2+1)^2} = \dfrac{-x^2+2x+1}{(x^2+1)^2}$

(3) $y' = \dfrac{(3x+2)'(x^2+x-1) - (3x+2)(x^2+x-1)'}{(x^2+x-1)^2} = \dfrac{3(x^2+x-1) - (3x+2)(2x+1)}{(x^2+x-1)^2}$

$= \dfrac{3x^2+3x-3-(6x^2+7x+2)}{(x^2+x-1)^2} = \dfrac{3x^2+3x-3-6x^2-7x-2}{(x^2+x-1)^2} = \dfrac{-3x^2-4x-5}{(x^2+x-1)^2}$

演習 144

(1) $y' = (x^{-1})' = -1 \cdot x^{-1-1} = -x^{-2} = -\dfrac{1}{x^2}$ (2) $y' = 3(x^{-2})' = 3 \cdot -2 \cdot x^{-2-1} = -6x^{-3} = -\dfrac{6}{x^3}$

(3) $y' = \dfrac{1}{4}(x^{-4})' = \dfrac{1}{4} \cdot (-4)x^{-4-1} = -x^{-5} = -\dfrac{1}{x^5}$

演習 145

(1) $y' = \{(2x-1)^4\}'(2x-1)' = 4(2x-1)^3 \cdot 2 = 8(2x-1)^3$

(2) $y' = \{(x-1)^{-2}\}'(x-1)' = -2(x-1)^{-3} \cdot 1 = -\dfrac{2}{(x-1)^3}$

(3) $y' = \left\{\left(\dfrac{x}{2x+1}\right)^2\right\}'\left(\dfrac{x}{2x+1}\right)' = 2 \cdot \dfrac{x}{2x+1} \cdot \dfrac{1 \cdot (2x+1) - x \cdot 2}{(2x+1)^2} = \dfrac{2x(2x+1-2x)}{(2x+1)^3} = \dfrac{2x}{(2x+1)^3}$

(4) $y' = \{(x^2+2)^{\frac{1}{2}}\}'(x^2+2)' = \frac{1}{2}(x^2+2)^{-\frac{1}{2}} \cdot 2x = x(x^2+2)^{-\frac{1}{2}} = \frac{x}{\sqrt{x^2+2}}$ （答）

演習 146

(1) $y' = \{(2x^2-x+1)^3\}'(2x^2-x+1)' = 3(2x^2-x+1)^2(4x-1)$ （答）

(2) $y' = \left\{\left(x-\frac{1}{x}\right)^2\right\}'\left(x-\frac{1}{x}\right)' = 2\left(x-\frac{1}{x}\right)\left(1-\frac{-1}{x^2}\right) = 2\left(x-\frac{1}{x}\right)\left(1+\frac{1}{x^2}\right)$ （答）

(3) $y' = \{(3x^2+6x-1)^{\frac{1}{3}}\}'(3x^2+6x-1)' = \frac{1}{3}(3x^2+6x-1)^{-\frac{2}{3}}(6x+6)$

$= \frac{1}{3} \cdot \frac{1}{\sqrt[3]{(3x^2+6x-1)^2}} \cdot 6(x+1) = \frac{2(x+1)}{\sqrt[3]{(3x^2+6x-1)^2}}$ （答）

(4) $y' = \left\{\left(\frac{x+1}{x}\right)^{\frac{1}{2}}\right\}'\left(\frac{x+1}{x}\right)' = \frac{1}{2}\left(\frac{x+1}{x}\right)^{-\frac{1}{2}}\frac{(x+1)'x-(x+1)x'}{x^2} = \frac{1}{2}\left(\frac{x+1}{x}\right)^{-\frac{1}{2}}\frac{1 \cdot x-(x+1) \cdot 1}{x^2}$

$= \frac{1}{2}\left(\frac{x}{x+1}\right)^{\frac{1}{2}} \cdot \frac{-1}{x^2} = -\frac{1}{2x^2}\sqrt{\frac{x}{x+1}}$ （答）　注：$\left(\frac{b}{a}\right)^{-1} = \frac{a}{b}$ と逆数になる！

演習 147

(1) $y = \sqrt[4]{x}$ （両辺4乗）より、$x = y^4$ $\cdots$ ①

①の両辺を y で微分。$\frac{d}{dx}x \cdot \frac{dx}{dy} = 4y^3$　$1 \cdot \frac{dx}{dy} = 4y^3$　∴ $\frac{dx}{dy} = 4y^3$

よって、$\frac{dy}{dx} = \frac{1}{4y^3} = \frac{1}{4\sqrt[4]{x^3}}$ （答） ← 分子に $y = \sqrt[4]{x}$ を代入。

$4y^3 = 4(\sqrt[4]{x})^3 = 4(x^{\frac{1}{4}})^3 = 4(x^3)^{\frac{1}{4}} = 4\sqrt[4]{x^3}$

(2) $y = \sqrt[3]{x+2}$ （両辺3乗）より、$x+2 = y^3$　∴ $x = y^3-2$ $\cdots$ ①

①の両辺を y で微分。$\frac{d}{dx}x \cdot \frac{dx}{dy} = 3y^2$　$1 \cdot \frac{dx}{dy} = 3y^2$　∴ $\frac{dx}{dy} = 3y^2$

よって、$\frac{dy}{dx} = \frac{1}{3y^2} = \frac{1}{3\sqrt[3]{(x+2)^2}}$ （答） ← 分子に $y = \sqrt[3]{x+2}$ を代入。

$3y^2 = 3(\sqrt[3]{x+2})^2 = 3\{(x+2)^{\frac{1}{3}}\}^2 = 3\{(x+2)^2\}^{\frac{1}{3}} = 3\sqrt[3]{(x+2)^2}$

演習 148

(1) $y' = \cos x - \frac{1}{\cos^2 x}$ （答）

(2) $y' = \{\cos(2x+1)\}'(2x+1)' = -\sin(2x+1) \cdot 2 = -2\sin(2x+1)$ （答）

(3) $y' = (\tan 3x)' \cdot (3x)' = \dfrac{1}{\cos^2 3x} \cdot 3 = \dfrac{3}{\cos^2 3x}$ （答）

演習 149

(1) $y = \sin^2 x = (\sin x)^2$ より、$y' = \{(\sin x)^2\}'(\sin x)' = \underbrace{2\sin x \cdot \cos x}_{\text{2倍角の公式}} = \sin 2x$ （答）

(2) $y = \cos^2 2x = (\cos 2x)^2$ より、

$y' = \{(\cos 2x)^2\}'(\cos 2x)'(2x)' = 2\cos 2x \cdot (-\sin 2x) \cdot 2 = \underbrace{2\sin 2x \cos 2x}_{\text{2倍角の公式}} \cdot (-2) = -2\sin 4x$ （答）

演習 150

(1) $y = \dfrac{\sin x}{\cos x} (= \tan x)$ より、実は、$\tan x$ の微分なんですね！

$y' = \dfrac{(\sin x)' \cos x - \sin x(\cos x)'}{(\cos x)^2} = \dfrac{\cos x \cdot \cos x - \sin x \cdot (-\sin x)}{\cos^2 x} = \dfrac{\cos^2 x + \sin^2 x}{\cos^2 x} = \dfrac{1}{\cos^2 x}$

(2) $y' = (\tan x)' \cos^2 x + \tan x (\cos^2 x)'$ ← $(\cos 2x)' = \{(\cos x)^2\}'(\cos x)' = 2\cos x \cdot (-\sin x) = -2\sin x \cos x$

$= \dfrac{1}{\cos^2 x} \cdot \cos^2 x + \tan x \cdot 2\cos x \cdot (-\sin x) = 1 + \dfrac{\sin x}{\cos x} \cdot 2\cos x (-\sin x) = 1 - 2\sin^2 x = \cos 2x$ （2倍角の公式）

演習 151

(1) $y' = \dfrac{(2x)'}{2x \log 4} = \dfrac{2}{2x \log 4} = \dfrac{1}{x \log 4}$

(2) $y' = \dfrac{(7x)'}{7x} = \dfrac{7}{7x} = \dfrac{1}{x}$

(3) $y' = \dfrac{(3x)'}{3x} = \dfrac{3}{3x} = \dfrac{1}{x}$

(4) $y' = \{(\log x)^3\}'(\log x)' = 3(\log x)^2 \cdot \dfrac{1}{x} = \dfrac{3(\log x)^2}{x}$

演習 152

(1) $y' = (e^x)' - (e^{-x})' = e^x - e^{-x} \cdot (-x)' = e^x - e^{-x} \cdot (-1) = e^x + e^{-x}$

(2) $y' = 5^{x^2} \log 5 \cdot (x^2)' = (5^{x^2} \log 5) \cdot 2x = 2x \cdot 5^{x^2} \log 5$

(3) $y' = (e^x)' \cdot \sin x + e^x \cdot (\sin x)' = e^x \sin x + e^x \cos x = e^x (\sin x + \cos x)$

演習 153　両辺底を e とする対数をとる！ そして、合成関数の微分。

(1) $\log y = \log 2^x$

$= x \log 2$ ←両辺 x で微分

$\dfrac{d}{dy} \log y \cdot \dfrac{dy}{dx} = \log 2$

$\dfrac{1}{y} \cdot \dfrac{dy}{dx} = \log 2$

$\dfrac{dy}{dx} = y \cdot \log 2 = 2^x \log 2$ （答）

(2) $\log y = \log x^{\sin x}$

$= \sin x \cdot \log x$ ←両辺 x で微分

$\dfrac{d}{dy} \log y \cdot \dfrac{dy}{dx} = \cos x \cdot \log x + \sin x \cdot \dfrac{1}{x}$

$\dfrac{1}{y} \cdot \dfrac{dy}{dx} = \cos x \log x + \dfrac{\sin x}{x}$

$\dfrac{dy}{dx} = y \left(\cos x \log x + \dfrac{\sin x}{x} \right)$

$= x^{\sin x} \left(\cos x \log x + \dfrac{\sin x}{x} \right)$ （答）

演習 154 両辺を x で微分！

$$\frac{d}{dx}x = \frac{d}{dy}y^2 \cdot \frac{dy}{dx} + \frac{d}{dx}y \cdot \frac{dy}{dx} + \frac{d}{dx}1 \to 1 = 2y \cdot \frac{dy}{dx} + 1 \cdot \frac{dy}{dx} + 0 \quad \therefore \quad 1 = 2yy' + y'$$

よって、$1 = (2y+1)y'$ より、$y' = \dfrac{1}{2y+1}$ （答）

演習 155 条件式の両辺を t で微分！

$\qquad\qquad\qquad\qquad\qquad\quad x$ を t で微分 $\to \dfrac{dx}{dy} \cdot \dfrac{dy}{dt} = \dfrac{dx}{dt}$

（1）$x = 2t + 1 \therefore \dfrac{dx}{dt} = 2$、$y = t^2 \therefore \dfrac{dy}{dt} = 2t$　よって、$\dfrac{dy}{dx} = \dfrac{dy}{dt} \bigg/ \dfrac{dx}{dt} = \dfrac{2t}{2} = t$（答）

（2）$x = 2(t - \sin t) \therefore \dfrac{dx}{dt} = 2(1 - \cos t)$、$y = 2(1 - \cos t) \therefore \dfrac{dy}{dt} = 2\{0 - (-\sin t)\} = 2\sin t$

よって、$\dfrac{dy}{dx} = \dfrac{dy}{dt} \bigg/ \dfrac{dx}{dt} = \dfrac{2\sin t}{2(1 - \cos t)} = \dfrac{\sin t}{1 - \cos t}$　（答）

演習 156

$\qquad y = f(x) = -x^3 + 2x^2 - 1$ とおき、x について微分

$\qquad\quad f'(x) = -3x^2 + 4x \quad \cdots \text{①}$

点（-1，2）が曲線上の点ゆえ、①よりこの点における傾き m は、

$\qquad m = f'(-1) = -3 \cdot (-1)^2 + 4 \cdot (-1) = -3 \cdot 1 - 4 = -7$

したがって、求める接線の方程式は、傾き -7，点（-1，2）を通るので

$\qquad\quad y = -7\{x - (-1)\} + 2 \qquad \therefore \quad y = -7x - 7 + 2 = -7x - 5$

よって、求める接線の方程式は、

$$y = -7x - 5 \quad \text{（答）}$$

演習 157

$\qquad y = f(x) = x^3 - 3x \cdot \cdot \cdot (*)$ とおくと、

$\qquad\quad f'(x) = 3x^2 - 3 \quad \cdots \text{①}$

曲線上の接点 $P(a,\ f(a)) = (a,\ a^3 - 3a)$ とおくと、傾き m は①より

$\qquad m = f'(a) = 3a^2 - 3$

よって、点 P における接線は、

$\quad$ 点 $P\ (a, a^3 - 3a)$ を通り、傾き $3a^2 - 3$ の直線となり

$\qquad\quad y = (3a^2 - 3)(x - a) + a^3 - 3a \quad \cdots \text{②}$

また、②は点（-1，2）を通らないといけないので代入

6章 微分法

315

$$2 = (3a^2 - 3)(-1-a) + a^3 - 3a$$
$$= -3a^2 - 3a^3 + 3 + 3a + a^3 - 3a$$
$$= -2a^3 - 3a^2 + 3$$
$$\therefore 2a^3 + 3a^2 - 1 = 0$$
$$(a+1)(2a^2 + a - 1) = 0$$
$$(a+1)(2a-1)(a+1) = 0$$
$$(a+1)^2(2a-1) = 0$$
$$\therefore a = -1,\ \frac{1}{2}\ \cdots\ ③$$

「組み立て除法」より

```
-1 | 2   3   0  -1
   |    -2  -1   1
   ―――――――――――――――
     2   1  -1   0
```

あと、下線部分は、判別式 D を利用し、D＞0 より実数解を持つ！よって、因数分解、または、解の公式の利用！

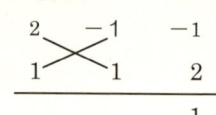

たすき掛け
```
2      -1        -1
  ＼  ／
1       1         2
――――――――――――――――――――
                   1
```

よって、③を②に代入

$a = -1$ のとき、
$$y = \{3(-1)^2 - 3\}\{x - (-1)\} + (-1)^3 - 3 \cdot (-1) = 2$$

$a = \dfrac{1}{2}$ のとき、
$$y = \left\{3\left(\frac{1}{2}\right)^2 - 3\right\}\left(x - \frac{1}{2}\right) + \left(\frac{1}{2}\right)^3 - 3 \cdot \frac{1}{2} = \left(\frac{3}{4} - 3\right)\left(x - \frac{1}{2}\right) + \frac{1}{8} - \frac{3}{2} = -\frac{9}{4}\left(x - \frac{1}{2}\right) - \frac{11}{8}$$
$$= -\frac{9}{4}x + \frac{9}{8} - \frac{11}{8} = -\frac{9}{4}x - \frac{2}{8} = -\frac{9}{4}x - \frac{1}{4}$$

したがって、求める接線の方程式は、
$$y = 2,\quad y = -\frac{9}{4}x - \frac{1}{4}\quad （答）$$

---

p 297：対数関数の微分公式[Ⅲ]を導く！

① $y = \log f(x)$ において、$y = \log z$、$z = f(x)$ とすると

$\dfrac{dy}{dz} = \dfrac{1}{z}$（∵[Ⅱ]）、$\dfrac{dz}{dx} = f'(x)$ より、$\dfrac{dy}{dx} = \dfrac{dy}{dz} \cdot \dfrac{dz}{dx} = \dfrac{1}{z} \cdot f'(x) = \dfrac{f'(x)}{f(x)}$

したがって、$\{\log f(x)\}' = \dfrac{f'(x)}{f(x)}$ ← 完成

② $y = \log_a f(x)$ において、$y = \log_a z$、$z = f(x)$ とすると

$\dfrac{dy}{dz} = \dfrac{1}{z \log a}$（∵[Ⅰ]）、$\dfrac{dz}{dx} = f'(x)$ より、$\dfrac{dy}{dx} = \dfrac{dy}{dz} \cdot \dfrac{dz}{dx} = \dfrac{1}{z \log a} \cdot f'(x) = \dfrac{f'(x)}{f(x) \log a}$

したがって、$\{\log_a f(x)\}' = \dfrac{f'(x)}{f(x) \log a}$ ← 完成

7章
積分法

積分計算は、数Ⅲのレベルに入ると微分の逆演算というだけの知識では難しく、それゆえ基本的な計算方法に関してはすべて書いたつもりです。また、計算だけでは無味乾燥の作業ゆえ、曲線と直線に囲まれた面積も求めてみました。

でも、実は積分計算ができれば体積も求められるんです。そこで、本文では触れられなかったので、ここで「球の体積」を積分を使って求めてみたいと思います。

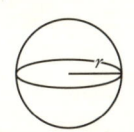

半径 r の球の体積：$\dfrac{4}{3}\pi r^3$

円：$x^2 + y^2 = r^2$　∴ $x^2 = r^2 - y^2$ …①

$$\int_{-r}^{r} \pi x^2 dy = 2\pi \int_{0}^{r}(r^2 - y^2)dy$$

$$= 2\pi\left\{r^2\Big[y\Big]_0^r - \dfrac{1}{3}\Big[y^3\Big]_0^r\right\}$$

$$= 2\pi\left(r^3 - \dfrac{1}{3}r^3\right)$$

$$= \dfrac{4}{3}\pi r^3 \quad \leftarrow 完成！$$

復習 66

積分とはナニ？

「積分」という言葉から、どのようなことをイメージされますか？思うに、つぎの 2 点をイメージしていただければよろしいかと！？

① 微分と積分は"逆演算"
② 曲線と曲線、曲線と直線とで囲まれた"面積"を求める

そこで、①に関しては後ほど何度もお話ししますので、ここでは②について簡単に話をさせてください。

図Ⅰの影の部分の面積を求めたく、図Ⅱのように長方形で面積を埋めてみました。

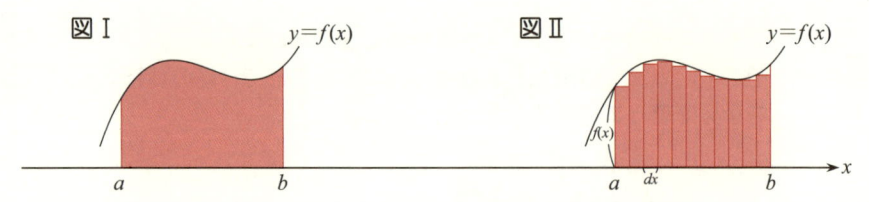

図Ⅰ　　　　　　　　　　図Ⅱ
$y=f(x)$　　　　　　　　$y=f(x)$
a　　b　　　　　　　a　dx　　b　　x

（コレ以降はイメージしやすいよう、便宜的な説明ね！）

図Ⅱのヒトツの長方形のタテを $f(x)$ とし、ヨコを dx とすると、この長方形の面積は「$f(x) \times dx = f(x)dx$」となりますね。よって、ヨコ dx を限りなく小さい値（≒0）とし、この長方形を「$a \sim b$」の区間で加えて行けば、図の影の部分の面積が求まるはず。そこで、「加える」を英語では「SUM」と表すゆえ、この"S"をタテに引き伸ばし「記号：∫（インテグラル）」を使い、この記号の上下に x 軸上における加えたい長方形のヨコの区間を示すことで、図の面積を式（＊）で表します。

$$S = \int_a^b f(x)dx \cdots\cdots (*)$$

（b まで／a から）

このように長方形を加えて行くことを**積分**と呼び、（＊）のように区間が示されている積分を「**定積分**」。また、区間が指定されていない積分を「**不定積分**」と言います。詳しくは各項目で……。

では、この積分で扱う項目を表示しておきますね。

*積分で扱う項目一覧

＜不定積分の計算＞

・定数の不定積分

・x^n（べき関数）の不定積分

・$(ax+b)^n$ の不定積分

・$kf(x)$ の不定積分

・関数の和・差の不定積分

・分数関数の積分 ⇒ 次数を下げる、部分分数に分ける etc

・指数関数の不定積分

・三角関数の不定積分

・置換積分

・部分積分 ⇒ 対数関数の積分 etc

＜定積分の計算＞

・定積分の定義

・絶対値の定積分

・定積分の置換積分

・偶関数、奇関数の定積分

・定積分の部分積分

・微分と定積分の関係

・積分方程式

・面積を求める

各項目において、補足または証明という形で、各公式を導いてあります。

でも、積分に関しては、計算ができることが特に重要ゆえ、ここでは証明など気にせず、例題を何度となく解き、解法および流れをつかんでいただければと……。

復習 67

不定積分とはナニ？

最初に「微分と積分は逆演算である！」コレは覚えてください！
そこで、微分して関数 "$f(x) = 2x$" となる関数 $F(x)$ を考えてみましょう。

$$F(x): \quad \cdot x^2 \quad \cdot x^2 - 2 \quad \cdot x^2 + 7 \quad \cdot x^2 + \frac{2}{3} \quad \cdots (*)$$

この上記の関数 $F(x)$ は微分するとすべて "$2x$" になりますよね。

$$\cdot \frac{d}{dx} F(x) = 2x = f(x)$$

微分と積分は逆演算なので、関数 $f(x)$ を**積分**すれば、当然、関数 $F(x)$ になります。このとき、関数 $f(x)$ と、関数 $f(x)$ を積分してできる関数 $F(x)$ との関係を、

関数 $F(x)$ は、関数 $f(x)$ の "不定積分" または "原始関数" と言う。

ただ、ここでヒトツ問題が……。（ $*$ ）を微分すれば "$f(x) = 2x$" にはなりますが、しかし、微分して消えた定数項は積分しても簡単には復活できないんですよ。そこで「関数 $f(x)$ の不定積分の一つを $F(x)$ とおき、また、**定数項を C とおく**」ことで、つぎの関係式が成り立つ！

$$\int f(x)dx = F(x) + C \quad (C は積分定数) \quad \text{———} (*)$$

ここで、突然現れた新しい記号について簡単にお話ししなければいけませんね。

新しい記号「$\int$」は**インテグラル**と読み、（ $*$ ）の左辺はつぎのことを表しています。

$\int f(x)dx$ ⇒ 「関数 $f(x)$ を x で積分する」ことを表す。また、$f(x)$ の後ろに dx をつけることで「x で積分する」を意味する。

数学の話を言葉で表現しているだけでは具体的なイメージができないと思いますので、今までお話ししてきたことを式で表してみたいと思います。
　あと、微分・積分では計算において、記号が多用されるので、一見難しく感じられると思いますが、早く記号にも慣れてくださいね！

例1　「$(x+2)' = 1$　または　$\dfrac{d}{dx}(x+2) = 1$」

　$(x+2)$を微分すると1になるので、「$(x+2)$は1の**不定積分**」のヒトツである。よって、つぎのように表せます。

$$\int 1\,dx = x + C \quad (Cは積分定数)$$

　ここで確認ですが、微分と積分が逆演算であるとはいっても、単に微分したものを積分しただけではもとには戻らない。
　そこで、微分で消えてしまった定数項をC（積分定数）とおくことで、関係を成り立たせているんですね！
　そして、このような不定積分の計算においては、必ず「積分定数C」を付けないと誤答になりますので注意してください。

例2　「$(x^4)' = 4x^3$　または　$\dfrac{d}{dx}x^4 = 4x^3$」

　x^4を微分すると$4x^3$になるので、「x^4は$4x^3$の**不定積分**」のヒトツである。よって、つぎのように表せます。

$$\int 4x^3\,dx = x^4 + C \quad (Cは積分定数)$$

「いかがですか？　大丈夫……汗」　　　　　う～ん……

　思うに、数学は読んで頭の中だけで理解できるものではなく、ひたすら手を動かし、記号の意味や流れを理解しないとなかなか身に付かないものかと……。
　では、これから積分計算の話に入って行きますが、とにかく、例題を考えながら何度も写し、解法の流れをつかんでくださいね！　ふぅ～…。タメ息

復習 68

不定積分の計算 I

さて、ここからは不定積分の計算をひと通りやってしまいましょう。まずは「定数項」および「x^n（べき関数）」の積分からはじめますか！

不定積分の公式 [I]　　　　　　　　　　C は積分定数

① 定数項の積分　　　$\int k\,dx = kx + C$

② x^n の積分　　　$\int x^n\,dx = \dfrac{1}{n+1}x^{n+1} + C$

③ $(ax+b)^n$ の積分　$\int (ax+b)^n\,dx = \dfrac{1}{a(n+1)}(ax+b)^{n+1} + C$

補足：微分と積分は**逆演算**であることを常に意識してください！

あと、「積分すると微分の記号 $\dfrac{d}{dx}$ が消える」ことも理解してくださいね！（C は積分定数）

① $\dfrac{d}{dx}kx = k$

よって、両辺入れ換えて**積分**

$$\int k\,dx = kx + C \quad \leftarrow 完成$$

理解する上での便宜的説明！

$\dfrac{d}{dx}kx$ の積分を、記号の計算と見れば

$\int \left(\dfrac{d}{dx}kx\right)dx = kx$ となり、

$\dfrac{d}{dx}\cdot kx$ で dx が式から消えるので、$\int$ も一緒に消え kx だけ残る！

② $\dfrac{d}{dx}x^{n+1} = (n+1)x^n$　← 両辺 $(n+1)$ で割る

∴ $\dfrac{d}{dx}\left(\dfrac{1}{n+1}x^{n+1}\right) = x^n$　← 左辺：$(n+1)$ は数字扱いゆえ、x における微分には無関係。
例：$(2x^2)' = 2(x^2)' = 4x$
よって、$(n+1)$ を含めた微分の形で表現！

よって、両辺入れ換えて**積分**

$$\int x^n\,dx = \dfrac{1}{n+1}x^{n+1} + C \quad \leftarrow 完成$$

③ $\dfrac{d}{dx}\{(ax+b)^{n+1}\} = (n+1)(ax+b)^n \cdot \underset{\underset{a}{\parallel}}{\dfrac{d}{dx}(ax+b)}$ ←合成関数の微分

$\{f(g(x))\}' = f'(g(x)) \cdot g'(x)$

$\qquad\qquad\qquad = a(n+1)(ax+b)^n$ ←両辺 $a(n+1)$ で割る

∴ $\dfrac{d}{dx}\left\{\dfrac{1}{a(n+1)}(ax+b)^{n+1}\right\} = (ax+b)^n$ ← 左辺 $a(n+1)$ は x における微分には無関係。よって、$a(n+1)$ を含めた微分の形で表現！

よって、両辺入れ換えて**積分**

$$\int (ax+b)^n\, dx = \dfrac{1}{a(n+1)}(ax+b)^{n+1} + C \quad ← \text{完成}$$

では、問題を通して確認して行きましょう。

例題：つぎの不定積分を求めてみますね。

(1) $\int 7\, dx$　　(2) $\int x^4\, dx$　　(3) $\int (x+3)^5\, dx$　　(4) $\int (2x-1)^3\, dx$

<解法> C は積分定数　← 必ずこの一言を付けないとダメ！

(1) $\int 7\, dx = 7x + C$　　← 公式①より x を付けるだけね！

(2) $\int x^4\, dx = \dfrac{1}{4+1}x^{4+1} + C = \dfrac{1}{5}x^5 + C$　　←（指数＋1）の逆数が係数になる

(3) $\int (x+3)^5\, dx = \dfrac{1}{5+1}(x+3)^{5+1} + C$　　←（カッコ）の中が1次式で、かつ、係数が1の場合、カッコは一つの文字と考え(2)同様に積分計算。
もしくは、公式③で $a=1$ と考えてもOK！

$\qquad\qquad\qquad = \dfrac{1}{6}(x+3)^6 + C$

(4) $\int (2x-1)^3\, dx = \dfrac{1}{2(3+1)}(2x-1)^{3+1} + C$　　← 公式③を参照
（カッコ）の中の1次式の係数の逆数を出すことを忘れないでね！

$\qquad\qquad\qquad\;\; = \dfrac{1}{8}(2x-1)^4 + C$

演習158　つぎの不定積分を求めてみましょう。

(1) $\int 5\, dx$　　(2) $\int x^6\, dx$　　(3) $\int (x-7)^3\, dx$　　(4) $\int (3x+8)^2\, dx$

復習 69

不定積分の計算 II

今度は「関数の定数倍の積分」および、「和・差の積分」です！

不定積分の公式 [II]

④ $kf(x)$ の積分　　$\int kf(x)dx = k\int f(x)dx$　　（k は定数）

⑤ 関数 $f(x)$、$g(x)$ の和と差の積分

$$\int \{f(x) \pm g(x)\}dx = \int f(x)dx \pm \int g(x)dx \quad （複号同順）$$

補足

「微分、積分は逆演算である」を関係式で再度確認！

$$\frac{d}{dx}\left(\int f(x)dx\right) = f(x)$$

← （左辺）：関数 $f(x)$ を x で積分し、それを x で微分するの意！
よって、（右辺）：$f(x)$ は元のまま！

④「微分の定数倍の公式：$y = kf(x) \Rightarrow y' = kf'(x)$」より

$$\frac{d}{dx}\left(\int kf(x)dx\right) = kf(x)、また、\frac{d}{dx}\left(k\int f(x)dx\right) = kf(x)$$

$\therefore \quad \int kf(x)dx = k\int f(x)dx$　　（k は定数）　← 完成

> k は定数ゆえ、積分には関係ないので、$\int$ の内、外のどちらでも問題なし！

⑤「微分の和・差の公式：$y = f(x) \pm g(x) \Rightarrow y' = f'(x) \pm g'(x)$」より

$$\frac{d}{dx}\left(\int f(x)dx \pm \int g(x)dx\right) = \frac{d}{dx}\left(\int f(x)dx\right) \pm \frac{d}{dx}\left(\int g(x)dx\right) = f(x) \pm g(x)$$

よって、両辺入れ換えて積分

$$\int \{f(x) \pm g(x)\}dx = \int f(x)dx \pm \int g(x)dx \quad （複号同順） \leftarrow 完成$$

例題 1 つぎの不定積分を求めてみますね。

$$\int (3x^2 - 4x + 5)dx$$

＜解法＞

$$\int (3x^2 - 4x + 5)dx = \int 3x^2 dx - \int 4x dx + \int 5 dx$$
$$= 3\int x^2 dx - 4\int x dx + 5\int dx$$
$$= 3\left(\frac{1}{3}x^3 + C_1\right) - 4\left(\frac{1}{2}x^2 + C_2\right) + 5(x + C_3)$$
$$= x^3 - 2x^2 + 5x + C \quad (C：積分定数)\quad （答）$$

通常は、一気に解答で OK！

解説ゆえ、ていねい過ぎる解法です。各不定積分の計算において、決まりによりそれぞれ積分定数を付けました。しかし、この積分定数はどんな値なのかわからないゆえ、最後に全部まとめて C と表示です！

ここまでは難しく感じられないかと……。では、もう1題ね！

例題 2 つぎの不定積分を求めてみますね。

$$\int (x+2)^4 (x-1)dx$$

＜解法＞展開するしかないかなぁ〜！涙 「でも絶対にやりたくないよね！」

そこで、つぎのやり方を覚えておくと便利ですよ！

$$\int (x+2)^4 (x-1)dx = \int (x+2)^4 \{(x+2) - 3\}dx$$

← 次数の高い方に合わせ、強引にカッコの中をそろえる！

$$= \int \{(x+2)^5 - 3(x+2)^4\}dx$$
$$= \frac{1}{6}(x+2)^6 - 3 \cdot \frac{1}{5}(x+2)^5 + C$$
$$= \frac{1}{30}(x+2)^5 \{5(x+2) - 18\} + C$$
$$= \frac{1}{30}(x+2)^5 (5x-8) + C \quad (C：積分定数)（答）$$

数学の解答は、通常、共通因数があれば、因数分解するもの。

この例題 2 の解法は使えそうでしょ！？ このような点に気づくとさらに数学が面白くなってくると思いませんか？ …無言。では、練習ね！

演習 159 つぎの不定積分を求めてみましょう。

(1) $\int (2x^2 + 3x - 1)dx$ 　　(2) $\int (x-2)^2 (x+1)dx$

7章 積分法

復習 70

分数関数の不定積分

ここでは「分数関数の積分」についてお話ししたいと……。分数関数には大きく分けて5通りの積分計算があり、そのうちの3つをここでは扱いたいと思っています。残り2つは置換積分でお話しします！

[ⅰ：基本的な分数関数の積分]

分数関数の積分　　　　　　　　　　　　C：積分定数

① $\displaystyle\int \frac{1}{x}dx = \begin{cases} \log x + C & (x>0) \\ \log(-x) + C & (x<0) \end{cases}$　まとめ ⇒ $\displaystyle\int \frac{1}{x}dx = \log|x| + C$

② $\displaystyle\int \frac{1}{ax+b}dx = \frac{1}{a}\cdot\log|ax+b| + C$

補足：とにかく、微分の逆演算をし、積分定数 C を付けるだけね！

① $\dfrac{d}{dx}\log x = \dfrac{1}{x}$

両辺入れ換えて積分

$\displaystyle\int \frac{1}{x}dx = \log|x| + C$　← 完成

② $\dfrac{d}{dx}\log(ax+b) = a\cdot\dfrac{1}{ax+b}$　∴ $\dfrac{d}{dx}\dfrac{1}{a}\log(ax+b) = \dfrac{1}{ax+b}$

両辺入れ換えて積分

$\displaystyle\int \frac{1}{ax+b}dx = \frac{1}{a}\cdot\log|ax+b| + C$　← 完成

分母がマイナス（−）のときの積分は、対数の真数条件より絶対値が必要になります。

対数関数の微分で、積分で関係してくると触れた記憶が……。

例題1 つぎの不定積分を求めてみますね。

$$(1)\ \int \frac{1}{5x}dx \qquad (2)\ \int \frac{1}{x-3}dx \qquad (3)\ \int \frac{1}{2x+7}dx$$

＜解法＞ C は積分定数

(1) $\int \frac{1}{5x}dx = \frac{1}{5}\int \frac{1}{x}dx$ ← 係数を先頭に出す

$= \frac{1}{5}(\log|x|+C)$ ← x の符号が不明ゆえ、｜真数｜（絶対値）忘れずに！

$= \frac{1}{5}\log|x|+C$ ← 定数項 $\frac{1}{5}C$ は値が不明ゆえ、C で OK！

(2) $\int \frac{1}{x-3}dx = \log|x-3|+C$ ← 公式②で $a=1$ と考えるか、分母が1次式で係数が1の場合、公式①と同様に $(x-3)$ を1文字と考える。

(3) $\int \frac{1}{2x+7}dx = \frac{1}{2}\log|2x+7|+C$（答）

別解

$\int \frac{1}{2x+7}dx = \int \frac{1}{2\left(x+\frac{7}{2}\right)}dx$ ← (1)(2) 両方利用した解法

$= \frac{1}{2}\int \frac{1}{x+\frac{7}{2}}dx$

$= \frac{1}{2}\log\left|x+\frac{7}{2}\right|+C$

（答）

積分計算の解は1通りとは限らないので、慣れるまではツライかもしれませんね！

x の係数で分母をククリ、(1)同様、係数部分を前に出す。そして、(2)の積分計算！たぶん、はじめの解答と形が違うので「アレッ！？」と思われているかと…。そこで、はじめの解答を変形してみますね。

$\frac{1}{2}\log|2x+7| = \frac{1}{2}\log 2\left|x+\frac{7}{2}\right|$

$= \frac{1}{2}\left(\log 2 + \log\left|x+\frac{7}{2}\right|\right)$

$= \frac{1}{2}\log\left|x+\frac{7}{2}\right| + \frac{1}{2}\log 2$

「$\frac{1}{2}\log 2$」は定数項ゆえ、積分定数に含まれる。

演習160 つぎの不定積分を求めてみましょう。

$$(1)\ \int \frac{1}{7x}dx \qquad (2)\ \int \frac{4}{x+2}dx \qquad (3)\ \int \frac{1}{3x-5}dx$$

[ii：分子の次数を下げる]

　分数関数の解説の中で、「分子の次数は必ず分母より下げてから考える」とお話ししたのを覚えておられますか？ 積分計算でも言えるんですね！

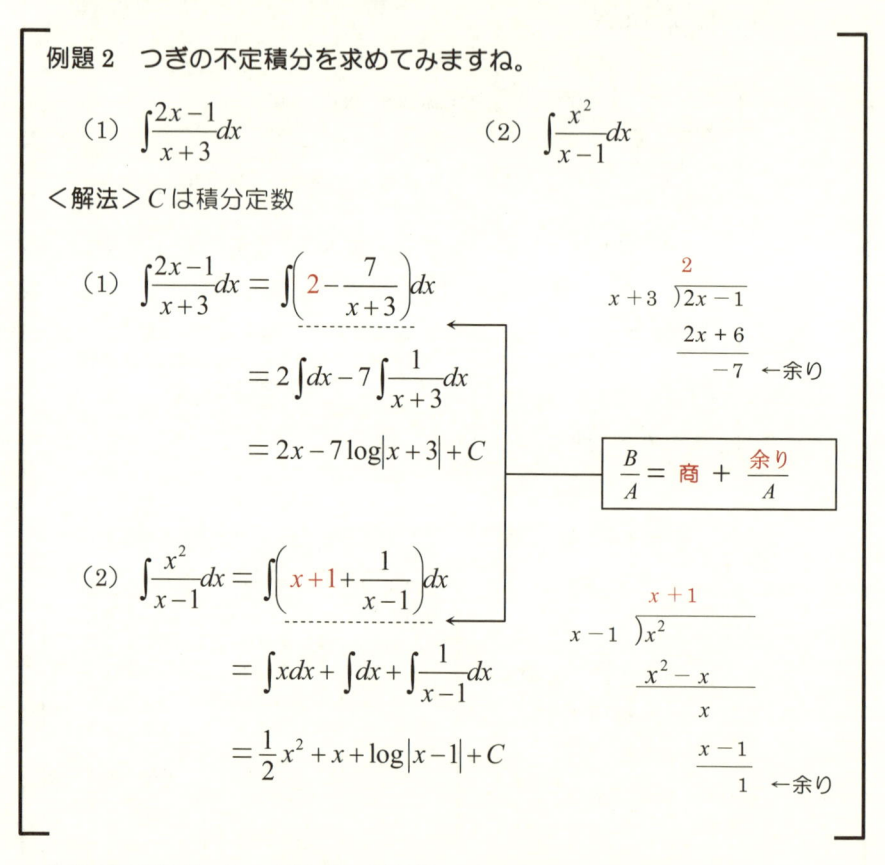

例題2　つぎの不定積分を求めてみますね。

（1）$\displaystyle\int \frac{2x-1}{x+3}dx$　　　　（2）$\displaystyle\int \frac{x^2}{x-1}dx$

＜解法＞ C は積分定数

（1）$\displaystyle\int \frac{2x-1}{x+3}dx = \int\left(2-\frac{7}{x+3}\right)dx$

$\displaystyle\qquad\qquad\quad = 2\int dx - 7\int \frac{1}{x+3}dx$

$\displaystyle\qquad\qquad\quad = 2x - 7\log|x+3| + C$

$$\begin{array}{r} 2 \\ x+3\overline{)2x-1} \\ 2x+6 \\ \hline -7 \end{array} \leftarrow 余り$$

$$\boxed{\frac{B}{A} = 商 + \frac{余り}{A}}$$

（2）$\displaystyle\int \frac{x^2}{x-1}dx = \int\left(x+1+\frac{1}{x-1}\right)dx$

$\displaystyle\qquad\qquad\quad = \int xdx + \int dx + \int \frac{1}{x-1}dx$

$\displaystyle\qquad\qquad\quad = \frac{1}{2}x^2 + x + \log|x-1| + C$

$$\begin{array}{r} x+1 \\ x-1\overline{)x^2} \\ x^2-x \\ \hline x \\ x-1 \\ \hline 1 \end{array} \leftarrow 余り$$

次数を下げるための**「整式の割り算」**大丈夫でした？　バッチリ！

演習 161　つぎの不定積分を求めてみましょう。

（1）$\displaystyle\int \frac{x-1}{x-4}dx$　　　　（2）$\displaystyle\int \frac{2x(x+1)}{x^2-1}dx$

　ヒント：基本的な分数関数の積分ゆえ、「次数を下げる！」を意識してください。

[ⅲ：部分分数に分ける]

数列におけるΣ（シグマ）計算のところでお話ししましたね！ では、例題を……。

部分分数に分ける！ $a > 0$
$$\frac{1}{k(k+a)} = \frac{1}{(k+a)-k}\left(\frac{1}{k} - \frac{1}{k+a}\right)$$

例題3 つぎの不定積分を求めてみますね。

(1) $\displaystyle\int \frac{1}{x(x+2)}dx$ (2) $\displaystyle\int \frac{-x+8}{(x-3)(x+2)}dx$

＜解法＞ C は積分定数

(1) $\displaystyle\int \frac{1}{x(x+2)}dx = \int \frac{1}{2}\left(\frac{1}{x} - \frac{1}{x+2}\right)dx$ ← 部分分数に分ける（上枠参照）

$= \dfrac{1}{2}(\log|x| - \log|x+2|) + C$ ←（カッコ）の中：差を商へ

$= \dfrac{1}{2}\log\left|\dfrac{x}{x+2}\right| + C$ （答）

(2) $\displaystyle\int \frac{-x+8}{(x-3)(x+2)}dx = \int\left(\frac{1}{x-3} - \frac{2}{x+2}\right)dx$

$= \log|x-3| - 2\log|x+2| + C$

$= \log|x-3| - \log(x+2)^2 + C$

$= \log\dfrac{|x-3|}{(x+2)^2} + C$ （答）

$\dfrac{-x+8}{(x-3)(x+2)} = \dfrac{a}{x-3} + \dfrac{b}{x+2}$

とおき、右辺を通分し、両辺の分子、係数比較。
$-x+8 = (a+b)x + 2a - 3b$
∴ $a+b = -1$、$2a - 3b = 8$
よって、$a = 1$、$b = -2$

(2)の部分分数に分ける方法（右枠）は、ほんの少し面倒ですが、しかし、この係数比較はよく利用され、特に恒等式などで……。

演習162 つぎの不定積分を求めてみましょう。

(1) $\displaystyle\int \frac{3}{(x-2)(x+1)}dx$ (2) $\displaystyle\int \frac{x-3}{x^2-3x+2}dx$

復習 71

指数関数の不定積分

今度は「指数関数の積分」です。 では、早速始めましょう！

指数関数の積分 C：積分定数

① $\int e^x dx = e^x + C$ ② $\int e^{ax+b} dx = \dfrac{1}{a} e^{ax+b} + C$

③ $\int a^x dx = \dfrac{a^x}{\log a} + C$ $(a>0、a \neq 1)$

補足：②は置換積分で扱われることが多いですが、この程度は暗算で！

① $\dfrac{d}{dx} e^x = e^x$

両辺入れ換えて、積分

$\int e^x dx = e^x + C$ ← 完成

e^x は微分・積分で不変！
でも、積分定数はお忘れなく！

② $\dfrac{d}{dx} e^{ax+b} = a \cdot e^{ax+b}$ ∴ $\dfrac{d}{dx} \dfrac{1}{a} e^{ax+b} = e^{ax+b}$ ・・・(∗)

a は定数ゆえ、微分には関係ない！ よって、a 込みで微分しても問題なし！

(∗)の両辺入れ換えて、積分

$\int e^{ax+b} dx = \dfrac{1}{a} e^{ax+b} + C$ ← 完成

③ $\dfrac{d}{dx} a^x = a^x \cdot \log a$ ∴ $\dfrac{d}{dx} \dfrac{1}{\log a} a^x = a^x$ ・・・(∗)

(∗)の両辺入れ換えて、積分

$\int a^x dx = \dfrac{1}{\log a} a^x + C = \dfrac{a^x}{\log a} + C$ ← 完成

例題 つぎの不定積分を求めてみますね。

(1) $\int 3e^x dx$　　　(2) $\int e^{2x+5} dx$　　　(3) $\int 5^x dx$

<解法> C：積分定数

(1) $\int 3e^x dx = 3\int e^x dx$　　← 念のために3を前に出してみました！
　　　　　　　 $= 3e^x + C$

(2) $\int e^{2x+5} dx = \dfrac{1}{2} e^{2x+5} + C$　　← 指数を微分した逆数が先頭に出るだけ！

(3) $\int 5^x dx = \dfrac{5^x}{\log 5} + C$　　← 単純だけど、覚えにくくありませんか？
　　　　　　　　　　　　　　　　　　　「私だけ？・・・汗」

公式②③は案外単純そうですが、いざ問題を見ると戸惑うものです。ヒタスラ練習あるのみ！

演習163 つぎの不定積分を求めてみましょう。

(1) $\int (e^x + 3) dx$　　　(2) $\int e^{4x-1} dx$　　　(3) $\int (2^x - 6e^{3x}) dx$

復習 72

三角関数の不定積分

　さて、ここからは、単なる積分計算というより、今までの知識が試されてきます。特に、三角関数においては「2倍角」「半角」そして、「積を和に変換」などの公式を覚えていないと、大変ツライものです。

　　　　　　　　　　　　　　　そんなこと聞いてないよぉ～！ 汗

　そこで、この項目では演習をせず、例題を通して代表的な積分計算を中心に説明することとします。絶対的に練習量が不足ゆえ、ぜひ、問題集などで練習されてください。
　では、まずは基本的な「三角関数の積分」からはじめましょう！

三角関数の不定積分の公式 [I]　　　　　　　C：積分定数

　　微分　　　　　　　　　　積分（Cは積分定数）

$(\cos x)' = -\sin x$　　⇔　　$\int \sin x\, dx = -\cos x + C$

$(\sin x)' = \cos x$　　⇔　　$\int \cos x\, dx = \sin x + C$

$(\tan x)' = \dfrac{1}{\cos^2 x}$　　⇔　　$\int \dfrac{1}{\cos^2 x}\, dx = \tan x + C$

補足：$\sin x$ に対する積分についてだけ示しておきますね！

$$\dfrac{d}{dx}\cos x = -\sin x \quad \therefore \quad \dfrac{d}{dx}(-\cos x) = \sin x$$

　　　　　　　　　　　　　　　　　　　　しつこいようですが、-1
　　　　　　　　　　　　　　　　　　　　は微分には関係ない！
両辺入れかえて積分　　　　　　　　　　　よって、-1込みで微分し
　　　　　　　　　　　　　　　　　　　　ても問題なし！

$$\int \sin x\, dx = -\cos x + C \quad ← 完成$$

では、問題を通しての解説に入りますよ！ 覚悟！！　　ドキドキ！ 汗

例題1 つぎの不定積分を求めてみますね。

(1) $\int (\sin x - \cos x)dx$ 　　　(2) $\int \left(\cos x + \dfrac{1}{\cos^2 x}\right)dx$

＜解法＞ C：積分定数

(1) $\int (\sin x - \cos x)dx = \int \sin x dx - \int \cos x dx$ 　← 各積分計算！

$\quad = -\cos x - \sin x + C$ 　（答）

(2) $\int \left(\cos x + \dfrac{1}{\cos^2 x}\right)dx = \int \cos x dx + \int \dfrac{1}{\cos^2 x}dx$ 　← 各積分計算！

$\quad = \sin x + \tan x + C$ 　（答）

例題1はまだ問題はないと思いますが……。　　　バッチリ！ 笑

では、

「$\int \sin 5x dx$ を計算してください！」

と言われたら？ ドキッ！ ご安心ください。このための公式もあるんです！

三角関数の不定積分の公式〔Ⅱ〕　　　　C：積分定数

・ $\int \sin(ax+b)dx = -\dfrac{1}{a}\cos(ax+b) + C$ 　　（$a \neq 0$）

・ $\int \cos(ax+b)dx = \dfrac{1}{a}\sin(ax+b) + C$ 　　（$a \neq 0$）

補足：$\cos(ax+b)$ に対する積分も同様

$\dfrac{d}{dx}\cos(ax+b) = -a\sin(ax+b)$ 　←合成関数の微分： 　$f(x)=\cos t$、$t=ax+b$

$\therefore \dfrac{d}{dx}\left\{-\dfrac{1}{a}\cos(ax+b)\right\} = \sin(ax+b)$ 　　$\dfrac{dy}{dx} = \dfrac{dy}{dt} \cdot \dfrac{dt}{dx}$

両辺入れ換えて積分

x の係数の逆数を先頭に出し、sin の積分！

$\int \sin(ax+b)dx = -\dfrac{1}{a}\cos(ax+b) + C$ 　← 完成

では、早速、先ほどの不定積分を求めてみますよ！

例題2 つぎの不定積分を求めてみますね。

(1) $\int \sin 5x\, dx$ 　　　　(2) $\int \cos\left(3x + \dfrac{\pi}{6}\right) dx$

＜解法＞ C：積分定数

(1) $\int \sin 5x\, dx = -\dfrac{1}{5}\cos 5x + C$ 　←　x の係数の逆数を先頭に出し、$\sin$ の積分

(2) $\int \cos\left(3x + \dfrac{\pi}{6}\right) dx = \dfrac{1}{3}\sin\left(3x + \dfrac{\pi}{6}\right) + C$ 　←　x の係数の逆数を先頭に出し、$\cos$ の積分

これで2つ道具を手に入れました。では、つぎの不定積分を求めてみましょう。「半角の公式」の利用です。

例題3 つぎの不定積分を求めてみますね。

(1) $\int \sin^2 \dfrac{x}{2}\, dx$ 　　　　(2) $\int \cos^2 x\, dx$

＜解法＞ C：積分定数

見ただけで嫌な式ですよね！ でも、方針は、このように2乗の形が出てきたら「半角の公式で次数を下げる！」

(1) $\int \sin^2 \dfrac{x}{2}\, dx = \int \dfrac{1-\cos x}{2}\, dx$ 　←　半角の公式および、$\dfrac{1}{2}$ を前に出す！

　　　　　　$= \dfrac{1}{2}\int (1-\cos x)\, dx$ 　←　一気に積分してください。

　　　　　　$= \dfrac{1}{2}(x - \sin x) + C$ 　（答）

(2) $\int \cos^2 x\, dx = \int \dfrac{1+\cos 2x}{2}\, dx$ 　←　半角の公式および、$\dfrac{1}{2}$ を前に出す！

　　　　　　$= \dfrac{1}{2}\int (1+\cos 2x)\, dx$ 　←　例題2(1)を参照

　　　　　　$= \dfrac{1}{2}\left(x + \dfrac{1}{2}\sin 2x\right) + C$ 　（答）

この項目の最後は、「**3倍角の公式**」および「**積を和に直す公式**」の利用の不定積分を解説し、終わりにしたいと思います。

例題4 つぎの不定積分を求めてみますね。

　　　（1）$\int \sin^3 x \, dx$ 　　　　　（2）$\int \sin 2x \cos x \, dx$

＜解法＞ C：積分定数

（1）$\int \sin^3 x \, dx = \int \dfrac{3\sin x - \sin 3x}{4} dx$ ← 3倍角：$\sin 3x = 3\sin x - 4\sin^3 x$ より

　　　　　　　　$= \dfrac{1}{4} \int (3\sin x - \sin 3x) dx$ 　　←上の式で $\dfrac{1}{4}$ を前に出す！

　　　　　　　　$= \dfrac{1}{4}\left(3\int \sin x \, dx - \int \sin 3x \, dx\right)$ ←各積分計算！

　　　　　　　　$= \dfrac{1}{4}\left(-3\cos x + \dfrac{1}{3}\cos 3x\right) + C$

　　　　　　　　$= -\dfrac{3}{4}\cos x + \dfrac{1}{12}\cos 3x + C$ （答）

> 基本は「**次数を下げる！**」
> 別解 $\sin^3 x = \sin^2 x \cdot \sin x$
> 　　　　　$= (1 - \cos^2 x)\sin x$
> とし、つぎの項目で解説する、**置換積分**でも可！

（2）$\int \sin 2x \cos x \, dx = \dfrac{1}{2}\int (\sin 3x + \sin x) dx$ ← $\sin\alpha\cos\beta = \dfrac{1}{2}\{\sin(\alpha+\beta) + \sin(\alpha-\beta)\}$

　　　　　　　　　　　$= \dfrac{1}{2}\left(\int \sin 3x \, dx + \int \sin x \, dx\right)$ ←各積分計算！

　　　　　　　　　　　$= \dfrac{1}{2}\left(-\dfrac{1}{3}\cos 3x - \cos x\right) + C$

　　　　　　　　　　　$= -\dfrac{1}{6}\cos 3x - \dfrac{1}{2}\cos x + C$ （答）

　このように三角関数の積分は、公式を利用し「**次数を下げる**」また、「**積を和に直す**」などしながら計算をして行きます。よって、公式の確認を今一度よろしくお願いしますね！

　さて、つぎは**置換積分**という、新たな積分方法です。ここでは、連鎖微分（合成関数の微分）の知識が重要になってきます。不安な方は確認してから読み進めていただければと……。

　　　　　　　　　　　　　　　　　　　「アセラズ、ゆっくりとね！」

7章 積分法

復習 73

置換積分

　この置換積分は大変重要な考え方で、これを身に付ければ、今後の積分計算において、とっても強い味方になります。ただ、慣れるまでは少し難しいので、ここでは感覚をつかんでいただければよろしいかと……。
　まずは、理解しにくいのを承知の上で公式から。エッ！？ 意味ないじゃん！

置換積分 [I]

$\int f(x)dx$ において、$x = g(t)$ とすると

$$\int f(x)dx = \int f(g(t))g'(t)dt$$

となります。

　これは具体的な問題を通して説明しないと絶対に意味不明かと……。
でも、補足として一応解説もさせてください！ 汗

> **補足**
>
> 　$y = \int f(x)dx$ において、$x = g(t)$ とおくと、合成関数より「y は t の関数」
> と言えるでしょ！ そこで「y を t で微分」してみます。
>
> $\dfrac{dy}{dt} = \dfrac{dy}{dx} \cdot \dfrac{dx}{dt}$　← 連鎖微分。また、$\dfrac{dy}{dx} = f(x)$（↓下に説明あり！）
>
> 　　　$= f(x) \cdot \dfrac{dx}{dt}$　← $y = \int f(x)dx$ を微分すると、$\dfrac{dy}{dx} = \dfrac{d}{dx}\int f(x)dx = f(x)$
>
> ∴　$\dfrac{dy}{dt} = f(g(t)) \cdot g'(t)$　← $x = g(t)$ より、$\dfrac{dx}{dt} = g'(t)$。（左辺）：$\dfrac{dy}{dt} = \dfrac{d}{dt}y$
>
> よって、この上記の式を t で積分すると
>
> 　　　$y = \int f(g(t))g'(t)dt$　← 左辺を $y = \int f(x)dx$ で置き換える
>
> となり、ゆえに
>
> $$\int f(x)dx = \int f(g(t))g'(t)dt$$　← 完成

公式の説明では、ナニがそんなに便利なのかわかりませんよね！
では、早速問題を解きながら実感していただきましょう。

例題1 つぎの不定積分を求めてみますね。

(1) $\int (4x-5)^4 dx$　　　　(2) $\int x\sqrt{x+2}\,dx$

＜解法＞ C：積分定数

(1)（カッコ）が 1 文字の "t" であれば計算が楽だと思うでしょ！？

$4x - 5 = t$ ･･･① とおき、両辺を t で微分（方針：$dx = \bullet dt$ を作りたい）

$$4dx = dt$$

←　微分の仕方（便宜的にね！）
・①の左辺は x で微分し dx を付ける！
・①の右辺は t で微分し dt を付ける！

$$\therefore dx = \frac{1}{4}dt \cdots ②$$

$$\int (4x-5)^4 dx = \int t^4 \cdot \frac{1}{4} dt \quad \leftarrow \text{①②より（右辺）} = \frac{1}{4}\int t^4 \cdot dt$$

$$= \frac{1}{4} \cdot \frac{1}{5} t^5 + C \quad \leftarrow \text{積分計算し、①よりもとに戻す}$$

$$= \frac{1}{20}(4x-5)^5 + C \quad \text{（答）}$$

(2) $\sqrt{ax+b}$ の式を含む場合は、$\sqrt{ax+b} = t$ とおくと楽になる。決まりなのね！

$\sqrt{x+2} = t$ ･･･① とおき（2乗）、$x+2 = t^2$　$\therefore x = t^2 - 2$ ･･･②

②を t で微分、$dx = 2t\,dt$ ･･･③ ←
・②左辺は x で微分し dx を付ける！
・②右辺は t で微分し dt を付ける！

$$\int x\sqrt{x+2}\,dx = \int (t^2 - 2) \cdot t \cdot 2t\,dt \quad \leftarrow \text{①②③より}$$

$$= 2\int (t^4 - 2t^2) dt \quad \leftarrow \text{積分計算}$$

$$= 2\left(\frac{1}{5}t^5 - \frac{2}{3}t^3\right) + C$$

（カッコ）の中を共通因数 $\frac{1}{15}t^3$ でククル

$$= \frac{2}{15}t^3 (3t^2 - 10) + C$$

$$= \frac{2}{15}(\sqrt{x+2})^3 \{3(x+2) - 10\} + C \quad \leftarrow \text{①よりもとに戻す}$$

$$= \frac{2}{15}(3x-4)(x+2)\sqrt{x+2} + C \quad \text{（答）}$$

7章 積分法

例題1をご覧になって、さっぱりわけがわからないかと……。うん！

ハッキリ言って、置換積分は慣れるまでは、どの式を1文字で置き換えればよいのか判断できません。

また、この置換積分に関しては特に「この形ならこの部分の式を置き換える」と決まりがあるんですね！ 例題2（2）もそのヒトツ。

ここでは扱いませんが、たとえば、

・$\sqrt{a^2-x^2}$ を含む式なら $x=a\sin\theta$ とおく

・$\sqrt{x^2+a^2}$ を含む式なら $x=a\tan\theta$ とおく

などなど。

よって、ここでは、カンタンな代表的な置換積分をお見せすることで、「ナルホド！」程度に、置換する感覚を覚えていただければ十分かと……。

分数関数の置換積分（決まり！）

$\int \dfrac{1}{(ax+b)^n}dx$ の場合、 $ax+b=t$ とおく！

例題2 つぎの不定積分を求めてみますね。

$$\int \frac{1}{(2x-3)^2}dx$$

＜解法＞ C：積分定数

$2x-3=t$ とおき、t で微分すると $2dx=dt$ ∴ $dx=\dfrac{1}{2}dt$

　　　左辺＝$2x-3$をxで微分しdxを付ける
　　　右辺＝tをtで微分しdtを付ける

$\int \dfrac{1}{(2x-3)^2}dx = \int \dfrac{1}{t^2}\cdot\dfrac{1}{2}dt$

$= \dfrac{1}{2}\int t^{-2}dt$　← $\dfrac{1}{t^2}=t^{-2}$

$= \dfrac{1}{2}\cdot(-1)t^{-1}+C$ ← $\dfrac{1}{2}\int t^{-2}dt = \dfrac{1}{2}\cdot\dfrac{1}{-2+1}\cdot t^{-2+1} = \dfrac{1}{2}\cdot(-1)t^{-1}$

$= -\dfrac{1}{2}\cdot\dfrac{1}{t}+C$　← $t^{-1}=\dfrac{1}{t}$

$= -\dfrac{1}{2(2x-3)}+C$（答）　← $2x-3=t$：もとに戻す

つぎの置換積分の公式は、Ⅰの逆なんですが、利用度が高いんですよ！

置換積分［Ⅱ］

$\int F(f(x))f'(x)dx$ において、$f(x) = t$ とすると

$$\int F(f(x))f'(x)dx = \int F(t)dt$$

となります。

補足

$\int F(f(x))f'(x)dx \cdots ①$ において、$f(x) = t \cdots ②$ とする。

②の両辺を t で微分

$f'(x)dx = dt \cdots ③$ ←
- ②左辺：x で微分し、dx を付ける
- ②右辺：t で微分し、dt を付ける

よって、①③より

$$\int F(f(x))f'(x)dx = \int F(t)dt \quad ← 完成$$

これも、公式だけでは意味がわかりませんよね！ ……無言

例題3 つぎの不定積分を求めてみますね。

$$\int (x^2 - x + 3)^3 (2x - 1)dx$$

＜解法＞ C：積分定数

ポイント：このような2つの積の場合、**片方を微分することで、もう一方が導ける**か否かを見極める！

左側のカッコの中を微分すると、$(x^2 - x + 3)' = 2x - 1$ となり、右側が現れましたね！ この感覚なんです。

では、解答へ

$x^2 - x + 3 = t \cdots ①$ とおき、t で微分、$(2x - 1)dx = dt \cdots ②$

$\int (x^2 - x + 3)^3 \underline{(2x - 1)dx} = \int t^3 dt \quad ←$ ②より、$(2x - 1)dx = dt$
　　　　　　　　　②

$= \dfrac{1}{4}t^4 + C \quad ←$ ①より、t をもとに戻す

$= \dfrac{1}{4}(x^2 - x + 3)^4 + C \quad$（答）

さぁ〜、この置換積分［Ⅱ］の公式を利用して、今度は三角関数の積分にもチャレンジしてみませんか！

三角関数の置換積分（決まり！）

$\int f(\sin x)\cos x\,dx$ の場合、　　$\sin x = t$ とおく！

$\int f(\cos x)\sin x\,dx$ の場合、　　$\cos x = t$ とおく！

これに関しては予想がつきやすいと思いますので、例題で確認してみましょう！

例題4 つぎの不定積分を求めてみますね。

(1) $\int \sin^2 x \cos x\,dx$ 　　　　(2) $\int \cos^3 x \sin x\,dx$

<解法>

(1) $\sin x = t$ ・・・① とおき、t で微分。$\cos x\,dx = dt$ ・・・②

$$\int \sin^2 x \underline{\cos x\,dx}_{②} = \int t^2 dt \quad \leftarrow ①②より$$

$$= \frac{1}{3}t^3 + C \quad \leftarrow ①より、t をもとに戻す$$

$$= \frac{1}{3}\sin^3 x + C \quad (C は積分定数)（答）$$

(2) $\cos x = t$ ・・・① とおき、t で微分。

$-\sin x\,dx = dt$ ∴ $\sin x\,dx = -dt$ ・・・②

$$\int \cos^3 x \underline{\sin x\,dx}_{②} = \int t^3(-dt) \quad \leftarrow ①②より$$

$$= -\int t^3 dt$$

$$= -\frac{1}{4}t^4 + C \quad \leftarrow ①より、t をもとに戻す$$

$$= -\frac{1}{4}\cos^4 x + C \quad (C は積分定数)（答）$$

分数関数の置換積分 [Ⅲ]

$\int \dfrac{f'(x)}{f(x)} dx$ において、$f(x) = t$ とすると

$$\int \dfrac{f'(x)}{f(x)} dx = \log|f(x)| + C$$

となります。

補足

$\int \dfrac{f'(x)}{f(x)} dx$ において、$f(x) = t$ ・・・①とし、両辺を t で微分。

$f'(x)dx = dt$ ・・・② ← ①左辺：x で微分し、dx を付ける
　　　　　　　　　　　　　　①右辺：t で微分し、dt を付ける

よって、

$\int \dfrac{f'(x)}{f(x)} dx = \int \dfrac{1}{t} dt$ ← ①②より、$\int \dfrac{f'(x)}{f(x)} dx = \int \dfrac{1}{f(x)} f'(x)dx = \int \dfrac{1}{t} dt$

$= \log|t| + C$ ←①より、t をもとに戻す

$= \log|f(x)| + C$ （C は積分定数） ← 完成

例題 5 つぎの不定積分を求めてみますね。

(1) $\int \dfrac{2x}{x^2+1} dx$ 　　　　(2) $\int \dfrac{\cos x}{\sin x} dx$

＜解法＞ ポイント：（分母）を微分すると（分子）になる！　C は積分定数

(1) $x^2 + 1 = t$ ・・・①とおき、t で微分。

$2xdx = dt$ ・・・② ← ①左辺：x で微分し、dx を付ける
　　　　　　　　　　　　　①右辺：t で微分し、dt を付ける

$\int \dfrac{2x}{x^2+1} dx = \int \underbrace{\dfrac{1}{x^2+1}}_{①} \cdot \underbrace{2xdx}_{②} = \int \dfrac{1}{t} dt = \log|t| + C = \log(x^2+1) + C$ （答）

(2) $\sin x = t$ ・・・①とおき、t で微分。

$\cos x dx = dt$ ・・・② ← ①左辺：x で微分し、dx を付ける
　　　　　　　　　　　　　　①右辺：t で微分し、dt を付ける

$\int \dfrac{\cos x}{\sin x} dx = \int \underbrace{\dfrac{1}{\sin x}}_{①} \cdot \underbrace{\cos x dx}_{②} = \int \dfrac{1}{t} dt = \log|\sin x| + C$ （答）

復習 74

部分積分

さて、この「部分積分」も重要な考え方。これができると、対数関数の積分ができるんです。ただし、この部分積分もやはり慣れが必要でして、ある程度問題を解くことで見えてくるモノなんです！　　ふ〜ん……

部分積分の公式

ポイント：公式の下線部分が簡単な積分計算になるようにする！
そこで、頭の中ではつぎの点を意識してください！

「一方を積分し、もう一方を微分したとき、
　　　それ同士の積が積分できる形か否か？」

$$\int f'(x)g(x)dx = f(x)g(x) - \underline{\int f(x)g'(x)dx}$$

もしくは、$f(x)=u$、$g(x)=v$とおくと

$$\int u'v\,dx = uv - \underline{\int uv'\,dx} \quad \cdots (*)$$

補足：($*$)の公式の方が見やすいと思うのでこちらで解説！

積の導関数の公式より

$$\frac{d}{dx}(uv) = u'v + uv'$$

両辺をxで積分

$$uv = \int(u'v + uv')dx$$

$$uv = \underline{\int u'v\,dx} + \int uv'\,dx \quad ←［下線部分＝］の形に変形$$

$$\therefore \int u'v\,dx = uv - \int uv'\,dx \quad ←完成$$

この部分積分も公式だけではナニがなんだかわかりませんよね！　しかし、コレを利用することでやっと"$\log x$"の積分が可能になるんです。

例題 1　つぎの不定積分を求めてみますね。

(1) $\int \log x \, dx$　　　(2) $\int x \cos 3x \, dx$　　　(3) $\int x e^{2x} \, dx$

＜解法＞　C は積分定数

(1)「$\log x = 1 \cdot \log x$」と考える！

$$\int \log x \, dx = \int 1 \cdot \log x \, dx \quad \longleftarrow 比較 \longrightarrow \quad \int \overset{\text{片方を積分}}{u'} \overset{\text{残りを微分}}{v} \, dx = uv - \int uv' \, dx$$

最初のポイントを思い出してください。

「一方を積分し、もう一方を微分したとき、

　　　　　　　　それ同士の積が積分できる形か否か？」

$\log x$ は積分できないので、[1 を積分し x][$\log x$ を微分し $\dfrac{1}{x}$]。そして、その 2 つの積は $x \cdot \dfrac{1}{x} = 1$ となり、積分できるので**決定！**

$$\int \log x \, dx = \int \underset{\text{積分}}{1} \cdot \overset{\text{微分}}{\log x} \, dx = x \cdot \log x - \int x \cdot \frac{1}{x} \, dx = x \cdot \log x - \int 1 \, dx = x \cdot \log x - x + C \quad (答)$$

(2) [x を積分：$\dfrac{1}{2} x^2$]×[$\cos 3x$ を微分：$-3 \sin 3x$] $= -\dfrac{3}{2} x^2 \sin 3x$ となり、

さらに難しい積分に！　よって、「$\cos 3x$ を積分し、x を微分」に決定！

$$\int x \cos 3x \, dx = \underset{\text{積分}}{x} \cdot \overset{\text{微分}}{\frac{1}{3} \sin 3x} - \int 1 \cdot \frac{1}{3} \sin 3x \, dx = \frac{1}{3} x \sin 3x - \frac{1}{3} \int \sin 3x \, dx$$

$$= \frac{1}{3} x \sin 3x - \frac{1}{3} \left\{ \left(-\frac{1}{3} \cos 3x \right) + C \right\} = \frac{1}{3} x \sin 3x + \frac{1}{9} \cos 3x + C \quad (答)$$

(3) [x を積分：$\dfrac{1}{2} x^2$] × [e^{2x} を微分：$2e^{2x}$] $= x^2 e^{2x}$ となり、さらに難しい積分に！　よって、「e^{2x} を積分し、x を微分」に決定！

$$\int x e^{2x} \, dx = x \cdot \frac{1}{2} e^{2x} - \int 1 \cdot \frac{1}{2} e^{2x} \, dx = \frac{1}{2} x e^{2x} - \frac{1}{2} \int e^{2x} \, dx = \frac{1}{2} x e^{2x} - \frac{1}{2} \left(\frac{1}{2} e^{2x} + C \right)$$

$$= \frac{1}{2} x e^{2x} - \frac{1}{4} e^{2x} + C = \frac{1}{4} (2x - 1) e^{2x} + C \quad (答)$$

復習 75
定積分の定義

定積分のイメージは
「ある区間 [a、b] における面積を求める」
でした！

よって、右図と以下の定積分と不定積分との関係式をイメージとして焼き付けてくださいね！

定積分の定義： $\int_a^b f(x) = \bigl[F(x)\bigr]_a^b = F(b) - F(a)$ ・・・(*)

上記は関数 $f(x)$ の a から b までの定積分を表し、$F(x)$ は関数 $f(x)$ の不定積分。

よって、(*)のように定積分の計算は、不定積分 $F(x)$ が求められれば、あとはそれほど難しい計算ではありません．

では、最初に定積分の公式を確認しておきましょう。

定積分の公式

① $\int_a^b kf(x)dx = k\int_a^b f(x)dx$

② $\int_a^b \{f(x) \pm g(x)\}dx = \int_a^b f(x)dx \pm \int_a^b g(x)dx$ （複号同順）

③ $\int_a^b f(x)dx = -\int_b^a f(x)dx$

④ $\int_a^b f(x)dx = \int_a^c f(x)dx + \int_c^b f(x)dx$

⑤ $\int_a^a f(x)dx = 0$

⑥ $\int_a^b f(x)dx = \int_a^b f(t)dt$

⑥関数が同じであれば、変数が変わっても成り立つことの意味！

補足：関数 $f(x)$、$g(x)$ の不定積分を $F(x)$、$G(x)$ としますね。

① 確認 ⇒ $\int kf(x)dx = k\int f(x)dx = kF(x) + C$ （C は積分定数）より、

$$\int_a^b kf(x)dx = \left[kF(x)\right]_a^b \quad \leftarrow \text{定積分においては積分定数は不要}$$

$$= kF(b) - kF(a)$$

$$= k\underline{\{F(b) - F(a)\}} \quad \leftarrow \text{下線部は定義（*）より}$$

$$= k\int_a^b f(x)dx$$

② 確認 ⇒ $\int \{f(x) \pm g(x)\}dx = \int f(x)dx \pm \int g(x)dx = F(x) \pm G(x)$ （複号同順）より、

$$\int_a^b \{f(x) \pm g(x)\}dx = \left[F(x) \pm G(x)\right]_a^b$$

$$= \{F(b) \pm G(b)\} - \{F(a) \pm G(a)\}$$

$$= \{F(b) - F(a)\} \pm \{G(b) - G(a)\}$$

$$= \int_a^b f(x)dx \pm \int_a^b g(x)dx \text{（複号同順）}$$

③ $\int_a^b f(x)dx = \left[F(x)\right]_a^b$

$$= F(b) - F(a)$$

$$= -\{F(a) - F(b)\} \quad \leftarrow \text{（−）でククリ、定義（*）より}$$

$$= -\int_b^a f(x)dx \quad \leftarrow \text{積分区間逆転に注意！}$$

④ $\int_a^c f(x)dx + \int_c^b f(x)dx = \{F(c) - F(a)\} + \{F(b) - F(c)\}$

$$= F(b) - F(a)$$

$$= \int_a^b f(x)dx$$

⑤ $\int_a^a f(x)dx = \left[F(x)\right]_a^a$

$$= F(a) - F(a)$$
$$= 0$$

今は、公式の証明にこだわらず、計算ができるようになってください！

7章 積分法

復習 76

定積分の計算

公式の説明は終わりましたので、早速、計算練習です！　　ガンバ！

例題1　つぎの定積分を求めてみますね。

(1) $\int_1^2 (9x^2 - 4x + 3)dx$　(2) $\int_1^3 (3x-1)(x+1)dx$　(3) $\int_{-1}^2 \left(\frac{8}{3}x^3 + x - 1\right)dx$

〈解法〉

多項式の定積分の場合、各項別々に積分する方をおすすめします！

(1) $\int_1^2 (9x^2 - 4x + 3)dx = 9\int_1^2 x^2 dx - 4\int_1^2 x dx + 3\int_1^2 dx$　←この1行は省略OK！

$= 9 \cdot \frac{1}{3}[x^3]_1^2 dx - 4 \cdot \frac{1}{2}[x^2]_1^2 + 3[x]_1^2$

通常、この3行目からはじめます！

$= 3[x^3]_1^2 dx - 2[x^2]_1^2 + 3[x]_1^2$

$= 3(2^3 - 1^3) - 2(2^2 - 1^2) + 3(2-1)$

$= 3 \cdot 7 - 2 \cdot 3 + 3 \cdot 1$

$= 18$　（答）

人それぞれですが、長年指導していて、生徒から不評な計算方法！

$\int_1^2 (9x^2 - 4x + 3)dx = \left[\frac{9}{3}x^3 - \frac{4}{2}x^2 + 3x\right]_1^2$

$= (3 \cdot 2^3 - 2 \cdot 2^2 + 3 \cdot 2) - (3 \cdot 1^3 - 2 \cdot 1^2 + 3 \cdot 1)$

$= 18$　（答）

　現役の高校生においては、授業中、上記の定積分計算を目にすることがあると思います。コレは好みの問題ですので強制はしませんが、経験上、項別に定積分計算の方がよいと思います。

(2) この場合は、展開してから定積分計算ですね！

$$\int_1^3 (3x-1)(x+1)dx = \int_1^3 (3x^2+2x-1)dx$$
$$= [x^3]_1^3 + [x^2]_1^3 - [x]_1^3$$
$$= (3^3-1^3) + (3^2-1^2) - (3-1)$$
$$= 32 \quad \text{(答)}$$

(3) $\int_{-1}^2 \left(\dfrac{8}{3}x^3 + x - 1\right)dx = \dfrac{8}{3} \cdot \dfrac{1}{4}[x^4]_{-1}^2 + \dfrac{1}{2}[x^2]_{-1}^2 - [x]_{-1}^2$
$$= \dfrac{2}{3}\{2^4-(-1)^4\} + \dfrac{1}{2}\{2^2-(-1)^2\} - \{2-(-1)\}$$
$$= \dfrac{2}{3} \cdot 15 + \dfrac{1}{2} \cdot 3 - 3$$
$$= \dfrac{17}{2} \quad \text{(答)}$$

例題2 [積分区間が等しい] つぎの定積分を求めてみますね。

$$\int_{-1}^2 (2x^2+x-1)dx - \int_{-1}^2 (2x^2-5x-1)dx$$

＜解法＞

積分区間が等しければ、関数同士の計算をしてから定積分！

$$\int_{-1}^2 (2x^2+x-1)dx - \int_{-1}^2 (2x^2-5x-1)dx = \int_{-1}^2 \{2x^2+x-1-(2x^2-5x-1)\}dx$$

公式②
$$\int_a^b f(x)dx \pm \int_a^b g(x)dx = \int_a^b \{f(x) \pm g(x)\}dx$$

$$= \int_{-1}^2 6x\,dx$$
$$= \dfrac{6}{2}[x^2]_{-1}^2$$
$$= 3\{2^2-(-1)^2\}$$
$$= 3 \cdot 3$$
$$= 9 \quad \text{(答)}$$

演習164 つぎの定積分の計算をしてみましょう。

(1) $\int_{-1}^2 (x^3-6x^2+3x+2)dx$　(2) $\int_0^3 (x^2+2x)dx + \int_0^3 (-2x^2+4x+5)dx$

例題3［積分範囲がつながる］つぎの定積分を求めてみますね。

(1) $\int_0^2 (x^2+x)dx + \int_2^3 (x^2+x)dx$ (2) $\int_{-2}^4 (x^2-2x)dx - \int_0^4 (x^2-2x)dx$

＜解法＞

同じ関数の定積分で積分区間がつながれば、積分区間をヒトツにまとめて計算！

(1) $\int_0^2 (x^2+x)dx + \int_2^3 (x^2+x)dx = \int_0^3 (x^2+x)dx$ ← **2** で積分区間がつながり、**積分区間 [0、3]**

公式④
$$\int_a^c f(x)dx + \int_c^b f(x)dx = \int_a^b f(x)dx$$

$= \frac{1}{3}[x^3]_0^3 + \frac{1}{2}[x^2]_0^3$

$= \frac{1}{3}(3^3 - 0^3) + \frac{1}{2}(3^2 - 0^2)$

$= \frac{27}{2}$

(2) 符号の変化で積分範囲をつなげちゃう！

$\int_{-2}^4 (x^2-2x)dx - \int_0^4 (x^2-2x)dx$ ← マイナス（−）を付けて**積分範囲を逆転！**

$= \int_{-2}^4 (x^2-2x)dx - \{-\int_4^0 (x^2-2x)dx\}$

$= \int_{-2}^4 (x^2-2x)dx + \int_4^0 (x^2-2x)dx$ ← 一見不自然ですが、**4** で積分範囲がつながり、**積分区間 [−2、0]**

$= \int_{-2}^0 (x^2-2x)dx$

$= \frac{1}{3}[x^3]_{-2}^0 - 2 \cdot \frac{1}{2}[x^2]_{-2}^0$

$= \frac{1}{3}\{0^3 - (-2)^3\} - \{0^2 - (-2)^2\}$ ← $\frac{1}{3}\{0-(-8)\}-(0-4) = \frac{1}{3} \cdot 8 + 4$

$= \frac{20}{3}$

いかがですか？ 積分区間を少しだけ意識すると計算がだいぶ楽になることが実感していただけたと思います。では、ついでにもう1題、積分区間を意識しなければならない計算をしてみましょう。

例題 4 ［絶対値］ つぎの定積分を求めてみますね。

(1) $\int_0^3 |x-1| dx$　　　　　　(2) $\int_{-1}^2 |x^2+x-2| dx$

<解法>

すべての積分区間において、絶対値の中の値がプラスであれば問題ないが、しかし、「そうは問屋がおろさぬ」なんですよ！ マッタク！ 怒

(1) $|x-1| = \begin{cases} x-1 & (x \geq 1) \\ -(x-1) = -x+1 & (x < 1) \end{cases}$ ・・・(＊)

(＊) より、積分区間を ［0、1］［1、3］ で分ける！

$$\int_0^3 |x-1| dx = \int_0^1 (-x+1)dx + \int_1^3 (x-1)dx$$

$$= -\frac{1}{2}[x^2]_0^1 + [x]_0^1 + \frac{1}{2}[x^2]_1^3 - [x]_1^3$$

$$= -\frac{1}{2}(1^2 - 0^2) + (1-0) + \frac{1}{2}(3^2 - 1^2) - (3-1)$$

$$= \frac{5}{2} \quad (答)$$

(2) $x^2 + x - 2 = (x+2)(x-1)$ より

$|x^2+x-2| = \begin{cases} x^2+x-2 & (x \leq -2、1 \leq x) \\ -(x^2+x-2) & (-2 < x < 1) \end{cases}$ ・・・(＊)

よって、(＊) より 積分区間を ［−1、1］［1、2］ で分ける！

$$\int_{-1}^2 |x^2+x-2| dx = \int_{-1}^1 (-x^2-x+2)dx + \int_1^2 (x^2+x-2)dx$$

$$= -\frac{1}{3}[x^3]_{-1}^1 - \frac{1}{2}[x^2]_{-1}^1 + 2[x]_{-1}^1 + \frac{1}{3}[x^3]_1^2 + \frac{1}{2}[x^2]_1^2 - 2[x]_1^2$$

$$= \frac{31}{6} \quad (答)$$

復習 77

定積分における置換積分

　置換積分は、一見複雑そうな関数を1文字で置き換えることで、単純化するという利点がありますが、しかし、定積分に関しては、ヒトツだけ注意が必要になります。それは、積分区間に変化が起きる！　意味不明……
　では、早速問題を通して流れをつかんでください！

例題1　つぎの定積分を求めてみますね。

(1) $\displaystyle\int_{-1}^{2}(2x-1)^3 dx$　　　　(2) $\displaystyle\int_{1}^{2} x\sqrt{x-1}\, dx$

<解法>

(1) $2x-1 = t$ とおくと、　　　　（t における積分区間を求める）

$x = \dfrac{t+1}{2} \cdots (*)$　　積分区間は右表。

x	$-1 \longrightarrow 2$
t	$-3 \longrightarrow 3$

また、$(*)$ の両辺 t で微分。

$dx = \dfrac{1}{2} dt$　　←　連鎖微分（便宜的に）
（左辺）：x で微分し、dx を付ける
（右辺）：t で微分し、dt を付ける

$\therefore \displaystyle\int_{-1}^{2}(2x-1)^3 dx = \int_{-3}^{3} t^3 \cdot \dfrac{1}{2} dt$　←　t に置き換え、積分区間も変化する！

$= \dfrac{1}{2}\displaystyle\int_{-3}^{3} t^3 dt$　←　・定数を前に出す
実は、この形の積分は奇関数ゆえ

$$\dfrac{1}{2}\int_{-3}^{3} t^3 dt = 0$$

と、カンタンに！　エッ！　ナンデ？

$= \dfrac{1}{2} \cdot \dfrac{1}{4}\left[t^4\right]_{-3}^{3}$

$= \dfrac{1}{8}\left\{3^4 - (-3)^4\right\}$　←　符号の変化に注意し計算！

$= \dfrac{1}{8}\left\{3^4 - 3^4\right\}$　　つぎの項目で「偶関数・奇関数の積分」についてお話しさせていただきます。

$= 0$　（答）　　　　　　　　　　　　　お楽しみに！

(2) $\sqrt{x-1}=t$ とおくと、

$x-1=t^2$ ∴ $x=t^2+1\cdots(*)$

よって、積分区間は右表。

x	1 $\longrightarrow$ 2
θ	0 $\longrightarrow$ 1

また、(*)の両辺 t で微分。

$dx=2dt$ ← （左辺）: x で微分し、dx を付ける
（右辺）: t で微分し、dt を付ける

∴ $\int_1^2 x\sqrt{x-1}dx = \int_0^1 (t^2+1)\cdot t\cdot 2dt$

$= 2\int_0^1 (t^3+t)dt$

$= 2\left\{\dfrac{1}{4}[t^4]_0^1 + \dfrac{1}{2}[t^2]_0^1\right\}$

$= \dfrac{1}{2}(1^4-0^4)+(1^2-0^2) = \dfrac{1}{2}+1$

$= \dfrac{3}{2}$ （答）

置換積分で三角比の利用もあるのを知ってほしく、扱ってみます！

例題2 つぎの定積分を求めてみますね。

$$\int_0^{\sqrt{3}} \dfrac{1}{1+x^2}dx$$

$1+\tan^2\theta=\dfrac{1}{\cos^2\theta}$ より、

$\dfrac{1}{1+\tan^2\theta}=\dfrac{\cos^2\theta}{1}=\cos^2\theta$

<解法>

$x=\tan\theta\cdots(*)$ とおくと、$\dfrac{1}{1+x^2}=\dfrac{1}{1+\tan^2\theta}=\cos^2\theta\cdots$①

積分区間は右表。

また、(*)の両辺 θ で微分。

x	0 $\longrightarrow$ $\sqrt{3}$
t	0 $\longrightarrow$ $\dfrac{\pi}{3}$

$dx=\dfrac{1}{\cos^2\theta}d\theta\cdots$②

（左辺）: x で微分し、dx を付ける
（右辺）: θ で微分し、$d\theta$ を付ける

$\tan\theta=\sqrt{3}$ より、
$\theta=60°$ ∴ $\theta=\dfrac{\pi}{3}$
弧度法で表示！

∴ $\int_0^{\sqrt{3}} \dfrac{1}{1+x^2}dx = \int_0^{\frac{\pi}{3}} \cos^2\theta\cdot\dfrac{1}{\cos^2\theta}d\theta = \int_0^{\frac{\pi}{3}} d\theta$

$= [\theta]_0^{\frac{\pi}{3}} = \dfrac{\pi}{3}$ （答）　**この置換積分も決まりのパターン！**

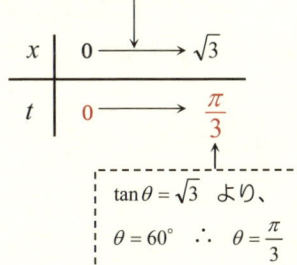

7章 積分法

復習 78

偶関数・奇関数の積分

突然ですが「偶関数・奇関数」と言われ、イメージできますか？ ムリ！

関数 $f(x)$ において、　　「絶対値が等しい x」に対する y の値が一致

　　偶関数：$f(x) = f(-x)$

　$f(x) = x^n$ において、指数 $n = 0$、2、4・・・（偶数）

　　⇒ グラフにおいて、**y 軸対称**

　　　例：$f(x) = x^2$、$f(x) = \cos x$

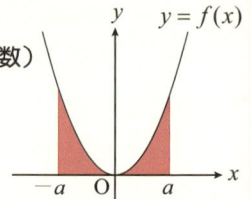

このとき、**偶関数の定積分**は $\displaystyle\int_{-a}^{a} f(x)dx = 2\int_{0}^{a} f(x)dx$

上図から、面積は右側の2倍でOKでしょ！

関数 $f(x)$ において、　　「絶対値が等しい x」に対する y の値の絶対値が一致

　　奇関数：$-f(x) = f(-x)$

　$f(x) = x^n$ において、指数 $n = 1$、3、5・・・（奇数）

　　⇒ グラフにおいて、**原点対称**

　　　例：$f(x) = x^3$、$f(x) = \sin x$

このとき、**奇関数の定積分**は $\displaystyle\int_{-a}^{a} f(x)dx = 0$

上図から、面積同士が打ち消し合う気がするでしょ！

　この「偶関数・奇関数」が判別できると、**積分区間の絶対値が等しい定積分の計算**が非常に楽になるんですね！
　では、早速実感してください。

例題 1 つぎの定積分を求めてみますね。

(1) $\int_{-1}^{1}(x^5+3x^3-7x)dx$ (2) $\int_{-2}^{2}(5x^4-2x^3-6x^2+10x-1)dx$

<解法>

積分区間の絶対値が等しい場合だけに利用可！

(1) $\int_{-1}^{1}(x^5+3x^3-7x)dx = 0$ （答）

もし、ナニか物足りないというのであれば、
「$f(x)=x^5+3x^3-7x$ は奇関数ゆえ、$x=-1$ から $x=1$ まで積分した値は、0 に等しい」ので、0（答）

(2) $\int_{-2}^{2}(5x^4-2x^3-6x^2+10x-1)dx$ ← 奇関数：x^3、x の項は消える！

$= 2\int_{0}^{2}(5x^4-6x^2-1)dx$ ← 積分区間 [0、2] に注意！

$= 2\{[x^5]_0^2 - 2[x^3]_0^2 - [x]_0^2\}$ ← 一気に不定積分計算だけど、大丈夫？

$= 2(2^5 - 2\cdot 2^3 - 2)$
$= 28$ （答）

例題 2 つぎの定積分を求めてみますね。

$$\int_{-3}^{3} 2x^3(x^2-2)^2 dx$$

<解法>

$f(x) = 2x^3(x^2-2)^2$ は、
$2x^3$ は奇関数で、$(x^2-2)^2$ は偶関数ゆえ「奇関数と偶関数の積である $f(x)$ は奇関数」となる。

よって、

$\int_{-3}^{3} 2x^3(x^2-2)^2 dx = 0$ （答）

奇関数：x^{2n+1}、偶関数：x^{2m}
とおくと、(奇関数) と (偶関数) の積は、 指数部分奇数
$x^{2n+1} \times x^{2m} = x^{2(n+m)+1}$
となり、奇関数となるでしょ！

たぶん、奇関数、偶関数という理由だけでこのような計算が成り立つのは納得いかないと思います。そこで、コレを証明してみましょうか！ うん！

補足：早速、先ほどお話しした置換積分の利用です！　　　……汗

・偶関数の場合

$-a \leqq x \leqq a$ において、$f(x) = f(-x)$ ・・・（ⅰ）のとき

$$\int_{-a}^{a} f(x)dx = 2\int_{0}^{a} f(x)dx$$

証明　$\int_{-a}^{a} f(x)dx = \int_{-a}^{0} f(x)dx + \int_{0}^{a} f(x)dx$ ・・・（＊）

ここで、

$$\int_{-a}^{0} f(x)dx$$

定積分の公式⑥
$$\int_{a}^{b} f(x)dx = \int_{a}^{b} f(t)dt$$

において、$x = -t$ とおき、t で微分すると、$dx = -dt$

$\therefore \int_{-a}^{0} f(x)dx = \int_{a}^{0} f(-t)(-dt) = -\int_{a}^{0} f(-t)dt = \int_{0}^{a} f(-t)dt = \int_{0}^{a} f(t)dt$

（ⅰ）　積分区間逆転

$= \int_{0}^{a} f(x)dx$ ・・・①
（∵公式⑥）

積分区間

x	$-a \longrightarrow 0$
t	$a \longrightarrow 0$

よって、（＊）より、

$\int_{-a}^{a} f(x)dx = \int_{-a}^{0} f(x)dx + \int_{0}^{a} f(x)dx$

$= \int_{0}^{a} f(x)dx + \int_{0}^{a} f(x)dx$ （∵ ①）

$= 2\int_{0}^{a} f(x)dx$ 　　　おわり

難しいですよね！　そこで、もう少しわかった気分になるために、つぎの説明ではいかがでしょうか？　　　　　　　ゴメンナサイ！　汗

偶関数 $f(x) = f(-x)$ のグラフは、右図のようになるので、

$$\int_{-a}^{0} f(x)dx = \int_{0}^{a} f(x)dx$$

上記の関係式は「面積の部分が等しい」ので成り立つと考えてください！

よって、

$\int_{-a}^{a} f(x)dx = \int_{-a}^{0} f(x)dx + \int_{0}^{a} f(x)dx = \int_{0}^{a} f(x)dx + \int_{0}^{a} f(x)dx$

$= 2\int_{0}^{a} f(x)dx$ 　← 完成

・奇関数の場合

$-a \leqq x \leqq a$ において、$-f(x) = f(-x)$ ・・・(ⅱ) のとき

$$\int_{-a}^{a} f(x)dx = 0$$

証明　$\int_{-a}^{a} f(x)dx = \int_{-a}^{0} f(x)dx + \int_{0}^{a} f(x)dx$ ・・・(＊)

ここで、

$$\int_{-a}^{0} f(x)dx$$

において、$x = -t$ とおき、t で微分すると、$dx = -dt$

$\therefore \int_{-a}^{0} f(x)dx = \int_{a}^{0} f(-t)(-dt) = -\int_{a}^{0} f(-t)dt = \int_{0}^{a} f(-t)dt = \int_{0}^{a} -f(t)dt$

　　　　　　　　　　　　　　　　　　　　　　　　　積分区間逆転

$= -\int_{0}^{a} f(t)dt = -\int_{0}^{a} f(x)dx$　　積分区間

　　　　　　　　　　　　(∵公式⑥)

x	$-a \longrightarrow$	0
t	$a \longrightarrow$	0

よって、(＊) より、

$\int_{-a}^{a} f(x)dx = \int_{-a}^{0} f(x)dx + \int_{0}^{a} f(x)dx$

$= -\int_{0}^{a} f(x)dx + \int_{0}^{a} f(x)dx$

$= 0$　　　　　　　おわり

やはり、難しいですよね！　そこで、ここでも、ほんの少しわかった気分になるために、つぎの説明ではいかがでしょうか？　スミマセン！涙

奇関数 $-f(x) = f(-x)$ のグラフは、

　　　　右図のようになるので、

$$\int_{-a}^{0} f(x)dx = -\int_{0}^{a} f(x)dx$$

上記の関係式は「面積の部分が等しい」ので成り立つと考えてください！

よって、

$\int_{-a}^{a} f(x)dx = \underline{\int_{-a}^{0} f(x)dx} + \int_{0}^{a} f(x)dx = -\int_{0}^{a} f(x)dx + \int_{0}^{a} f(x)dx$

$= 0$　← 完成

では、せっかくですので**代表的な三角関数の定積分**を使って、今一度確認しておきましょう。

例題3　つぎの定積分を求めてみますね。

(1) $\displaystyle\int_{-\pi}^{\pi} \sin x\, dx$　　　(2) $\displaystyle\int_{-\frac{\pi}{2}}^{\frac{\pi}{2}} \cos x\, dx$　　　(3) $\displaystyle\int_{-\pi}^{\pi} x\cos x\, dx$

<解法>
　　　積分区間の絶対値が等しいときは、偶関数・奇関数を確認！

(1)
　　$f(x) = \sin x$ とおくと、$f(-x) = \sin(-x) = -\sin x = -f(x)$
　　よって、$f(x) = \sin x$ は、$f(-x) = -f(x)$ より、**奇関数**。

したがって、

$$\int_{-\pi}^{\pi} \sin x\, dx = 0 \quad (答)$$

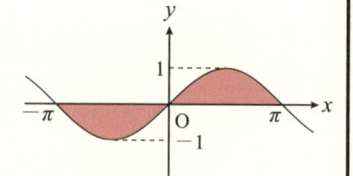

(2)
　　$f(x) = \cos x$ とおくと、$f(-x) = \cos(-x) = \cos x = f(x)$
　　よって、$f(x) = \cos x$ は、$f(-x) = f(x)$ より、**偶関数**。

したがって、

$$\int_{-\frac{\pi}{2}}^{\frac{\pi}{2}} \cos x\, dx = 2\int_{0}^{\frac{\pi}{2}} \cos x\, dx$$
$$= 2\Big[\sin x\Big]_{0}^{\frac{\pi}{2}} = 2\left(\sin\frac{\pi}{2} - \sin 0\right) = 2 \quad (答)$$

(3)
　　$f(x) = x\cos x$ とおくと、$f(-x) = -x\cos(-x) = -x\cos x = -f(x)$
　　よって、$f(x) = x\cos x$ は、$f(-x) = -f(x)$ より、**奇関数**。

したがって、

$$\int_{-\pi}^{\pi} x\cos x\, dx = 0 \quad (答)$$

復習 79

定積分の部分積分

部分積分は慣れが必要なんですが、見分け方として「**整関数と対数関数**」「**整関数と指数関数**」のように、異種関数の積の場合によく利用されます。

定積分の部分積分

$$\int_a^b u'v\,dx = \left[uv\right]_a^b - \int_a^b uv'\,dx$$

例題 つぎの定積分を求めてみますね。

(1) $\int_1^e \log x\,dx$ (2) $\int_0^1 xe^x\,dx$

＜解法＞

(1) $\int_1^e \log x\,dx = \left[x\log x\right]_1^e - \int_1^e x \cdot \dfrac{1}{x}\,dx$ ← $u'=1$、$v=\log x$ とする。

$= (e\log e) - \int_1^e dx$ ← 「$\log e = \log_e e = 1$、$\log 1 = 0$」ですね！

$= e - \left[x\right]_1^e$

$= e - (e-1)$

$= 1$ （答）

(2) $\int_0^1 xe^x\,dx = \left[xe^x\right]_0^1 - \int_0^1 e^x\,dx$ ← $\int e^x dx = e^x + C$、$(e^x)' = e^x$ より、$u' = e^x$、$v = x$ とする。

$= (1 \cdot e) - \left[e^x\right]_0^1$

$= e - (e - e^0)$ ← $e^0 = 1$

$= e - e + 1$

$= 1$ （答）

演習 165 つぎの定積分を求めてみましょう。

(1) $\int_0^1 xe^{-x}\,dx$ (2) $\int_0^{\frac{\pi}{2}} x\sin x\,dx$

復習 80

微分と定積分の関係

微分と積分は逆演算ゆえ「**積分したものを微分すればもとに戻る**」！
そこで、つぎの微分と定積分の関係を理解してください。

> **微分と定積分の関係**　　　　　　　　（x は変数、a は定数）
>
> $$\frac{d}{dx}\int_a^x f(t)dt = f(x)$$
>
> 例：$\dfrac{d}{dx}\int_{-1}^x (3t^2+2t-1)dt = 3x^2+2x-1$　← 積分で x の関数となり、それを x で微分

補足

関数 $f(x)$ の不定積分を $F(x)$ とすると、

$$\int_a^x f(t)dt = \bigl[F(t)\bigr]_a^x = F(x) - F(a) \quad ← f(t) \text{の不定積分も当然 } F(t)$$

両辺を x で微分すると

$$\frac{d}{dx}\int_a^x f(t)dt = \frac{d}{dx}\{F(x) - F(a)\} = F'(x) \quad ← F'(x) = f(x) \text{ですね！}$$

$F(a)$ は**定数項**ゆえ、微分すると消える！

$$\therefore \quad \frac{d}{dx}\int_a^x f(t)dt = f(x)$$

例題1 関数 $f(x) = \int_{-1}^x (3t^2 + 2t - 1)dt$ を計算し、$f'(x)$ を求めてみますね。

＜解法＞上赤枠における例を検証してみます！

$$f(x) = \int_{-1}^x (3t^2+2t-1)dt = [t^3]_{-1}^x + [t^2]_{-1}^x - [t]_{-1}^x = x^3 + x^2 - x - 1 \quad \text{（答）}$$

$$f'(x) = (x^3 + x^2 - x - 1)' = 3x^2 + 2x - 1 \quad \text{（答）}$$

よって、上の2式より

$$\frac{d}{dx}\int_{-1}^x (3t^2+2t-1)dt = 3x^2 + 2x - 1 \quad ← \text{じゃ～ん！ 成り立ったでしょ！}$$

例題2 つぎの等式を満たす関数 $f(x)$ と定数 a の値を求めてみますね。

$$\int_a^x f(t)dt = x^2 + 3x - 4$$

<解法>

$$\frac{d}{dx}\int_a^x f(t)dt = \frac{d}{dx}(x^2 + 3x - 4) \quad \leftarrow \text{両辺を } x \text{ で微分}$$

$$\therefore \quad f(x) = 2x + 3 \quad \text{(答)}$$

また、$x = a$ とおくと、

$$\int_a^a f(t)dt = a^2 + 3a - 4 \quad \leftarrow \text{定積分公式⑤} \Rightarrow \int_a^a f(t)dt = 0$$

ここで、(左辺)$=0$ ゆえ、

$$a^2 + 3a - 4 = 0$$

$$(a+4)(a-1) = 0 \quad \therefore \quad a = -4, 1 \quad \text{(答)}$$

例題3 関数 $f(x) = \int_1^x 6t(t-1)dt$ の極値を求めてみますね。

<解法>

$$f'(x) = 6x(x-1) \quad \leftarrow \text{ここでの微分とは、「}t \text{ を } x \text{ に変える」だけ！}$$
また、すでに積の形ラッキー！

ここで、$f'(x) = 0$ とき、$x = 0, 1$

よって、増減表は

x		0		1	
$f'(x)$	$+$	0	$-$	0	$+$
$f(x)$	↗	極大値	↘	極小値	↗

となる。
また、

$$f(x) = \int_1^x 6t(t-1)dt = \int_1^x (6t^2 - 6t)dt$$

$$= 2\left[t^3\right]_1^x - 3\left[t^2\right]_1^x = 2x^3 - 3x^2 + 1 \quad \cdots (*)$$

よって、増減表および $(*)$ より

$x = 0$ で極大値 $f(0) = 1$, $\quad x = 1$ で極小値 $f(1) = 0$

したがって、

極大値 1 ($x = 0$)、 極小値 0 ($x = 1$) (答)

復習81 積分方程式

"積分方程式" という名称から、ナニか難しそうな印象を受けますが、しかし、「定積分の計算は必ずある値（定数）になる」ということが理解できていれば、マッタク難しいモノではありません。「安心してください！」

例題1 すべての実数 x について、つぎの関係式を満足する関数 $f(x)$ を求めてみますね！

$$f(x) = x + 2\int_0^1 f(t)dt$$

＜解法＞

$\int_0^1 f(t)dt$ は定積分ゆえ、必ずある値になる。よって、コレを定数と考える！

$\int_0^1 f(t)dt = a$ ・・・（＊）とおくと、

$$f(x) = x + 2a \quad \cdots ①$$

とおける。そこで、①より $f(t) = t + 2a$ となり、（＊）から

$$\int_0^1 (t+2a)dt = a$$

$$\frac{1}{2}[t^2]_0^1 + 2a[t]_0^1 = a$$

$$\frac{1}{2} + 2a = a$$

$$\therefore \quad a = -\frac{1}{2}$$

よって、①より

$$f(x) = x + 2 \cdot \left(-\frac{1}{2}\right) = x - 1$$

したがって、

$$f(x) = x - 1 \quad （答）$$

例題2 すべての実数 x について、つぎの関係式を満足する関数 $f(x)$ を求めてみますね！

$$f(x) = 1 + \int_0^1 (x-t)f(t)dt$$

<解法>

　　最初に積分変数と定数とを分ける！　　（変数 t、定数 x）

$$f(x) = 1 + \int_0^1 \{xf(t) - tf(t)\}dt = 1 + x\int_0^1 f(t)dt - \int_0^1 tf(t)dt \quad \cdots (*)$$

ここで、$(*)$ において

$$\int_0^1 f(t)dt = a \quad \cdots ① \qquad \int_0^1 tf(t)dt = b \quad \cdots ②$$

とおくと、

$$f(x) = ax + 1 - b \quad \cdots ③$$

①③より

$$\int_0^1 (at + 1 - b)dt = a \qquad \leftarrow f(t) = at + 1 - b$$

$$\frac{1}{2}a[t^2]_0^1 + (1-b)[t]_0^1 = a$$

$$\frac{1}{2}a + 1 - b = a \quad \therefore a = 2 - 2b \quad \cdots ④$$

また、②③より、

$$\int_0^1 t(at + 1 - b)dt = b$$

$$\int_0^1 \{at^2 + (1-b)t\}dt = b$$

$$\frac{1}{3}a[t^3]_0^1 + \frac{1}{2}(1-b)[t^2]_0^1 = b$$

$$\frac{1}{3}a + \frac{1}{2}(1-b) = b \quad \therefore a = \frac{9b-3}{2} \quad \cdots ⑤$$

懐かしい
連立方程式を解く！

④⑤より、

$$b = \frac{7}{13} \quad \text{ゆえ、④より、} \quad a = \frac{12}{13}$$

よって、③より求める関数 $f(x)$ は、

$$f(x) = \frac{12}{13}x + 1 - \frac{7}{13} = \frac{12}{13}x + \frac{6}{13} \qquad \therefore f(x) = \frac{12}{13}x + \frac{6}{13} \quad \text{（答）}$$

復習 82

面積と定積分の関係

一番はじめにお話ししたように、積分は曲線に囲まれた部分の面積を求めるものと考えてください。

そこで、ここでは「曲線と直線で囲まれた部分の面積」および、「曲線と曲線で囲まれた面積」を求めたいと思います。

まずは、「曲線と直線で囲まれた部分の面積」からはじめたいと……。

$y = f(x)$ と x 軸、$x = a$、$x = b$ で囲まれた部分の面積

$$S = \int_a^b f(x)dx$$

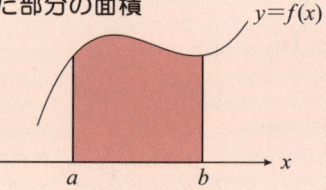

例題 1 右図の影の部分の面積 S を求めてみますね。
曲線 $y = x^3 - x^2 - x + 1$

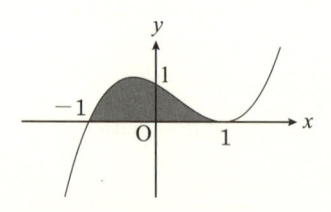

<解法>

$$S = \int_{-1}^{1}(x^3 - x^2 - x + 1)dx$$

← 積分区間より、**奇関数はすべて 0！** よって、**偶関数だけの計算！**

$$= 2\int_0^1 (-x^2 + 1)dx$$

$$= 2\left\{-\frac{1}{3}[x^3]_0^1 + [x]_0^1\right\}$$

$$= 2\left\{-\frac{1}{3}(1-0) + (1-0)\right\}$$

$$= 2\left(1 - \frac{1}{3}\right) = \frac{4}{3} \quad (答)$$

$y = f(x)$ と x 軸、$x = b$ で囲まれた部分の面積は

「$y = -f(x)$ と x 軸、$x = b$ で囲まれた部分の面積」

と等しいゆえ、

$$S = \int_a^b \{-f(x)\}dx = -\int_a^b f(x)dx$$

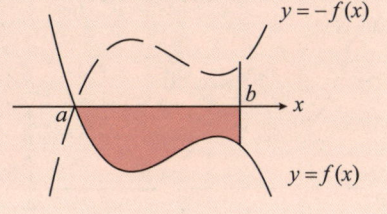

例題2 右図の x 軸と $y = f(x)$ で囲まれる部分の面積 S を求めてみますね。

曲線 $y = 3x^2 - 12x + 9$

<解法>

最初に x 軸と $y = f(x)$ との交点の x 座標を知りたいので、$3x^2 - 12x + 9 = 0$ を解く！←

$x^2 - 4x + 3 = 0 \quad (x-1)(x-3) = 0$

∴ $x = 1$、3

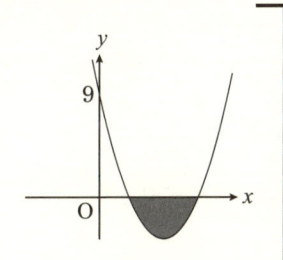

x 軸の方程式：$y = 0$
x 軸との交点とは、$y = 0$ となる x の値ゆえ二次方程式を解く
両辺を3で割る。

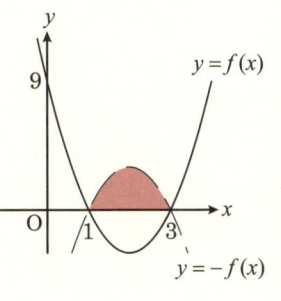

また、求めたい部分の面積 S は、

x 軸対称に折り返した赤い部分の面積と一致！

よって、

$$S = -\int_1^3 3(x-1)(x-3)dx$$

$$= -3\int_1^3 (x^2 - 4x + 3)dx$$

$$= -3\left\{\frac{1}{3}[x^3]_1^3 - 4 \cdot \frac{1}{2}[x^2]_1^3 + 3[x]_1^3\right\}$$

$$= -(3^3 - 1^3) + 6(3^2 - 1^2) - 9(3-1)$$

$$= 4 \quad （答）$$

ここまでは、"曲線と直線で囲まれた面積" を求めてみました。つぎは、"曲線と曲線で囲まれた面積" を求めることにしましょう！

2 曲線間の面積

曲線 $y = f(x)$ と $y = g(x)$ に囲まれた面積 S は、下図より

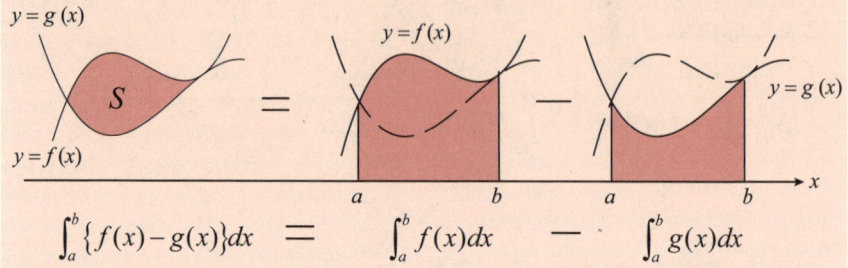

$$\int_a^b \{f(x) - g(x)\}dx = \int_a^b f(x)dx - \int_a^b g(x)dx$$

よって、「グラフの（上側の曲線）から（下側の曲線）の引き算」より

$$S = \int_a^b |f(x) - g(x)|dx$$

と表せます。

例題 3 放物線 $y = -x^2 + x + 1$ と直線 $y = 2x - 1$ によって囲まれた部分の面積 S を求めてみますね。

＜解法＞

$$y = -x^2 + x + 1 = -\left(x - \frac{1}{2}\right)^2 + \frac{5}{4}$$

つぎに、曲線と直線との交点の x 座標を求める。

$-x^2 + x + 1 = 2x - 1$

$x^2 + x - 2 = 0$

$(x + 2)(x - 1) = 0$

$\therefore \ x = -2、1$

よって、グラフより求める面積 S は

$$S = \int_{-2}^1 \{(-x^2 + x + 1) - (2x - 1)\}dx$$

$$= \int_{-2}^1 (-x^2 - x + 2)dx$$

$$= -\frac{1}{3}[x^3]_{-2}^1 - \frac{1}{2}[x^2]_{-2}^1 + 2[x]_{-2}^1$$

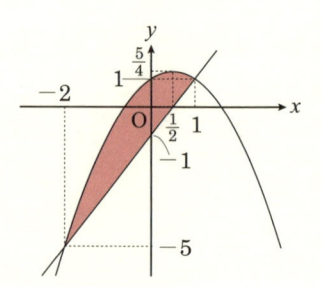

$$= -\frac{1}{3} \cdot 9 - \frac{1}{2} \cdot (-3) + 2 \cdot 3$$

$$= \frac{9}{2} \quad \text{（答）}$$

実は、この計算には準公式があるんです。右ページで解説を！

<知っているとお得な計算！>

「"放物線"と"直線"で囲まれた面積 S 」を求める公式

放物線 $y = ax^2 + bx + c$ と直線 $y = mx + n$ において、この2つの交点の x 座標を α、β（$\alpha < \beta$）とすると、

$ax^2 + bx + c = mx + n$ より、$x = \alpha$、β となるので

$ax^2 + (b-m)x + (c-n) = 0$ は、$a(x-\alpha)(x-\beta) = 0$ とおける。

そこで、放物線と直線で囲まれた部分の面積を S とすると、

準公式
$$S = \int_{\alpha}^{\beta} a(x-\alpha)(x-\beta)dx = \frac{|a|}{6}(\beta-\alpha)^3$$

補足

$$\int_{\alpha}^{\beta} |a(x-\alpha)(x-\beta)| dx = \int_{\alpha}^{\beta} |a(x-\alpha)\{x-\alpha+\alpha-\beta\}| dx$$

$$= \int_{\alpha}^{\beta} |a\{(x-\alpha)^2 + (\alpha-\beta)(x-\alpha)\}| dx$$

不定積分のところでも示しましたが、この変形および解法は覚えておくと便利！

$$= \left| a\left\{ \frac{1}{3}\left[(x-\alpha)^3\right]_{\alpha}^{\beta} + (\alpha-\beta)\frac{1}{2}\left[(x-\alpha)^2\right]_{\alpha}^{\beta} \right\} \right|$$

$$= \left| a\left\{ \frac{1}{3}(\beta-\alpha)^3 + (\alpha-\beta)\cdot\frac{1}{2}(\beta-\alpha)^2 \right\} \right|$$

$$= \left| a\left\{ \frac{1}{3}(\beta-\alpha)^3 - (\beta-\alpha)\cdot\frac{1}{2}(\beta-\alpha)^2 \right\} \right|$$

$$= \left| a\left\{ \frac{1}{3}(\beta-\alpha)^3 - \frac{1}{2}(\beta-\alpha)^3 \right\} \right|$$

$$= \left| a\left\{ -\frac{1}{6}(\beta-\alpha)^3 \right\} \right| \quad \leftarrow (\beta-\alpha > 0)$$

$$= \frac{|a|}{6}(\beta-\alpha)^3 \quad \leftarrow 完成！$$

例題3で検証ね！ $a = -1$、$\alpha = -2$、$\beta = 1$

$$S = \int_{-2}^{1}(-x^2 - x + 2)dx = \frac{|-1|}{6}\{1-(-2)\}^3 = \frac{27}{6} = \frac{9}{2} \quad \leftarrow バッチリ！$$

7章 積分法

演習の解答

演習 158 C は積分定数

(1) $\int 5dx = 5x + C$

(2) $\int x^6 dx = \dfrac{1}{6+1}x^{6+1} + C = \dfrac{1}{7}x^7 + C$

(3) $\int (x-7)^3 dx = \dfrac{1}{3+1}(x-7)^{3+1} + C = \dfrac{1}{4}(x-7)^4 + C$

(4) $\int (3x+8)^2 dx = \dfrac{1}{3(2+1)}(3x+8)^{2+1} + C = \dfrac{1}{9}(3x+8)^3 + C$

演習 159 C は積分定数

(1) $\int (2x^2 + 3x - 1)dx = 2 \cdot \dfrac{1}{3}x^{2+1} + 3 \cdot \dfrac{1}{2}x^{1+1} - x + C = \dfrac{2}{3}x^3 + \dfrac{3}{2}x^2 - x + C$

(2) $\int (x-2)^2(x+1)dx = \int (x-2)^2\{(x-2)+3\}dx = \int \{(x-2)^3 + 3(x-2)^2\}dx$

$\quad = \dfrac{1}{4}(x-2)^4 + \dfrac{3}{3}(x-2)^3 + C = \dfrac{1}{4}(x-2)^4 + (x-2)^3 + C$

演習 160 C は積分定数

(1) $\int \dfrac{1}{7x}dx = \dfrac{1}{7}\int \dfrac{1}{x}dx = \dfrac{1}{7}\log|x| + C$

(2) $\int \dfrac{4}{x+2}dx = 4\int \dfrac{1}{x+2}dx = 4\log|x+2| + C$

(3) $\int \dfrac{1}{3x-5}dx = \dfrac{1}{3}\log|3x-5| + C$

演習 161 C は積分定数

(1) $\int \dfrac{x-1}{x-4}dx = \int \left(1 + \dfrac{3}{x-4}\right)dx = \int dx + \int \dfrac{3}{x-4}dx = x + 3\log|x-4| + C$

(2) $\int \dfrac{2x(x+1)}{x^2-1}dx = \int \dfrac{2x(x+1)}{(x+1)(x-1)}dx = \int \dfrac{2x}{x-1}dx = \int \left(2 + \dfrac{2}{x-1}\right)dx = \int 2dx + 2\int \dfrac{1}{x-1}dx$

$\quad = 2x + 2\log|x-1| + C$

演習 162 C は積分定数

(1) $= \int \dfrac{3}{(x-2)(x+1)}dx = 3\int \dfrac{1}{(x+1)-(x-2)}\left(\dfrac{1}{x-2} - \dfrac{1}{x+1}\right)dx = 3\int \dfrac{1}{3}\left(\dfrac{1}{x-2} - \dfrac{1}{x+1}\right)dx$

$\quad = 3 \cdot \dfrac{1}{3}\int \left(\dfrac{1}{x-2} - \dfrac{1}{x+1}\right)dx = \log|x-2| - \log|x+1| + C$

$\quad = \log\left|\dfrac{x-2}{x+1}\right| + C$

(2) $\dfrac{x-3}{x^2-3x+2} = \dfrac{x-3}{(x-1)(x-2)}$ より、$\dfrac{x-3}{(x-1)(x-2)} = \dfrac{a}{x-1} + \dfrac{b}{x-2}$ ・・・(∗)とおく

(∗)の（右辺）$= \dfrac{a(x-2)+b(x-1)}{(x-1)(x-2)} = \dfrac{(a+b)x-2a-b}{(x-1)(x-2)}$　分子が定数でなく、多項式ゆえ、部分分数に分ける方法が使えない！

ここで、両辺の分子の係数比較。$a+b=1$ ・・・①　　$-2a-b=-3$ ・・・②

よって、①②より、$a=2$、$b=-1$　∴ $\dfrac{x-3}{(x-1)(x-2)} = \dfrac{2}{x-1} - \dfrac{1}{x-2}$ ・・・(∗∗)

(∗∗)より

$\displaystyle\int \dfrac{x-3}{x^2-3x+2}dx = \int\left(\dfrac{2}{x-1} - \dfrac{1}{x-2}\right)dx = 2\int\dfrac{1}{x-1}dx - \int\dfrac{1}{x-2}dx = 2\log|x-1| - \log|x-2| + C$

$= \log(x-1)^2 - \log|x-2| + C = \log\dfrac{(x-1)^2}{|x-2|} + C$

演習 163　C は積分定数

(1) $\displaystyle\int(e^x+3)dx = \int e^x dx + \int 3 dx = e^x + 3x + C$ 　(2) $\displaystyle\int e^{4x-1}dx = \dfrac{1}{4}e^{4x-1} + C$

(3) $\displaystyle\int(2^x - 6e^{3x})dx = \int 2^x dx - 6\int e^{3x}dx = \dfrac{2^x}{\log 2} - 6\cdot\dfrac{1}{3}e^{3x} + C = \dfrac{2^x}{\log 2} - 2e^{3x} + C$

演習 164

(1) $\displaystyle\int_{-1}^{2}(x^3 - 6x^2 + 3x + 2)dx = \dfrac{1}{4}[x^4]_{-1}^{2} - \dfrac{6}{3}[x^3]_{-1}^{2} + \dfrac{3}{2}[x^2]_{-1}^{2} + 2[x]_{-1}^{2}$

$= \dfrac{1}{4}\{2^4 - (-1)^4\} - 2\{2^3 - (-1)^3\} + \dfrac{3}{2}\{2^2 - (-1)^2\} + 2\{2-(-1)\}$

$= \dfrac{1}{4}\cdot 15 - 2\cdot 9 + \dfrac{3}{2}\cdot 3 + 2\cdot 3 = -\dfrac{15}{4}$

(2) $\displaystyle\int_{0}^{3}(x^2+2x)dx + \int_{0}^{3}(-2x^2+4x+5)dx = \int_{0}^{3}\{(x^2+2x)+(-2x^2+4x+5)\}dx$

$= \displaystyle\int_{0}^{3}(-x^2+6x+5)dx$

$= -\dfrac{1}{3}[x^3]_{0}^{3} + \dfrac{6}{2}[x^2]_{0}^{3} + 5[x]_{0}^{3}$

$= -\dfrac{1}{3}(3^3 - 0) + 3(3^2 - 0) + 5(3-0)$

$= 33$

演習 165

(1) $\int_a^b uv'dx = [uv]_a^b - \int_a^b u'vdx$ より、$u=x$、$v'=e^{-x}$ と考える。

よって、はじめに「$v'=e^{-x} \to v=-e^{-x}$」。つぎに「$u=x \to u'=1$」とする！

$$\int_0^1 xe^{-x}dx = [-xe^{-x}]_0^1 - \int_0^1 (-1 \cdot e^{-x})dx = (-1 \cdot e^{-1} - 0) + \int_0^1 e^{-x}dx = -\frac{1}{e} + [-e^{-x}]_0^1$$

$$= -\frac{1}{e} - [e^{-x}]_0^1 = -\frac{1}{e} - (e^{-1} - e^0) = -\frac{1}{e} - \frac{1}{e} + e^0 = -\frac{2}{e} + 1$$

(2) $\int_a^b uv'dx = [uv]_a^b - \int_a^b u'vdx$ より、$u=x$、$v'=\sin x$ と考える。

よって、はじめに「$v'=\sin x \to v=-\cos x$」。つぎに「$u=x \to u'=1$」とする！

$$\int_0^{\frac{\pi}{2}} x\sin x\,dx = [-x\cos x]_0^{\frac{\pi}{2}} - \int_0^{\frac{\pi}{2}} (-1 \cdot \cos x)dx = \left(-\frac{\pi}{2}\underline{\cos\frac{\pi}{2}} - 0\right) - \left(-\int_0^{\frac{\pi}{2}} \cos x\,dx\right)$$

$\cos\frac{\pi}{2}=0$

$$= (0-0) + [\sin x]_0^{\frac{\pi}{2}} = \sin\frac{\pi}{2} - \sin 0 = 1$$

8章
ベクトル

矢印をイメージしてください。

この長さ（実は大きさ）と方向（向き）を持った矢印が、面白い！
特に物理の力学では、三角関数と共に必須な知識！

なおかつ、社会と同様、途中経過（努力）など関係なく、
　　　　　　結果しか評価されないという、不思議なヤツ！

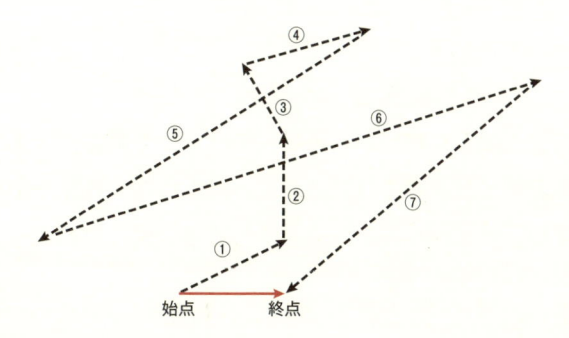

①〜⑦まで矢印（ベクトル）をつなげ（ベクトルの和）ても、
実際は赤線の長さ（大きさ）の矢印（ベクトル）しか表していないのね！

ふ〜ん…

復習83

ベクトルとはナニ？

　ベクトルは多くの方が苦手なようですが、実は大変シンプルなものなんです。
　そこで、ベクトルを一言で言えば

「**向きと大きさを持った矢印**」

である。
　今、「右にある2つの矢印①②を
　　　　　　向きを変えずにつなげてください」
と言われたら、どのようにつなげますか？

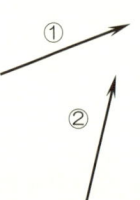

　いくつかパターンがあると思いますが、たぶん、つぎのような形はあまり考えないと思うんですよ。

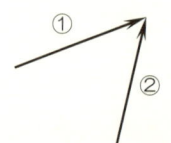

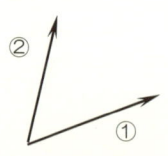

　　図Ⅰ　　　　　　　　　図Ⅱ

　ここで、矢印↑の下を**始点**、とんがっている上を**終点**と呼ぶことにします。すると、図Ⅰは終点同士、図Ⅱは始点同士をつなげていますね。まぁ～、図Ⅱはありそうですが図Ⅰはねぇ～

　思うに、多くの方が「①と②をつなげてください」と言われたら、下の図Ⅲのように、①（または②）の**始点**に②（または①）の**終点**をつなげるかと！？
実は、この考えがベクトルの基本なんです。

　そして、①と②をつなげたとき、この折れ線をヒトツの線と考え、②（または①）の始点と①（または②）の終点を結んだ赤い③の矢印が、ベクトル①と②の**和**「①+②=③」を表します。

では、今度は右の図を見てください。

いろいろ「長さや向きの違う矢印（ベクトル）」がつながっているでしょ。でも、こんなに矢印が動こうとも、ベクトルでは最初の矢印の始点と最後の矢印の終点の2点を結んだ、赤い矢印しか表していません。ベクトルは途中経過は一切関係なく、最初の始点 A から最後の終点 G へ結んだ最短距離および向きを表すだけなんですね。

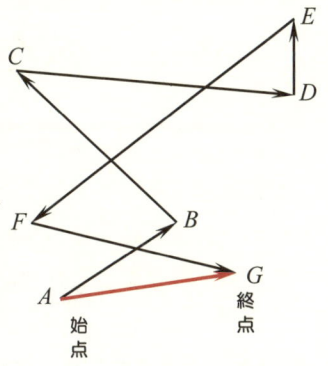

では、ここでベクトル表記について少しお話ししたいと思います。

ベクトルは「向きと大きさをもつ量」を言い、下のような矢印で表します。また、ベクトルは、始点・終点の順にアルファベット（大文字）を並べ、頭に小さな矢印をのせて表現します。でも、よく小文字1文字でも表します。そして、一見長さのように思いますが、ベクトルではコレを "大きさ" と言い、絶対値を付けて表します。

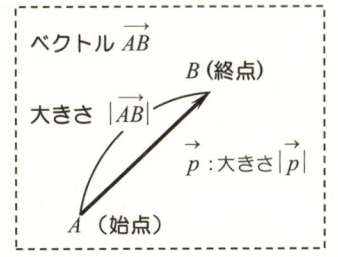

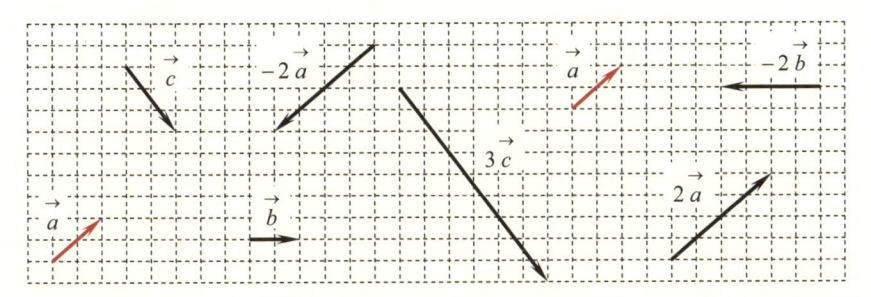

さて、そこで、上のマス目における $\vec{a}$ を見てください。ここでぜひ理解していただきたいことは、「ベクトルは向きと大きさが同じであれば、どんなに離れていようと同一のベクトルを表す！（ベクトルの相等）」。また、長さが実数倍であれば「基本となるベクトルに係数の形で実数の積として表せる」。そして、向きが逆のベクトルであれば「マイナス（－）を付けることで表す」。この点を具体的に表してみたのが上のマス目なんですね。

では、そろそろ本題へと進むことにしましょうか……。ふ〜！ ため息

8章 ベクトル

復習84 ベクトルの加法

はじめに「矢印同士をつなげる」という形でお話ししたように、ベクトルの和（加法）は「終点と始点をつなぎ合わせ、最初の始点と一番最後の終点を結んだもの」。コレが、ベクトルの和を表すんでした。

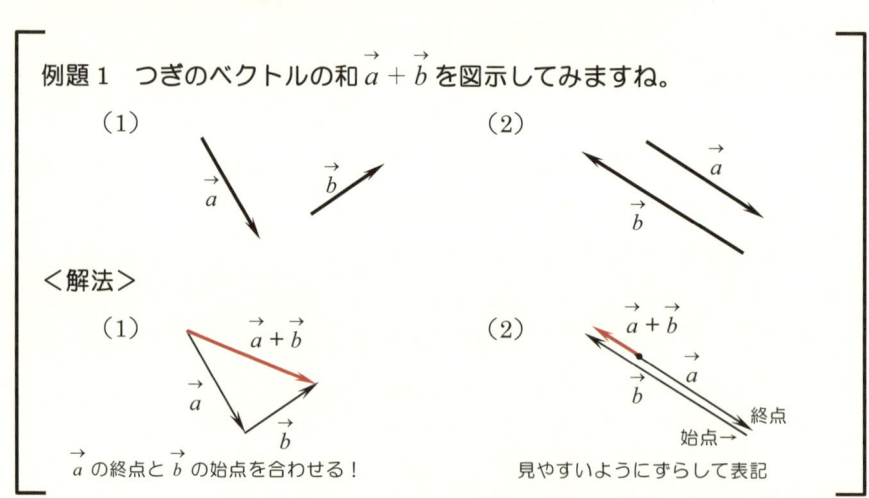

例題1 つぎのベクトルの和 $\vec{a} + \vec{b}$ を図示してみますね。

(1) （図：$\vec{a}$ と $\vec{b}$）　　(2) （図：$\vec{a}$ と $\vec{b}$）

<解法>

(1) （図：$\vec{a} + \vec{b}$）
$\vec{a}$ の終点と $\vec{b}$ の始点を合わせる！

(2) （図：$\vec{a} + \vec{b}$）
見やすいようにずらして表記

しつこいようですが、ベクトルの和は「終点と始点をつなげる」でした。そこで、つぎの証明をしてみようと思います。

例題2 つぎの等式が成り立つことを証明してみますね。

(1) $\vec{AB} + \vec{BC} + \vec{CD} = \vec{AD}$　　(2) $\vec{AB} + \vec{BC} + \vec{CD} + \vec{DA} = \vec{0}$

<解法>

(1)［証明］

（左辺）$= (\vec{AB} + \vec{BC}) + \vec{CD} = \vec{AC} + \vec{CD} = \vec{AD}$

「終点 B と始点 B がつながるので $\vec{AC}$」あとは、この連続！　おわり

(2)［証明］

（左辺）$= (\vec{AB} + \vec{BC} + \vec{CD}) + \vec{DA} = \vec{AD} + \vec{DA} = \vec{AA} = \vec{0}$　おわり

「$\vec{AA}$」は始点と終点が一致ゆえ、実質動いていないことになり「零ベクトル：$\vec{0}$」と表します。また、零ベクトルの向きは任意！

復習 85

ベクトルの減法

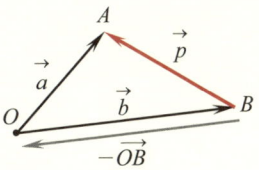

右図のように、$\vec{OA}=\vec{a}$、$\vec{OB}=\vec{b}$、$\vec{BA}=\vec{p}$
とすると、

$\vec{OB}+\vec{BA}=\vec{OA}$ より、$\vec{BA}=\vec{OA}-\vec{OB}$ ･･･(＊)

（等式変形（方程式）の感覚で $\vec{OB}$ 移項！）

よって、(＊)よりベクトルの差はつぎのように"まとめ"られます。

ベクトルの差

$\vec{OA}-\vec{OB}=\vec{BA}$ ∴ $\vec{a}-\vec{b}=\vec{p}$

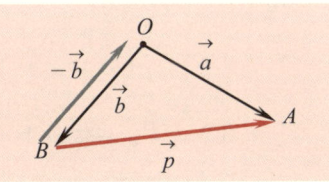

補足：逆ベクトルの和と考える！

$\vec{OA}-\vec{OB}=\vec{OA}+(-\vec{OB})$ ← マイナスが付き逆ベクトルとなり、向きが逆転！よって、「$-\vec{OB}=\vec{BO}$」

$=\vec{OA}+\vec{BO}$ ← 和は交換法則が成り立つゆえ、「終点と始点をそろえる！」

$=\vec{BO}+\vec{OA}=\vec{BA}$

この差に関しては、この時点での説明は案外難しく、もう少し先でお話しする「位置ベクトル」のところまでお待ちください。よって、ここでは逆ベクトルの和として理解できれば十分です！

例題 つぎのベクトルの差を求めてみますね！

(1) $\vec{CA}-\vec{CB}$ (2) $\vec{CA}-\vec{BA}$

＜解法＞

(1) $\vec{CA}-\vec{CB}=\vec{BA}$ ← 左辺でそれぞれ始点 C が等しいので、右の終点 B から左の終点 A へのベクトルになる。または、逆ベクトル「$-\vec{CB}=\vec{BC}$」より、(左辺) $\vec{BC}+\vec{CA}=\vec{BA}$。

(2) $\vec{CA}-\vec{BA}=\vec{CA}+\vec{AB}=\vec{CB}$ ← マイナスが付き逆ベクトルとなり、向きが逆転！よって、「$-\vec{BA}=\vec{AB}$」

復習86

ベクトルの演算（加法・減法・実数倍）

　ベクトルの演算は、整式の計算と同様にできるんですね。よって、文字の同類項計算と同じ感覚で構いません！
　一応、ベクトルの演算の規則性をまとめておきましょう。

ベクトルの演算の規則性

① $\vec{a}+\vec{b}=\vec{b}+\vec{a}$ ← 交換法則

② $(\vec{a}+\vec{b})+\vec{c}=\vec{a}+(\vec{b}+\vec{c})$ ← 結合法則

③ $m(\vec{a}+\vec{b})=m\vec{a}+m\vec{b}$

④ $(m+n)\cdot\vec{a}=m\vec{a}+n\vec{a}$ ← 分配法則（m、nは実数）

⑤ $\vec{a}+\vec{0}=\vec{a}$

⑥ $1\cdot\vec{a}=\vec{a}$、$(-1)\cdot\vec{a}=-\vec{a}$

⑦ $\vec{a}\cdot 0=\vec{0}$

⑧ $m\cdot\vec{0}=\vec{0}$ ← mは実数

⑨ $\vec{a}+(-\vec{a})=\vec{0}$

例題1 つぎの計算をしてみますね。

(1) $2\vec{a}-3(\vec{a}-2\vec{b})$

(2) $\vec{a}-\dfrac{\vec{a}-6\vec{b}}{3}$

＜解法＞

(1) $2\vec{a}-3(\vec{a}-2\vec{b})=2\vec{a}-3\vec{a}+6\vec{b}=-\vec{a}+6\vec{b}$

(2) $\vec{a}-\dfrac{\vec{a}-6\vec{b}}{3}=\dfrac{3\vec{a}-(\vec{a}-6\vec{b})}{3}=\dfrac{3\vec{a}-\vec{a}+6\vec{b}}{3}=\dfrac{2}{3}\vec{a}+2\vec{b}$

例題2 $\vec{x} = 3\vec{a} - 5\vec{b} + \vec{c}$、$\vec{y} = 2\vec{a} + 3\vec{b} - 4\vec{c}$ のとき、各問のベクトルを $\vec{a}$、$\vec{b}$、$\vec{c}$で表してみますね。

(1) $\vec{x} - \vec{y}$ (2) $m\vec{x} + n\vec{y}$

<解法>

(1) $\vec{x} - \vec{y} = 3\vec{a} - 5\vec{b} + \vec{c} - (2\vec{a} + 3\vec{b} - 4\vec{c})$ ← 符号の変化に注意！
$= 3\vec{a} - 5\vec{b} + \vec{c} - 2\vec{a} - 3\vec{b} + 4\vec{c}$ ← 同類項の計算！
$= \vec{a} - 8\vec{b} + 5\vec{c}$

(2) $m\vec{x} + n\vec{y} = m(3\vec{a} - 5\vec{b} + \vec{c}) + n(2\vec{a} + 3\vec{b} - 4\vec{c})$
$= 3m\vec{a} - 5m\vec{b} + m\vec{c} + 2n\vec{a} + 3n\vec{b} - 4n\vec{c}$
$= (3m + 2n)\vec{a} + (3n - 5m)\vec{b} + (m - 4n)\vec{c}$

例題3 $\vec{x} = 2\vec{a} - \vec{y}$、$2\vec{x} + 3\vec{y} = \vec{b}$ のとき、ベクトル $\vec{x}$、$\vec{y}$ を $\vec{a}$、$\vec{b}$ で表してみますね。

<解法>

$\vec{x} = 2\vec{a} - \vec{y}$ ・・・① $2\vec{x} + 3\vec{y} = \vec{b}$ ・・・②

①を②に代入

$2(2\vec{a} - \vec{y}) + 3\vec{y} = \vec{b}$ ← カッコを付けてね！
$4\vec{a} - 2\vec{y} + 3\vec{y} = \vec{b}$
∴ $\vec{y} = \vec{b} - 4\vec{a}$ ・・・③

まるで中学数学の連立方程式の感覚でしょ！？

③を①に代入

ウンウン！ 余裕です。笑

$\vec{x} = 2\vec{a} - (\vec{b} - 4\vec{a})$ ← カッコを付けて代入ね！（符号の変化に注意）
$= 2\vec{a} - \vec{b} + 4\vec{a}$
$= 6\vec{a} - \vec{b}$

∴ $\begin{cases} \vec{x} = 6\vec{a} - \vec{b} \\ \vec{y} = \vec{b} - 4\vec{a} \end{cases}$ ・・・（答）

8章 ベクトル

復習87
ベクトルのイメージをつかむ

　ベクトルのイメージをつかむには「図形上の頂点から頂点までの移動をどの矢印（ベクトル）を利用すれば最短でたどり着けるのか？」というようにゲーム感覚で考えるのが一番なんですね。そこで、ここでは平行四辺形、正六角形でイメージトレーニングをしてみたいと思います。

　例題を見て「なぁ〜んだ！そういうことなのか！」と、ベクトルの感覚をつかんでいただけるとうれしいのですが……。　　　　　ゲームなら任せて！

例題1 平行四辺形 $ABCD$ において、$\overrightarrow{AB}=\vec{p}$、$\overrightarrow{AD}=\vec{q}$ のとき、各問のベクトルを $\vec{p}$、$\vec{q}$ で表してみますね。点 E は辺 CD の中点。

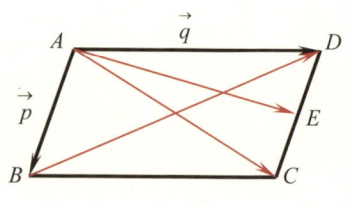

(1) $\overrightarrow{AC}$　　　(2) $\overrightarrow{BD}$　　　(3) $\overrightarrow{AE}$

<解法>

(1) $\overrightarrow{AC} = \overrightarrow{AB} + \overrightarrow{BC} = \vec{p} + \vec{q}$　　← 終点と始点でつながっています！
　　　　　　　　　　　　　　　　　　　　　　　　　　　($\overrightarrow{BC} = \overrightarrow{AD}$)

(2) $\overrightarrow{BD} = \overrightarrow{BA} + \overrightarrow{AD} = -\vec{p} + \vec{q}$　　← $\overrightarrow{BA} = -\overrightarrow{AB} = -\vec{p}$

(3) $\overrightarrow{AE} = \overrightarrow{AD} + \overrightarrow{DE}$　　　← 点 E は辺 CD の中点
　　　　$= \overrightarrow{AD} + \dfrac{1}{2}\overrightarrow{DC}$　　← $\overrightarrow{DC} = \overrightarrow{AB}$ より、$\dfrac{1}{2}\overrightarrow{DC} = \dfrac{1}{2}\overrightarrow{AB} = \dfrac{1}{2}\vec{p}$
　　　　$= \dfrac{1}{2}\vec{p} + \vec{q}$

・$\overrightarrow{DC} = \overrightarrow{AB}$　（ベクトル相当）
「向きと大きさが等しいとき、2つのベクトルは等しい」

「いかがでしょうか……？」
ほんの少しでも、ベクトルの感覚が見えてきましたか？　　う〜ん……
では、今度は正六角形で考えてみましょ〜……！

例題 正六角形 $ABCDEF$ において、ベクトル $\vec{AB} = \vec{a}$、$\vec{AF} = \vec{b}$ とするとき、つぎのベクトルを $\vec{a}$、$\vec{b}$ で表してみますね。

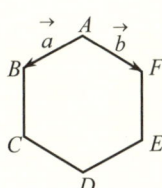

(1) $\vec{BF}$ (2) $\vec{FC}$ (3) $\vec{AC}$

(4) $\vec{AE}$ (5) $\vec{AD}$ (6) $\vec{BD}$

<解法>　正六角形は<u>正三角形</u>が 6 個でできている。

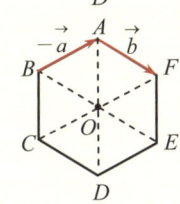

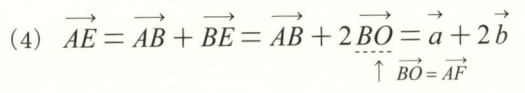

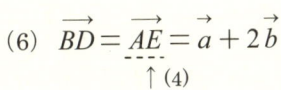

(1) $\vec{BF} = \underline{\vec{BA}} + \vec{AF} = -\vec{a} + \vec{b}$
　　　　↑ $\vec{BA} = -\vec{AB} = -\vec{a}$

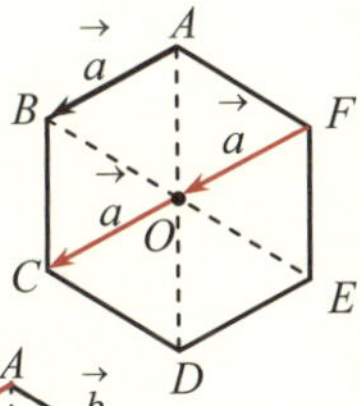

(2) $\vec{FC} = 2\underline{\vec{FO}} = 2\vec{AB} = 2\vec{a}$
　　　　↑ $\vec{FO} = \vec{AB}$

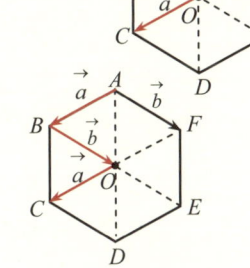

(3) $\vec{AC} = \vec{AO} + \vec{OC} = (\vec{AB} + \vec{BO}) + \underline{\vec{OC}}$
　　　$= (\vec{a} + \vec{b}) + \vec{a} = 2\vec{a} + \vec{b}$
　　　　　　↑ $\vec{OC} = \vec{AB} = \vec{a}$

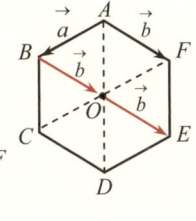

(4) $\vec{AE} = \vec{AB} + \vec{BE} = \vec{AB} + 2\underline{\vec{BO}} = \vec{a} + 2\vec{b}$
　　　　　　　　　　　　　↑ $\vec{BO} = \vec{AF}$

(5) $\vec{AD} = 2\vec{AO} = 2(\vec{a} + \vec{b})$

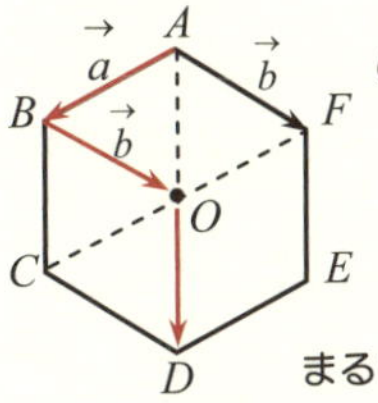

(6) $\vec{BD} = \underline{\vec{AE}} = \vec{a} + 2\vec{b}$
　　　　↑ (4)

まるで亀の甲羅干しだなぁ〜！笑

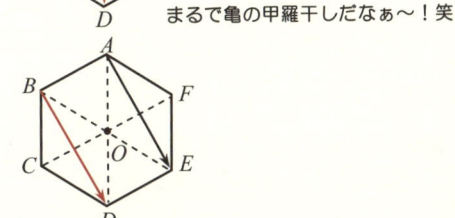

復習88

位置ベクトル

　位置ベクトルとは、右図のベクトル $\vec{AB}$ において、「平面上の適当な所に定点 O をとり、その点 O を基準に始点 A、終点 B の位置を考える！」と、まずは理解してください。

　すると、点 O を始点とし、点 A、B の位置は $\vec{OA}=\vec{a}$、$\vec{OB}=\vec{b}$ と表せる。すると、$\vec{a}$、$\vec{b}$ をそれぞれ O に関する A、B の**位置ベクトル**と呼ぶことができるんです。

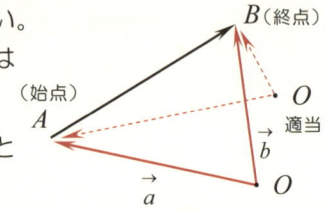

　そこで、$\vec{AB}$ の位置ベクトルでの表し方はつぎのようになります！

位置ベクトルでの表し方！

$$\vec{AB}=\vec{OB}-\vec{OA}=\vec{b}-\vec{a} \quad \leftarrow \text{覚え方：（終点）−（始点）}$$

　この位置ベクトルのありがたさを実感していただくには、証明問題がよいと思いますので、つぎの例題を見てみましょう。

例題 つぎの等式が成り立つことを証明してみますね。

$$\vec{CA}+\vec{BD}=\vec{BA}+\vec{CD}$$

＜解法＞

[証明] 4点 A、B、C、D の位置ベクトルを $\vec{a}$、$\vec{b}$、$\vec{c}$、$\vec{d}$ とおくと、$\vec{CA}=\vec{OA}-\vec{OC}=\vec{a}-\vec{c}$、$\vec{BD}=\vec{OD}-\vec{OB}=\vec{d}-\vec{b}$

$\vec{BA}=\vec{OA}-\vec{OB}=\vec{a}-\vec{b}$、$\vec{CD}=\vec{OD}-\vec{OC}=\vec{d}-\vec{c}$

よって、$(\vec{CA}+\vec{BD})-(\vec{BA}+\vec{CD})=(\vec{a}-\vec{c})+(\vec{d}-\vec{b})-\{(\vec{a}-\vec{b})+(\vec{d}-\vec{c})\}$

証明：（左辺）−（右辺）＝0より、
　　　（左辺）＝（右辺）が言える。
$\rightarrow =\vec{a}-\vec{c}+\vec{d}-\vec{b}-\vec{a}+\vec{b}-\vec{d}+\vec{c}=\vec{0}$

ゆえに、$\vec{CA}+\vec{BD}=\vec{BA}+\vec{CD}$ 　おわり

では、つぎにこの位置ベクトルを利用し、「内分点・外分点」に関してのお話をしたいと思います。これは特に重要ですからね！

　今、2 点 A、B の位置ベクトルをそれぞれ $\vec{a}$、$\vec{b}$ とし、この線分 AB を $m:n$ に分ける点 P を位置ベクトルで表すとつぎのようになります。

内分点・外分点（位置ベクトル $\vec{p}$）

$$\vec{p} = \frac{n\vec{a} + m\vec{b}}{m+n}$$

分子は遠いモノ同士の積の和

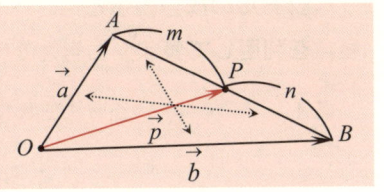

補足：上の公式は点 P が線分 AB の内分点・外分点ともに使えます！

点 P は線分 AB を $m:n$ に内分する点。 ← 内分点の場合で示してみます。

$$\vec{OP} = \vec{OA} + \vec{AP}$$

← AP の長さは AB を $(m+n)$ 等分した m 個！

よって、$\vec{AP} = \dfrac{m}{m+n} \vec{AB}$

$$= \vec{OA} + \frac{m}{m+n} \vec{AB}$$

$$= \vec{OA} + \frac{m}{m+n}(\vec{OB} - \vec{OA})$$

← $= \dfrac{(m+n)\vec{OA}}{m+n} + \dfrac{m\vec{OB} - m\vec{OA}}{m+n} = \dfrac{n\vec{OA} + m\vec{OB}}{m+n}$

$$= \frac{n\vec{OA} + m\vec{OB}}{m+n}$$

← $\vec{OA} = \vec{a}$、$\vec{OB} = \vec{b}$

$$= \frac{n\vec{a} + m\vec{b}}{m+n}$$

← 完成

外分の場合は、「$m:n$」の比のどちらか一方にマイナス（−）を付けて考える！
例：「2：3」に外分
「−2：3」または「2：−3」と考える。

例題　2 点 A、B の位置ベクトルをそれぞれ $\vec{a}$、$\vec{b}$ とし、線分 AB を 2:1 に内分する点 P、および、2:3 に外分する点 Q とする。

このとき、$\vec{OP}$、$\vec{OQ}$ を $\vec{a}$、$\vec{b}$ で表してみますね。

〈解法〉

内分点：$\vec{OP} = \dfrac{1 \cdot \vec{a} + 2 \cdot \vec{b}}{2+1} = \dfrac{\vec{a} + 2\vec{b}}{3}$

外分点：$\vec{OQ} = \dfrac{3\vec{a} - 2\vec{b}}{-2+3} = \dfrac{3\vec{a} - 2\vec{b}}{1} = 3\vec{a} - 2\vec{b}$

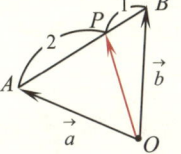

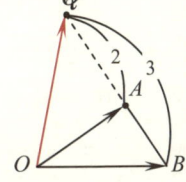

外分では、どっちにマイナスを付けてもOK！

復習89 ベクトルの成分表示

ベクトルの成分表示とは、ベクトルが持つ「"大きさ"と"向き"」を、座標を利用して表す」と考えていただければよいかと思います。

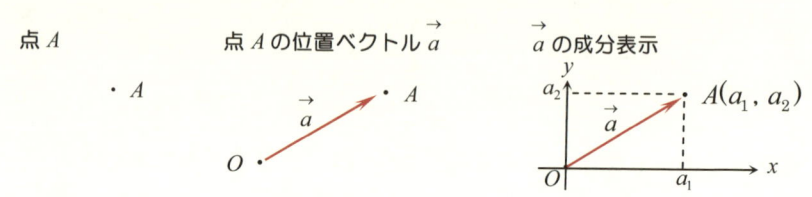

点 A　　　　　点 A の位置ベクトル $\vec{a}$　　　$\vec{a}$ の成分表示

上の左から右への一連の流れで (a_1, a_2) は点 A の座標のようにも見えますが、実はベクトルを表しているとわかっていただけますか？ 成分と座標の違いは、座標であれば点 A の一点（・）を表すが、成分だと原点から点 A までの"大きさ"と"向き"の両方を表せるんです。

ただ、この成分と座標の違いをイメージさえできれば、成分を座標と同様な感覚で扱っても問題ありませんので、どうかご安心ください！

では、ここからは成分を使ったベクトルの話に入ることにします。

[I] 基本ベクトルと成分表示

右図の原点から両軸における1の大きさのベクトルを"$\vec{e_1}$"、"$\vec{e_2}$"と表し、これを「基本ベクトル」と呼び、それぞれを成分で表すと、

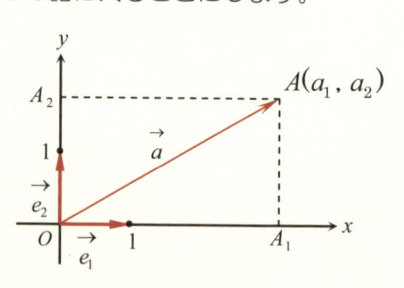

$$\vec{e_1} = (1, 0), \vec{e_2} = (0, 1)。\quad ついでに、\vec{0} = (0, 0)$$

また、これによりベクトルの成分は「基本ベクトルの実数倍」で表せ、

$$\vec{a} = (a_1, a_2) \quad 「a_1をx成分、a_2をy成分」と呼ぶ。$$

となる。

補足

点 A_1（a_1, 0）、点 A_2（0, a_2）[←これは座標] より、

$\vec{OA_1} = a_1 \times \vec{e_1} = a_1\vec{e_1}$　　よって、$\vec{OA_1}$ の成分：$\vec{OA_1} = (a_1, 0)$ ・・・①

$\vec{OA_2} = a_2 \times \vec{e_2} = a_2\vec{e_2}$　　よって、$\vec{OA_2}$ の成分：$\vec{OA_2} = (0, a_2)$ ・・・②

また、
$$\vec{a} = \vec{OA} = \vec{OA_1} + \vec{OA_2} = a_1\vec{e_1} + a_2\vec{e_2} \quad \cdots ③$$

と表せるので、①②③より、$\vec{a}$ の成分は、

$$\vec{a} = (a_1, a_2) \quad ← 完成$$

もし、説明が理解できなくても大丈夫！
ベクトルが感覚的にわかるようになれば、当然なことゆえ、今はサラッと流してください！

[Ⅱ] ベクトルの大きさ

つぎに $\vec{a}$ の大きさについて考えてみたいと思います。

　ベクトルの大きさとは、ベクトルを表す矢印の "長さ" と考えて構いません。よって、原点から点 A までの2点間の距離のイメージです。

$$|\vec{a}| = \sqrt{a_1^2 + a_2^2}$$

・ベクトルの大きさは
　|絶対値記号| を付けて表します。

・2点間の距離の公式 $A(x_1, y_1)$ $B(x_2, y_2)$

$$AB = \sqrt{(x_2 - x_1)^2 + (y_2 - y_1)^2}$$

補足：大丈夫とは思いますが、念のために・・・。

　原点（0, 0）、点 A（a_1, a_2）との距離

$$|\vec{a}| = \sqrt{(a_1 - 0)^2 + (a_2 - 0)^2} = \sqrt{a_1^2 + a_2^2} \quad ← 完成$$

例題　$\vec{a} = (-2, 4)$ の $|\vec{a}|$ を求めてみますね。

$$|\vec{a}| = \sqrt{(-2)^2 + 4^2} = \sqrt{4 + 16} = \sqrt{20} = 2\sqrt{5} \quad (答)$$

途中の根号計算がうるさすぎたらゴメンナサイ！　汗

[Ⅲ] ベクトルの成分計算

ここでは矢印のつなぎ合わせを成分計算で表現するだけのこと。それゆえ、「各成分同士の和および差」と考えていただければ十分です。

$\vec{a} = (a_1, a_2)$、$\vec{b} = (b_1, b_2)$ のとき

・$\vec{a} \pm \vec{b} = (a_1 \pm b_1, a_2 \pm b_2)$　　・$k\vec{a} = (ka_1, ka_2)$（k：実数）

例題1　座標平面上の点 $A(-1, 1)$、$B(2, 3)$、$C(1, -2)$ において、各問いのベクトルを成分表示し、また、その大きさを求めてみますね。

　　(1) $\vec{AB}$　　　　　(2) $\vec{BA} + \vec{CB}$

〈解法〉

(1) $\vec{AB} = \vec{OB} - \vec{OA}$ ←（終点）−（始点）より
　　　$= (2, 3) - (-1, 1)$
　　　$= (2-(-1), 3-1)$
　　　$= (3, 2)$（答）

また、大きさは

　　$|\vec{AB}| = \sqrt{3^2 + 2^2} = \sqrt{13}$（答）

始点 O を適当にとり、点 A、B を位置ベクトルと考える！

(2) $\vec{BA} + \vec{CB} = (\vec{OA} - \vec{OB}) + (\vec{OB} - \vec{OC})$ ←
　　　　　　　$= \vec{OA} - \vec{OC}$
　　　　　　　$= (-1, 1) - (1, -2)$
　　　　　　　$= (-1-1, 1-(-2))$
　　　　　　　$= (-2, 3)$（答）

途中経路に関係なく、始点と終点を結んだものがベクトルでした。よって、各点の位置ベクトルを考え、計算して構わないんです！
「へぇ〜、そうなんだ！？」程度に軽く受け流し、あまり深く考えないでね！汗

また、大きさは

　　$|\vec{BA} + \vec{CB}| = \sqrt{(-2)^2 + 3^2} = \sqrt{13}$（答）

「いかがですか？　位置ベクトルの感覚はつかめそうでしょうか？」

例題2 $\vec{a}=(5, 9)$、$\vec{b}=(-3, 3)$、$\vec{c}=(1, -2)$ において、つぎのベクトルを成分表示し、また、その大きさを求めてみますね。
$$4(\vec{a}-2\vec{b}+\vec{c})-3(\vec{a}-4\vec{b}-2\vec{c})$$

<解法>

普通の文字計算の感覚で構いませんよ！　　（同類項を計算し、代入）

$$\begin{aligned}
4(\vec{a}-2\vec{b}+\vec{c})-3(\vec{a}-4\vec{b}-2\vec{c}) &= 4\vec{a}-8\vec{b}+4\vec{c}-3\vec{a}+12\vec{b}+6\vec{c} \\
&= \vec{a}+4\vec{b}+10\vec{c} \\
&= (5, 9)+4(-3, 3)+10(1, -2) \\
&= (5-12+10, 9+12-20) \\
&= (3, 1) \quad （答）
\end{aligned}$$

また、

このベクトルの大きさは、$\sqrt{3^2+1^2}=\sqrt{10}$　（答）

上記のベクトル計算はさほど難しくはないかと……。

そこで、つぎは「一次方程式の感覚で解く」問題をお見せしましょう。

例題3 $\vec{a}=(-2, 5)$、$\vec{b}=(7, 10)$ において、つぎの等式を満たす $\vec{x}$ を成分表示してみますね。
$$3\vec{x}-2\vec{a}=\vec{a}-2\vec{x}+3\vec{b}$$

<解法>

$$\begin{aligned}
3\vec{x}-2\vec{a} &= \vec{a}-2\vec{x}+3\vec{b} \quad &&\leftarrow \text{左辺に } \vec{x} \text{、右辺に } \vec{a} \text{ を移項} \\
3\vec{x}+2\vec{x} &= \vec{a}+2\vec{a}+3\vec{b} \quad &&\leftarrow \text{同類項の計算} \\
5\vec{x} &= 3\vec{a}+3\vec{b} \\
\vec{x} &= \frac{3}{5}(\vec{a}+\vec{b}) \quad &&\leftarrow \vec{a}+\vec{b}=(-2+7, 5+10) \\
&= \frac{3}{5}(5, 15) \quad &&\leftarrow \left(\frac{3}{5}\times 5, \frac{3}{5}\times 15\right) \\
&= (3, 9) \quad （答）
\end{aligned}$$

8章 ベクトル

では、最後に「成分によるベクトル演算」および「平行四辺形の頂点」のお話をして、この項目は終わりにしたいと思います。

例題4 $\vec{a}=(1, 2)$、$\vec{b}=(-2, 3)$ において、$\vec{x}=(2, 0)$ を $\vec{a}$、$\vec{b}$ を使って表してみますね。

＜解法＞

$\vec{x}=p\vec{a}+q\vec{b}$ ・・・（*）とおくと、
$(2, 0)=p(1, 2)+q(-2, 3)=(p, 2p)+(-2q, 3q)$
$=(p-2q, 2p+3q)$

両辺の成分比較より、
$p-2q=2$ ・・・①　　$2p+3q=0$ ・・・②

①より、$p=2q+2$ ・・・①'　コレを②に代入
$2(2q+2)+3q=0$ ⟶ $4q+4+3q=0$ ∴ $7q+4=0$
$7q=-4$ ∴ $q=-\dfrac{4}{7}$

また①'より、$p=2\left(-\dfrac{4}{7}\right)+2=-\dfrac{8}{7}+\dfrac{14}{7}=\dfrac{6}{7}$

したがって、（*）より
$\vec{x}=\dfrac{6}{7}\vec{a}-\dfrac{4}{7}\vec{b}$　（答）

例題5　平行四辺形 $ABCD$ において、各頂点の位置ベクトルが
$\vec{a}=(2, 3)$、$\vec{b}=(-2, 1)$、$\vec{c}=(1, 5)$ のとき、点 D の座標を求めてみますね。

＜解法＞

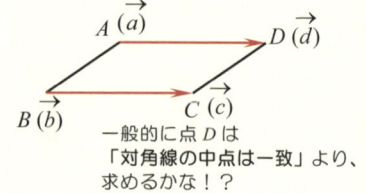

点 D の座標を (x, y) とおくと、
$\vec{AD}=\vec{BC}$ ・・・（*）より
$\vec{AD}=\vec{OD}-\vec{OA}=\vec{d}-\vec{a}=(x-2, y-3)$
$\vec{BC}=\vec{OC}-\vec{OB}=\vec{c}-\vec{b}=(1-(-2), 5-1)=(3, 4)$

一般的に点 D は「対角線の中点は一致」より、求めるかな！？

（＊：ベクトルの相等⇔大きさ・向きが等しい）より、
$x-2=3$ ∴ $x=5$、$y-3=4$ ∴ $y=7$。よって、点 $D(5, 7)$（答）

復習 90

単位ベクトル

単位ベクトルとは、「**大きさが 1**」のベクトルを言います。とても単純なんですが、不思議と「ピ～ン」とこない方が多いんですね！

単位ベクトル：大きさが 1 のベクトル：$|\vec{e}| = 1$

$\vec{a} \neq \vec{0}$、$\vec{a}$ と同じ向きの単位ベクトル $\vec{e}$ は、

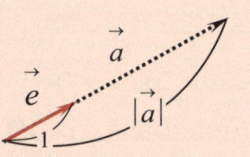

$$\vec{e} = \frac{\vec{a}}{|\vec{a}|}$$

$\vec{a}$ を「自分の大きさで等分」すれば、大きさ 1 の単位ベクトルとなるでしょ！？

「単位ベクトルのイメージは、大丈夫でしょうか……？」 汗

例題 つぎのベクトルを求めてみますね。

(1) $\vec{a}$ の大きさが 7 のとき、$\vec{a}$ と同じ向きの単位ベクトル $\vec{e}$。
(2) $\vec{a} \neq \vec{0}$、$\vec{a} = (a_1, a_2)$ と同じ向きの単位ベクトル $\vec{e}$。
(3) $\vec{a} = (4, -3)$ と同じ向きの単位ベクトル $\vec{e}$。

<解法>

(1) $|\vec{a}| = 7$ より、$\vec{e} = \dfrac{\vec{a}}{|\vec{a}|} = \dfrac{\vec{a}}{7}$ （答）

> **（1）の補足問題**
> $\vec{a}$ と**平行**な単位ベクトルなら、
> $-\vec{a} \mathbin{/\!/} \vec{a}$ より、$\dfrac{\vec{a}}{7}$、$-\dfrac{\vec{a}}{7}$ （答）

(2) $\vec{a} = (a_1, a_2)$ より、$|\vec{a}| = \sqrt{a_1^2 + a_2^2}$

$$\therefore \vec{e} = \frac{(a_1, a_2)}{\sqrt{a_1^2 + a_2^2}} = \left(\frac{a_1}{\sqrt{a_1^2 + a_2^2}}, \frac{a_2}{\sqrt{a_1^2 + a_2^2}} \right) \quad \text{（答）}$$

(3) $\vec{a} = (4, -3)$ より、$|\vec{a}| = \sqrt{4^2 + (-3)^2} = \sqrt{25} = 5$

$$\therefore \vec{e} = \frac{\vec{a}}{|\vec{a}|} = \frac{(4, -3)}{5} = \left(\frac{4}{5}, -\frac{3}{5} \right) \quad \text{（答）}$$

復習91

ベクトルの内積

　まず、確認なんですが、ベクトルにおける"なす角"とは、ベクトルの始点同士を重ねたときにできる角をいいます。

　今、右図の2つのベクトルの始点を重ね、そのなす角をθとします。そして、上から光を当てると$\vec{b}$の影が$\vec{a}$の上に重なります。このとき、「$\vec{b}$の影の長さと$\vec{a}$の長さの積のことを内積」と言い「$\vec{a} \cdot \vec{b}$ または $(\vec{a}, \vec{b})$」と表します。

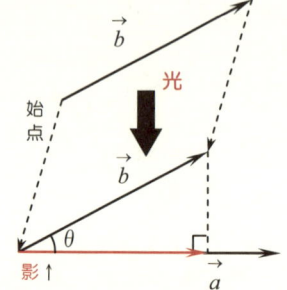

ベクトルの内積（なす角：θ シータ）

$$\vec{a} \cdot \vec{b} = |\vec{a}||\vec{b}|\cos\theta$$

（$0° \leqq \theta \leqq 180°$）とする。

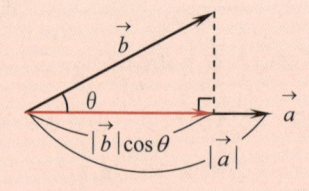

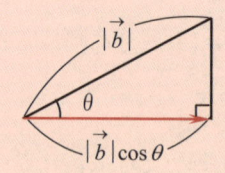

注：説明において、わかりやすくするため長さと言いましたが、コレは大きさのこと。

三角比（↑）より、

　上枠内の図において、ベクトルの内積は「$\vec{b}$の$\vec{a}$上に対する正射影」とも言います。これは理屈抜きでこういうものだと納得してください。

例題1　$\vec{a}$、$\vec{b}$のなす角をθとし、つぎの内積を求めてみますね。

(1) $|\vec{a}| = 2$、$|\vec{b}| = 1$、$\theta = 60°$　　(2) $|\vec{a}| = 4$、$|\vec{b}| = 7$、$\theta = 90°$

〈解法〉

(1) $\vec{a} \cdot \vec{b} = |\vec{a}||\vec{b}|\cos 60° = 2 \cdot 1 \cdot \dfrac{1}{2} = 1$　← 「三角比」覚えていますか？

(2) $\vec{a} \cdot \vec{b} = |\vec{a}||\vec{b}|\cos 90° = 4 \cdot 7 \cdot 0 = 0$　←（内積）＝0 ⇔ $\theta = 90°$ 重要！

ベクトルの内積は、**三角比の知識**があいまいだとつらくなります。必ず復習も心がけてくださいね！ 数学は暗記の学問というよりも「**積み重ねの学問**」だということが、ここまで来るとハッキリしてきますよね！
　さて、今度は内積を利用し、**ベクトルのなす角**を求めてみましょう。

例題2 つぎの条件において、$\vec{a}$、$\vec{b}$ のなす角を求めてみますね。

(1) $|\vec{a}| = 3$、$|\vec{b}| = 2$、$\vec{a} \cdot \vec{b} = -3$

(2) $\vec{a} = (2, 1)$、$\vec{b} = (1, 3)$、$\vec{a} \cdot \vec{b} = 5$

<解法> ベクトルのなす角 θ は「$0° \leqq \theta \leqq 180°$」で考える。

$\vec{a} \cdot \vec{b} = |\vec{a}||\vec{b}|\cos\theta$ より、$\cos\theta = \dfrac{\vec{a} \cdot \vec{b}}{|\vec{a}||\vec{b}|}$ ・・・（＊）

（＊）は覚えちゃダメ！
内積の公式を変形。無意識に出てくるまで問題を解く！

(1)（＊）より、($0° \leqq \theta \leqq 180°$)

$\cos\theta = \dfrac{-3}{3 \cdot 2} = -\dfrac{1}{2}$ ∴ $\theta = 120°$ （答）

復習の意味も込め、単位円で求めてみました。

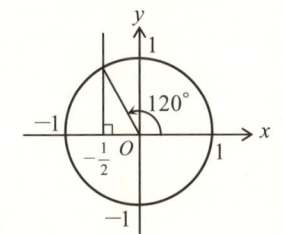

(2) 大きさの条件がないので、求めないとね！

$|\vec{a}| = \sqrt{2^2 + 1^2} = \sqrt{5}$、$|\vec{b}| = \sqrt{1^2 + 3^2} = \sqrt{10}$、また、$\vec{a} \cdot \vec{b} = 5$

（＊）より、($0° \leqq \theta \leqq 180°$)

$\cos\theta = \dfrac{5}{\sqrt{5} \cdot \sqrt{10}} = \dfrac{5}{5\sqrt{2}} = \dfrac{1}{\sqrt{2}}$

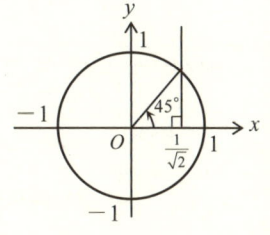

∴ $\theta = 45°$ （答）

　内積と聞くとなんだか難しそうな印象を持たれたかと思いますが、例題をご覧になって、それほど心配するようなことはないでしょ！？
　実際に手を動かし、例題を数回解いていただければ問題ないはずです。

　では、今度は「**内積の成分表示**」についてお話ししたいと思います。

復習92

内積の成分表示

ここでは「内積を成分で考える」お話をしたいと思います。

内積の成分表示

$\vec{a} = (a_1, a_2)$、$\vec{b} = (b_1, b_2)$ のとき、

$$\vec{a} \cdot \vec{b} = a_1 b_1 + a_2 b_2 \quad \leftarrow \text{「}x\text{成分同士」「}y\text{成分同士」の積の和}$$

また、$\underline{\vec{a} \cdot \vec{a} = |\vec{a}|^2} = a_1 \cdot a_1 + a_2 a_2 = a_1^2 + a_2^2 \quad \leftarrow$ 下線部の関係重要

補足：内積の成分計算の式を導いてみますね！

右図のように、$\vec{a} = (a_1, a_2)$、$\vec{b} = (b_1, b_2)$ とおき、このベクトルのなす角を θ とすると、

内積は

$$\vec{a} \cdot \vec{b} = |\vec{a}||\vec{b}|\cos\theta = \underline{OA \cdot OB \cos\theta} \quad \cdots ①$$

つぎに △AOB に着目し、**余弦定理**より

$$AB^2 = OA^2 + OB^2 - 2 \cdot OA \cdot OB \cos\theta$$

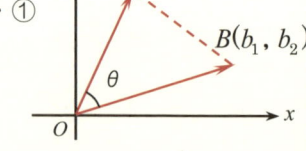

$$\underline{OA \cdot OB \cos\theta = \frac{1}{2}(OA^2 + OB^2 - AB^2)} \quad \cdots ②$$

①②より、

「距離＝大きさ」と考えて OK

$OA = \sqrt{(a_1-0)^2 + (a_2-0)^2} = \sqrt{a_1^2 + a_2^2}$

$OB = \sqrt{(b_1-0)^2 + (b_2-0)^2} = \sqrt{b_1^2 + b_2^2}$

$$\vec{a} \cdot \vec{b} = \frac{1}{2}(OA^2 + OB^2 - AB^2)$$

$$= \frac{1}{2}\left[(a_1^2 + a_2^2) + (b_1^2 + b_2^2) - \{(a_1-b_1)^2 + (a_2-b_2)^2\}\right]$$

$$= \frac{1}{2}\{a_1^2 + a_2^2 + b_1^2 + b_2^2 - (a_1^2 - 2a_1b_1 + b_1^2 + a_2^2 - 2a_2b_2 + b_2^2)\}$$

$$= \frac{1}{2}(2a_1b_1 + 2a_2b_2)$$

$$= a_1b_1 + a_2b_2 \quad \leftarrow \text{完成}$$

公式を導くのは多少面倒でしたが、しかし、公式を見る限りにおいて、内積を成分計算で求めるのは、それほど難しいことではないですよね！
そこで、内積を求めることも大切ですが、さらに進んで、**内積**を利用し「**成分表示されているベクトル同士のなす角**」を求めてみたいと思います。

例題 つぎのベクトル $\vec{a}$、$\vec{b}$ のなす角を求めてみますね。

(1) $\vec{a} = (1, 3)$、$\vec{b} = (2, 1)$ (2) $\vec{a} = (1, 2)$、$\vec{b} = (2, -1)$

<解法> ベクトルのなす角 θ は「$0° \leqq \theta \leqq 180°$」で考える。

(1) $\vec{a} = (1, 3)$、$\vec{b} = (2, 1)$ より

$|\vec{a}| = \sqrt{1^2 + 3^2} = \sqrt{10}$ 、 $|\vec{b}| = \sqrt{2^2 + 1^2} = \sqrt{5}$

内積： $\vec{a} \cdot \vec{b} = (1 \times 2) + (3 \times 1) = 5$

最初の解説ゆえ、各成分同士の積の和を強調したく、カッコを付けました。今後は不要！

> **内積の公式**
> $\vec{a} \cdot \vec{b} = |\vec{a}||\vec{b}|\cos\theta$
> $\vec{a} = (a_1, a_2)$
> $|\vec{a}| = \sqrt{a_1{}^2 + a_2{}^2}$
> $\therefore \cos\theta = \dfrac{\vec{a} \cdot \vec{b}}{|\vec{a}||\vec{b}|}$

$\therefore \cos\theta = \dfrac{5}{\sqrt{10} \cdot \sqrt{5}} = \dfrac{5}{5\sqrt{2}} = \dfrac{1}{\sqrt{2}}$

よって、

$\theta = 45°$ （答） ← 大丈夫ですか？（単位円の利用）

(2) $\vec{a} = (1, 2)$、$\vec{b} = (2, -1)$ より

$|\vec{a}| = \sqrt{1^2 + 2^2} = \sqrt{5}$ 、 $|\vec{b}| = \sqrt{2^2 + (-1)^2} = \sqrt{5}$

内積： $\vec{a} \cdot \vec{b} = 1 \times 2 + 2 \times (-1) = 2 - 2 = 0$ ・・・（＊）

$\therefore \cos\theta = \dfrac{0}{\sqrt{5} \cdot \sqrt{5}} = 0$

> （＊）は大変重要！ $\vec{a} \cdot \vec{b} = 0$
> 「**内積**が 0 であれば、なす角は 90°」
> 「なす角が 90° であれば**内積は 0**」

よって、

$\theta = 90°$ （答）

この例題は内積の成分計算における基本！ それゆえ、**内積の公式**および**成分計算**については、ここで確実にマスターしてくださいね！

復習 93

内積の基本性質

　今度は、内積計算の決まりについてお話しします。ベクトル演算や成分に関しては、ある意味、文字計算および座標の感覚で扱えることがわかりました。しかし、内積計算に関しては、少し違うんです。　エッ！？ 汗・・・

・内積の基本性質

① $\vec{a} \cdot \vec{b} = \vec{b} \cdot \vec{a}$　　　　　　　　　← 交換法則可

② $\vec{a} \cdot (\vec{b} + \vec{c}) = \vec{a} \cdot \vec{b} + \vec{a} \cdot \vec{c}$　　　　← 分配法則可

③ $(k\vec{a}) \cdot \vec{b} = \vec{a} \cdot (k\vec{b}) = k(\vec{a} \cdot \vec{b})$　　　← 結合法則可

・内積の等式関係　　左辺を展開すると、右辺の式になる！

④ $(\vec{a}+\vec{b}) \cdot (\vec{a}+\vec{b}) = \vec{a} \cdot \vec{a} + 2\vec{a} \cdot \vec{b} + \vec{b} \cdot \vec{b}$　$(= |\vec{a}|^2 + 2\vec{a} \cdot \vec{b} + |\vec{b}|^2)$

⑤ $(\vec{a}-\vec{b}) \cdot (\vec{a}-\vec{b}) = \vec{a} \cdot \vec{a} - 2\vec{a} \cdot \vec{b} + \vec{b} \cdot \vec{b}$　$(= |\vec{a}|^2 - 2\vec{a} \cdot \vec{b} + |\vec{b}|^2)$

⑥ $(\vec{a}+\vec{b}) \cdot (\vec{a}-\vec{b}) = \vec{a} \cdot \vec{a} - \vec{b} \cdot \vec{b}$　$(= |\vec{a}|^2 - |\vec{b}|^2)$

補足：④⑤に関して、解法では以下の下線部の形が頻出！

④ $(\vec{a}+\vec{b}) \cdot (\vec{a}+\vec{b}) = \underline{|\vec{a}+\vec{b}|^2 = |\vec{a}|^2 + 2\vec{a} \cdot \vec{b} + |\vec{b}|^2}$

⑤ $(\vec{a}-\vec{b}) \cdot (\vec{a}-\vec{b}) = \underline{|\vec{a}-\vec{b}|^2 = |\vec{a}|^2 - 2\vec{a} \cdot \vec{b} + |\vec{b}|^2}$

例題1　内積の式 $(\vec{a}+3\vec{b}) \cdot (2\vec{a}-\vec{b})$ を展開してみますね。

＜解法＞

$(\vec{a}+3\vec{b}) \cdot (2\vec{a}-\vec{b}) = 2\vec{a} \cdot \vec{a} - \vec{a} \cdot \vec{b} + 6\vec{b} \cdot \vec{a} - 3\vec{b} \cdot \vec{b} = 2\vec{a} \cdot \vec{a} + 5\vec{a} \cdot \vec{b} - 3\vec{b} \cdot \vec{b}$　（答）

　　　　　　　　　　　　　　　交換法則

　　　　　　　　　（コレでもOK！→$= 2|\vec{a}|^2 + 5\vec{a} \cdot \vec{b} - 3|\vec{b}|^2$）

では、典型的な問題を 2 題ほどご紹介しましょう！

例題 2 $|\vec{a}| = 2$、$|\vec{b}| = 1$、$|\vec{a} + 2\vec{b}| = 4$ のとき、$\vec{a} \cdot \vec{b}$ および $|\vec{a} - \vec{b}|$ の値を求めてみますね。

<解法>

絶対値は 2 乗してはずす！（補足：④参照）

$$|\vec{a} + 2\vec{b}|^2 = 4^2 \quad \therefore \quad |\vec{a}|^2 + 4\vec{a} \cdot \vec{b} + 4|\vec{b}|^2 = 16$$

よって、$2^2 + 4\vec{a} \cdot \vec{b} + 4 \cdot 1^2 = 16$　　← 「内積の求め方」として、大きさを 2 乗するこの解法は基本！必ずマスターしてください。

$$4\vec{a} \cdot \vec{b} = 16 - 8$$

$$\vec{a} \cdot \vec{b} = 2 \quad （答）$$

同様に

$$|\vec{a} - \vec{b}|^2 = |\vec{a}|^2 - 2\vec{a} \cdot \vec{b} + |\vec{b}|^2 \quad ← |\vec{a}| = 2、|\vec{b}| = 1、\vec{a} \cdot \vec{b} = 2$$

$$= 2^2 - 2 \cdot 2 + 1^2$$

$$= 1$$

$\therefore \quad |\vec{a} - \vec{b}| = 1 \quad (|\vec{a} - \vec{b}| \geqq 0 \text{ より})（答）$

例題 3 $|\vec{a}| = 3$、$|\vec{b}| = 2$、$\vec{a}$ と $\vec{b}$ のなす角が $60°$ において、$2\vec{a} - \vec{b}$ の大きさを求めてみますね。

<解法>

大きさゆえ $|2\vec{a} - \vec{b}|$ の値。よって、2 乗して絶対値をはずす！

$$|2\vec{a} - \vec{b}|^2 = 4|\vec{a}|^2 - 4\vec{a} \cdot \vec{b} + |\vec{b}|^2 \cdots (*) \quad ← \text{この時点で「} \vec{a} \cdot \vec{b} \text{の値」が必要とわかる。}$$

そこで、$\vec{a} \cdot \vec{b} = |\vec{a}||\vec{b}|\cos 60° = 3 \cdot 2 \cdot \dfrac{1}{2} = 3 \quad \cdots ①$

よって、① (*) より

$$|2\vec{a} - \vec{b}|^2 = 4 \cdot 3^2 - 4 \cdot 3 + 2^2$$

$$= 36 - 12 + 4$$

$$= 28$$

$\therefore \quad |2\vec{a} - \vec{b}| = \sqrt{28} = 2\sqrt{7} \quad (|2\vec{a} - \vec{b}| \geqq 0 \text{ より})（答）$

復習 94

平行条件・垂直条件

ベクトルは特に**向き**が重要。それゆえ、「平行および垂直条件」に関しては、少しお話をしておかなければいけません！

ベクトルの平行・垂直条件

$\vec{a} \neq \vec{0}$, $\vec{b} \neq \vec{0}$, $\vec{a} = (a_1, a_2)$, $\vec{b} = (b_1, b_2)$ において

・平行条件

　内積　　：$\vec{a} \cdot \vec{b} = \pm |\vec{a}||\vec{b}|$

　成分計算：$a_1 b_2 - a_2 b_1 = 0$

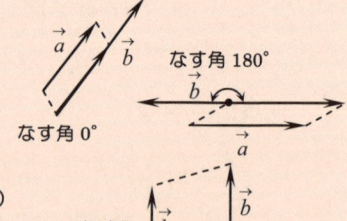

・垂直条件 ⇔ 内積＝0（超々重要！）

　内積　　：$\vec{a} \cdot \vec{b} = a_1 b_1 + a_2 b_2 = 0$

（なす角 $0°$、なす角 $180°$、なす角 $90°$）

補足

$\vec{a} /\!/ \vec{b}$ のとき、$\vec{a}$ と $\vec{b}$ のなす角 θ とすると、$\theta = 0°, 180°$

よって、内積は

$\vec{a} \cdot \vec{b} = |\vec{a}||\vec{b}|\cos 0° = |\vec{a}||\vec{b}|$、　$\vec{a} \cdot \vec{b} = |\vec{a}||\vec{b}|\cos 180° = -|\vec{a}||\vec{b}|$　←完成

また、上記の内積を成分で表すと

$a_1 b_1 + a_2 b_2 = \pm \sqrt{a_1^2 + a_2^2} \sqrt{b_1^2 + b_2^2}$

$(a_1 b_1 + a_2 b_2)^2 = (a_1^2 + a_2^2)(b_1^2 + b_2^2)$

$a_1^2 b_1^2 + 2 a_1 b_1 a_2 b_2 + a_2^2 b_2^2 = a_1^2 b_1^2 + a_1^2 b_2^2 + a_2^2 b_1^2 + a_2^2 b_2^2$

$a_1^2 b_2^2 - 2 a_1 b_1 a_2 b_2 + a_2^2 b_1^2 = 0$

∴ $(a_1 b_2 - a_2 b_1)^2 = 0$　よって、$a_1 b_2 - a_2 b_1 = 0$　←完成

> **三角比の確認！**
> $\cos 0° = 1$、$\cos 180° = -1$
> $\cos 90° = 0$

目がチカチカしちゃう！

つぎに、$\vec{a} \perp \vec{b}$ のとき、内積は $\vec{a} \cdot \vec{b} = |\vec{a}||\vec{b}|\cos 90° = 0$

よって、成分計算より、$a_1 b_1 + a_2 b_2 = 0$　←完成

例題1 ベクトル $\vec{a}=(2, 1)$、$\vec{b}=(x, x+1)$ が平行になるよう、x の値を求めてみますね。

<解法>
平行の成分計算は、右のように縦に成分を書き、「(実線の積)－(点線の積)＝0」で解決！

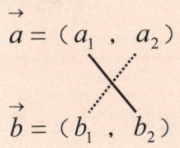

$$2\cdot(x+1) - 1\cdot x = 0$$
$$2x+2-x=0 \quad \therefore \quad x=-2 \quad (答)$$

$\vec{a}=(a_1, a_2)$
$\vec{b}=(b_1, b_2)$
たすき掛け！

例題2 ベクトル $\vec{a}=(2, -1)$ に垂直な単位ベクトル $\vec{e}$ を求めてみますね。

<解法>
単位ベクトル $\vec{e}=(p, q)$ とおくと、$|\vec{e}|=1$ (←大きさが1より)
$\therefore |\vec{e}|=\sqrt{p^2+q^2}=1$ より (両辺2乗)、$p^2+q^2=1$ ・・・①
また、$\vec{a}\perp\vec{e}$ より、$\vec{a}\cdot\vec{e}=0$ (←内積＝0：内積の成分計算) より
$\vec{a}\cdot\vec{e}=2p-q=0 \quad \therefore \quad q=2p$ ・・・②
よって、①②より
$$p^2+(2p)^2=1 \quad 5p^2=1 \quad \therefore \quad p=\pm\frac{1}{\sqrt{5}}=\pm\frac{\sqrt{5}}{5}$$
②より、
$$q=2\times\left(\pm\frac{\sqrt{5}}{5}\right)=\pm\frac{2\sqrt{5}}{5} \quad \text{ゆえに、} \quad \vec{e}=\left(\pm\frac{\sqrt{5}}{5}, \pm\frac{2\sqrt{5}}{5}\right) \quad (複号同順)(答)$$

例題3 ベクトル $\vec{a}=(-1, 2)$、$\vec{b}=(3, -1)$ において、$\vec{a}-\vec{b}$ と $\vec{a}+t\vec{b}$ が垂直になるような実数 t を求めてみますね。

<解法>
$\vec{a}-\vec{b}=(-1, 2)-(3, -1)=(-4, 3)$ ・・・①
$\vec{a}+t\vec{b}=(-1, 2)+t(3, -1)=(-1+3t, 2-t)$ ・・・②
$(\vec{a}-\vec{b})\perp(\vec{a}+t\vec{b})$ より「内積＝0」。よって、①②より
$$-4\cdot(-1+3t)+3\cdot(2-t)=0 \quad \leftarrow 内積の成分計算$$
$$10-15t=0 \quad \therefore \quad t=\frac{2}{3} \quad (答)$$

8章 ベクトル

復習 95

直線のベクトル方程式

　直線のベクトル方程式は、直線のグラフ上の点を座標ではなく、成分として考えてみようというもの。そこで、ここではベクトルの向きを"流れ"と考えればイメージしやすいかもしれません！？

Ⅰ 直線のベクトル方程式

点 A を通り、$\vec{u}$ に平行な直線上の点を P とすると、

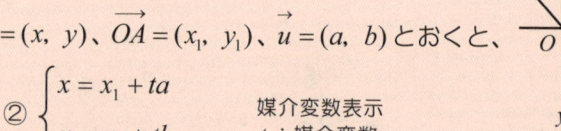

① $\vec{OP} = \vec{OA} + t\vec{u}$ （t は実数）・・・（＊）

$\vec{OP}=(x, y)$、$\vec{OA}=(x_1, y_1)$、$\vec{u}=(a, b)$ とおくと、

② $\begin{cases} x = x_1 + ta \\ y = y_1 + tb \end{cases}$ 　媒介変数表示　t：媒介変数

また、直線 AB 上の点を P とすると、

③ $\vec{OP} = (1-t)\vec{OA} + t\vec{OB}$ （t は実数）

特に、点 P が線分 AB 上にある場合、（$0 \leq t \leq 1$）

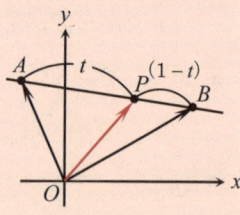

補足：ベクトルという川の流れに乗るイメージ！

① 原点 O から点 A まで行き、そこから流れ $\vec{u}$ に乗り点 P へ！

② ①（＊）より成分計算

$(x, y) = (x_1, y_1) + t(a, b) = (x_1 + ta, y_1 + tb)$ ← 完成

③ 原点から点 A まで行き、そこから流れ $\vec{AB}$ に乗って点 P まで！

$\vec{OP} = \vec{OA} + t\vec{AB}$ 　　← $\vec{AB} = \vec{OB} - \vec{OA}$（終点－始点）念のため

$= \vec{OA} + t(\vec{OB} - \vec{OA})$ 　← $= \vec{OA} + t\vec{OB} - t\vec{OA}$

$= (1-t)\vec{OA} + t\vec{OB}$ 　← 完成

例題1 点 $A(3, 7)$ を通り、$\vec{u} = (5, 1)$ に平行な直線の方程式を媒介変数 t を用いて表してみますね。

<解法>
求めたい直線上の任意な点 $P(x, y)$ とすると、
$$\vec{OP} = \vec{OA} + t\vec{u} \quad (t は実数) \cdots ①$$
とおける。よって、①より成分計算
$$(x, y) = (3, 7) + t(5, 1) = (3 + 5t, 7 + t)$$
よって、
$$\begin{cases} x = 3 + 5t \\ y = 7 + t \end{cases} \quad (答)$$

例題2 2点 $A(-5, 2)$、$B(1, 4)$ を通る直線の方程式を媒介変数 t を用いて表し、また、t を消去した式も求めてみますね。

<解法>
原点から点 A まで行き、あとは流れ $\vec{AB}$ に乗るだけ！そこで、その流れ $\vec{AB}$ を求めます。

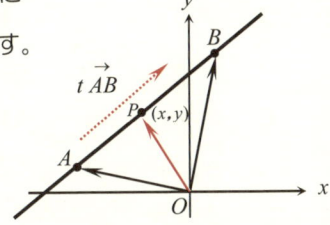

$$\vec{AB} = \vec{OB} - \vec{OA}$$
$$= (1, 4) - (-5, 2)$$
$$= (6, 2) \quad \cdots ①$$

よって、求めたい直線上の任意な点 $P(x, y)$ とすると、
$$\vec{OP} = \vec{OA} + t\vec{AB} \quad \cdots ② \quad (t は実数)$$
となり、①②より成分計算
$$(x, y) = (-5, 2) + t(6, 2) = (-5 + 6t, 2 + 2t)$$
ゆえに、
$$\begin{cases} x = -5 + 6t \quad \cdots ③ \\ y = 2 + 2t \quad \cdots ④ \end{cases} \quad (答)$$

そして、④より、$y = 2 + 2t \quad \therefore \quad t = \dfrac{1}{2}(y - 2) \quad \cdots ⑤$

⑤を③に代入、$x = -5 + 6 \cdot \dfrac{1}{2}(y - 2)$　よって、$x - 3y + 11 = 0$（答）

Ⅱ 直線の法線ベクトル

点Aを通り、$\vec{n}=(a, b)$に垂直な直線上の点をPとすると、

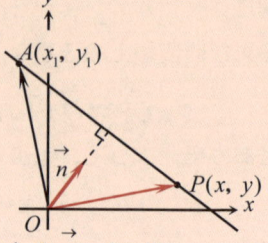

　　内積：$\vec{AP} \cdot \vec{n} = 0$

よって、$\vec{OP} = (x, y)$とおくと、

$\vec{n}$に垂直な直線の式は

$$ax + by + c = 0 \quad (c：定数)$$

とおけ、また、この直線に対し**垂直なベクトル**$\vec{n} = (a, b)$を「**直線の法線ベクトル**」と言う。

補足：上図を参照ください。

　　$\vec{OP} = (x, y)$、$\vec{OA} = (x_1, y_1)$、とすると、

　　$\vec{AP} = \vec{OP} - \vec{OA} = (x - x_1, y - y_1)$ ・・・①

よって、①、$\vec{n} = (a, b)$、$\vec{AP} \cdot \vec{n} = 0$ より　（← $\vec{AP} \perp \vec{n}$ より、内積=0）

　　$a(x - x_1) + b(y - y_1) = 0$　← 内積の成分計算

　∴　$ax + by - (ax_1 + by_1) = 0$　← 点Aは定点ゆえ、$-(ax_1 + by_1)$を定数として扱える

ここで$-(ax_1 + by_1) = c$（定数）とおくと

　　$ax + by + c = 0$　← 完成

となり、$\vec{n} = (a, b)$は、直線$ax + by + c = 0$の**法線ベクトル**となる。

例題1　点$A(4, -2)$を通り、ベクトル$\vec{n} = (2, 1)$に垂直な直線の方程式を求めてみますね。

<解法>

　求める直線上の任意の点$P(x, y)$とすると、

　　$\vec{OP} = (x, y)$、$\vec{OA} = (4, -2)$、そして法線ベクトル$\vec{n} = (2, 1)$より

$\vec{AP} \cdot \vec{n} = 0$ ・・・① （← $\vec{AP} \perp \vec{n}$ より、内積＝0）

そこで、

$\vec{AP} = \vec{OP} - \vec{OA} = (x, y) - (4, -2) = (x-4, y+2)$ ・・・②

よって、①、②、$\vec{n} = (2, 1)$ より

$2(x-4) + 1(y+2) = 0$ ← 内積の成分計算より

∴ $2x + y - 6 = 0$ （答）

例題2 つぎの2直線のなす角 θ（鋭角）を求めてみますね。

$x - 2y + 4 = 0$、 $3x - y - 12 = 0$

<解法>

$x - 2y + 4 = 0$ ・・・① $3x - y - 12 = 0$ ・・・②

①の法線ベクトル：$\vec{n_1} = (1, -2)$

②の法線ベクトル：$\vec{n_2} = (3, -1)$

右図のように、2直線のなす角 θ は
2直線の法線ベクトルのなす角と一致！

そこで、

$\vec{n_1} \cdot \vec{n_2} = |\vec{n_1}||\vec{n_2}|\cos\theta$ ・・・（＊）の利用。

$|\vec{n_1}| = \sqrt{1^2 + (-2)^2} = \sqrt{5}$ 、 $|\vec{n_2}| = \sqrt{3^2 + (-1)^2} = \sqrt{10}$

$\vec{n_1} \cdot \vec{n_2} = 1 \cdot 3 + (-2) \cdot (-1) = 5$

よって、（＊）より

$\cos\theta = \dfrac{\vec{n_1} \cdot \vec{n_2}}{|\vec{n_1}||\vec{n_2}|} = \dfrac{5}{\sqrt{5} \cdot \sqrt{10}} = \dfrac{5}{5\sqrt{2}} = \dfrac{1}{\sqrt{2}}$

①②の直線を交点を中心に反時計回りに90°回転させると、そろぞれの法線ベクトルと一致！

∴ $\theta = 45°$ （答）

以上で、直線のベクトル方程式の基本部分は十分でしょう！

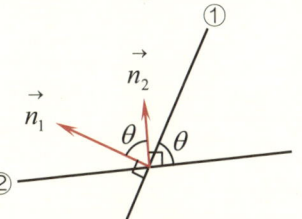

復習96 三角形の面積

ベクトルで考えると、座標平面上の3点の座標がわかれば、その3点を頂点とする三角形の面積が「アッ！×2」と言う間に求まるんです。
まずは、太っ腹の私ゆえ、早速その公式をお見せしちゃいますよ！

三角形の面積を求める！

① $\vec{AB} = \vec{a}$、$\vec{AC} = \vec{b}$ とすると、$\triangle ABC$ の面積 S は

$$S = \frac{1}{2}\sqrt{|\vec{a}|^2|\vec{b}|^2 - (\vec{a}\cdot\vec{b})^2}$$

② $\vec{OA} = (a_1, a_2)$、$\vec{OB} = (b_1, b_2)$ のとき、$\triangle OAB$ の面積 S は

$$S = \frac{1}{2}|a_1b_2 - a_2b_1|$$

補足

① 右図から $\vec{AB} = \vec{a}$、$\vec{AC} = \vec{b}$、$\angle BAC = \theta$ とすると

$$S = \frac{1}{2}|\vec{a}||\vec{b}|\sin\theta \quad \cdots (*)$$

三角比における三角形の面積参照

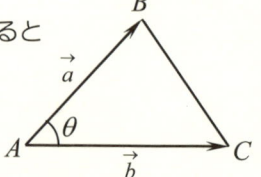

そこで、$\sin\theta = \sqrt{1 - \cos^2\theta}$ より、$\cos\theta = \dfrac{\vec{a}\cdot\vec{b}}{|\vec{a}||\vec{b}|}$ から

$$\sin\theta = \sqrt{1 - \left(\frac{\vec{a}\cdot\vec{b}}{|\vec{a}||\vec{b}|}\right)^2} = \frac{\sqrt{|\vec{a}|^2|\vec{b}|^2 - (\vec{a}\cdot\vec{b})^2}}{|\vec{a}||\vec{b}|} \quad \cdots ①$$

ここで①を（*）に代入

$$S = \frac{1}{2}|\vec{a}||\vec{b}|\sin\theta = \frac{1}{2}|\vec{a}||\vec{b}|\frac{\sqrt{|\vec{a}|^2|\vec{b}|^2 - (\vec{a}\cdot\vec{b})^2}}{|\vec{a}||\vec{b}|} = \frac{1}{2}\sqrt{|\vec{a}|^2|\vec{b}|^2 - (\vec{a}\cdot\vec{b})^2} \quad \leftarrow 完成$$

② ①の公式を利用！

右図より原点 O を始点とし、
$\vec{OA} = \vec{a} = (a_1, a_2)$、$\vec{OB} = \vec{b} = (b_1, b_2)$ とすると
$|\vec{a}|^2 = a_1^2 + a_2^2$、$|\vec{b}|^2 = b_1^2 + b_2^2$、$\vec{a} \cdot \vec{b} = a_1b_1 + a_2b_2$

よって、①の公式より

$$S = \frac{1}{2}\sqrt{(a_1^2 + a_2^2)(b_1^2 + b_2^2) - (a_1b_1 + a_2b_2)^2}$$

$$= \frac{1}{2}\sqrt{a_1^2b_2^2 - 2a_1b_1a_2b_2 + a_2^2b_1^2}$$

$$= \frac{1}{2}\sqrt{(a_1b_2 - a_2b_1)^2} \quad \leftarrow \sqrt{A^2} = |A| \quad \text{覚えておりますか？ ハイ！汗}$$

$$= \frac{1}{2}|a_1b_2 - a_2b_1| \quad \leftarrow \text{完成}$$

①はどうも直接使いにくいゆえ、私は②がお気に入り！

例題　3点 $A(2, 1)$、$B(3, -1)$、$C(1, -2)$ を頂点とする $\triangle ABC$ の面積を求めてみますね。

＜解法＞

公式②の利用。始点を A とする！

$\vec{AB} = \vec{OB} - \vec{OA} = (3, -1) - (2, 1) = (1, -2)$

$\vec{AC} = \vec{OC} - \vec{OA} = (1, -2) - (2, 1) = (-1, -3)$

よって、右枠参照 |（実線の積）－（点線の積）|

$$S = \frac{1}{2}|a_1b_2 - a_2b_1| = \frac{1}{2}|1 \cdot (-3) - (-2) \cdot (-1)| = \frac{5}{2} \quad \text{（答）}$$

(a_1, a_2)　$(1, -2)$
(b_1, b_2)　$(-1, -3)$
たすき掛け！

注：①を利用する場合、直接公式としての使用は控えた方がよいと思います。通常は、内積から $\cos\theta$（＊）を求め

$$S = \frac{1}{2}|\vec{a}||\vec{b}|\sin\theta = \frac{1}{2}|\vec{a}||\vec{b}|\sqrt{1 - \cos^2\theta} = \cdots \quad (\leftarrow (\text{＊})\text{を代入})$$

と、上記の式の流れを示し、解いていくことをおすすめします。

復習 97

点と直線の距離

三角形の面積に触れたので、せっかくですから「**点と直線との距離**」についてもお話しさせてください。これは図形において大変重要でして、特に**円の接線の問題**では、よ～く利用されるんですよ！

> **点と直線との距離**
> 点 $P(x_1, y_1)$ から直線 $\ell: ax + by + c = 0$ におろした垂線の長さを d とすると
> $$d = \frac{|ax_1 + by_1 + c|}{\sqrt{a^2 + b^2}}$$

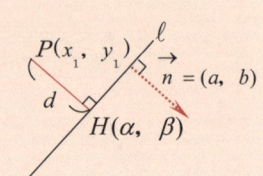

補足：上枠における図を参照

$\ell: ax + by + c = 0$ より、直線 ℓ に対する法線ベクトル $\vec{n} = (a, b)$

また、$PH \perp \ell$ より、$\vec{PH} \parallel \vec{n}$ ゆえ、このベクトルの内積は

$$\vec{PH} \cdot \vec{n} = \pm|\vec{PH}||\vec{n}|$$ 　　平行「なす角 $\theta = 0°, 180°$」より $\cos\theta = \pm 1$

$$\therefore\ d = |\vec{PH}| = \frac{|\vec{PH} \cdot \vec{n}|}{|\vec{n}|}$$ 　← $\vec{PH} = (\alpha - x_1, \beta - y_1)$　$\vec{n} = (a, b)$ より内積計算

$$= \frac{|a(\alpha - x_1) + b(\beta - y_1)|}{\sqrt{a^2 + b^2}}$$

$$= \frac{|(a\alpha + b\beta) - (ax_1 + by_1)|}{\sqrt{a^2 + b^2}} \quad \cdots (*)$$

ここで、点 H は直線 ℓ の点より、$a\alpha + b\beta + c = 0$, $\therefore a\alpha + b\beta = -c$

よって、$(*)$ より、$d = \dfrac{|-c - (ax_1 + by_1)|}{\sqrt{a^2 + b^2}} = \dfrac{|ax_1 + by_1 + c|}{\sqrt{a^2 + b^2}}$ ←完成

例題 点 $P(1, -2)$ と直線 $4x - 3y - 15 = 0$ との距離を求めてみますね。

〈解法〉
$$d = \frac{|4 \cdot 1 - 3 \cdot (-2) - 15|}{\sqrt{4^2 + (-3)^2}} = \frac{|-5|}{\sqrt{25}} = \frac{5}{5} = 1$$

公式とよ～く見比べ、数値を代入してください。また、**絶対値はすべてプラスの値に変えますよ！**

9章
行列

行列は回転（1次変換）で特に威力を発揮するんですが、たぶん「ふ～ん！」程度しか関心がないかと……！？

そこで、ほんの少しでも感動していただきたく、連立方程式が簡単に行列で解けてしまうところをお見せします！

> エッ!? 突然、なんで連立方程式なの…？

連立方程式 $\begin{cases} 2x - y = 4 \\ -3x + 2y = -7 \end{cases}$ を行列を使って解いてみますね。

解きますよ！

$$\begin{pmatrix} 2 & -1 \\ -3 & 2 \end{pmatrix} \begin{pmatrix} x \\ y \end{pmatrix} = \begin{pmatrix} 4 \\ -7 \end{pmatrix} \quad \therefore \begin{pmatrix} x \\ y \end{pmatrix} = \begin{pmatrix} 2 & -1 \\ -3 & 2 \end{pmatrix}^{-1} \begin{pmatrix} 4 \\ -7 \end{pmatrix} = \begin{pmatrix} 2 & 1 \\ 3 & 2 \end{pmatrix} \begin{pmatrix} 4 \\ -7 \end{pmatrix} = \begin{pmatrix} 1 \\ -2 \end{pmatrix} \text{〈答〉}$$

「ネッ！簡単に解けちゃいました。笑　行列って凄いでしょ！？」

> でも、まったく意味不明…？？？

復習 98

行列とはナニ？

行列とは、右のように「数、文字を長方形に並べ両側を（カッコ）でくくったもの」と考えてください。

$$\begin{array}{c}\ \ \ 第1列\ \ \ \ 第2列\ \ \ 第3列\\ \begin{array}{c}第1行\\ 第2行\end{array}\begin{pmatrix}1 & x & 5\\ y & 0 & 7\end{pmatrix}\end{array}$$

そして、ヨコの並びを行、タテの並びを列と呼び、行・列の順番で「m行n列の行列」または「$m\times n$行列」と表現します。よって、右上の行列の場合は「2行3列の行列」または「2×3行列」と表すことになります。

つぎに、行列における数字、文字を成分または要素と言います。たとえば、"7"に関しては「第2行、第3列の成分」または「(2, 3) 成分」と表し、また、右のように文字を使って表すこともあります。右下の小さな字は「第m行第n列の成分」を表し、よって、「"a_{23}"（第2行、第3列の成分）=7」となります。

$$a_{mn}\ :\ a_{23}$$

あと、右の行列のような「2×2行列」「3×3行列」となる「$n\times n$行列」は、形のごとく正方行列と呼びます。

$$\begin{pmatrix}1 & -2\\ 3 & 4\end{pmatrix}$$

$$\begin{pmatrix}1 & 1 & 2\\ 0 & 2 & 7\\ 5 & 7 & 9\end{pmatrix}$$

まずは、ここまでが行列の入り口です。

では、ここまでのことを簡単に確認しておきましょう。

例題1 つぎの行列について、各問いに答えてみますね。

① $(4\ \ 5)$ ② $\begin{pmatrix}1\\ 2\\ -7\end{pmatrix}$ ③ $\begin{pmatrix}9 & 1\\ 2 & 4\end{pmatrix}$ ④ $\begin{pmatrix}6 & 2 & 4\\ 1 & 5 & 7\\ 0 & 8 & 3\end{pmatrix}$

（1）①〜④はそれぞれ何行何列の行列ですか？

（2）①〜④の中で、(1, 3) 成分、(2, 2) 成分は何ですか？

（3）正方行列があれば番号で答えてください。

<解法>
(1) ① 1×2 行列　② 3×1 行列　③ 2×2 行列　④ 3×3 行列

(2) (1, 3) 成分 ⇒ ④ $\begin{pmatrix} 6 & 2 & 4 \\ 1 & 5 & 7 \\ 0 & 8 & 3 \end{pmatrix}$

(2, 2) 成分 ⇒ ③ $\begin{pmatrix} 9 & 1 \\ 2 & 4 \end{pmatrix}$　　④ $\begin{pmatrix} 6 & 2 & 4 \\ 1 & 5 & 7 \\ 0 & 8 & 3 \end{pmatrix}$

(3) 正方行列（$n \times n$ 行列）より、③④

ここまでは大丈夫ですよね！？　　　　　この程度なら問題なし！
では、あとヒトツだけ基本的なお話をさせてください。

下の行列の関係式を見て、右辺の（1, 2）成分、（2, 1）成分

$$\begin{pmatrix} 3 & 7 \\ 2 & 0 \end{pmatrix} = \begin{pmatrix} 3 & x \\ y & 0 \end{pmatrix}$$

の想像はつきますよね。このように、おなじ型の行列が等号で結ばれていたら、両辺の**行列の成分を等しい**と考えてください。あまりにも当然のことのようですが、このことを**行列の相等**と言い「$x=7$、$y=2$」となります。

　　　　　　　　　　　　　　　　　　　　　　了解！ Vサイン！

例題 2　つぎの等式が成り立つよう、x、y、zの値を求めてみますね。

$$\begin{pmatrix} 1 & 7 \\ 8 & x-y \end{pmatrix} = \begin{pmatrix} x+y & 7 \\ 2z & 5 \end{pmatrix}$$

<解法>成分の比較ですね！

　　　$x+y=1$・・・①　　$x-y=5$・・・②　　$2z=8$・・・③

　　　①+②より、$2x=6$ ∴ $x=3$　よって、①より、$y=-2$

　　　また、③より、$z=4$

　　　　　　　　　したがって、　$x=3$、$y=-2$、$z=4$（答）

9章 行列

復習99 行列の加法・減法

行列演算で一番簡単なのがこの和と差なんです。だって、同じ成分同士の計算だけで済みますからね。それゆえ、当然のことですが同じ型の行列同士でしか計算はできません。　　　　　それぐらいはわかるだぶぅ～！

行列の加法・減法

$$\begin{pmatrix} a & b \\ c & d \end{pmatrix} \pm \begin{pmatrix} p & q \\ r & s \end{pmatrix} = \begin{pmatrix} a \pm p & b \pm q \\ c \pm r & d \pm s \end{pmatrix}$$ （複号同順）

例題 つぎの計算をしてみますね。

(1) $\begin{pmatrix} 1 & 5 \\ 2 & 7 \end{pmatrix} + \begin{pmatrix} 2 & -4 \\ 3 & -1 \end{pmatrix}$

(2) $\begin{pmatrix} -5 & 2 \\ 4 & 1 \end{pmatrix} - \begin{pmatrix} -1 & 9 \\ 5 & 1 \end{pmatrix}$

(3) $\begin{pmatrix} 2 & 4 \\ 0 & 5 \end{pmatrix} - \begin{pmatrix} 9 & 5 \\ 2 & -6 \end{pmatrix} + \begin{pmatrix} 7 & 1 \\ 2 & -11 \end{pmatrix}$

A、B、C は同じ型の行列
- $A + B = B + A$（交換法則）
- $(A + B) + C = A + (B + C)$（結合法則）

＜解法＞

(1) $\begin{pmatrix} 1 & 5 \\ 2 & 7 \end{pmatrix} + \begin{pmatrix} 2 & -4 \\ 3 & -1 \end{pmatrix} = \begin{pmatrix} 1+2 & 5+(-4) \\ 2+3 & 7+(-1) \end{pmatrix} = \begin{pmatrix} 3 & 1 \\ 5 & 6 \end{pmatrix}$

(2) $\begin{pmatrix} -5 & 2 \\ 4 & 1 \end{pmatrix} - \begin{pmatrix} -1 & 9 \\ 5 & 1 \end{pmatrix} = \begin{pmatrix} -5-(-1) & 2-9 \\ 4-5 & 1-1 \end{pmatrix} = \begin{pmatrix} -4 & -7 \\ -1 & 0 \end{pmatrix}$

(3) $\begin{pmatrix} 2 & 4 \\ 0 & 5 \end{pmatrix} - \begin{pmatrix} 9 & 5 \\ 2 & -6 \end{pmatrix} + \begin{pmatrix} 7 & 1 \\ 2 & -11 \end{pmatrix} = \begin{pmatrix} 2-9+7 & 4-5+1 \\ 0-2+2 & 5-(-6)+(-11) \end{pmatrix}$

$= \begin{pmatrix} 0 & 0 \\ 0 & 0 \end{pmatrix}$ ← **零行列** 成分がすべて0

復習100

行列の実数倍

行列 A に対し、その各成分を k 倍する場合、行列 A と k の積で表せる。

行列の実数倍 （k、l は実数、A、B は同じ型の行列）

① $k \cdot A = k \begin{pmatrix} p & q & r \\ x & y & z \end{pmatrix} = \begin{pmatrix} k \cdot p & k \cdot q & k \cdot r \\ k \cdot x & k \cdot y & k \cdot z \end{pmatrix}$

② $k(lA) = (kl)A$ ③ $(k+l)A = kA + lA$ ④ $k(A+B) = kA + kB$

補足：行列をアルファベットの大文字で表すことで、和・差および実数倍の計算が文字計算と同様にでき、最後に行列を代入すればOK！ 式の値と同じ感覚ですね！

$1 \cdot A = A$、 $(-1) \cdot A = -A$、 $0 \cdot A = O$、 $k \cdot O = O$ （O：零行列）

例題 $A = \begin{pmatrix} 2 & 1 \\ 1 & 3 \end{pmatrix}$、$B = \begin{pmatrix} 4 & 0 \\ -2 & 1 \end{pmatrix}$ のとき、各問について答えてみますね。

(1) $3A - (2B + A)$ の計算をしてください。

(2) $2X + 5A = B + 4A$ の等式を満たす X を求めてください。

<解法>

(1) $3A - (2B + A) = 3A - 2B - A = 2A - 2B = 2(A - B)$

$= 2 \left\{ \begin{pmatrix} 2 & 1 \\ 1 & 3 \end{pmatrix} - \begin{pmatrix} 4 & 0 \\ -2 & 1 \end{pmatrix} \right\} = 2 \begin{pmatrix} -2 & 1 \\ 3 & 2 \end{pmatrix} = \begin{pmatrix} -4 & 2 \\ 6 & 4 \end{pmatrix}$

(2) $2X + 5A = B + 4A$ $2X = B + 4A - 5A$

$\therefore X = \frac{1}{2}(B - A)$

$= \frac{1}{2} \left\{ \begin{pmatrix} 4 & 0 \\ -2 & 1 \end{pmatrix} - \begin{pmatrix} 2 & 1 \\ 1 & 3 \end{pmatrix} \right\} = \frac{1}{2} \begin{pmatrix} 2 & -1 \\ -3 & -2 \end{pmatrix} = \begin{pmatrix} 1 & -\frac{1}{2} \\ -\frac{3}{2} & -1 \end{pmatrix}$

復習 101

行列の乗法

　行列の積はコツをつかむまでは最初戸惑うと思いますが、でも簡単！まずは**ベクトルにおける内積の成分計算**を思い出してください。

・$\vec{u}=(a,\ b)$、$\vec{v}=(c,\ d)$より、内積の成分計算をしてみます。

$$\vec{u}\cdot\vec{v}=(a,\ b)\underline{(c,\ d)}=ac+bd\ \longrightarrow\ \vec{u}\cdot\vec{v}=(a,\ b)\underline{\begin{pmatrix}c\\d\end{pmatrix}}=ac+bd\ \ (\ast)$$

　　　　　　　　［右側の成分$(c,\ d)$をタテにしてみる］

　この内積の計算で、右側の成分をタテに表現したものが、実は、行列の積と同じなんです。ただ、**行列では成分に点は打ちません**ので、実際はつぎのように表します。

$$\text{行列の積の基本}:(a\ \ b)\begin{pmatrix}c\\d\end{pmatrix}=ac+bd\ \cdots\ ①$$

　このように、先ほどの和・差・実数倍の計算、そして、この積を見てあることに気づきませんか？　実は、**行列演算はベクトル演算と同じ**なんです。そこで、①の2つの特徴的な行列には、つぎの呼び名が付いています。

　　・行の数が1の行列$(a\ \ b)$　：　**「行ベクトル：（1×2 行列）」**

　　・列の数が1の行列$\begin{pmatrix}c\\d\end{pmatrix}$　：　**「列ベクトル：（2×1 行列）」**

　また、この行列の型と①から積のポイントが見えてきませんか？

$$(1\times\underline{2}\ \text{行列})\times(\underline{2}\times1\ \text{行列})=(1\times1\ \text{行列})$$

「左側の行列の**列**と右側の行列の**行**の数が等しいと、積が可能！」

$\Leftrightarrow\ \ (m\times n\ \text{行列})\times(n\times p\ \text{行列})=(m\times p\ \text{行列})$

$\Leftrightarrow$「$(m\times n\ \text{行列})$と$(n\times p\ \text{行列})$の積は$(m\times p\ \text{行列})$になる」

　では、以上のことを踏まえ、具体的に行列の積の流れをお見せします。

一般的な「（2×2 行列：正方行列）同士の積」の計算方法

$$\begin{pmatrix} 1 & 2 \\ 4 & 3 \end{pmatrix} \begin{pmatrix} -2 & 0 \\ -1 & 5 \end{pmatrix} = \begin{pmatrix} -4 & 10 \\ -11 & 15 \end{pmatrix}$$

・計算の流れ

① $\begin{pmatrix} 1 & 2 \\ \circ & \circ \end{pmatrix} \begin{pmatrix} -2 & \circ \\ -1 & \circ \end{pmatrix} = \begin{pmatrix} 1\times(-2)+2\times(-1) & \circ \\ \circ & \circ \end{pmatrix} = \begin{pmatrix} -4 & \circ \\ \circ & \circ \end{pmatrix}$

② $\begin{pmatrix} 1 & 2 \\ \circ & \circ \end{pmatrix} \begin{pmatrix} \circ & 0 \\ \circ & 5 \end{pmatrix} = \begin{pmatrix} \circ & 1\times 0+2\times 5 \\ \circ & \circ \end{pmatrix} = \begin{pmatrix} \circ & 10 \\ \circ & \circ \end{pmatrix}$

③ $\begin{pmatrix} \circ & \circ \\ 4 & 3 \end{pmatrix} \begin{pmatrix} -2 & \circ \\ -1 & \circ \end{pmatrix} = \begin{pmatrix} \circ & \circ \\ 4\times(-2)+3\times(-1) & \circ \end{pmatrix} = \begin{pmatrix} \circ & \circ \\ -11 & \circ \end{pmatrix}$

④ $\begin{pmatrix} \circ & \circ \\ 4 & 3 \end{pmatrix} \begin{pmatrix} \circ & 0 \\ \circ & 5 \end{pmatrix} = \begin{pmatrix} \circ & \circ \\ \circ & 4\times 0+3\times 5 \end{pmatrix} = \begin{pmatrix} \circ & \circ \\ \circ & 15 \end{pmatrix}$

上記に①～④の流れの順に（内積の計算同様）各成分を求めて行く。

9章 行列

例題　つぎの計算をしてみますね。

(1) $\begin{pmatrix} 3 \\ 2 \end{pmatrix}(1 \; -3)$　　(2) $\begin{pmatrix} 1 & 3 \\ -5 & 2 \end{pmatrix}\begin{pmatrix} 1 & 2 \\ 3 & 1 \end{pmatrix}$　　(3) $(-1 \; 2)\begin{pmatrix} 2 & 4 \\ 1 & 0 \end{pmatrix}$

<解法>

(1)　（2×1 行列）×（1×2 行列）＝（2×2 行列）の型

$\begin{pmatrix} 3 \\ 2 \end{pmatrix}(1 \; -3) = \begin{pmatrix} 3\times 1 & 3\times(-3) \\ 2\times 1 & 2\times(-3) \end{pmatrix} = \begin{pmatrix} 3 & -9 \\ 2 & -6 \end{pmatrix}$　（答）

この計算方法は理解しづらいかも！？
とにかく、今は方法を覚えてください！　汗

(2)　（2×2 行列）×（2×2 行列）＝（2×2 行列）の型

$\begin{pmatrix} 1 & 3 \\ -5 & 2 \end{pmatrix}\begin{pmatrix} 1 & 2 \\ 3 & 1 \end{pmatrix} = \begin{pmatrix} 1\times 1+3\times 3 & 1\times 2+3\times 1 \\ -5\times 1+2\times 3 & -5\times 2+2\times 1 \end{pmatrix} = \begin{pmatrix} 10 & 5 \\ 1 & -8 \end{pmatrix}$　（答）

(3)　（1×2 行列）×（2×2 行列）＝（1×2 行列）の型

$(-1 \; 2)\begin{pmatrix} 2 & 4 \\ 1 & 0 \end{pmatrix} = (-1\times 2+2\times 1 \; \; -1\times 4+2\times 0) = (0 \; -4)$　（答）

復習 102

行列の乗法の性質

行列の積の計算方法の説明は終わりましたので、ここでは積の計算練習をしつつ、**乗法計算の性質**についてまとめておきたいと思います。

乗法計算の性質　　行列 A、B、Cは同じ型とする。
① $k(AB) = (kA)B = A(kB)$　　（k は実数）
② $(AB)C = A(BC)$：結合法則 OK！
③ $A(B+C) = AB + AC$、$(A+B)C = AC + BC$：分配法則 OK！
④ $AB \neq BA$　←　超重要：交換法則は成立しない！

補足：積の計算では「左右どちらから行列をかけるのか？」これが重要になってきます。一緒に計算をし、確認してみましょ～！

例題　$A = \begin{pmatrix} 2 & 1 \\ 1 & 3 \end{pmatrix}$、$B = \begin{pmatrix} 1 & -1 \\ 0 & 2 \end{pmatrix}$、$C = \begin{pmatrix} 0 & 1 \\ 3 & 4 \end{pmatrix}$ のとき、つぎの計算をしてみますね。

(1) $(AB)C$　　　(2) $A(BC)$　　　(3) $A(B+C)$
(4) $AB + AC$　　(5) AB　　　　(6) BA

<解法>

(1) $AB = \begin{pmatrix} 2 & 1 \\ 1 & 3 \end{pmatrix}\begin{pmatrix} 1 & -1 \\ 0 & 2 \end{pmatrix} = \begin{pmatrix} 2\times 1+1\times 0 & 2\times(-1)+1\times 2 \\ 1\times 1+3\times 0 & 1\times(-1)+3\times 2 \end{pmatrix} = \begin{pmatrix} 2 & 0 \\ 1 & 5 \end{pmatrix}$

$(AB)C = \begin{pmatrix} 2 & 0 \\ 1 & 5 \end{pmatrix}\begin{pmatrix} 0 & 1 \\ 3 & 4 \end{pmatrix} = \begin{pmatrix} 2\times 0+0\times 3 & 2\times 1+0\times 4 \\ 1\times 0+5\times 3 & 1\times 1+5\times 4 \end{pmatrix} = \begin{pmatrix} 0 & 2 \\ 15 & 21 \end{pmatrix}$

(2) $BC = \begin{pmatrix} 1 & -1 \\ 0 & 2 \end{pmatrix}\begin{pmatrix} 0 & 1 \\ 3 & 4 \end{pmatrix} = \begin{pmatrix} 1\times 0+(-1)\times 3 & 1\times 1+(-1)\times 4 \\ 0\times 0+2\times 3 & 0\times 1+2\times 4 \end{pmatrix} = \begin{pmatrix} -3 & -3 \\ 6 & 8 \end{pmatrix}$

$A(BC) = \begin{pmatrix} 2 & 1 \\ 1 & 3 \end{pmatrix}\begin{pmatrix} -3 & -3 \\ 6 & 8 \end{pmatrix} = \begin{pmatrix} 2\times(-3)+1\times 6 & 2\times(-3)+1\times 8 \\ 1\times(-3)+3\times 6 & 1\times(-3)+3\times 8 \end{pmatrix} = \begin{pmatrix} 0 & 2 \\ 15 & 21 \end{pmatrix}$

(1)(2)より具体的に「**結合法則**」が成り立つことがわかりました！

(3) $B + C = \begin{pmatrix} 1 & -1 \\ 0 & 2 \end{pmatrix} + \begin{pmatrix} 0 & 1 \\ 3 & 4 \end{pmatrix} = \begin{pmatrix} 1+0 & -1+1 \\ 0+3 & 2+4 \end{pmatrix} = \begin{pmatrix} 1 & 0 \\ 3 & 6 \end{pmatrix}$

$A(B+C) = \begin{pmatrix} 2 & 1 \\ 1 & 3 \end{pmatrix} \begin{pmatrix} 1 & 0 \\ 3 & 6 \end{pmatrix} = \begin{pmatrix} 2 \times 1 + 1 \times 3 & 2 \times 0 + 1 \times 6 \\ 1 \times 1 + 3 \times 3 & 1 \times 0 + 3 \times 6 \end{pmatrix} = \begin{pmatrix} 5 & 6 \\ 10 & 18 \end{pmatrix}$

(4) (1) より、$AB = \begin{pmatrix} 2 & 0 \\ 1 & 5 \end{pmatrix}$、$AC = \begin{pmatrix} 2 & 1 \\ 1 & 3 \end{pmatrix} \begin{pmatrix} 0 & 1 \\ 3 & 4 \end{pmatrix} = \begin{pmatrix} 3 & 6 \\ 9 & 13 \end{pmatrix}$

∴ $AB + AC = \begin{pmatrix} 2 & 0 \\ 1 & 5 \end{pmatrix} + \begin{pmatrix} 3 & 6 \\ 9 & 13 \end{pmatrix} = \begin{pmatrix} 5 & 6 \\ 10 & 18 \end{pmatrix}$

(3) (4) より具体的に「分配法則」が成り立つことがわかりました！

(5) (1) より、$AB = \begin{pmatrix} 2 & 0 \\ 1 & 5 \end{pmatrix}$ ← $AB \neq BA$ （ねっ！違うでしょ）

(6) $BA = \begin{pmatrix} 1 & -1 \\ 0 & 2 \end{pmatrix} \begin{pmatrix} 2 & 1 \\ 1 & 3 \end{pmatrix} = \begin{pmatrix} 1 \times 2 + (-1) \times 1 & 1 \times 1 + (-1) \times 3 \\ 0 \times 2 + 2 \times 1 & 0 \times 1 + 2 \times 3 \end{pmatrix} = \begin{pmatrix} 1 & -2 \\ 2 & 6 \end{pmatrix}$

(5) (6) より具体的に「交換法則が成立しない」ことがわかりました！

例題を通して、行列の積で一番注意が必要な「交換法則が成立しない」ことがわかりました。ただし、唯一、**単位行列および零行列の場合のとき**だけは、交換法則が成立するんですね！

・単位行列 E：$E = \begin{pmatrix} 1 & 0 \\ 0 & 1 \end{pmatrix}$ 積に関して相手に影響を与えない、数字の1と同様に考えて。

$AE = EA = A$

・零行列 O：$O = \begin{pmatrix} 0 & 0 \\ 0 & 0 \end{pmatrix}$

$AO = OA = O$

では、乗法計算の性質および行列の積の流れを演習を通して確認ね！

演習166 $A = \begin{pmatrix} 1 & 2 \\ 3 & 1 \end{pmatrix}$、$B = \begin{pmatrix} 0 & 5 \\ -4 & 2 \end{pmatrix}$、$E = \begin{pmatrix} 1 & 0 \\ 0 & 1 \end{pmatrix}$、$O = \begin{pmatrix} 0 & 0 \\ 0 & 0 \end{pmatrix}$ の

とき、つぎの各問について考えてみましょう。

(1) $AE = EA = A$ であることを示してください。

(2) $2(A+E)B - A(E+2B) + (E+O)A$ を計算してください。

復習 103 行列の累乗(n 乗)

　行列の計算は「文字計算の感覚で行い、最後に条件の行列を代入し、行列計算をすれば OK！」でした。しかし、実はそこに落とし穴が隠れているんですね。ドキッ！汗　そこで、累乗計算に関してまとめておきましょう。

行列の累乗計算　A、B は同じ型の行列

① $A^n = A \cdot A^{n-1} = A^{n-1} \cdot A$ （$n \geq 2$）

② $A^m \cdot A^n = A^{m+n}$

③ $(A^m)^n = A^{mn}$

　　　　　　　　　　　　　　　指数計算と同じ！

注意：④～⑥（落とし穴）まで、乗法の展開公式は使えません！

④ $(A+B)^2 = (A+B)(A+B) = A^2 \underline{+ AB + BA} + B^2$

⑤ $(A-B)^2 = (A-B)(A-B) = A^2 \underline{- AB - BA} + B^2$

⑥ $(A+B)(A-B) = A^2 \underline{- AB + BA} - B^2$

行列の積は、通常 $AB \neq BA$ ゆえ、ていねいに展開

例題　$A = \begin{pmatrix} 1 & 2 \\ 2 & 3 \end{pmatrix}$、$B = \begin{pmatrix} 2 & -3 \\ 1 & 0 \end{pmatrix}$、$E = \begin{pmatrix} 1 & 0 \\ 0 & 1 \end{pmatrix}$ のとき、つぎの計算をしてみますね。

（1）A^2　（2）B^2　（3）$(A+B)^2 + (A-B)^2$　（4）$(A+E)^2 - (A-E)^2$

＜解法＞

（1）$A^2 = A \cdot A = \begin{pmatrix} 1 & 2 \\ 2 & 3 \end{pmatrix}\begin{pmatrix} 1 & 2 \\ 2 & 3 \end{pmatrix} = \begin{pmatrix} 1\times1+2\times2 & 1\times2+2\times3 \\ 2\times1+3\times2 & 2\times2+3\times3 \end{pmatrix} = \begin{pmatrix} 5 & 8 \\ 8 & 13 \end{pmatrix}$

（2）$B^2 = B \cdot B = \begin{pmatrix} 2 & -3 \\ 1 & 0 \end{pmatrix}\begin{pmatrix} 2 & -3 \\ 1 & 0 \end{pmatrix}$

$= \begin{pmatrix} 2\times2+(-3)\times1 & 2\times(-3)+(-3)\times0 \\ 1\times2+0\times1 & 1\times(-3)+0\times0 \end{pmatrix} = \begin{pmatrix} 1 & -6 \\ 2 & -3 \end{pmatrix}$

(3) $(A+B)^2 + (A-B)^2 = A^2 + \underline{AB + BA} + B^2 + (A^2 \underline{- AB - BA} + B^2)$

$= A^2 + A^2 + B^2 + B^2$

$= 2(A^2 + B^2)$

$= 2\left\{\begin{pmatrix} 5 & 8 \\ 8 & 13 \end{pmatrix} + \begin{pmatrix} 1 & -6 \\ 2 & -3 \end{pmatrix}\right\}$ ← 各成分同士の和
（∵ (1)(2)）

$= 2\begin{pmatrix} 6 & 2 \\ 10 & 10 \end{pmatrix}$ ← 各成分の実数倍

$= \begin{pmatrix} 12 & 4 \\ 20 & 20 \end{pmatrix}$

(4) $(A+E)^2 - (A-E)^2$ ← $AE = EA$ より、乗法の展開公式可

$= (A^2 + 2AE + E^2) - (A^2 - 2AE + E^2)$ ← $AE = A$、$E^2 = E$

$= A^2 + 2A + E - A^2 + 2A - E$

$= 4A = 4\begin{pmatrix} 1 & 2 \\ 2 & 3 \end{pmatrix} = \begin{pmatrix} 4 & 8 \\ 8 & 12 \end{pmatrix}$

くれぐれも「乗法の展開公式（通常不可）」には気をつけてくださいね！

では、最後に $A = \begin{pmatrix} 2 & 1 \\ -4 & -2 \end{pmatrix}$ における、A^2 を計算してみたいと思います。

$A^2 = \begin{pmatrix} 2 & 1 \\ -4 & -2 \end{pmatrix}\begin{pmatrix} 2 & 1 \\ -4 & -2 \end{pmatrix} = \begin{pmatrix} 2\times 2 + 1\times(-4) & 2\times 1 + 1\times(-2) \\ -4\times 2 + (-2)\times(-4) & -4\times 1 + (-2)\times(-2) \end{pmatrix}$

$= \begin{pmatrix} 0 & 0 \\ 0 & 0 \end{pmatrix}$ ← 零行列　不思議に思いません？

このように行列の積では、零行列でないもの同士の積でも零行列になることがあり、このとき、この行列 A を零因子と言います。

$A \neq O$、$B \neq O$ において、$AB = O$ となるとき、A、B を零因子と言う。よって、

「$A^2 = O \nLeftrightarrow A = O$」「$AB = O \nLeftrightarrow A = O$ または $B = O$」

9章 行列

復習 104
ケーリー・ハミルトンの定理

本・教科書によっては「ハミルトン・ケーリーの定理」との表記もありますが、私は「ケーリー・ハミルトン」で習いましたのでコレで！

まずは、どんな定理であるかを先にお見せしますね。　　とれとれ！？

ケーリー・ハミルトンの定理

$A = \begin{pmatrix} a & b \\ c & d \end{pmatrix}$ のとき、　$A^2 - (a+d)A + (ad-bc)E = O$

逆は成り立たないから注意！

補足：左辺に行列 A を代入しヒタスラ・ひたすら計算をすれば零行列になりますが、それは皆さんにお任せし、私は楽な方で！

$A^2 - (a+d)A + adE = (A - aE)(A - dE)$　← 左辺を因数分解

$= \left\{ \begin{pmatrix} a & b \\ c & d \end{pmatrix} - a\begin{pmatrix} 1 & 0 \\ 0 & 1 \end{pmatrix} \right\} \left\{ \begin{pmatrix} a & b \\ c & d \end{pmatrix} - d\begin{pmatrix} 1 & 0 \\ 0 & 1 \end{pmatrix} \right\}$

$= \left\{ \begin{pmatrix} a & b \\ c & d \end{pmatrix} - \begin{pmatrix} a & 0 \\ 0 & a \end{pmatrix} \right\} \left\{ \begin{pmatrix} a & b \\ c & d \end{pmatrix} - \begin{pmatrix} d & 0 \\ 0 & d \end{pmatrix} \right\}$

$= \begin{pmatrix} 0 & b \\ c & d-a \end{pmatrix} \begin{pmatrix} a-d & b \\ c & 0 \end{pmatrix}$

$= \begin{pmatrix} 0 \times (a-d) + bc & 0 \times b + b \times 0 \\ c \times (a-d) + (d-a) \times c & c \times b + (d-a) \times 0 \end{pmatrix}$

$= \begin{pmatrix} bc & 0 \\ 0 & bc \end{pmatrix}$　　← $bc \begin{pmatrix} 1 & 0 \\ 0 & 1 \end{pmatrix} = bcE$

$= bcE$　← 左辺に移項：(左辺) $= O$

$A^2 - (a+d)A + adE - bcE = O$

$\therefore A^2 - (a+d)A + (ad-bc)E = O$　← 完成

ここでは、この定理の使い方を 2 通りご紹介したいと思います。

例題 1 $A = \begin{pmatrix} a & 3 \\ 1 & b \end{pmatrix}$ のとき、$A^2 - 5A + 3E = O$ をみたす a、b を求めてみますね。

<解法>

$$A^2 - 5A + 3E = O \quad \cdots ①$$

ケーリー・ハミルトンの定理より

$$A^2 - (a+b)A + (ab-3)E = O \quad \cdots ②$$

①－②より、$(a+b-5)A + (6-ab)E = O \quad \cdots ③$

ここで $A \neq kE$ ゆえ、③より （(1, 2)成分、(2, 1)成分が 0 にならないので、それぞれの実数倍の部分が 0 となる！）

$a+b-5 = 0 \cdots ④$ かつ、$6-ab = 0 \cdots ⑤$

④より、$b = 5-a \cdots ⑥$

⑤に⑥を代入、$6 - a(5-a) = 0$、$a^2 - 5a + 6 = 0$

$(a-2)(a-3) = 0 \quad \therefore \ a = 2、3$

よって、⑥より　$(a, b) = (2, 3)、(3, 2) \cdots$（答）

例題 2 $A = \begin{pmatrix} 1 & 2 \\ 1 & 3 \end{pmatrix}$ のとき、$A^4 - 5A^3 + 7A^2 - 9A + 4E$ を計算してみますね。

<解法> 整式の次数を下げる方法！　　私は「0 で割る」と呼んでいる。

ケーリー・ハミルトンの定理より

$A^2 - 4A + E = O \quad \cdots ①$

①で与式を割る！

$A^4 - 5A^3 + 7A^2 - 9A + 4E$
$= (A^2 - 4A + E)(A^2 - A + 2E) + 2E$

ここで $A^2 - 4A + E = O$ より（下線部＝O）

$\therefore A^4 - 5A^3 + 7A^2 - 9A + 4E = 2E = \begin{pmatrix} 2 & 0 \\ 0 & 2 \end{pmatrix} \cdots$（答）

```
                    A^2  - A + 2E
          _____
A^2 - 4A + E ) A^4 - 5A^3 + 7A^2 - 9A + 4E
               A^4 - 4A^3 +  A^2
               _____
                   - A^3 + 6A^2 - 9A
                   - A^3 + 4A^2 -  A
                   _____
                          2A^2 - 8A + 4E
                          2A^2 - 8A + 2E
                          _____
                                    2E
```

9 章　行列

復習 105

逆行列とはナニ？

　逆行列の知識は大変重要でして、この知識を得ることで、やっと行列を使いこなすという段階に足を踏み入れることになります。
　では、まずは「逆行列とは何か？」ですが、実はこれが案外単純な定義なんですよ！

① 逆行列の定義
　単位行列 E、正方行列 A において、
$$AX = XA = E$$
　となる行列 X を A の逆行列といい、A^{-1}（A のインバース）と表す。

② $A = \begin{pmatrix} a & b \\ c & d \end{pmatrix}$ の逆行列 ［逆行列をもつ行列を「正則行列」と呼ぶ！］

　・$\varDelta = ad - bc \neq 0$ のとき、$A^{-1} = \dfrac{1}{ad-bc} \begin{pmatrix} d & -b \\ -c & a \end{pmatrix}$

　・$\varDelta = ad - bc = 0$ のとき、逆行列は存在しない！

補足：a、b、c、d は数字扱いゆえ、4元連立方程式を解きますよ！

$A = \begin{pmatrix} a & b \\ c & d \end{pmatrix}$、$X = \begin{pmatrix} x & y \\ z & w \end{pmatrix}$ とおくと、$AX = \begin{pmatrix} ax+bz & ay+bw \\ cx+dz & cy+dw \end{pmatrix}$

$AX = E$ より

　　$ax + bz = 1 \cdots$ ①　　　　　$ay + bw = 0 \cdots$ ②
　　$cx + dz = 0 \cdots$ ③　　　　　$cy + dw = 1 \cdots$ ④

x、y、z、w について解きます。

　　①$\times d -$③$\times b$　　$(ad-bc)x = d$　　　← z を消す！

　　　∴ $ad - bc \neq 0$ のとき、$x = \dfrac{d}{ad-bc}$

②×dー④×b　$(ad-bc)y = -b$　　←　wを消す！

∴　$ad-bc \neq 0$ のとき、$y = \dfrac{-b}{ad-bc}$

③×aー①×c　$(ad-bc)z = -c$　　←　xを消す！

∴　$ad-bc \neq 0$ のとき、$z = \dfrac{-c}{ad-bc}$

④×aー②×c　$(ad-bc)w = a$　　←　yを消す！

∴　$ad-bc \neq 0$ のとき、$w = \dfrac{a}{ad-bc}$

よって、
$$X = \dfrac{1}{ad-bc}\begin{pmatrix} d & -b \\ -c & a \end{pmatrix}$$

> $ad-bc$ を表す記号
> $\Delta = ad-bc$、$\Delta(X)$、$|X|$
> などがあります。

また、このとき、

$$XA = \dfrac{1}{ad-bc}\begin{pmatrix} d & -b \\ -c & a \end{pmatrix}\begin{pmatrix} a & b \\ c & d \end{pmatrix} = \dfrac{1}{ad-bc}\begin{pmatrix} da-bc & db-bd \\ -ca+ac & -cb+ad \end{pmatrix}$$

$$= \begin{pmatrix} 1 & 0 \\ 0 & 1 \end{pmatrix} = E$$

したがって、$AX = XA = E$ より

$$A^{-1} = \dfrac{1}{ad-bc}\begin{pmatrix} d & -b \\ -c & a \end{pmatrix}$$　　←　完成

逆行列の作り方　符号逆転

$|X|\begin{pmatrix} a & b \\ c & d \end{pmatrix}$　入れ換え

例題　つぎの行列で可能なものだけ、逆行列を求めてみますね。

(1) $\begin{pmatrix} 2 & 6 \\ 1 & 3 \end{pmatrix}$　　(2) $\begin{pmatrix} -3 & 4 \\ 2 & -3 \end{pmatrix}$　　(3) $\begin{pmatrix} 5 & 2 \\ 1 & 0 \end{pmatrix}$

〈解法〉

(1) $\Delta = 2\times 3 - 6\times 1 = 0$　よって、逆行列を持たない。

(2) $\Delta = (-3)\times(-3) - 4\times 2 = 1$　　$\begin{pmatrix} -3 & 4 \\ 2 & -3 \end{pmatrix}^{-1} = \begin{pmatrix} -3 & -4 \\ -2 & -3 \end{pmatrix}$

(3) $\Delta = 5\times 0 - 2\times 1 = -2$　　$\begin{pmatrix} 5 & 2 \\ 1 & 0 \end{pmatrix}^{-1} = -\dfrac{1}{2}\begin{pmatrix} 0 & -2 \\ -1 & 5 \end{pmatrix} = \dfrac{1}{2}\begin{pmatrix} 0 & 2 \\ 1 & -5 \end{pmatrix}$

復習 106

逆行列の性質

行列計算は積だけに気をつければ、文字計算と同様に扱えました。ただし、逆行列を含んだときは、少しだけ注意が必要になってきます。そこで「逆行列の性質」をまとめておきますね！　　　ありがとうございます！

逆行列の性質

① $AA^{-1} = A^{-1}A = E$

② $AX = E$ のとき、$X = A^{-1}$、$XA = E$ のとき、$X = A^{-1}$

③ $(A^{-1})^{-1} = A$

④ $(AB)^{-1} = B^{-1}A^{-1}$ ← 注意！

⑤ 重要：逆行列をかける方向「右側から」「左側から」に注意！

・$AX = P$ のとき、　$X = A^{-1}P$ ← 左から

・$XA = P$ のとき、　$X = PA^{-1}$ ← 右から

補足：④⑤に関して！

④ $(B^{-1}A^{-1})(AB) = B^{-1}(A^{-1}A)B = B^{-1}EB = B^{-1}B = E$

　$(AB)(B^{-1}A^{-1}) = A(BB^{-1})A^{-1} = AEA^{-1} = AA^{-1} = E$

よって、

　$(AB)(B^{-1}A^{-1}) = (B^{-1}A^{-1})(AB) = E$　∴ $(AB)^{-1} = B^{-1}A^{-1}$　← 完成

⑤ $AX = P$ のとき、左側から A^{-1} をかける。

　　$A^{-1}AX = A^{-1}P$

　　　$EX = A^{-1}P$　　∴ $X = A^{-1}P$　← 完成

　$XA = P$ のとき、右側から A^{-1} をかける。

　　$XAA^{-1} = PA^{-1}$

　　　$XE = PA^{-1}$　　∴ $X = PA^{-1}$　← 完成

例題1 つぎの各問いについて考えてみますね。

$$A = \begin{pmatrix} a & 2 \\ 1 & a+1 \end{pmatrix} \qquad B = \begin{pmatrix} 1 & 2 \\ 1 & 3 \end{pmatrix}$$

(1) A が逆行列を持つために、a の値の範囲を求めてください。

(2) $a = -1$ のとき、$(AB)^{-1}$ と $(AB^{-1})^{-1} A$ の行列を求めてください。

〈解法〉

(1) 逆行列を持つ条件：$\Delta \neq 0$

$\Delta = a(a+1) - 2 \neq 0$

$a^2 + a - 2 \neq 0 \qquad (a-1)(a+2) \neq 0 \qquad \therefore a \neq -2、1$

よって、 $a < -2、-2 < a < 1、1 < a$ ・・・（答）

(2) $A = \begin{pmatrix} -1 & 2 \\ 1 & 0 \end{pmatrix}$ より、$AB = \begin{pmatrix} -1 & 2 \\ 1 & 0 \end{pmatrix}\begin{pmatrix} 1 & 2 \\ 1 & 3 \end{pmatrix} = \begin{pmatrix} 1 & 4 \\ 1 & 2 \end{pmatrix}$

$\Delta(AB) = 1 \times 2 - 4 \times 1 = -2 \qquad \therefore (AB)^{-1} = -\dfrac{1}{2}\begin{pmatrix} 2 & -4 \\ -1 & 1 \end{pmatrix} = \dfrac{1}{2}\begin{pmatrix} -2 & 4 \\ 1 & -1 \end{pmatrix}$ （答）

また、$\underbrace{(AB^{-1})^{-1} A = (BA^{-1})}_{\text{性質③④}} A = B(A^{-1}A) = BE = B = \begin{pmatrix} 1 & 2 \\ 1 & 3 \end{pmatrix}$ （答）

例題2 $A = \begin{pmatrix} 3 & 1 \\ 5 & 2 \end{pmatrix} \quad B = \begin{pmatrix} 2 & -3 \\ 1 & -1 \end{pmatrix}$ のとき、$AX = B$、$PB = A$ となる行列 X、P を求めてみますね。

〈解法〉

・$AX = B$　(左側から A^{-1} をかける)　$A^{-1}AX = A^{-1}B \qquad \therefore X = A^{-1}B$ ・・・①

$\Delta(A) = 2 \times 3 - 1 \times 5 = 1$

$A^{-1} = \begin{pmatrix} 2 & -1 \\ -5 & 3 \end{pmatrix} \quad \therefore$ ①より $\quad X = \begin{pmatrix} 2 & -1 \\ -5 & 3 \end{pmatrix}\begin{pmatrix} 2 & -3 \\ 1 & -1 \end{pmatrix} = \begin{pmatrix} 3 & -5 \\ -7 & 12 \end{pmatrix}$ （答）

・$PB = A$　(右側から B^{-1} をかける)　$PBB^{-1} = AB^{-1} \qquad \therefore P = AB^{-1}$ ・・・②

$\Delta(B) = 2 \times (-1) - (-3) \times 1 = 1$

$B^{-1} = \begin{pmatrix} -1 & 3 \\ -1 & 2 \end{pmatrix} \quad \therefore$ ②より $\quad P = \begin{pmatrix} 3 & 1 \\ 5 & 2 \end{pmatrix}\begin{pmatrix} -1 & 3 \\ -1 & 2 \end{pmatrix} = \begin{pmatrix} -4 & 11 \\ -7 & 19 \end{pmatrix}$ （答）

9章 行列

復習 107
連立1次方程式を解く

「(2×2 行列)×(2×1 行列)=(2×1 行列)」であることは、積のところでお話ししました。

$$\begin{pmatrix} 1 & 1 \\ 2 & 3 \end{pmatrix}\begin{pmatrix} x \\ y \end{pmatrix} = \begin{pmatrix} 2 \\ 1 \end{pmatrix} \quad \cdots (*)$$

そこで、($*$)の左辺を計算し、両辺の成分を比較してみます。

$$\begin{pmatrix} x+y \\ 2x+3y \end{pmatrix} = \begin{pmatrix} 2 \\ 1 \end{pmatrix} \longrightarrow \begin{cases} x+y=2 \\ 2x+3y=1 \end{cases} \quad \cdots ①$$

「どうですか?」($*$)の式は、①の連立方程式を表していますよね!

連立1次方程式 ⇔ 行列で表す!

$\begin{cases} ax+by=p \\ cx+dy=q \end{cases}$ は、$\begin{pmatrix} a & b \\ c & d \end{pmatrix}\begin{pmatrix} x \\ y \end{pmatrix} = \begin{pmatrix} p \\ q \end{pmatrix}$ と表せる。

では、($*$)を利用し、①の連立方程式の解を求めてみましょう。

例題 連立方程式 $\begin{cases} x+y=2 \\ 2x+3y=1 \end{cases}$ を行列を使って解いてみますね。

<解法>

$\begin{pmatrix} 1 & 1 \\ 2 & 3 \end{pmatrix}\begin{pmatrix} x \\ y \end{pmatrix} = \begin{pmatrix} 2 \\ 1 \end{pmatrix}$ ← 左側から $\begin{pmatrix} 1 & 1 \\ 2 & 3 \end{pmatrix}^{-1} = \dfrac{1}{3-2}\begin{pmatrix} 3 & -1 \\ -2 & 1 \end{pmatrix}$ をかける。

$\begin{pmatrix} x \\ y \end{pmatrix} = \begin{pmatrix} 1 & 1 \\ 2 & 3 \end{pmatrix}^{-1}\begin{pmatrix} 2 \\ 1 \end{pmatrix}$ ← 左辺= $\begin{pmatrix} 1 & 1 \\ 2 & 3 \end{pmatrix}^{-1}\begin{pmatrix} 1 & 1 \\ 2 & 3 \end{pmatrix} = \begin{pmatrix} 1 & 0 \\ 0 & 1 \end{pmatrix} = E$

↑
単位行列Eとなるので書かない!

$= \begin{pmatrix} 3 & -1 \\ -2 & 1 \end{pmatrix}\begin{pmatrix} 2 \\ 1 \end{pmatrix}$

$= \begin{pmatrix} 3 \times 2 + (-1) \times 1 \\ -2 \times 2 + 1 \times 1 \end{pmatrix} = \begin{pmatrix} 5 \\ -3 \end{pmatrix}$ (答)

加減法だの代入法だの関係ないね!
今後はコレで一発!

復習 108

$P^{-1}AP$ の n 乗

行列の n 乗の問題には代表的なモノが 2 つあって、「$P^{-1}AP$ の n 乗」と「行列の n 乗を予想する」。そこで、まずはコレから！

例題 行列 $A = \begin{pmatrix} 3 & -2 \\ 1 & 0 \end{pmatrix}$、$P = \begin{pmatrix} 1 & 2 \\ 1 & 1 \end{pmatrix}$ のとき、つぎに各問いについて考えてみますね。

(1) $P^{-1}AP$ を計算してください。
(2) $P^{-1}A^nP$（n は自然数）を計算してください。
(3) A^n（n は自然数）を求めてください。

<解法>

(1) $P^{-1} = \dfrac{1}{1-2}\begin{pmatrix} 1 & -2 \\ -1 & 1 \end{pmatrix} = \begin{pmatrix} -1 & 2 \\ 1 & -1 \end{pmatrix}$

$P^{-1}AP = \begin{pmatrix} -1 & 2 \\ 1 & -1 \end{pmatrix}\begin{pmatrix} 3 & -2 \\ 1 & 0 \end{pmatrix}\begin{pmatrix} 1 & 2 \\ 1 & 1 \end{pmatrix} = \begin{pmatrix} -1 & 2 \\ 2 & -2 \end{pmatrix}\begin{pmatrix} 1 & 2 \\ 1 & 1 \end{pmatrix} = \begin{pmatrix} 1 & 0 \\ 0 & 2 \end{pmatrix}$（答）

(2) $(P^{-1}AP)^n = (P^{-1}AP)(P^{-1}AP)(P^{-1}AP)\cdots(P^{-1}AP)$

$= P^{-1}A(PP^{-1})A(PP^{-1})\cdots A(PP^{-1})AP$

$= P^{-1}A^nP$

$PP^{-1} = E$ より、
$P^{-1}\underbrace{AAA\cdots AAAA}_{n \text{コ}}P$
$= P^{-1}A^nP$
となります。

∴ $P^{-1}A^nP = (P^{-1}AP)^n = \begin{pmatrix} 1 & 0 \\ 0 & 2 \end{pmatrix}^n = \begin{pmatrix} 1 & 0 \\ 0 & 2^n \end{pmatrix}$（答）

$\begin{pmatrix} a & 0 \\ 0 & b \end{pmatrix}^n = \begin{pmatrix} a^n & 0 \\ 0 & b^n \end{pmatrix}$
つぎのページ参照

(3) $P^{-1}A^nP = \begin{pmatrix} 1 & 0 \\ 0 & 2^n \end{pmatrix}$ より ← 両辺：左から P、右から P^{-1} をかける！

$A^n = P\begin{pmatrix} 1 & 0 \\ 0 & 2^n \end{pmatrix}P^{-1} = \begin{pmatrix} 1 & 2 \\ 1 & 1 \end{pmatrix}\begin{pmatrix} 1 & 0 \\ 0 & 2^n \end{pmatrix}\begin{pmatrix} -1 & 2 \\ 1 & -1 \end{pmatrix}$

$PP^{-1}A^nPP^{-1} = EA^nE = A^n$

$= \begin{pmatrix} 1 & 2\cdot 2^n \\ 1 & 2^n \end{pmatrix}\begin{pmatrix} -1 & 2 \\ 1 & -1 \end{pmatrix} = \begin{pmatrix} -1+2^{n+1} & 2-2^{n+1} \\ -1+2^n & 2-2^n \end{pmatrix}$（答）

復習 109

正方行列 A^n を求める

ここでは「A^n を推定」し、それを「**数学的帰納法で証明**」する流れをお話ししたいと思います。

コレは問題を通してお話しするのが一番なので、早速例題へ！

例題 行列 $A = \begin{pmatrix} 2 & 0 \\ 0 & 3 \end{pmatrix}$ の A^n を求めてみますね。

〈解法〉 方針として、A^2、A^3 と計算をし A^n を推定する。

$$A = \begin{pmatrix} 2 & 0 \\ 0 & 3 \end{pmatrix}$$

$$A^2 = \begin{pmatrix} 2 & 0 \\ 0 & 3 \end{pmatrix}\begin{pmatrix} 2 & 0 \\ 0 & 3 \end{pmatrix} = \begin{pmatrix} 2\cdot 2 & 0 \\ 0 & 3\cdot 3 \end{pmatrix} = \begin{pmatrix} 2^2 & 0 \\ 0 & 3^2 \end{pmatrix}$$

$$A^3 = A^2 \cdot A = \begin{pmatrix} 2^2 & 0 \\ 0 & 3^2 \end{pmatrix}\begin{pmatrix} 2 & 0 \\ 0 & 3 \end{pmatrix} = \begin{pmatrix} 2^2\cdot 2 & 0 \\ 0 & 3^2\cdot 3 \end{pmatrix} = \begin{pmatrix} 2^3 & 0 \\ 0 & 3^3 \end{pmatrix}$$

よって、

$$A^n = \begin{pmatrix} 2^n & 0 \\ 0 & 3^n \end{pmatrix} \text{と推定される。}$$

そこで、この推定を**数学的帰納法**で証明。

（ⅰ）$n=1$ のとき、

$$A = \begin{pmatrix} 2 & 0 \\ 0 & 3 \end{pmatrix}$$

となり、成り立つ。

（ⅱ）$n=k$ のとき成り立つと仮定すると

$$A^k = \begin{pmatrix} 2^k & 0 \\ 0 & 3^k \end{pmatrix}$$

> これは推定ではなく、絶対に大丈夫だよ！と思いますよね！
> でも「$n=1000000$ のとき大丈夫？」と聞かれて、自信を持って「ハイ！」と答え、相手を納得させるのはチョット辛くありません？
> 数学では具体的な数値の立証では、それはあくまで個々の検証であり、一般性がないのね！そこで、この**数学的帰納法**が威力を発揮するんです。

そこで、$n = k+1$のとき

$$A^{k+1} = A^k \cdot A = \begin{pmatrix} 2^k & 0 \\ 0 & 3^k \end{pmatrix} \begin{pmatrix} 2 & 0 \\ 0 & 3 \end{pmatrix} = \begin{pmatrix} 2^k \cdot 2 & 0 \\ 0 & 3^k \cdot 3 \end{pmatrix} = \begin{pmatrix} 2^{k+1} & 0 \\ 0 & 3^{k+1} \end{pmatrix}$$

よって、$n = k$のとき成り立つと仮定すると、$n = k+1$のときも成り立つ。したがって、(i)(ii)より任意の自然数nについて

$$A^n = \begin{pmatrix} 2^n & 0 \\ 0 & 3^n \end{pmatrix}$$

が成り立つ。

・対角行列 $\begin{pmatrix} \alpha & 0 \\ 0 & \beta \end{pmatrix}$

$\begin{pmatrix} \alpha & 0 \\ 0 & \beta \end{pmatrix}^n = \begin{pmatrix} \alpha^n & 0 \\ 0 & \beta^n \end{pmatrix}$

「数学的帰納法の意味は、上記の流れから理解できますか……？」
簡単に説明しますと、

　$n=1$で成り立ち、つぎに、$n=k$で成り立つと仮定したとき、$n=k+1$で成り立てば（具体的に表しますと「$n=5$で成り立つなら$n=6$でも成り立ち、$n=227$で成り立つなら$n=228$でも成り立つ」のように）まるで"ドミノ倒し"のごとくバタバタと成り立って行く。　このイメージがわきますか？
これは「フェルマーの最終定理」の証明にも使われていたはず！？

　実は、この数学的帰納法は数列で触れなければいけなかったのですが、"証明の項目"でお話しするつもりでした。しかし、行列のこの項目に関してはどうしても避けては通れず……スミマセン！

　では、ここまでの項目で気になる点を演習で確認させてください。

演習 167　連立方程式 $\begin{cases} 2x - y = 3 \\ x - 3y = -1 \end{cases}$ を行列を使って解いてみましょう。

ヒント：逆行列を両辺にかける方向を意識してくださいね！

演習 168　行列 $A = \begin{pmatrix} 7 & 0 \\ 0 & 2 \end{pmatrix}$ の A^n を求めてみましょう。

ヒント：「数学的帰納法」の流れをつかんでくださいね！

9章 行列

復習110

1次変換

座標平面上の点(x, y)が変換f（定数項を含まないx、yの1次式）で点$(x'、y')$に移るとき、この変換を1次変換と言います。　意味不明……涙

当然です！　私もコレではわからないです！　汗

> **1次変換** ＜変換式がx、yについての1次式（定数項なし）である！＞
>
> 変換fにより、点(x, y)→点$(x'、y') = (ax+by,\ cx+dy)$とすると、
> ↑変換式（定数項がないでしょ！）
>
> $$\begin{pmatrix} x' \\ y' \end{pmatrix} = \begin{pmatrix} ax+by \\ cx+dy \end{pmatrix} \quad \longrightarrow \quad \therefore\ f : \begin{pmatrix} x' \\ y' \end{pmatrix} = \begin{pmatrix} a & b \\ c & d \end{pmatrix} \begin{pmatrix} x \\ y \end{pmatrix}$$
>
> このとき、行列$\begin{pmatrix} a & b \\ c & d \end{pmatrix}$が1次変換$f$を表す！

上枠の説明だけではまだイメージできませんよね！　うん……汗・涙

そこで、点$P(x, y)$の変換fによる直線$y=x$に関する対称な点への移動について、考えてみたいと思います。

右図より、点$P(x, y)$の直線$y=x$に関する対称な点を$P'(x', y')$とすると、$(x', y') = (y, x)$となる。そこで、コレをここまでの行列の知識で表すと

$$\begin{pmatrix} x' \\ y' \end{pmatrix} = \begin{pmatrix} y \\ x \end{pmatrix} = \begin{pmatrix} 0 \cdot x + 1 \cdot y \\ 1 \cdot x + 0 \cdot y \end{pmatrix} \quad \longleftrightarrow \quad \begin{pmatrix} x' \\ y' \end{pmatrix} = \begin{pmatrix} 0 & 1 \\ 1 & 0 \end{pmatrix} \begin{pmatrix} x \\ y \end{pmatrix} \quad \cdots (*)$$

となり、$y=x$に関する対称変換fは下線部の行列となるんですね！

よって、（*）は「（*）の右辺に適当な座標(x, y)を入れれば、その座標に対する直線$y=x$に対称な点の座標が求まる！」ということです。

では、早速、典型的な1次変換の問題「**1次変換 f による変換前後の2点の座標から変換 f を表す行列を求める**」というモノの説明をしてみたいと思います。そこで、まずは下の枠内の事柄を理解してください。

$$A\begin{pmatrix}a\\c\end{pmatrix}=\begin{pmatrix}x\\y\end{pmatrix}、\quad A\begin{pmatrix}b\\d\end{pmatrix}=\begin{pmatrix}z\\w\end{pmatrix} \longleftrightarrow A\begin{pmatrix}a&b\\c&d\end{pmatrix}=\begin{pmatrix}x&z\\y&w\end{pmatrix}$$

例題 2点 $(1, 2)$、$(-3, 1)$ をそれぞれ $(8, 5)$、$(-3, -1)$ に移す1次変換 f を求めてみますね。

<解法> 2通りの解法がありますが、面倒な方は別解で！

1次変換 f を表す行列を $\begin{pmatrix}a&b\\c&d\end{pmatrix}$ とおくと、

$$\begin{pmatrix}a&b\\c&d\end{pmatrix}\begin{pmatrix}1\\2\end{pmatrix}=\begin{pmatrix}8\\5\end{pmatrix} \cdots ①\qquad \begin{pmatrix}a&b\\c&d\end{pmatrix}\begin{pmatrix}-3\\1\end{pmatrix}=\begin{pmatrix}-3\\-1\end{pmatrix} \cdots ②$$

①②より　（上の枠内とよ～く比較して）

$$\begin{pmatrix}a&b\\c&d\end{pmatrix}\begin{pmatrix}1&-3\\2&1\end{pmatrix}=\begin{pmatrix}8&-3\\5&-1\end{pmatrix} \quad \leftarrow 両辺の右側から \begin{pmatrix}1&-3\\2&1\end{pmatrix}^{-1} をかける$$

$$\begin{pmatrix}a&b\\c&d\end{pmatrix}\underline{\begin{pmatrix}1&-3\\2&1\end{pmatrix}\begin{pmatrix}1&-3\\2&1\end{pmatrix}^{-1}}_{E}=\begin{pmatrix}8&-3\\5&-1\end{pmatrix}\begin{pmatrix}1&-3\\2&1\end{pmatrix}^{-1} \quad \leftarrow \text{左辺の下線部は E（単位行列）ゆえ消える！}$$

$$\therefore \begin{pmatrix}a&b\\c&d\end{pmatrix}=\begin{pmatrix}8&-3\\5&-1\end{pmatrix}\begin{pmatrix}1&-3\\2&1\end{pmatrix}^{-1}=\frac{1}{7}\begin{pmatrix}8&-3\\5&-1\end{pmatrix}\begin{pmatrix}1&3\\-2&1\end{pmatrix}=\frac{1}{7}\begin{pmatrix}14&21\\7&14\end{pmatrix}=\begin{pmatrix}2&3\\1&2\end{pmatrix} \text{（答）}$$

［別解］

①より $\begin{pmatrix}a+2b\\c+2d\end{pmatrix}=\begin{pmatrix}8\\5\end{pmatrix}$ 　　　　$\therefore \begin{cases}a+2b=8 & \cdots ③\\ c+2d=5 & \cdots ④\end{cases}$

②より $\begin{pmatrix}-3a+b\\-3c+d\end{pmatrix}=\begin{pmatrix}-3\\-1\end{pmatrix}$ 　　　$\therefore \begin{cases}-3a+b=-3 & \cdots ⑤\\ -3c+d=-1 & \cdots ⑥\end{cases}$

そして、「③と⑤」、「④と⑥」それぞれ連立方程式を解き
　　$a=2$、$b=3$、$c=1$、$d=2$ となり・・・（答）

復習 111

１次変換の合成

　１次変換の復習を兼ねて、点 $A(x, y)$ の変換 f による y 軸対称の点 A' への移動を考えてみたいと……。

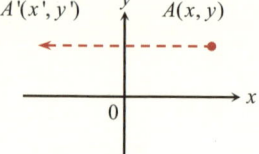

　右図から、点 $A(x, y)$ の y 軸対称の点 $A'(x', y')$ とすると $(x', y') = (-x, y)$ となりますよね。そこでつぎのように表せます。

$$\begin{pmatrix} x' \\ y' \end{pmatrix} = \begin{pmatrix} -x \\ y \end{pmatrix} = \begin{pmatrix} -1 \cdot x + 0 \cdot y \\ 0 \cdot x + 1 \cdot y \end{pmatrix} \longrightarrow \therefore \begin{pmatrix} x' \\ y' \end{pmatrix} = \begin{pmatrix} -1 & 0 \\ 0 & 1 \end{pmatrix} \begin{pmatrix} x \\ y \end{pmatrix} \quad \cdots ①$$

よって、**y 軸対称における変換 f** は下線部の行列となります。

　では、今度は、点 $A'(x', y')$ の変換 g による x 軸対称の点 $A''(x'', y'')$ への移動を考えてみます。

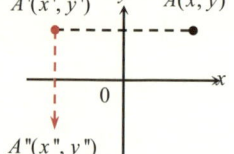

　点 A'' の座標は $(x'', y'') = (x', -y')$ となるので、先ほどと同様、つぎのように表せます。

$$\begin{pmatrix} x'' \\ y'' \end{pmatrix} = \begin{pmatrix} x' \\ -y' \end{pmatrix} = \begin{pmatrix} 1 \cdot x' + 0 \cdot y' \\ 0 \cdot x' - 1 \cdot y' \end{pmatrix} \longrightarrow \therefore \begin{pmatrix} x'' \\ y'' \end{pmatrix} = \begin{pmatrix} 1 & 0 \\ 0 & -1 \end{pmatrix} \begin{pmatrix} x' \\ y' \end{pmatrix} \quad \cdots ②$$

よって、**x 軸対称における変換 g** は下線部の行列となります。

そこで、つぎに①の点 $A'(x', y')$ を②に代入するとどうなると思います？

①②より　　　　　　　　↓点 $A'(x', y')$　　　↓原点対称の変換を表わす行列

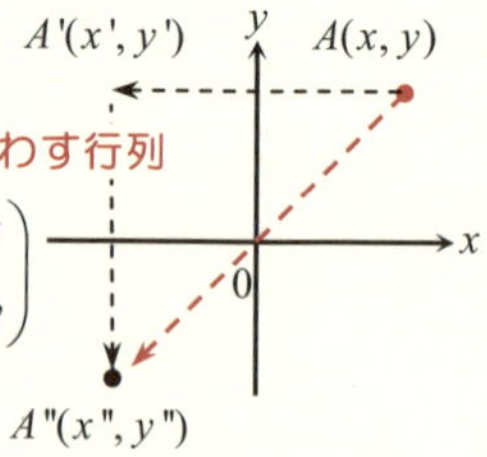

$$\begin{pmatrix} x'' \\ y'' \end{pmatrix} = \underbrace{\begin{pmatrix} 1 & 0 \\ 0 & -1 \end{pmatrix} \begin{pmatrix} -1 & 0 \\ 0 & 1 \end{pmatrix}}_{g \circ f} \begin{pmatrix} x \\ y \end{pmatrix} = \begin{pmatrix} -1 & 0 \\ 0 & -1 \end{pmatrix} \begin{pmatrix} x \\ y \end{pmatrix} = \begin{pmatrix} -x \\ -y \end{pmatrix}$$

　この結果、求められた座標を点 A から見たら、点 A の**原点対称**になっています。ということは、変換 g、f を表す行列の積（$G \cdot F$）が点 A の原点対称の変換を表す行列となります。

このように変換 g と f の積（$G \cdot F$）は「y 軸対称における変換 f」と「x 軸対称における変換 g」を合成したもの、いわゆる「**原点対象における変換**」を表すので、このことを 合成変換 と言い「$g \circ f$」と表します。

$$\begin{pmatrix} x \\ y \end{pmatrix} \xrightarrow{\ f\ } \begin{pmatrix} x' \\ y' \end{pmatrix} = \begin{pmatrix} -x \\ y \end{pmatrix} \xrightarrow{\ g\ } \begin{pmatrix} x'' \\ y'' \end{pmatrix} = \begin{pmatrix} -x \\ -y \end{pmatrix}$$

$$g \circ f$$

[最初に変換 f、つぎに変換 g と、右から左へと変換の順番を表示！]

1 次変換の合成

1 次変換 f、g を表す行列をそれぞれ F、G とすると

・合成関数 $f \circ g \longrightarrow F \cdot G$ （←行列で表示）

・合成関数 $g \circ f \longrightarrow G \cdot F$ （←行列で表示）

合成変換の性質

・交換法則（$f \circ g = g \circ f$）は成り立たない。

・結合法則（$f \circ (g \circ h) = (f \circ g) \circ h$）は成り立つ。

では、今までのことを問題を通して改めて解説してみましょう！

例題 $f:\begin{pmatrix} x \\ y \end{pmatrix} \rightarrow \begin{pmatrix} -1 & 0 \\ 0 & 1 \end{pmatrix}\begin{pmatrix} x \\ y \end{pmatrix}$、$g:\begin{pmatrix} x \\ y \end{pmatrix} \rightarrow \begin{pmatrix} 1 & 0 \\ 0 & -1 \end{pmatrix}\begin{pmatrix} x \\ y \end{pmatrix}$ のとき、$f \circ g$ を求め、また、この 1 次変換により点 $(2, -1)$ が移される点 (x', y') を求めてみますね。

＜解法＞「$f \circ g$」とは、最初に変換 g をし、つぎに変換 f の意！

変換 f、g を表す行列をそれぞれ $F = \begin{pmatrix} -1 & 0 \\ 0 & 1 \end{pmatrix}$、$G = \begin{pmatrix} 1 & 0 \\ 0 & -1 \end{pmatrix}$ とすると

$F \cdot G = \begin{pmatrix} -1 & 0 \\ 0 & 1 \end{pmatrix}\begin{pmatrix} 1 & 0 \\ 0 & -1 \end{pmatrix} = \begin{pmatrix} -1 & 0 \\ 0 & -1 \end{pmatrix}$ （答）　つぎに $\begin{pmatrix} x' \\ y' \end{pmatrix} = \begin{pmatrix} -1 & 0 \\ 0 & -1 \end{pmatrix}\begin{pmatrix} x \\ y \end{pmatrix}$ より

$\begin{pmatrix} x' \\ y' \end{pmatrix} = \begin{pmatrix} -1 & 0 \\ 0 & -1 \end{pmatrix}\begin{pmatrix} 2 \\ -1 \end{pmatrix} = \begin{pmatrix} -2 \\ 1 \end{pmatrix}$　よって、求める点は $(-2, 1)$　（答）

復習 112 — 1次変換の逆変換

1次変換 f、g を表す行列 F、G が、逆行列 F^{-1}、G^{-1} を持つとき、この F^{-1}、G^{-1} は1次変換 f、g の逆変換となり f^{-1}、g^{-1} を表します。

$$\begin{pmatrix} x \\ y \end{pmatrix} \xrightarrow[f^{-1}]{f} \begin{pmatrix} x' \\ y' \end{pmatrix} \xrightarrow[g^{-1}]{g} \begin{pmatrix} x'' \\ y'' \end{pmatrix}$$

① $(f^{-1})^{-1} = f$ ② $(g \circ f)^{-1} = f^{-1} \circ g^{-1}$

補足

① $FF^{-1} = \underline{F^{-1}F = E}$（単位行列）←
　　点線部分において、両辺左側から $(F^{-1})^{-1}$ をかける
　　また、$FF^{-1} = E$ においては、
　　$FF^{-1}(F^{-1})^{-1} = E(F^{-1})^{-1}$
　　と、両辺右側から $(F^{-1})^{-1}$ をかける

$\underline{(F^{-1})^{-1}F^{-1}}F = (F^{-1})^{-1}E$
　↑
$(F^{-1})^{-1}F^{-1} = E$　$F = (F^{-1})^{-1}$　∴ $(f^{-1})^{-1} = f$　← 完成

② $(F^{-1}G^{-1})GF = F^{-1}(\underline{G^{-1}G})F = F^{-1}EF = F^{-1}F = E$ ・・・①

$GF(F^{-1}G^{-1}) = G(\underline{FF^{-1}})G^{-1} = GEG^{-1} = GG^{-1} = E$ ・・・②

①②より　GF に左右から $(F^{-1}G^{-1})$ をかけても E になるので、$(F^{-1}G^{-1})$ は GF の逆行列。

$(GF)^{-1} = F^{-1}G^{-1}$　　∴ $(g \circ f)^{-1} = f^{-1} \circ g^{-1}$　← 完成

例題　1次変換 $f = \begin{pmatrix} 1 & -2 \\ 3 & -1 \end{pmatrix}$ によって、点 A が点 $(-2, 9)$ に移されたとき、点 $A(x, y)$ を求めてみますね。

〈解法〉　上のグレー枠についての問題です。

$\begin{pmatrix} 1 & -2 \\ 3 & -1 \end{pmatrix}\begin{pmatrix} x \\ y \end{pmatrix} = \begin{pmatrix} -2 \\ 9 \end{pmatrix}$　← 両辺の左側から $\begin{pmatrix} 1 & -2 \\ 3 & -1 \end{pmatrix}^{-1}$ をかける

∴ $\begin{pmatrix} x \\ y \end{pmatrix} = \begin{pmatrix} 1 & -2 \\ 3 & -1 \end{pmatrix}^{-1}\begin{pmatrix} -2 \\ 9 \end{pmatrix} = \frac{1}{5}\begin{pmatrix} -1 & 2 \\ -3 & 1 \end{pmatrix}\begin{pmatrix} -2 \\ 9 \end{pmatrix} = \begin{pmatrix} 4 \\ 3 \end{pmatrix}$　よって、点 $A(4, 3)$（答）

復習113

1次変換と直線

ここは問題を通して「1次変換と逆変換」の応用についてのお話です。

例題1 1次変換 $f:\begin{pmatrix}x'\\y'\end{pmatrix}=\begin{pmatrix}2&1\\5&3\end{pmatrix}\begin{pmatrix}x\\y\end{pmatrix}$ によって、直線 $x+y-2=0$ はどのような図形に移されるのか求めてみますね。

<解法>

$\begin{pmatrix}2&1\\5&3\end{pmatrix}\begin{pmatrix}x\\y\end{pmatrix}=\begin{pmatrix}x'\\y'\end{pmatrix}$ ← 両辺の左側から $\begin{pmatrix}2&1\\5&3\end{pmatrix}^{-1}=\dfrac{1}{6-5}\begin{pmatrix}3&-1\\-5&2\end{pmatrix}$ をかける

$\begin{pmatrix}x\\y\end{pmatrix}=\begin{pmatrix}2&1\\5&3\end{pmatrix}^{-1}\begin{pmatrix}x'\\y'\end{pmatrix}=\begin{pmatrix}3&-1\\-5&2\end{pmatrix}\begin{pmatrix}x'\\y'\end{pmatrix}=\begin{pmatrix}3x'-y'\\-5x'+2y'\end{pmatrix}$

∴ $x=3x'-y'$、$y=-5x'+2y'$ ・・・（＊）

（＊）を $x+y-2=0$ に代入

$(3x'-y')+(-5x'+2y')-2=0$ ∴ $-2x'+y'-2=0$

したがって、

求める図形は、$2x-y+2=0$（答）

例題2 1次変換 $f:\begin{pmatrix}x'\\y'\end{pmatrix}=\begin{pmatrix}-1&1\\-3&2\end{pmatrix}\begin{pmatrix}x\\y\end{pmatrix}$ によって、直線 $x-y+1=0$ に移されるもとの図形を求めてみますね。 ← 逆変換の問題！

<解法> 例題1の逆と考える！

変換 f により直線 $x'-y'+1=0$ ・・・（＊）に移ったと考えればOK！

$\begin{pmatrix}x'\\y'\end{pmatrix}=\begin{pmatrix}-1&1\\-3&2\end{pmatrix}\begin{pmatrix}x\\y\end{pmatrix}=\begin{pmatrix}-x+y\\-3x+2y\end{pmatrix}$ より、 $\begin{cases}x'=-x+y & \cdots ①\\y'=-3x+2y & \cdots ②\end{cases}$

よって、（＊）に①②を代入

$(-x+y)-(-3x+2y)+1=0$ ∴ $2x-y+1=0$

したがって、

求める図形は、$2x-y+1=0$（答）

復習114

回 転

平面上において、点 P を原点を中心とし角 θ だけ回転移動したときの点 P' についてのお話です。

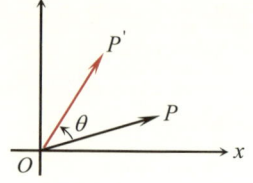

回転角とは？

原点 O のまわりの回転によって、ベクトル $\vec{OP}$ がベクトル $\vec{OP'}$ に移るとき、$\angle POP' = \theta$ を回転角、O を回転の中心と言う。また、このような原点 O を中心とする回転角 θ の回転を回転角 θ の回転と呼ぶ。

そのままジャン！

回転角 θ の回転を 1 次変換 f で表す

$$f : 点 P(x, y) \longrightarrow P'(x', y')$$

$$f : \begin{pmatrix} x' \\ y' \end{pmatrix} = \begin{pmatrix} \cos\theta & -\sin\theta \\ \sin\theta & \cos\theta \end{pmatrix} \begin{pmatrix} x \\ y \end{pmatrix}$$

補足：ここでは加法定理を利用し、1 次変換 f を導いてみます。

右図で点 $P(x, y)$、点 $P'(x', y')$、$OP = OP' = r$、$\angle POx = \alpha$、$\angle POP' = \theta$ とおくと

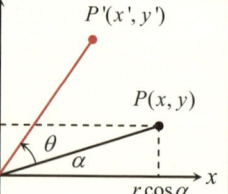

$x = r\cos\alpha$、$y = r\sin\alpha$ ・・・①

$x' = r\cos(\alpha + \theta)$、$y' = r\sin(\alpha + \theta)$ ・・・②

と表せる。そこで、②（加法定理）および①より

$x' = r(\cos\alpha\cos\theta - \sin\alpha\sin\theta) = \underline{r\cos\alpha} \cdot \cos\theta - \underline{r\sin\alpha} \cdot \sin\theta = x\cos\theta - y\sin\theta$

$y' = r(\sin\alpha\cos\theta + \cos\alpha\sin\theta) = \underline{r\sin\alpha} \cdot \cos\theta + \underline{r\cos\alpha} \cdot \sin\theta = y\cos\theta + x\sin\theta$

よって、 　　　　　　下線部は①より置き換え！

$$\begin{pmatrix} x' \\ y' \end{pmatrix} = \begin{pmatrix} x\cos\theta - y\sin\theta \\ x\sin\theta + y\cos\theta \end{pmatrix} = \begin{pmatrix} \cos\theta & -\sin\theta \\ \sin\theta & \cos\theta \end{pmatrix} \begin{pmatrix} x \\ y \end{pmatrix} \quad \leftarrow 完成$$

また、この回転角 θ の変換 f の逆変換 f^{-1} は当然回転角（$-\theta$）より

f^{-1} を表す行列：$\begin{pmatrix} \cos(-\theta) & -\sin(-\theta) \\ \sin(-\theta) & \cos(-\theta) \end{pmatrix} = \begin{pmatrix} \cos\theta & \sin\theta \\ -\sin\theta & \cos\theta \end{pmatrix}$

したがって、**回転の逆変換**は

$f^{-1}: \begin{pmatrix} x' \\ y' \end{pmatrix} = \begin{pmatrix} \cos\theta & \sin\theta \\ -\sin\theta & \cos\theta \end{pmatrix}\begin{pmatrix} x \\ y \end{pmatrix}$

・$\sin(-\theta) = -\sin\theta$　・$\cos(-\theta) = \cos\theta$

または、f^{-1} より $\begin{pmatrix} \cos\theta & -\sin\theta \\ \sin\theta & \cos\theta \end{pmatrix}^{-1}$ を求めても同じ結果になります。

例題 1 回転角 θ が 30°、90°、150° の回転を表す行列を求めてみますね。

<解法>

$\theta = 30°$　$\begin{pmatrix} \cos 30° & -\sin 30° \\ \sin 30° & \cos 30° \end{pmatrix} = \dfrac{1}{2}\begin{pmatrix} \sqrt{3} & -1 \\ 1 & \sqrt{3} \end{pmatrix}$

$\theta = 90°$　$\begin{pmatrix} \cos 90° & -\sin 90° \\ \sin 90° & \cos 90° \end{pmatrix} = \begin{pmatrix} 0 & -1 \\ 1 & 0 \end{pmatrix}$

$\theta = 150°$　$\begin{pmatrix} \cos 150° & -\sin 150° \\ \sin 150° & \cos 150° \end{pmatrix} = \dfrac{1}{2}\begin{pmatrix} -\sqrt{3} & -1 \\ 1 & -\sqrt{3} \end{pmatrix}$

$\sin(180° - \theta) = \sin\theta$ より
$\sin 150° = \sin(180° - 30°) = \sin 30°$
$\cos(180° - \theta) = -\cos\theta$ より
$\cos 150° = \cos(180° - 30°) = -\cos 30°$

例題 2 点 $O = (0, 0)$、点 $A = (2, 4)$、点 $B = (x, y)$ のとき、3 点が正三角形になるように点 B の座標を求めてみますね。

<解法>

右図より、3 点が正三角形のとき
点 B は 2 通りの場合がある。
よって、内角が 60° より

$\begin{pmatrix} x \\ y \end{pmatrix} = \begin{pmatrix} \cos 60° & -\sin 60° \\ \sin 60° & \cos 60° \end{pmatrix}\begin{pmatrix} 2 \\ 4 \end{pmatrix} = \dfrac{1}{2}\begin{pmatrix} 1 & -\sqrt{3} \\ \sqrt{3} & 1 \end{pmatrix}\begin{pmatrix} 2 \\ 4 \end{pmatrix} = \begin{pmatrix} 1-2\sqrt{3} \\ \sqrt{3}+2 \end{pmatrix}$

$\begin{pmatrix} x \\ y \end{pmatrix} = \begin{pmatrix} \cos(-60°) & -\sin(-60°) \\ \sin(-60°) & \cos(-60°) \end{pmatrix}\begin{pmatrix} 2 \\ 4 \end{pmatrix} = \dfrac{1}{2}\begin{pmatrix} 1 & \sqrt{3} \\ -\sqrt{3} & 1 \end{pmatrix}\begin{pmatrix} 2 \\ 4 \end{pmatrix} = \begin{pmatrix} 1+2\sqrt{3} \\ -\sqrt{3}+2 \end{pmatrix}$

したがって、　点 $B\,(1-2\sqrt{3},\ 2+\sqrt{3})$、$(1+2\sqrt{3},\ 2-\sqrt{3})$　（答）

演 習 の 解 答

演習 166

(1) $AE = \begin{pmatrix} 1 & 2 \\ 3 & 1 \end{pmatrix}\begin{pmatrix} 1 & 0 \\ 0 & 1 \end{pmatrix} = \begin{pmatrix} 1 & 2 \\ 3 & 1 \end{pmatrix}$、 $EA = \begin{pmatrix} 1 & 0 \\ 0 & 1 \end{pmatrix}\begin{pmatrix} 1 & 2 \\ 3 & 1 \end{pmatrix} = \begin{pmatrix} 1 & 2 \\ 3 & 1 \end{pmatrix}$ よって、$AE = EA = A$

(2) $2AB + 2B - A - 2AB + A = 2B = 2\begin{pmatrix} 0 & 5 \\ -4 & 2 \end{pmatrix} = \begin{pmatrix} 0 & 10 \\ -8 & 4 \end{pmatrix}$ （答）

演習 167

$\begin{pmatrix} 2 & -1 \\ 1 & -3 \end{pmatrix}\begin{pmatrix} x \\ y \end{pmatrix} = \begin{pmatrix} 3 \\ -1 \end{pmatrix}$ $\therefore \begin{pmatrix} x \\ y \end{pmatrix} = \begin{pmatrix} 2 & -1 \\ 1 & -3 \end{pmatrix}^{-1}\begin{pmatrix} 3 \\ -1 \end{pmatrix} = -\frac{1}{5}\begin{pmatrix} -3 & 1 \\ -1 & 2 \end{pmatrix}\begin{pmatrix} 3 \\ -1 \end{pmatrix} = -\frac{1}{5}\begin{pmatrix} -10 \\ -5 \end{pmatrix} = \begin{pmatrix} 2 \\ 1 \end{pmatrix}$

よって、 $(x, y) = (2, 1)$ （答）

演習 168

$A = \begin{pmatrix} 7 & 0 \\ 0 & 2 \end{pmatrix}$ $A^2 = \begin{pmatrix} 7 & 0 \\ 0 & 2 \end{pmatrix}\begin{pmatrix} 7 & 0 \\ 0 & 2 \end{pmatrix} = \begin{pmatrix} 7^2 & 0 \\ 0 & 2^2 \end{pmatrix}$ $A^3 = A^2 \cdot A = \begin{pmatrix} 7^2 & 0 \\ 0 & 2^2 \end{pmatrix}\begin{pmatrix} 7 & 0 \\ 0 & 2 \end{pmatrix} = \begin{pmatrix} 7^3 & 0 \\ 0 & 2^3 \end{pmatrix}$

よって、

$$A^n = \begin{pmatrix} 7^n & 0 \\ 0 & 2^n \end{pmatrix}$$ と推定される。

そこで、数学的帰納法より

（ⅰ）$n=1$ のとき、

$$A = \begin{pmatrix} 7 & 0 \\ 0 & 2 \end{pmatrix}$$

となり成り立つ。

（ⅱ）$n=k$ のとき成り立つと仮定すると

$$A^k = \begin{pmatrix} 7^k & 0 \\ 0 & 2^k \end{pmatrix}$$

そこで、$n=k+1$ のとき

$$A^{k+1} = A^k \cdot A = \begin{pmatrix} 7^k & 0 \\ 0 & 2^k \end{pmatrix}\begin{pmatrix} 7 & 0 \\ 0 & 2 \end{pmatrix} = \begin{pmatrix} 7^{k+1} & 0 \\ 0 & 2^{k+1} \end{pmatrix}$$

よって、$n=k$ のとき成り立つと仮定すると、$n=k+1$ のときも成り立つ。
したがって、（ⅰ）（ⅱ）より任意の自然数 n について

$$A^n = \begin{pmatrix} 7^n & 0 \\ 0 & 2^n \end{pmatrix}$$

が成り立つ。

10章
式と証明

つぎの①〜③に関して、イメージがわきますか？

① 「恒等式」と「方程式」の違い。
② 「等式：＝」の証明方法。
③ 「不等式：≧、＞0」の証明方法。

では、②について多くの方がやってしまう証明方法をお見せしましょう！

> 等式 $(a+1)(a-1)-a^2=-1$ を証明せよ。 ← 命令形に腹がたちますよね！
>
> [証明]　　$(a+1)(a-1)-a^2=-1$ …（＊）
> 　　　　　　$a^2-1-a^2=-1$
> 　　　　　∴ $-1=-1$
>
> 　　　よって、（左辺）＝（右辺）
> 　　　　　　　　　　　　　　　　おわり

実は、上枠の証明では、**証明にはなりません**！
（＊）の部分に問題があるんですね。（続きは本文で）

はて？
ナンデ…？

復習 115

恒 等 式

早速ですが、つぎの質問について一緒に考えてみませんか？

質問：つぎの 2 つの式で恒等式と思うものを選び、その理由を示してください。

①　$(x+3)^2 = x^2 + 6x + 9$　　　②　$(x+3)^2 = 9$

実は、この「恒等式」と「方程式」の違いが案外わかっていらっしゃらない方が多いんです！　では、恒等式についてお話ししますね。

恒等式：式の中に使われている文字にどんな数（任意な数）を代入しても、常に左辺と右辺の等号が成立する。

では、先ほどの質問に対する答えを……。

　　恒等式は①です。

理由：②の文字 x は、特定の数値に対してしか左辺と右辺の等号が成立しないゆえ、方程式である。しかし、①は任意の数 a を代入しても左辺と右辺の等号が成立する。よって、①は恒等式である。

さて、この恒等式において知っていて欲しい知識に"未定係数法"と言うものがあります。これは未知数である係数を求める方法で「係数比較法」と「数値代入法」の 2 つがあるんですね。

では、問題を通してこの 2 通りの解法をお見せしましょう。

Ⅰ：係数比較法

例題 1　つぎの各式が x の恒等式となるように係数 a、b、c、d を求めてみますね。

(1)　$x^2 + 2 = a(x-1)^2 - b(x+1) + c$

(2)　$x^3 + 1 = a(x+1)^3 - b(x+1)^2 + c(x+1) + d$

<解法>左辺と右辺が等しくなればよいので、まずは右辺を展開！

(1) (右辺)$= a(x^2 - 2x + 1) - bx - b + c = \underline{ax^2 - (2a+b)x + a - b + c}$

　　　　　　　　　　　　　　　　　　　↑ x の降べきの順に並べる！

よって、両辺係数比較より

$$\begin{cases} x^2 &: a = 1 & \cdots ① \\ x &: -(2a+b) = 0 & \cdots ② \\ 定数項 &: a - b + c = 2 & \cdots ③ \end{cases}$$

[数値代入法] ならば、「$x = \pm 1, 0$」を代入し $a、b、c$ の3元連立方程式を解けばOK！

①②より、$-(2+b) = 0$　∴ $b = -2$　・・・④

①③④より、$1 - (-2) + c = 2$　　$3 + c = 2$　∴ $c = -1$

ゆえに、

　　　　　$a = 1$、$b = -2$、$c = -1$ （答）

(2) いやぁ～、見ただけで展開したくはないですよねぇ～！ 涙

そこで、右辺に着目！ $x + 1 = p$ とおくと！← （同じもの）が複数のときは、置き換えを考えてね！

(右辺)$= ap^3 - bp^2 + cp + d$　・・・①

(左辺)$= (p-1)^3 + 1 = p^3 - 3p^2 + 3p - 1 + 1 = p^3 - 3p^2 + 3p$　・・・②

　　　　↑ $x = p - 1$ を代入！ $(a-b)^3 = a^3 - 3a^2b + 3ab^2 - b^3$ ←覚えてますか？

よって、①②の係数比較より

　　　　　$a = 1$、$b = 3$、$c = 3$、$d = 0$ （答）

理屈は単純でしょ！ 問題は計算力かな？ では「数値代入法」ね！

Ⅱ：数値代入法

例題2　$ax^2 - 6x + 3 = a(x-1)(x+p)$ が x の恒等式となるように、$a、p$ の値を求めてみますね。

<解法>恒等式ゆえ、x にどんな値を代入してもOK！← ポイント！

まずは、$x = 0$ を代入し、　$-ap = 3$　∴ $ap = -3$ ・・・①

つぎに $x = 1$ を代入し、$a - 6 + 3 = 0$　∴ $a = 3$ ・・・②

①②より、$3p = -3$　∴ $p = -1$　よって、　$a = 3$、$p = -1$ （答）

補足：両辺ができるだけ小さい数になるよう、代入する値を考える。そこで、$x = 0$ を代入し、また、$x = 1$ で（右辺）$= 0$ となるので、今回は「$x = 0, 1$」を選んで代入．でも、別に他の適当なお好きな数を代入しても問題ありませんよ！ だって、恒等式ですからね！

10章 式と証明

復習116
等式の証明

等式の証明は、我流でやってしまうとなかなか間違いに気づかないんですよ！　そこで、最初に誤答を示すことで流れを理解していただければ、等式の証明など腕力さえあれば何とかなるもの！　　ほんとうかなぁ～……？

例題1　等式 $(a+1)(a-1)-a^2=-1$ を証明してみますね。
　　誤答だよ！
　　証明　　$(a+1)(a-1)-a^2=-1$　・・・$(*)$
　　　　　　　$a^2-1-a^2=-1$　　どこがいけないのでしょうか？　涙
　　　　　　　　　$\therefore\ -1=-1$
　　　　よって、（左辺）＝（右辺）
　　　　　　　　　　　　　　　　おわり

　　上の証明が誤答であるのは至極当然なことなんです。なぜなら、1行目の$(*)$の式から始めた時点で、証明したいはずの（左辺）＝（右辺）が、この証明の流れでは「最初から（左辺）＝（右辺）が前提に左辺だけ展開し『ホラ！右辺とおなじでしょ！』だから（左辺）＝（右辺）」コレではマッタク意味がないのね！　わかっていただけますか？　　言われてみれば……
　　そこで等式の証明方法ですが、これにはつぎの**3パターン**があります。

＊　等式（$A=B$）の証明方法

① $A-B=\cdots=\cdots=0$

　（左辺）－（右辺）＝0ならば、当然、（左辺）＝（右辺）となる。

② $A=\cdots=\cdots=B$

　（左辺）＝展開・変形＝（右辺）　←　一方からもう一方を導く。

③ $\left.\begin{array}{l}A=\cdots=\cdots=C\\B=\cdots=\cdots=C\end{array}\right\} \longrightarrow\ \therefore A=B$

　（左辺）＝展開・変形＝C、（右辺）＝展開・変形＝Cと、直接ではなく、両辺をそれぞれ共通な形に変形し（左辺）＝（右辺）を示す。

たいてい①または②でほとんどの証明ができます。よって、ここでは③を意識しつつ、代表的な証明問題をいくつかご紹介することに。

例題1（リベンジ） 等式 $(a+1)(a-1)-a^2=-1$ を証明してみますね。

[証明] （左辺）$=a^2-1-a^2$
　　　　　　　$=-1=$（右辺）
　　　よって、$(a+1)(a-1)-a^2=-1$
　　　　　　　おわり　　パターン②

> [証明] パターン①
> $(a+1)(a-1)-a^2-(-1)$
> $=a^2-1-a^2+1=0$
> よって、$(a+1)(a-1)-a^2=-1$
> おわり

例題2（条件付） $a+b+c=0$ のとき、$a^2-bc=b^2-ca$ を証明してみますね。

[証明] $a+b+c=0$ より、$c=-a-b$ ・・・①　　<ins>数学の基本！文字減らしです。</ins>

①より（左辺）$=a^2-b(-a-b)=a^2+ab+b^2$

①より（右辺）$=b^2-(-a-b)a=b^2+a^2+ab$ $(=a^2+ab+b^2)$

よって、$a^2-bc=b^2-ca$
　　　　　　　　　　　　おわり　　パターン③

例題3（比例式） $\dfrac{x}{a}=\dfrac{y}{b}=\dfrac{z}{c}$ のとき、$\dfrac{x-(y-z)}{a-(b-c)}=\dfrac{x+y+z}{a+b+c}$ を証明してみますね。

[証明] $\dfrac{x}{a}=\dfrac{y}{b}=\dfrac{z}{c}=k(\neq 0)$ とおくと、　　この比例式の対応$(=k)$の仕方は、証明に限らず頻出ゆえ、シッカリ覚えてください！

$x=ak$、$y=bk$、$z=ck$　・・・①

①より（左辺）$=\dfrac{x-y+z}{a-b+c}=\dfrac{ak-bk+ck}{a-b+c}=\dfrac{k\overline{(a-b+c)}}{\overline{a-b+c}}=k$

①より（右辺）$=\dfrac{ak+bk+ck}{a+b+c}=\dfrac{k\overline{(a+b+c)}}{\overline{a+b+c}}=k$

よって、$\dfrac{x-(y-z)}{a-(b-c)}=\dfrac{x+y+z}{a+b+c}$
　　　　　　　　　　　　　　　　おわり　　パターン③

　この例題1～3が基本、かつ、代表的な問題ゆえ、実際にご自分で手を動かし、何度か証明していただければ十分かと思います。

復習117 不等式の証明

不等式の証明とは、簡単に言うと大小関係の決定！よって、基本的には

（大きいらしいモノ）－（小さいであろうモノ）＞0

が言えれば「不等式の証明」となるんです。
　でも、実際は悲しいかなそれほど単純ではなく、そこで、まずは基本的なモノから順に代表的な問題へと話を進めて行きたいと……。

例題1　つぎの不等式 $x^2 > 6x - 10$ を証明してみますね。

＜解法＞（左辺）の方が（右辺）より大きいことの証明です。

[証明]
$$x^2 - (6x - 10) = x^2 - 6x + 10$$
$$= (x-3)^2 - 9 + 10$$
$$= \underline{(x-3)^2 + 1 > 0}$$

よって、$x^2 > 6x - 10$
　　　　　　　　　　おわり

> 「（左辺）－（右辺）」を計算
> しかし、「$x^2 - 6x + 10$」が x にどんな数を代入しても常に正になるとはこのままでは判断できないですよね？
> そこで、このような2次式の場合は「平方完成」をしてみるんです！
> すると、$(x-3)^2 \geqq 0$ より
> 絶対に　$(x-3)^2 + 1 > 0$　となる。

さて、つぎは「無理数の不等式の証明」をしてみましょう。

例題2　$a > 0$、$b > 0$ のとき、つぎの不等式を証明してみますね。
$$\sqrt{a} + \sqrt{b} > \sqrt{a+b}$$

＜解法＞

[証明]
$$(\sqrt{a} + \sqrt{b})^2 - (\sqrt{a+b})^2$$
$$= a + 2\sqrt{ab} + b - (a+b)$$
$$= a + 2\sqrt{ab} + b - a - b$$
$$= 2\sqrt{ab} > 0$$

よって、
$$(\sqrt{a} + \sqrt{b})^2 > (\sqrt{a+b})^2$$
$$\therefore \sqrt{a} + \sqrt{b} > \sqrt{a+b}$$
　　　　　　　　　　おわり

> $A > 0$、$B > 0$、$A > B \Leftrightarrow A^2 > B^2$ より
> $\sqrt{a} + \sqrt{b} > 0$、$\sqrt{a+b} > 0$、$\sqrt{a} + \sqrt{b} > \sqrt{a+b}$
> $\Leftrightarrow (\sqrt{a} + \sqrt{b})^2 > (\sqrt{a+b})^2 \cdots (*)$
> よって、$(*)$ を証明すれば問題の不等式を証明したことになるわけ！
> そこで、$(\sqrt{a} + \sqrt{b})^2 - (\sqrt{a+b})^2 = \cdots$

復習118

相加・相乗平均

「相加・相乗平均」は不等式の証明に限らず、「最大・最小問題」や「整式の置き換えにおける変域の設定」などに利用され、超重要な知識！

相加・相乗平均　左辺：相加平均(和の平均)、右辺：相乗平均(積の平均)

$a > 0$、$b > 0$ において、$\dfrac{a+b}{2} \geqq \sqrt{ab}$　（等号は $a = b$ で成り立つ）

補足：いくつか証明方法がありますが、ここではこの形のままで！

[証明] $\dfrac{a+b}{2} - \sqrt{ab} = \dfrac{1}{2}(a+b-2\sqrt{ab}) = \dfrac{1}{2}(\sqrt{a}-\sqrt{b})^2 \geqq 0$

よって、$\dfrac{a+b}{2} \geqq \sqrt{ab}$　等号は $\sqrt{a} = \sqrt{b}$　∴ $a = b$ のとき成立。

おわり

経験上、この相加・相乗平均は分母を払い「$a+b \geqq 2\sqrt{ab}$」の形の方が使い勝手がいいですね！

例題1　$a > 0$ のとき、$a + \dfrac{4}{a} \geqq 4$ であることを証明しますね。

<解法> 逆数の和 の形があれば、「相加・相乗平均」を疑ってみる！

[証明] $a > 0$ ゆえ、相加・相乗平均より

$a + \dfrac{4}{a} \geqq 2\sqrt{a \cdot \dfrac{4}{a}} = 2\sqrt{4} = 4$　よって、$a + \dfrac{4}{a} \geqq 4$

等号は $a = \dfrac{4}{a}$　$a^2 = 4$　∴ $a = 2(>0)$ で成り立つ。　おわり

例題2　$x > 0$、$y > 0$ のとき、$\dfrac{y}{x} + \dfrac{x}{y}$ の最小値を求めてみますね。

$x > 0$、$y > 0$ ゆえ、相加・相乗平均より　$\dfrac{y}{x} + \dfrac{x}{y} \geqq 2\sqrt{\dfrac{y}{x} \cdot \dfrac{x}{y}} = 2$　約分で $\sqrt{1} = 1$

等号は $\dfrac{y}{x} = \dfrac{x}{y}$　$x^2 = y^2$　∴ $x = y(>0)$ で成り立つ。よって、最小値 2（答）

10章 式と証明

復習 119

コーシー・シュワルツの不等式

高校の授業ではあまり扱われることがない (?) ようですが、やはりコレも有名なモノですのでお話ししておきたいと思います。

たぶん、文系の方にとっては初めて目にするものかと……？

コーシー・シュワルツの不等式
a、b、c、x、y、z が実数のとき

① $(a^2+b^2)(x^2+y^2) \geq (ax+by)^2$ 　　$\dfrac{x}{a} = \dfrac{y}{b}$ で等号成立

② $(a^2+b^2+c^2)(x^2+y^2+z^2) \geq (ax+by+cz)^2$ 　　$\dfrac{x}{a} = \dfrac{y}{b} = \dfrac{z}{c}$ で等号成立

補足：不等式の証明の練習にはモッテコイデスネ！　　　ガンバ！

①の証明

$$(a^2+b^2)(x^2+y^2) - (ax+by)^2$$
$$= a^2x^2 + a^2y^2 + b^2x^2 + b^2y^2 - (a^2x^2 + 2axby + b^2y^2)$$
$$= a^2x^2 + a^2y^2 + b^2x^2 + b^2y^2 - a^2x^2 - 2axby - b^2y^2$$
$$= a^2y^2 - 2axby + b^2x^2$$
$$= (ay-bx)^2 \geq 0$$

等号が成り立つのは、$ay-bx=0$ ∴ $ay=bx$　$ab \neq 0$ ならば、$\dfrac{x}{a} = \dfrac{y}{b}$

よって、　　$(a^2+b^2)(x^2+y^2) \geq (ax+by)^2$

おわり

公式：$(a+b+c)^2 = a^2+b^2+c^2+2ab+2bc+2ca$

②の証明

$$(a^2+b^2+c^2)(x^2+y^2+z^2) - (ax+by+cz)^2$$
$$= a^2x^2 + a^2y^2 + a^2z^2 + b^2x^2 + b^2y^2 + b^2z^2 + c^2x^2 + c^2y^2 + c^2z^2$$
$$\quad - (a^2x^2 + b^2y^2 + c^2z^2 + 2abxy + 2bcyz + 2cazx)$$

がんばって、ヒタスラ分配してください。

$$= a^2x^2 + a^2y^2 + a^2z^2 + b^2x^2 + b^2y^2 + b^2z^2 + c^2x^2 + c^2y^2 + c^2z^2$$
$$- a^2x^2 - b^2y^2 - c^2z^2 - 2abxy - 2bcyz - 2cazx$$
$$= a^2y^2 + a^2z^2 + b^2x^2 + b^2z^2 + c^2x^2 + c^2y^2 - 2abxy - 2bcyz - 2cazx$$
$$= a^2y^2 - 2abxy + b^2x^2 + b^2z^2 - 2bczy + c^2y^2 + c^2x^2 - 2cazx + a^2z^2$$
$$= (ay - bx)^2 + (bz - cy)^2 + (cx - az)^2 \geq 0$$

等号が成り立つのは、$ay - bx = 0$、$bz - cy = 0$、$cx - az = 0$ より、

∴ $ay = bx$、$bz = cy$、$cx = az$、$abc \neq 0$ ならば、$\dfrac{x}{a} = \dfrac{y}{b} = \dfrac{z}{c}$ のときである。

よって、 $(a^2 + b^2 + c^2)(x^2 + y^2 + z^2) \geq (ax + by + cz)^2$

おわり

　コーシー・シュワルツの不等式を証明するだけで、十分不等式の証明の練習になったと思います。でも、せっかくですので1題だけ、使い方をお見せしますね。

例題 x、y、z が実数で $x + y + z = 3$ のとき、$x^2 + y^2 + z^2 \geq 3$ であることを証明してみますね。

<解法>　　　　　　　　　変数が3コあるときに大変威力を発揮します！

コーシー・シュワルツの不等式より、
$$(1^2 + 1^2 + 1^2)(x^2 + y^2 + z^2) \geq (1 \cdot x + 1 \cdot y + 1 \cdot z)^2$$
$$3(x^2 + y^2 + z^2) \geq 3^2 \quad \leftarrow (x + y + z)^2 = 3^2$$
∴ $x^2 + y^2 + z^2 \geq 3$

等号が成り立つのは $\dfrac{x}{1} = \dfrac{y}{1} = \dfrac{z}{1}$、また、$x + y + z = 3$ より、$x = y = z = 1$ のとき。

よって、 $x^2 + y^2 + z^2 \geq 3$

慣れるまではなかなか使いこなせないものです！

おわり

補足：この問題は、最小値の問題としても考えられます。いわゆる、「x、y、z が実数で $x + y + z = 3$ のとき、$x^2 + y^2 + z^2$ の最小値を求めよ」と出題されても、最後すこし言葉を足さなければいけませんが、同様な流れで答案を作るだけですからね！　そろそろ頭の許容量が限界かも？ 涙

復習120

絶対値の不等式

　不等式の最後は、**絶対値**です。この絶対値は大変嫌われモノゆえ、だからこそ強いて扱ってみたいと。ここで扱う問題はたった1題。この証明は、知らないと出来ないものゆえ、ぜひ流れをつかんでください。

　では、まずは基本的な絶対値計算の確認をしましょう！　　ドキッ！汗

- $|a+b|^2 = a^2+2ab+b^2$　・$|a|=|-a|$　・$|a||b|=|ab|$　・$\dfrac{|b|}{|a|}=\left|\dfrac{b}{a}\right|$
- $(|a|+|b|)^2 = |a|^2+2|a||b|+|b|^2 = a^2+2|ab|+b^2$　← $|a|^2=a^2$、$|b|^2=b^2$

例題　(有名問題) つぎの不等式を証明してみますね。

$$\underbrace{|a|-|b|}_{(ii)} \leqq |a+b| \leqq \underbrace{|a|+|b|}_{(i)}$$

〈解法〉 証明しやすい方から始める。

(ⅰ)：$|a+b| \leqq |a|+|b|$ について

$|a+b| \geqq 0$、$|a|+|b| \geqq 0$ より、　← $|a+b|^2 \leqq (|a|+|b|)^2$ が証明できればOK！

$$\therefore (|a|+|b|)^2 - |a+b|^2 = a^2+2|a||b|+b^2-(a^2+2ab+b^2)$$
$$= a^2+2|a||b|+b^2-a^2-2ab-b^2$$
$$= 2(|ab|-ab) \geqq 0 \quad \leftarrow |ab| \geqq ab$$

ゆえに、$(|a|+|b|)^2 \geqq |a+b|^2$

よって、$|a+b| \leqq |a|+|b|$　・・・①

(ⅱ)：$|a|-|b| \leqq |a+b|$ について

$$|a| = |(a+b)+(-b)| \leqq |a+b|+|-b| = |a+b|+|b| \quad \cdots (*)$$

さて、この（*）の式が重要なんですが、たぶん意味不明かと……
「でも、当然です！」　では、順を追って解説して行きますね！

まず、$|a|=|(a+b)+(-b)|$　この強引（？）な変形ですが、実は①の結果を利用したいためなんですよ！　なぜなら、つぎの流れを見てください。

$$|(a+b)+(-b)| \leqq |a+b|+|-b| \quad \Leftrightarrow \quad |a+b| \leqq |a|+|b| \cdots ①$$

「両側の不等式の関係が同じモノに見えますか？」

もし、辛ければ「$(a+b)=A$、$(-b)=B$」と置き換えてみましょう。
①の結果より、$|A+B| \leqq |A|+|B|$ が成り立ちます。
だから、$|A+B| \leqq |A|+|B| \Leftrightarrow |(a+b)+(-b)| \leqq |a+b|+|-b| \cdots ②$

そして、②の右辺：$|a+b|+|-b| = |a+b|+|b| \cdots ③ \leftarrow |-b|=|b|$

よって、（＊）②③より
$$|a| \leqq |a+b|+|b| \quad \leftarrow 右辺の|b|を左辺へ移項$$
$$\therefore \quad |a|-|b| \leqq |a+b| \quad \cdots ④$$

したがって、①④より
$$|a|-|b| \leqq |a+b| \leqq |a|+|b| \quad \leftarrow 完成$$

では、長々と解説を入れましたので、**実際の解答ね！**

[証明]
　（ⅰ）省略
　（ⅱ）$|a|-|b| \leqq |a+b|$ について
　　　$|a|=|(a+b)+(-b)| \leqq |a+b|+|-b|=|a+b|+|b|$
　　　　$\therefore \quad |a|-|b| \leqq |a+b|$
　よって、（ⅰ）（ⅱ）より
　　　$|a|-|b| \leqq |a+b| \leqq |a|+|b|$

　　　　　　　　　　　　　　　　　おわり

何度も何度も考えながら繰り返し写せば、必ず理解できますからね！ガンバ！

絶対値記号があるだけで難しく見えてしまいますよね！　でも、大変シンプルな証明ですので、ぜひ、ジックリと読んでみてもらえればうれしく思います。では、これで「不等式の証明」の項目は終了ね！　ホッ！！汗

ゴメンナサイ！笑

やはり、最後に**演習**という形で、理解度の確認をしたいと思います。

演習169　［**恒等式**］xの方程式 $(k+1)x^2+(2-3k)x+2k-3=0$ は、k の値にかかわらず、$x=\boxed{}$ の解を持つ。□を埋めてください。

ヒント：「k の値にかかわらず」とは、k がどんな値であろうと、この方程式を満たす解が存在するゆえ、この式を k の**恒等式**と考えて、左辺を k について**降べきの順**に並べ替えてみる。

演習170　つぎの**等式**を証明してみましょう。

$$a:b=c:d \text{ のとき、} \frac{a}{b}=\frac{a+2c}{b+2d}$$

ヒント：$a:b=c:d \Leftrightarrow \dfrac{a}{b}=\dfrac{c}{d}$

演習171　つぎの**不等式**を証明してみましょう。

(1) $x^2-xy+y^2 \geq 0$

(2) $a>2$、$b>2$ のとき、$ab>a+b$

ヒント：(1)（左辺）＝**平方完成**　(2) $ab-(a+b)=\cdots$

演習172　［**相加・相乗平均**］つぎの**不等式**を証明してみましょう。

(1) $x>0$、$y>0$ のとき、$x+y+\dfrac{1}{x}+\dfrac{1}{y} \geq 4$

(2) $a>0$、$b>0$、$c>0$ のとき、$(a+b)(b+c)(c+a) \geq 8abc$

ヒント：(1) **逆数の和に注目！**　(2) なんとか気づいてください。

演習 の 解 答

演習 169

k にどんな数を入れても成り立つのであれば、この式を k の恒等式と考えれば良いわけでして、よって、k について降べきの順に並べる。

$kx^2 + x^2 + 2x - 3kx + 2k - 3 = 0$
$(x^2 - 3x + 2)k + (x^2 + 2x - 3) = 0$ ←
$(x-1)(x-2)k + (x-1)(x+3) = 0$ ←

∴ $x = 1$ （答）

<方針>
k の1次式で、k の値にかかわらず成り立つためには、k の係数と定数項がそれぞれ、ある x で 0 になればよい。
k の係数と定数項を 0 にする x の値は？

演習 170

[証明]

$a : b = c : d$ より　← 両辺の比が等しいゆえ、「比の値」も等しい。

∴ $\dfrac{a}{b} = \dfrac{c}{d}$ となり、$\dfrac{a}{b} = \dfrac{c}{d} = k\,(\neq 0)$ とおくと、

$a = bk$、$c = dk$ ・・・① となる。

①と与式の（左辺）および（右辺）より

（左辺）$= \dfrac{a}{b} = \dfrac{bk}{b} = k$ ・・・②

（右辺）$= \dfrac{a+2c}{b+2d} = \dfrac{bk+2dk}{b+2d} = \dfrac{(b+2d)k}{b+2d} = k$ ・・・③

よって、②③より

$$\dfrac{a}{b} = \dfrac{a+2c}{b+2d}$$

おわり

> 「$a:b$」これは「a は b の何倍か？」を表しています。よって、それを計算したものが「比の値」なんです。よって、「$a:b$」の比の値は、$\dfrac{a}{b}$ となります。

演習 171

(1) [証明]

（左辺）$= \left(x - \dfrac{1}{2}y\right)^2 + \dfrac{3}{4}y^2 \geqq 0$

等号は $x = y = 0$ で成り立つ。

よって、　$x^2 - xy + y^2 \geqq 0$

おわり

> $x^2 - yx + y^2$ を x の2次式と考え、y は数字扱い！ よって、定数項 y^2 は無視。詳しいことは平方完成を参照！
>
> $x^2 - yx + y^2 = \left(x - \dfrac{1}{2}y\right)^2 - \dfrac{1}{4}y^2 + y^2$
>
> $= \left(x - \dfrac{1}{2}y\right)^2 + \dfrac{3}{4}y^2$

10章 式と証明

443

(2)

[証明]
$$ab-(a+b)=ab-a-b$$
$$=(a-1)(b-1)-1>0$$

← 積を含んだ式に直すのは慣れと決まり！

> $a>2$ より、$a-1>1$
> $b>2$ より、$b-1>1$
> よって、$(a-1)(b-1)>1$
> ∴ $(a-1)(b-1)-1>0$

よって、$a>2$、$b>2$ のとき、
$$ab>a+b$$

おわり

演習172

(1)

[証明] $x>0$、$y>0$ ゆえ、相加・相乗平均より

$$（左辺）=\left(x+\frac{1}{x}\right)+\left(y+\frac{1}{y}\right)\geqq 2\sqrt{\underbrace{x\cdot\frac{1}{x}}_{1}}+2\sqrt{\underbrace{y\cdot\frac{1}{y}}_{1}}=4$$

等号は、$x=\dfrac{1}{x}$、$y=\dfrac{1}{y}$ および $x>0$、$y>0$ より、$x=y=1$ で成り立つ。

よって、
$$x>0、y>0 のとき、x+y+\frac{1}{x}+\frac{1}{y}\geqq 4$$

おわり

(2)

[証明] $a>0$、$b>0$、$c>0$ ゆえ、相加・相乗平均より

$$（左辺）=(a+b)(b+c)(c+a)\geqq 2\sqrt{ab}\times 2\sqrt{bc}\times 2\sqrt{ca}=8\sqrt{a^2b^2c^2}=8abc$$

等号は、$a=b=c$ で成り立つ。

よって、
$$a>0、b>0、c>0 のとき、(a+b)(b+c)(c+a)\geqq 8abc$$

おわり

11章
集合

「机の上に果物が10個ある」
さて、コレを"集合"と呼べるでしょうか？　　"集まり"なんだから言えるでしょ!?

実は、集合にもちゃ～んと定義があるんです。
「集合とは、ハッキリと区別できる「モノ」の集まりである」

よって、「リンゴ4コ、みかん5コ、メロン1コで10個の果物がある」であれば、"集合"と言えるんですね！

そこで、集合に関しては、つぎの3点について詳しくお話をしたいと思います。

- 記号（∩、∪、⊂、⊃、⊆、∋……etc）
- ベン図　← 四角の中に丸が入っているヤツね！　わかるかな？汗
- 「ド・モルガンの法則」⇔ ・ $\overline{A \cup B} = \overline{A} \cap \overline{B}$
　　　　　　　　　　　　・ $\overline{A \cap B} = \overline{A} \cup \overline{B}$

復習 121

集合とはナニ？

集合と聞いて、どのようなイメージを持たれますか？

たとえば「30人の集団がいます」コレでは、単なる人の集まりで集合とは言えないのね。でも「男子13人、女子17人」と条件が付くと、今度は、**男子というカタマリ**、**女子というカタマリ**として区別できるので、**集合**と言うことができるんですよ。　　　　へぇ〜……、そう言うもんなんだ！

では、集合とはどのように**定義**されているのか？

集合とは？

　　　　はっきりと区別できる「モノ」の集まりである。

　　・有限集合：要素が有限個　　　・無限集合：要素が無限個

そこで、1〜10までの自然数を並べてみました。

　　U：1、2、3、4、5、6、7、8、9、10

つぎに、2枚のお皿 A、B を用意し、つぎのような作業をします。

　　A：「偶数」だけおく　　→　2、4、6、8、10

　　B：「3の倍数」だけおく　→　3、6、9

すると、この2つはハッキリと区別できる「モノ」の集まりとなるので、集合 A、B と言える。また、この集合を構成している「モノ」を "**要素（または元）**" と呼び、この要素の表記法として **{要素をすべて書く}**、もしくは、**{整式｜整式の変数の条件を示す}** の2通りがあるんです。

・要素をすべて書く　　・整式で示す（条件の文字は x 以外でもOK！）

　$A=\{2、4、6、8、10\}$　　$A=\{x \mid x は10以下の偶数かつ自然数\}$

　　　　　　　　　　　　　　$A=\{2n \mid n=1、2、3、4、5\}$

$$\left[B=\{\ 3、6、9\ \} \quad \middle| \quad \begin{array}{l} B=\{x \mid x \text{ は 10 以下の 3 の倍数かつ自然数}\} \\ B=\{3n \mid n=1、2、3\} \end{array} \right]$$

ここまでの「集合の定義」「要素の表し方」はよろしいですか？
では、つぎは集合独特の「記号の表記」および「言葉」の解説です。

・集合と要素の関係を表す：「($\ni$、$\in$)($\not\ni$、$\notin$)」

集合 A について考えてみますね。$A=\{\ 2、4、6、8、10\ \}$

集合 A において「2 が集合 A の要素である」ということを示すとき、

$$A \ni 2 \ (2 \in A) \quad 当然、A \ni 4、A \ni 6 \cdots$$

と表します。また、「7 は集合 A の要素ではない」というときは、

$$A \not\ni 7 \ (7 \notin A)$$

と表すんですね。

・部分集合を表す ←（集合におけるその一部分を指す）

集合 $B=\{\ 3、6、9\ \}$ についてのすべての部分集合を考えてみます。
集合 B の一部分をパターン別（1コ 2コ 3コ）に要素を書き出すだけ。

　　　　$\{3\}$　$\{6\}$　$\{9\}$　$\{3、6\}$　$\{3、9\}$　$\{6、9\}$　$\{3、6、9\}$ ← 何かが足りないぞ!?

すると、この 7 組しか部分としては考えられないですよね!? でも、実は、部分集合を考えるとき、「空集合：ϕ（ファイ）」という「要素を持たない集合」も含まれるんです。

よって、改めて正しく集合 B の部分集合を表すと

　　　ϕ　$\{3\}$　$\{6\}$　$\{9\}$　$\{3、6\}$　$\{3、9\}$　$\{6、9\}$　$\{3、6、9\}$

のようになります。

> 注意：空集合はすべての集合の部分集合になる！
> 空集合：「ϕ、または、$\{\ \}$」で表します。

11章 集合

演習 173　つぎの集合の部分集合をすべて書き出してみましょう。

(1)　$A=\{2n \mid 0 \leq n < 4 \text{ かつ正の整数}\}$

(2)　$A=\{x \mid x \text{ は 3 以下の素数}\}$

復習122

集合とベン図

前のページの集合を使って引き続き話を進めて行きましょう。
今、1〜10までの自然数の集まりを**全体集合**Uとします。

$U = \{1、2、3、4、5、6、7、8、9、10\}$
$A = \{2、4、6、8、10\}$
$B = \{3、6、9\}$

・混乱する記号
$\ni$：要素と集合の関係を表す。
$\supset$：集合同士の関係
$\supseteq$ を表す。

そこで、集合U、A、Bの関係を調べてみたいと思います。
各集合A、Bの要素がすべて集合Uの要素になっていますよね！
このとき、「集合A、Bは集合Uの**部分集合**」と言います。
そして、記号ではつぎのように表記します。Aについてだけね！ 他も同様。

$$U \supset A、U \supseteq A、U \supseteqq A（A \subset U、A \subseteq U、A \subseteqq U）$$

ただし、ここで注意しなければいけない点があって、単に部分集合と言う場合、要素がマッタク同じ集合同士（$U = A$）も含むのね。よって、ここでのUとAの関係を正確に表すのであれば

$$U \supsetneq A、U \supsetneqq A \Leftrightarrow U \supset A、かつ、U \neq A$$

となり、このような場合は「AはUの**真部分集合**」と言います。

↑完全にAがUに飲み込まれているイメージ！

さて、そろそろこのへんで「**ベン図**」を使って話を進めて行きたいのですが、ベン図とは「**集合を視覚的に表したもの**」なんです。

＊ベン図
　3つの集合の関係をベン図で表すと下図のようになります。

$U = \{1、2、3、4、5、6、7、8、9、10\}$
$A = \{2、4、6、8、10\}$
$B = \{3、6、9\}$

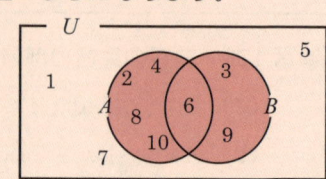

では、ここからはベン図も併用して行きましょ～！

・共通部分とベン図

「集合 A と B」の要素の共通部分を ∩ (キャップ) を使って表します。

$A \cap B = \{6\}$
　　↑「交わり」とも言い、「かつ」の意

・和集合とベン図

↓両方の要素を一緒にする。

「集合 A と B」の要素の和集合を ∪ (カップ) を使って表します。

$A \cup B = \{2、3、4、6、8、9、10\}$
　　↑「結び」とも言い、「または」の意

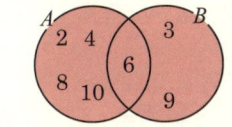

・補集合とベン図

全体集合 U において、集合 A の要素以外の要素の集合を A の補集合と呼び、$\overline{A}$ (Aバー) と表します。

$\overline{A} = \{x \mid x \notin A 、x \in U\}$
　　　　　　‾‾‾‾‾‾‾‾‾‾‾‾‾‾‾‾‾‾
「x は A の要素以外の全体集合の要素」の意

$\overline{A} = \{1、3、5、7、9\}$　　性質：$(\overline{\overline{A}}) = A$、$\overline{U} = \phi$、$\overline{\phi} = U$

性質「2回否定すれば、A に戻る」「全体集合の否定は、空集合」
　　「空集合の否定は、全体集合」これらは問題ないですよね？

ベン図の基本的なお話は以上で終わりです。あとは慣れだけですね。

補足

ベン図の集合を表す円が常に交わっているとは限りません。

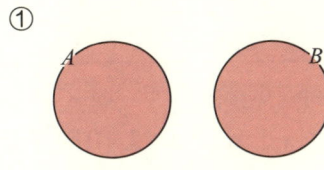

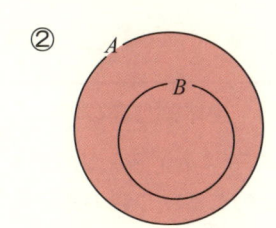

① ・$A \cap B = \phi$

② ・$A \cap B = B$　・$A \cup B = A$
　　$A \supset B \Leftrightarrow$「$B$ は A の真部分集合」

11章 集合

では、あといくつかの集合同士の関係について確認したく、ここから先は前ページの続きを例題として話を進めさせてください。

例題 全体集合を $U=\{1、2、3、4、5、6、7、8、9、10\}$ とし、$A=\{2、4、6、8、10\}$、$B=\{3、6、9\}$ とする。

このとき、つぎの集合を求めてみますね。

(1) $\overline{B}$　　(2) $\overline{A\cap B}$　　(3) $\overline{A\cup B}$　　(4) $\overline{A}\cap B$

(5) $A\cap\overline{B}$　　(6) $\overline{A}\cap\overline{B}$　　(7) $\overline{A}\cup\overline{B}$

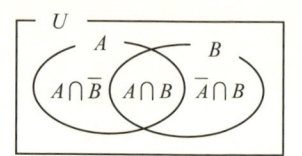

<解法> (2)(6)と(3)(7)の違いを確認！

(1) $\overline{B}=\{1、2、4、5、7、8、10\}$ ← U から B の要素を引く

(2) $\overline{A\cap B}=\{1、2、3、4、5、7、8、9、10\}$ ← U から $A\cap B=\{6\}$ を引く
　　↑「U において、$A\cap B=\{6\}$ 以外の要素を持つ集合」の意

(3) $\overline{A\cup B}=\{1、5、7\}$ ← U から $A\cup B=\{2、3、4、6、8、9、10\}$ を引く
　　↑「U において、$A\cup B$ 以外の要素を持つ集合」の意

(4) $\overline{A}\cap B=\{3、9\}$ ← $\overline{A}=\{1、3、5、7、9\}$、$B=\{3、6、9\}$ の共通部分

(5) $A\cap\overline{B}=\{2、4、8、10\}$ ← A と(1)の共通部分

(6) $\overline{A}\cap\overline{B}=\{1、5、7\}$ ← $\overline{A}=\{1、3、5、7、9\}$ と(1)の共通部分
　　↑「$\overline{A}$ と $\overline{B}$ の共通な要素を持つ集合」の意

(7) $\overline{A}\cup\overline{B}=\{1、2、3、4、5、7、8、9、10\}$ ← $\overline{A}$ と(1)の要素の和
　　↑「$\overline{A}$ と $\overline{B}$ の要素の和の集合」の意

演習174 全体集合を $U=\{1、2、3、4、5、6、7、8、9、10\}$ とし、$A=\{x\mid x$ は1ケタの素数$\}$、$B=\{x\mid x^2-4x+3=0\}$ とする。

このとき、つぎの集合を求めてみましょう。

(1) $\overline{B}$　　(2) $\overline{U}$　　(3) $A\cap B$　　(4) $\overline{A\cup B}$

(5) $\overline{A}\cap B$　　(6) $\overline{A}\cup\overline{B}$　　(7) $\overline{A}\cap\overline{B}$　　(8) $\overline{A\cap B}$

復習 123

ド・モルガンの法則

　集合をやるからには、この「ド・モルガンの法則」の話は避けられず、また、命題における否定で大変便利なんですよ！　　　　意味不明……

ド・モルガンの法則

左辺：上の横棒を 2 本に分け、記号をひっくり返す！
↑↓
右辺：上の別々の横棒を 1 本にし、記号をひっくり返す！

① $\overline{A \cup B} = \overline{A} \cap \overline{B}$　　　　② $\overline{A \cap B} = \overline{A} \cup \overline{B}$

補足：①の証明はベン図を使って表してみます。

ⅰ：(左辺)：$\overline{A \cup B}$ ⇔ $A \cup B$ 以外の部分

$A \cup B$　　　　　　　　　　　$\overline{A \cup B}$

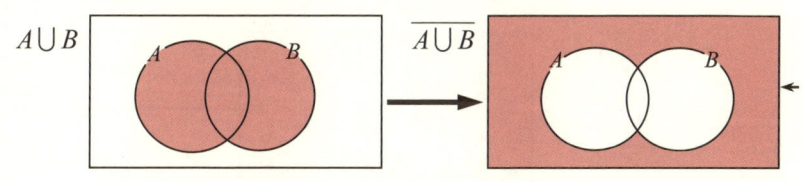

ⅱ：(右辺)：$\overline{A} \cap \overline{B}$ ⇔ (A 以外)と(B 以外)の共通部分

$\overline{A}$　　　　　　　　　　　$\overline{B}$

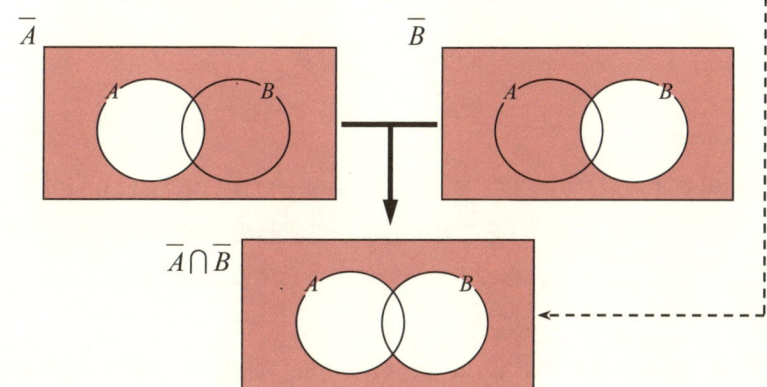

$\overline{A} \cap \overline{B}$

よって、ⅰ、ⅱより影の部分が同じであることから

$$\overline{A \cup B} = \overline{A} \cap \overline{B}$$

おわり

では、確認として②の証明をやってからページめくってくださいね！

補足：②の証明

ⅰ：(左辺)：$\overline{A \cap B}$ ⇔ $A \cap B$ 以外の部分

ⅱ：(右辺)：$\overline{A} \cup \overline{B}$ ⇔ (A 以外の部分) ＋ (B 以外の部分)

よって、ⅰ、ⅱより影の部分が同じであることから

$$\overline{A \cap B} = \overline{A} \cup \overline{B}$$

おわり

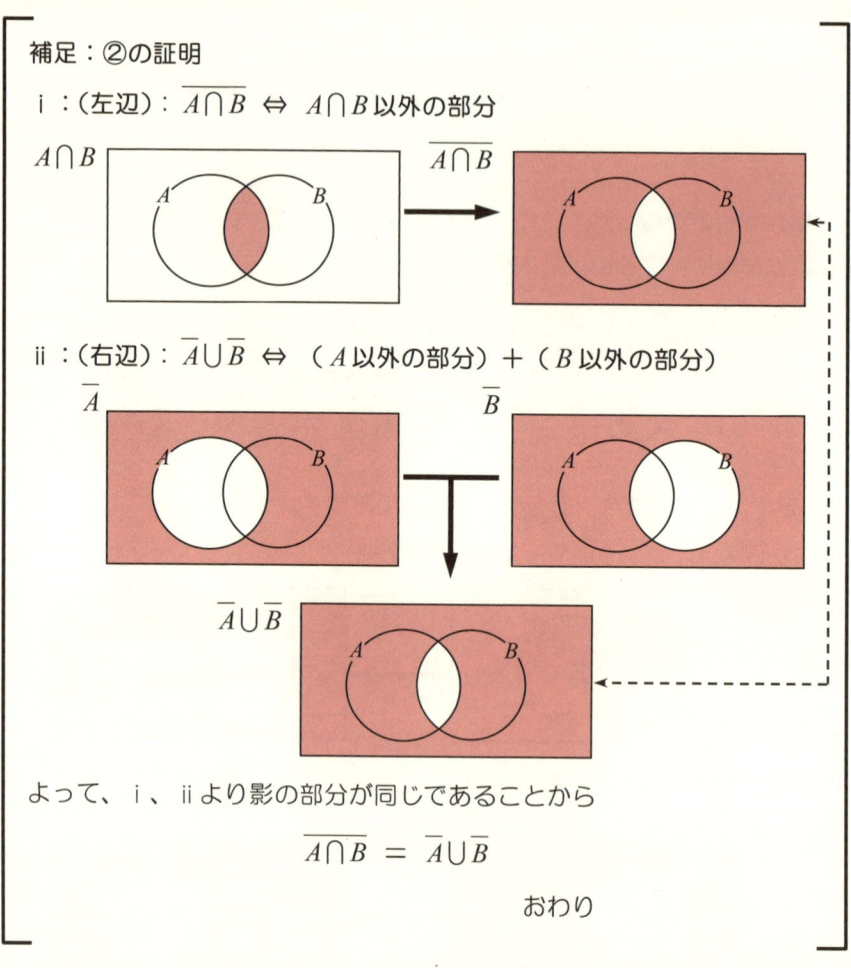

　私見ですが、この「ド・モルガンの法則」は使い慣れないとわけがわからなくなるんですよ！ そこでどのように使うのかを問題を通して実感していただきましょう。必ず手も一緒に動かしてくださいね！

例題　全体集合 $U = \{1、2、3、4、5、6、7、8、9、10\}$ に対する部分集合 A、B に関して、$\overline{A} \cup \overline{B} = \{1、3、4、5、6、8、9、10\}$、$\overline{A} \cap B = \{4、8\}$、$A \cap \overline{B} = \{3、6、9、10\}$ のとき、つぎの集合を求めてみますね。

(1) $A \cap B$　　　(2) $A \cup B$　　　(3) A　　　(4) B

＜解法＞「ド・モルガンの法則」を使うヨォ〜……！！

(1) $\overline{A} \cup \overline{B} = \overline{A \cap B}$　← ド・モルガンの法則
　　　　　　　　　　　　そこで、両辺の補集合を考える

　　$\overline{\overline{A} \cup \overline{B}} = \overline{\overline{A \cap B}}$　← 「$\overline{(\overline{A})} = A$」より、（右辺）= $\overline{\overline{A \cap B}} = A \cap B$
　　　　　　　　　　　　そして、両辺入れ換える

　　$A \cap B = \overline{\overline{A} \cup \overline{B}}$　← 右辺：$\overline{\overline{A} \cup \overline{B}}$ は「U に対し $\overline{A} \cup \overline{B}$ 以外の集合」

　　　　　　= { 2、7 } （答）

(2) $\overline{A} \cap \overline{B} = \overline{A \cup B}$　← ド・モルガンの法則
　　　　　　　　　　　　そこで、両辺の補集合を考える

　　$\overline{\overline{A} \cap \overline{B}} = \overline{\overline{A \cup B}}$　← 「$\overline{(\overline{A})} = A$」より、（右辺）= $\overline{\overline{A \cup B}} = A \cup B$
　　　　　　　　　　　　そして、両辺入れ換える

　　$A \cup B = \overline{\overline{A} \cap \overline{B}}$　← 右辺：$\overline{\overline{A} \cap \overline{B}}$ は「U に対し $\overline{A} \cap \overline{B}$ 以外の集合」

　　　　　　= { 1、2、4、5、7、8 } （答）

では、ここまでの情報をベン図で表してみますね！

・U = { 1、2、3、4、5、6、7、8、9、10 }

① $\overline{A} \cap B$ = { 4、8 }　← B から A との共通部分を取り除いた要素

② $A \cap B$ = { 2、7 }　← 交わりの部分の要素

③ $A \cup B$ = { 1、2、4、5、7、8 }

よって、①②③より、

　　ベン図は右のようになる。

　　したがって、これより（3）（4）

　　を考える！

　　(3) A = { 1、2、5、7 } （答）

　　(4) B = { 2、4、7、8 } （答）

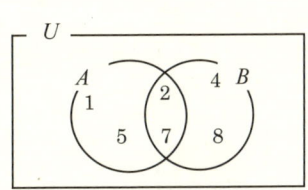

ベン図とド・モルガンの法則は慣れが必要。何度も復習してね！　ふ〜！

復習 124

∪（カップ）と∩（キャップ）の計算

ここでお話しする内容は、授業ではあまり扱われないかもしれません。しかし、ド・モルガンの法則とリンクしているので扱うことに！

∪（カップ）と∩（キャップ）の計算の規則性

① $A \cup B = B \cup A$、$A \cap B = B \cap A$ ← 交換法則可！

② $(A \cup B) \cup C = A \cup (B \cup C)$、$(A \cap B) \cap C = A \cap (B \cap C)$ ← 結合法則可！

③ $A \cup (B \cap C) = (A \cup B) \cap (A \cup C)$
　 $A \cap (B \cup C) = (A \cap B) \cup (A \cap C)$ ← 分配法則可！

④ $A \cup U = U$、$A \cap U = A$ ← 全体集合 U の部分集合 A
　 $A \cup \phi = A$、$A \cap \phi = \phi$

補足：③の最初の関係式をベン図を利用して証明してみますね。

［証明］　　　$A \cup (B \cap C) = (A \cup B) \cap (A \cup C)$

ⅰ：（左辺）：$A \cup (B \cap C)$

$(B \cap C)$　→　A　→　$A \cup (B \cap C)$ （和集合）

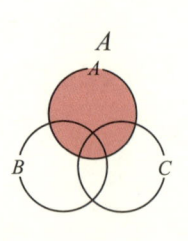

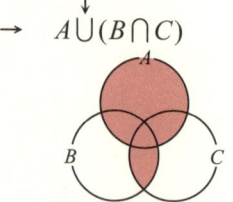

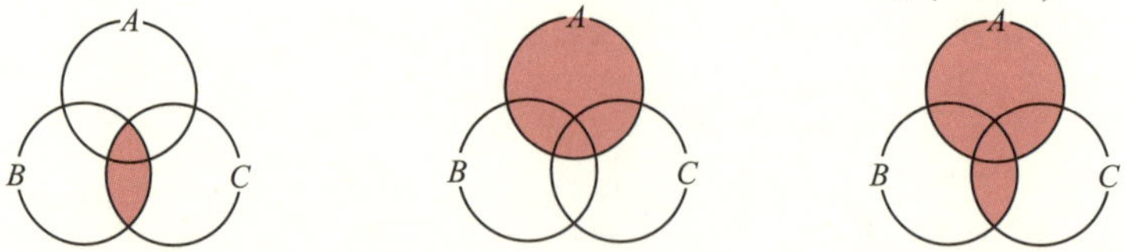

ⅱ：（右辺）：$(A \cup B) \cap (A \cup C)$

$(A \cup B)$　→　$(A \cup C)$　→　$(A \cup B) \cap (A \cup C)$ （共通部分）

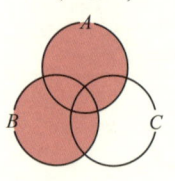

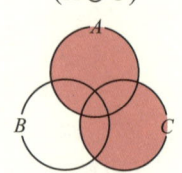

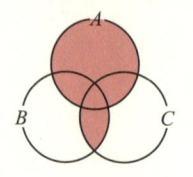

よって、ⅰ、ⅱより、$A \cup (B \cap C) = (A \cup B) \cap (A \cup C)$　　おわり

では、「ド・モルガンの法則＋∪と∩の計算」の練習をしましょう。

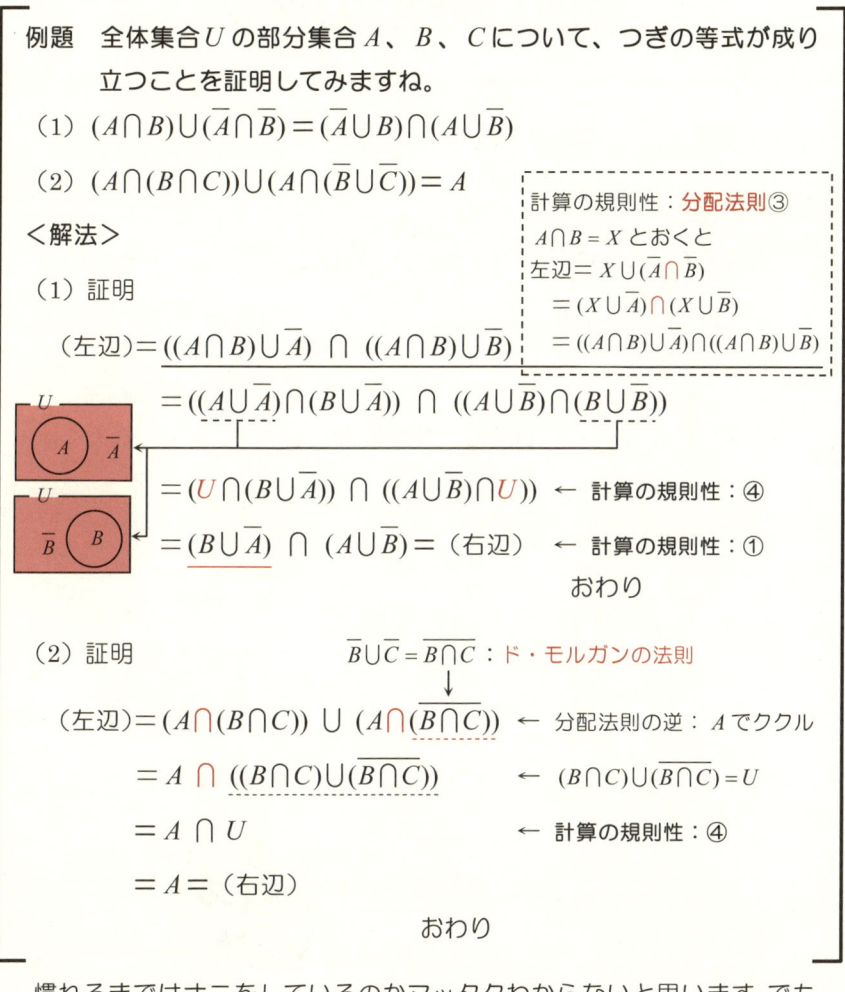

例題 全体集合 U の部分集合 A、B、C について、つぎの等式が成り立つことを証明してみますね。

(1) $(A\cap B)\cup(\overline{A}\cap\overline{B}) = (\overline{A}\cup B)\cap(A\cup\overline{B})$

(2) $(A\cap(B\cap C))\cup(A\cap(\overline{B}\cup C)) = A$

＜解法＞

(1) 証明

（左辺）$= ((A\cap B)\cup\overline{A})\cap((A\cap B)\cup\overline{B})$

> 計算の規則性：**分配法則**③
> $A\cap B = X$ とおくと
> 左辺 $= X\cup(\overline{A}\cap\overline{B})$
> $= (X\cup\overline{A})\cap(X\cup\overline{B})$
> $= ((A\cap B)\cup\overline{A})\cap((A\cap B)\cup\overline{B})$

$= ((A\cup\overline{A})\cap(B\cup\overline{A}))\cap((A\cup\overline{B})\cap(B\cup\overline{B}))$

$= (U\cap(B\cup\overline{A}))\cap((A\cup\overline{B})\cap U))$ ← 計算の規則性：④

$= (B\cup\overline{A})\cap(A\cup\overline{B}) = $（右辺） ← 計算の規則性：①

おわり

(2) 証明

$\overline{B}\cup\overline{C} = \overline{B\cap C}$：ド・モルガンの法則

（左辺）$= (A\cap(B\cap C))\cup(A\cap(\overline{B\cap C}))$ ← 分配法則の逆：Aでククル

$= A\cap((B\cap C)\cup(\overline{B\cap C}))$ ← $(B\cap C)\cup(\overline{B\cap C}) = U$

$= A\cap U$ ← 計算の規則性：④

$= A = $（右辺）

おわり

慣れるまではナニをしているのかマッタクわからないと思います。でも、例題の解法の流れを何度となく繰り返し、理解してみてください！ そして、自信がついたら演習で確認を！　　　目がチカチカするのは私だけ？

演習175 全体集合 U の部分集合 A、B、C について、つぎの等式が成り立つことを証明してみましょう。

(1) $(A\cup B)\cap(\overline{A}\cup\overline{B}) = (\overline{A}\cap B)\cup(A\cap\overline{B})$

(2) $(A\cap(B\cup C))\cup(A\cap(\overline{B}\cap\overline{C})) = A$

復習 125

集合の要素の個数

最初に集合の要素の個数を求める、基本的な考え方をお見せしますね！

有限集合における要素の個数

有限集合 U とその部分集合 A の各要素の個数を $n(U)$、$n(A)$ とおく。

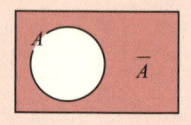

① $n(\overline{A}) = n(U) - n(A)$

有限集合 A、B、C の各要素の個数を $n(A)$、$n(B)$、$n(C)$ とおく。

② $A \cap B = \phi$ において、

$n(A \cup B) = n(A) + n(B)$

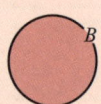

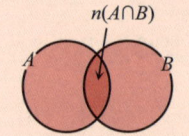

③ $n(A \cup B) = n(A) + n(B) - n(A \cap B)$

④ $n(A \cup B \cup C)$
$= n(A) + n(B) + n(C) - n(A \cap B) - n(B \cap C) - n(C \cap A) + n(A \cap B \cap C)$

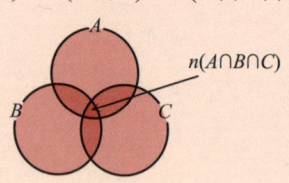

補足：①〜③に関して例題を通し、具体的にお話ししましょう。

例題1　（①について）会社 X の社員 120 人のうち女性は 47 人のとき、男性の数を求めてみますね。

＜解法＞

・全社員の集合：U　・女性の集合：A　・男性の集合：$\overline{A}$　とおく。

$n(\overline{A}) = n(U) - n(A) = 120 - 47 = 73$　∴　男性 73 人（答）

例題 2 （②について）会社 Y の社員の通勤方法は、駅から会社まで徒歩か自転車のどちらかで、徒歩が 27 人、自転車が 33 人である。社員の総数を求めてみますね。

<解法>　　　　　　　　　$n(A)=27$、 $n(B)=33$

- 徒歩の集合：A
- 自転車の集合：B 　$\Biggr\}$ → $A \cap B = \phi$

よって、$n(A \cup B) = n(A) + n(B) = 27 + 33 = 60$　　60 人　（答）

例題 3 （③について）会社 Y の社長が食事会を考え、アナゴとカニに関して好物のアンケートを取ったところ、つぎのような結果になった。そこで、この結果から、アナゴとカニ両方が好物である人数、および、アナゴだけ好物である人数を求めてみますね。

- アンケート対象人数：60 人　　・アナゴが好物：32 人
- カニが好物：45 人

<解法>

- アンケート対象人数：$A \cup B$　→　$n(A \cup B) = 60$
- アナゴの集合　　：A　→　$n(A) = 32$
- カニの集合　　　：B　→　$n(B) = 45$
- アナゴとカニの集合：$A \cap B$　→　$n(A \cap B) = ?$（求める値）

よって、$n(A \cup B) = n(A) + n(B) - n(A \cap B)$ より

$$n(A \cap B) = n(A) + n(B) - n(A \cup B)$$
$$= 32 + 45 - 60$$
$$= 17$$

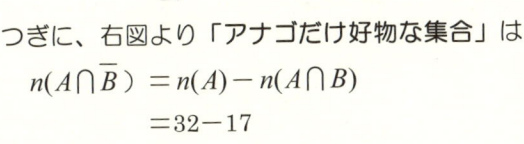

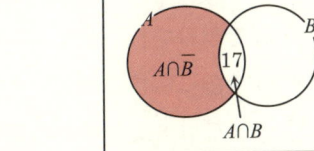

つぎに、右図より「アナゴだけ好物な集合」は

$$n(A \cap \overline{B}) = n(A) - n(A \cap B)$$
$$= 32 - 17$$
$$= 15$$

よって、

アナゴとカニ両方好物：17 人、アナゴだけ好物：15 人（答）

例題 4 （④について）数検、英検、漢検の 3 つを 70 人全員が受け、結果は以下のようになりました。

- 数検合格：47 名
- 英検合格：40 名
- 漢検合格：32 名
- 数検・英検両方合格：27 名
- 英検・漢検両方合格：16 名
- 漢検・数検両方合格：15 名
- 3 つとも残念でした：3 名

このとき、3 つすべてに合格した人数を求めてみますね。

<解法>

④の公式の各要素の数を求めて代入！

$$n(A \cup B \cup C) = n(A) + n(B) + n(C) - n(A \cap B) - n(B \cap C) - n(C \cap A) + n(A \cap B \cap C) \quad (*)$$

（$n(A \cap B \cap C)$ ← 求めたい人数）

数検、英検、漢検各合格者を集合 A、B、C とし、また、各集合の要素の数を $n(A)$、$n(B)$、$n(C)$ とおく。

- $n(A) = 47$ ・ $n(B) = 40$ ・ $n(C) = 32$
- $n(A \cup B \cup C) = 70 - 3 = 67$ ←（全受験生：70）－（すべて残念の方：3）
- $n(A \cap B) = 27$ ・ $n(B \cap C) = 16$ ・ $n(C \cap A) = 15$

以上を（＊）に代入しますよ。

$$67 = 47 + 40 + 32 - 27 - 16 - 15 + n(A \cap B \cap C)$$
$$= 61 + n(A \cap B \cap C)$$
$$\therefore \ n(A \cap B \cap C) = 67 - 61 = 6$$

よって、

3 つすべてに合格した人数は 6 名（答）

演習 176 1～100 までの整数において、つぎの各問いの個数について考えてみましょう。

(1) 2 で割り切れる数
(2) 3 で割り切れる数
(3) 5 で割り切れる数
(4) 2 でも 3 でも割り切れる数
(5) 2 または 3 で割り切れる数
(6) 2 または 3 または 5 で割り切れる数

演習の解答

演習 173

(1) $A=\{2n \mid 0\leq n<4$ かつ正の整数$\} \Leftrightarrow A=\{2、4、6\}$ ($n=1、2、3$)

　　部分集合：ϕ、$\{2\}$、$\{4\}$、$\{6\}$、$\{2、4\}$、$\{2、6\}$、$\{4、6\}$、$\{2、4、6\}$

(2) $A=\{x \mid x$ は 3 以下の素数$\} \Leftrightarrow A=\{2、3\}$ ← 1 は素数ではない！

　　部分集合：ϕ、$\{2\}$、$\{3\}$、$\{2、3\}$

部分集合には必ず「空集合：ϕ」が含まれる！

演習 174

$U=\{1、2、3、4、5、6、7、8、9、10\}$

$A=\{2、3、5、7\}$

$B=\{1、3\}$ ← $x^2-4x+3=0$　$(x-1)(x-3)=0$　∴ $x=1、3$

$\overline{A}=\{1、4、6、8、9、10\}$

(1) $\overline{B}=\{2、4、5、6、7、8、9、10\}$　(2) $\overline{U}=\phi$　(3) $A\cap B=\{3\}$

(4) $\overline{A\cup B}=\{4、6、8、9、10\}$ ← $A\cup B=\{1、2、3、5、7\}$以外

(5) $\overline{A}\cap B=\{1\}$

(6) $\overline{A}\cup\overline{B}=\{1、2、4、5、6、7、8、9、10\}$

(7) $\overline{A}\cap\overline{B}=\{4、6、8、9、10\}$

(8) $\overline{A\cap\overline{B}}=\{1、3、4、6、8、9、10\}$ ← $A\cap\overline{B}=\{2、5、7\}$以外

演習 175

(1) 証明

(左辺) $=((A\cup B)\cap \overline{A})\cup((A\cup B)\cap \overline{B})$

$=((A\cap\overline{A})\cup(B\cap\overline{A}))\cup((A\cap\overline{B})\cup(B\cap\overline{B}))$

$=(\phi\cup(B\cap\overline{A}))\cup((A\cap\overline{B})\cup\phi))$

$=(\overline{A}\cap B)\cup(A\cap\overline{B})=$（右辺）

計算の規則性：分配法則③
$A\cup B = X$ とおくと
左辺$= X\cap(\overline{A}\cup\overline{B})$
$=(X\cap\overline{A})\cup(X\cap\overline{B})$
$=((A\cup B)\cap\overline{A})\cup((A\cup B)\cap\overline{B})$
$(A\cup B)\cap\overline{A}=(A\cap\overline{A})\cup(B\cap\overline{A})$
また、
$A\cap\overline{A}=\phi$、$B\cap\overline{B}=\phi$

おわり

(2) 証明

(左辺) $= A \cap ((B \cup C) \cup (\overline{B} \cap \overline{C}))$ ← 分配法則：$(A \cap B) \cup (A \cap C) = A \cap (B \cup C)$

$= A \cap ((B \cup C) \cup \overline{(B \cup C)})$ ド・モルガンの法則ね！$\overline{B} \cap \overline{C} = \overline{B \cup C}$

$= A \cap U$ $X \cup \overline{X} = U$ より、$(B \cup C) \cup \overline{(B \cup C)} = U$

$= A =$ （右辺）

おわり

演習176

2の倍数の集合 A、3の倍数の集合 B、5の倍数の集合 C、また、各集合の要素の個数を $n(A)$、$n(B)$、$n(C)$ とする。

(1) $n(A) = 50$（$100 \div 2 = 50$ より）　(2) $n(B) = 33$（$100 \div 3 = 33$ あまり 1 より）

(3) $n(C) = 20$（$100 \div 5 = 20$ より）

(4) $n(A \cap B) = 16$ ← 2でも3でも割り切れる数とは、この2つの数の最小公倍数 6 の倍数の集合。（$100 \div 6 = 16$ あまり 4 より）

(5) 「2 または 3」で割れる数ゆえ、$n(A \cup B)$ を求める。

$n(A \cup B) = n(A) + n(B) - n(A \cap B)$
$= 50 + 33 - 16$
$= 67$

(6) 「2 または 3 または 5」で割り切れる数ゆえ、$n(A \cup B \cup C)$ を求める。

$n(A \cup B \cup C)$
$= \underline{n(A) + n(B) + n(C) - n(A \cap B) - n(B \cap C) - n(C \cap A) + n(A \cap B \cap C)}$

公式の下線部に関してわかっている値

$n(A) = 50$、$n(B) = 33$、$n(C) = 20$、$n(A \cap B) = 16$

・わかっていない値： $n(B \cap C)$、 $n(C \cap A)$、 $n(A \cap B \cap C)$

$n(B \cap C) = 6$ ← 3でも5でも割り切れる数とは、この2つの数の最小公倍数 15 の倍数の集合。（$100 \div 15 = 6$ あまり 10 より）

$n(C \cap A) = 10$ ← 5でも2でも割り切れる数とは、この2つの数の最小公倍数 10 の倍数の集合。（$100 \div 10 = 10$ より）

$n(A \cap B \cap C) = 3$ ← 2でも3でも5でも割り切れる数とは、この3つの数の最小公倍数 30 の倍数の集合。（$100 \div 30 = 3$ あまり 10 より）

よって、 $n(A \cup B \cup C) = 50 + 33 + 20 - 16 - 6 - 10 + 3 = 74$ （答）

12章
論理

「正しいか否かの判断ができる文章および式を命題と呼び、
正しければ真、間違いであれば偽とする」

さぁ〜て、ここで質問です。
上の文を読んで、つぎの文章が命題と言えるか否か？
判断してください。

「命題だからといって、真偽が判断できないモノもある！」

（続きは本文で）

あまり、言われませんが、実は**「数学は、国語力が重要」**なんですね。
特に、ここであつかう項目は強くその傾向があるかと……

ここであつかう項目！
- 命題
- 条件の否定　　　　　← 簡単そうで知らないとできない！
- 必要十分条件　　　　← 「川を渡れるか？　否か？」で楽勝！
- 命題の「逆・裏・**対偶**」　← 対偶が重要！
- 対偶証明法　　　　　}
- 背理法　　　　　　　}　← 正攻法ではツライときの強〜い味方
- 数学的帰納法　　　　← 普通は「数列」であつかう項目ね！

復習 126

命題とはナニ？

　命題なんていう言葉、普通あまり耳にしませんよね！？　いったいどんなことを意味していると思います？　　　　　　　命についてかな？　ウソウソ！　笑

> 命題：正しいか否かの判断ができる文章および式を命題と呼ぶ。
> 　　　　また、正しければ命題は"真"、正しくなければ"偽"とする。

補足：一言で言えば「白黒ハッキリ判断できるモノ！」
　　　では、簡単（？）なクイズをやってみませんか？　　　　ナニナニ？

＊つぎの①〜④の中から命題であるものを選んでみてください。
　① この三ツ星レストランは美味しい！
　② 彼はハンサムである！
　③ 命題だからといって、真偽が判断できないモノもある！
　④ 水は 100 度でしか沸騰しない！

＜解説＞
　では、順番に考えていきますね！
　① 味覚は十人十色ゆえ、ハッキリ白黒つけられないでしょ！　×
　② このルックスに関しても十人十色ゆえバツ！　×
　③ 命題とは、正しいか否かをハッキリと判断できるモノ。
　　　よって、一瞬焦りますが、この文は正しくないので、命題。○
　④ 山の頂上など気圧の低いところでは、70〜80 度で沸騰してしまうので正しくない。よって、命題。○

「いかがですか？」①②のようなあいまいなものは命題とは言わないんですね！　そして、命題に関して、真・偽を問われたとき、ただ、「真です」「偽です」ではダメ！　ではどうするか？　　　　　　知らんぷぅ〜！

　"真"の場合：　自明なモノは除き、必要とあらば証明をする。
　"偽"の場合：　反例をヒトツだけ示せば OK！

例題 つぎの命題の真偽を考え、真の場合は証明をし、偽の場合は反例を示してみますね。

(1) $a^2 - 2a = 0$ ならば、$a = 0$ である。

(2) $\triangle ABC$ が直角三角形ならば、$AB^2 = BC^2 + CA^2$ である。

(3) a、b が複素数で $a^2 + b^2 = 0$ ならば、$a = b = 0$ である。

(4) $x^2 + x - 2 < 0$ ならば、$8 - 2x > x^2$ である。

<解法>

(1) $a^2 - 2a = 0$ $\therefore a(a-2) = 0$ よって、$a = 0$ または $\underline{a = 2}$
　　　　　　　　　　　　　　　　　　　　　　　　　　　↑反例
したがって、命題は偽。

(2) 直角三角形であればよいのであって、どの角が直角であっても構わない。よって、
$\triangle ABC$ が直角三角形($\angle A = 90°$)ならば、$BC^2 = CA^2 + AB^2$ である。
したがって、命題は偽。

(3) a、b が複素数であるので、
$a = 1$、$b = i$ のとき、$a^2 + b^2 = 1^2 + i^2 = 1 + (-1) = 0$
したがって、命題は偽。

(4) $x^2 + x - 2 < 0$　$(x+2)(x-1) < 0$　$\therefore -2 < x < 1$ ・・・①
また、$8 - 2x > x^2$ より、
$x^2 + 2x - 8 < 0$　$(x+4)(x-2) < 0$　$\therefore -4 < x < 2$ ・・・②

①②より、

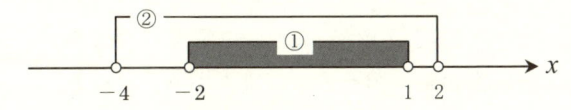

[数直線図: ② の範囲は -4 から 2、① の範囲は -2 から 1]

となり、①の範囲はすべて②の範囲を満たす。
したがって、命題は真。

証明と聞くと難しく考えがちですが、正しいことを示せばよいだけ！

シッカリ命題を読み取れればさほど問題はないと思います。ヒトツでも**反例**を示せれば"**偽**"。「A ならば必ず B」が言えれば"**真**"。ただ、それだけのことですからね！

とは言われてもねぇ～……汗

復習 127
条件の否定

単に「否定する」と言えば「『〜でない』のように、**文末を否定する**だけじゃん！」と思いがちでしょ！？　でも、それだけでは否定にならないというところが、ここの嫌らしさなのね。　　　　　ナンデだぷぅ〜！　怒

そこで、つぎの条件を否定してみてください！

マカセナサイ！Ｖサイン！

> 例題　つぎの条件を否定してみますね。
> 　　(1)　xは5の倍数である。
> 　　(2)　xは7より大きい。
> 　　(3)　すべての整数は有理数である。
> 　　(4)　ある虚数には大小関係はない。
> 　　(5)　x、yはともに偶数である。
> 　　(6)　xは2または3の倍数である。
>
> <解法>全問正解ならば、この項目は卒業です。
> 　　まずは、（経験上）多くの方の解答からお見せすることに！
> 　　(1)　否定：xは5の倍数でない。
> 　　(2)　否定：xは7より小さい。
> 　　(3)　否定：すべての整数は有理数でない。
> 　　　　否定：すべての整数は無理数である。
> 　　(4)　否定：ある虚数には大小関係はある。
> 　　(5)　否定：x、yはともに偶数でない。
> 　　　　否定：x、yはともに奇数である。
> 　　(6)　否定：xは2または3の倍数でない。

この解答の中で、どれが正解か、または、どれが間違いであるか判断がつきますか？　正解は(1)だけ！　　「いかがですか？笑」　アチャ〜！！　汗
では、否定の考え方についてお話ししますね。　　　　　　　　……無言

条件の"否定"方法（条件 p、q に対し、否定を $\bar{p}$、$\bar{q}$ とする。）
① ある p について〜である　⇒　すべての p について〜でない
② すべての p について〜である　⇒　ある p について〜でない
③ p かつ q　⇒　$\bar{p}$ または $\bar{q}$
④ p または q　⇒　$\bar{p}$ かつ $\bar{q}$

補足：③④に関して！
　条件 p、q に対し、否定を $\bar{p}$、$\bar{q}$。また、それぞれを表す集合を P、Q、全体集合 U とすると、これらの関係をベン図で表すと右図になります。よって、**ド・モルガンの法則**
　　i：$\overline{P \cup Q} = \bar{P} \cap \bar{Q}$　　ii：$\overline{P \cap Q} = \bar{P} \cup \bar{Q}$
が成り立つ！　∪：「または」の意。∩：「かつ」の意。

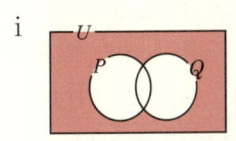

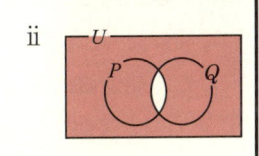

では、ここまでの説明を踏まえ、例題の解説へ！

(2) x は 7 より大きい数ゆえ、7 は含まない。
　　否定：x は 7 以下の数。(or「x は 7 または 7 より小さい」)

(3) 否定：ある整数は有理数でない。　←「すべて」⇒「ある」

(4) 否定：すべての虚数には大小関係がある。　←「ある」⇒「すべて」

(5) 条件 p：x、条件 q：y とすると、ともに偶数　⇔　$P \cap Q$
　∴ $P \cap Q$ の否定は $\overline{P \cap Q}$。よって、**ド・モルガンの法則**より、
　　$\overline{P \cap Q} = \bar{P} \cup \bar{Q}$　←　・$\bar{p}$：x は奇数　・∪：または　・$\bar{q}$：y は奇数
　したがって、否定：x は奇数、または、y は奇数。
　　　　　　　　：x、y 少なくとも一方は奇数である。　}どっちでもOK！

(6) 条件 p：x は 2 の倍数。∪：または、条件 q：x は 3 の倍数。
　　⇔ $P \cup Q$ の否定は $\overline{P \cup Q}$。よって、**ド・モルガンの法則**より、
　　$\overline{P \cup Q} = \bar{P} \cap \bar{Q}$　←　・$\bar{p}$：x は 2 の倍数ではない。
　　　　　　↑かつ　　　　　・$\bar{q}$：x は 3 の倍数ではない。
　したがって、否定：x は 2 の倍数ではなく、かつ、3 の倍数ではない。

復習128
必要十分条件

　この説明にはよく**包含図**が使われるようですが、「理解し難いので他に方法はないの？」と、よく高校生から質問されます。そこで、**ナベツグ直伝**の方法をお話ししますね。まずは、具体的な問題を！

問題 ☐に必要、十分、必要十分のいずれかを入れてみましょう。

「$x=1$ は $x^2-x=0$ であるための ☐ 条件である。」

　まず皆さんは「必要十分条件」と「十分必要条件」どちらが口にしやすいですか？　たぶん、「必要十分条件」だと思うんですよ！？

　でも、問題は必ずつぎのような形式で文章になっています。

「A（**十分**条件）は B（**必要**条件）であるための……条件である」

よって、最初の語調の順は「十分・必要条件」なんですね。

　そこで、つぎのように考えれば簡単！　　＊A、B の位置関係に注意！

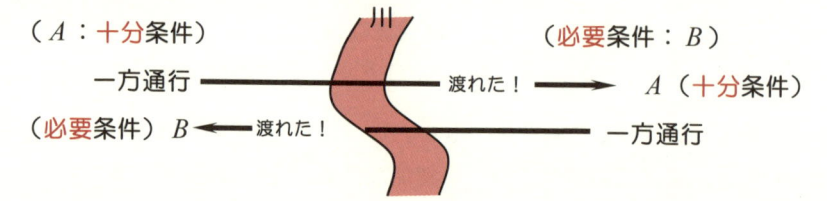

（A：**十分**条件）　　　　　　　　　　（**必要**条件：B）
――一方通行――――←―渡れた！――→　　A（**十分**条件）
（**必要**条件）B　←―渡れた！――　　――一方通行――

　このように A と B の間には川が流れていて、「A であれば**必ず** B である」ならば、A は川を渡れて正式に「**十分条件**」と名のれ、また「B であれば**必ず** A である」ならば、今度は B が川を渡れて正式に「**必要条件**」と名のれるわけ。そして、両方が渡れ、左から読んで「**必要十分条件**」が完成！

　よって、「**川を渡れたモノだけが条件を名のれる**」と考えてください。

　では、問題の解答を！

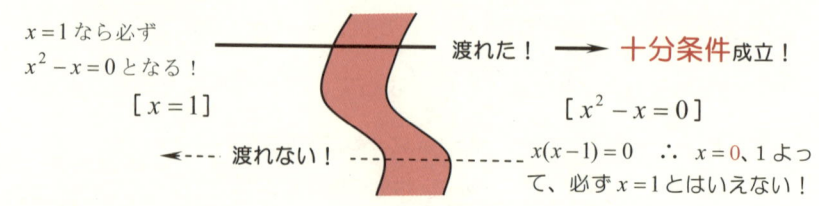

$x=1$ なら必ず
$x^2-x=0$ となる！　―――――渡れた！――→　**十分条件**成立！
$[x=1]$　　　　　　　　　　　　　　　　　$[x^2-x=0]$
　　　　　　　←----渡れない！----　　$x(x-1)=0$　∴　$x=0$、1 よって、必ず $x=1$ とはいえない！

　よって、「$x=1$ は $x^2-x=0$ であるための**十分条件**である。」（答）

ゲーム感覚で楽しいでしょ！ 大切なことは「ナンデ？」ではなく「こんな感じで構わないんだ！ へぇ〜、簡単ジャン！」コレなんですよ。Vサイン！
では、本当にこの方法が使えるのか実践してみましょう〜！

例題　　　に必要、十分、必要十分のいずれかを入れてみますね。
(1) $xy=0$ は、$x=0$ であるための　　　条件である。
(2) $x-z=y-z$ は、$x=y$ であるための　　　条件である。
(3) $x=-3$ は、$x^2=9$ であるための　　　条件である。
(4) $0<x<1$ は、$x^2<1$ であるための　　　条件である。

<解法>

　　　　[十分条件] ─── ? ───→ [必要条件]
　　　　　　　　　 ←── ? ───

(1) $y=0$ でもよい！ ─ ─ ─ ─→ 沈没
　　　　[$xy=0$]　　　　　　　　[$x=0$]
　　必要条件成立！ ←─── $x=0$ なら必ず $xy=0$ である。
　　　　よって、「必要条件」（答）

(2) 等式の性質より、$x=y$ ───→ 十分条件成立！
　　　　[$x-z=y-z$]　　　　　　　[$x=y$]
　　必要条件成立！ ←─── 等式の性質より、$x-z=y-z$
　　　　よって、「必要十分条件」（答）

(3) $x=-3$ なら必ず $x^2=9$ ───→ 十分条件成立！
　　　　[$x=-3$]　　　　　　　　[$x^2=9$]
　　　　　沈没 ←─ ─ ─ ─ $x=3$ でもよい！
　　　　よって、「十分条件」（答）

(4) $0<x<1$ なら必ず $x^2<1$ である ───→ 十分条件成立！
　　　　[$0<x<1$]　　　　　　　　[$x^2<1$]
　　　　　沈没 ←─ ─ ─ ─ $x^2-1<0$　　$(x+1)(x-1)<0$
　　　　　　　　　　　　　　∴ $-1<x<1$
　　　　よって、「十分条件」（答）

12章 命題

復習 129

命題の逆・裏・対偶

　ここで重要なのは"**対偶**"これだけ！ 余談になりますが、"否定"でお話しした"ド・モルガンの法則"の利用とこの対偶の知識があれば、"**真偽表**（ここでは触れません）"が理解できるようになります。ほんの一例ですが、**法科大学院適正試験**の解法でこの真偽表が利用できるか否かで、だいぶ差がつくと思いますので、志願者にとっては大変重要な知識ですよ。ふ〜ん！

　さて、本題に入りますが「**命題の逆・裏・対偶**」にはすべて関連性があり、それを図示すると以下のようになります。　　（見覚えありませんか！？）

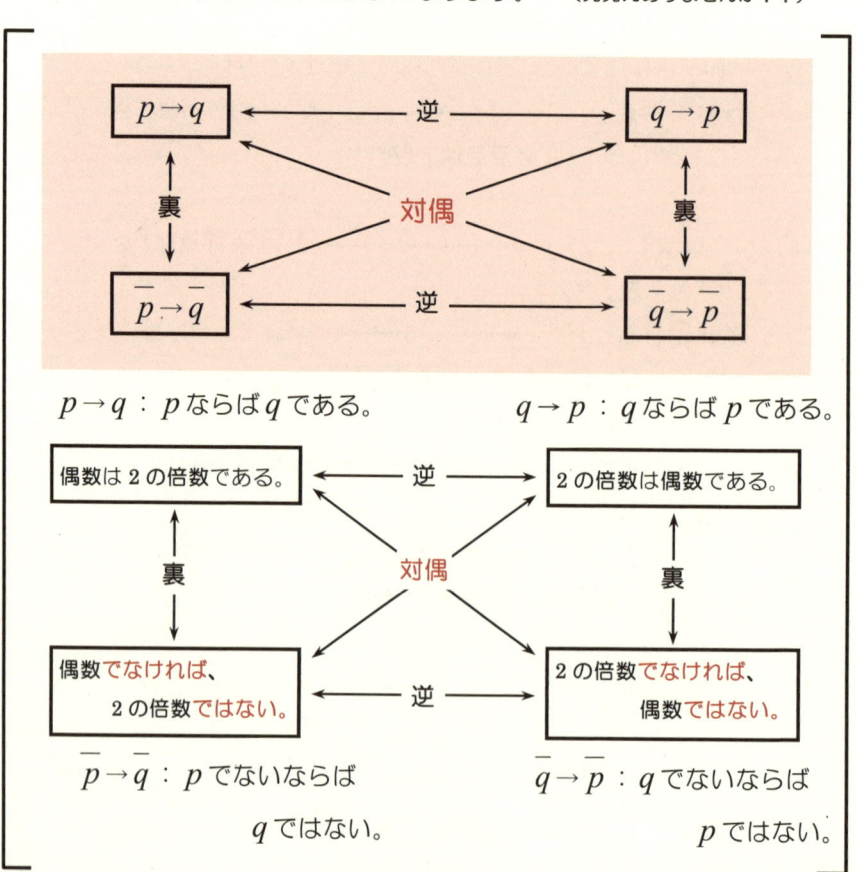

```
┌─────────┐   逆   ┌─────────┐
│ p → q   │←──────→│ q → p   │
└─────────┘        └─────────┘
   ↕裏      対偶      ↕裏
┌─────────┐   逆   ┌─────────┐
│ p̄ → q̄   │←──────→│ q̄ → p̄   │
└─────────┘        └─────────┘
```

$p → q$：p ならば q である。　　　　$q → p$：q ならば p である。

```
┌──────────────┐   逆   ┌──────────────┐
│偶数は2の倍数である。│←──────→│2の倍数は偶数である。│
└──────────────┘        └──────────────┘
      ↕裏        対偶        ↕裏
┌──────────────┐   逆   ┌──────────────┐
│偶数でなければ、    │←──────→│2の倍数でなければ、 │
│  2の倍数ではない。 │        │  偶数ではない。    │
└──────────────┘        └──────────────┘
```

$\overline{p} → \overline{q}$：$p$ でないならば　　　$\overline{q} → \overline{p}$：$q$ でないならば
　　　　　q ではない。　　　　　　　　　　　　　p ではない。

では、左のページで確認しながら、一緒に例題を考えてみましょう。

例題　つぎの命題の逆・裏・対偶を考え、それぞれの真偽を判断してみますね。
(1) a、b は実数で、$a \geq 1$ かつ $b \geq 1$ ならば、$a+b \geq 2$ である。
(2) $x^3 - 4x = 0$ ならば、$x = -2$ または $x = 2$ である。

<解法>「命題」と「対偶」の真偽に着目してください！

(1) 命題：「$a \geq 1$ かつ $b \geq 1$ ならば、$a+b \geq 2$ である。」真

　　逆：$a+b \geq 2$ ならば、$a \geq 1$ かつ $b \geq 1$ である。　偽
　　　　　反例：$a = 7$、$b = -2$
　　裏：$a < 1$ または $b < 1$ ならば、$a+b < 2$ である。偽
　　　　　反例：$a = 5$、$b = 0$
　「または」ゆえ、a、b どちらか一方が条件を満たしていればOK！

　　対偶：「$a+b < 2$ ならば、$a < 1$ または $b < 1$ である。」真

(2) 命題：「$x^3 - 4x = 0$ ならば、$x = -2$ または $x = 2$ である。」偽
　　　　　　　　　　　　　　　　　　　　　　　　　反例：$x = 0$
　　逆：$x = -2$ または $x = 2$ ならば、$x^3 - 4x = 0$ である。真
　　裏：$x^3 - 4x \neq 0$ ならば、$x \neq -2$ かつ $x \neq 2$ である。真

　　対偶：「$x \neq -2$ かつ $x \neq 2$ ならば、$x^3 - 4x \neq 0$ である。」偽
　　　　　反例：$x = 0$

この項目のテーマはつぎでお話しする「対偶証明法」のつなぎであって、「命題」と「対偶」の真偽が一致する点をシッカリ確認してください！

演習 177　つぎの命題の逆・裏・対偶を考え、それぞれの真偽を判断してみましょう。
(1) x、y は実数で、$x+y > 0$ ならば、x、y の少なくとも一方は正である。
(2) a、b は実数で、$a > 0$ かつ $b > 0$ ならば、$ab > 0$ である。

12章　命題

復習130 対偶証明法

ある「命題」とそれに対する「対偶」の真・偽は一致！

このことを利用した証明法を**「対偶証明法」**と言います。
では、早速例題を通して体験していただきましょう。　エッ！ コレだけ！？
「スミマセン！ ページ数の問題で……。ウソ！ 笑」

例題1　「整数 n において、n^2 が偶数ならば、n は偶数である」ことを対偶を使って証明してみますね。

<解法>

対偶：「整数 n において、n が奇数ならば、n^2 は奇数である。」

[証明]

n が奇数より、$n = 2k - 1$（k は整数）とおくと

$n^2 = (2k-1)^2 = 4k^2 - 4k + 1 = 2(2k^2 - 2k) + 1$　←「偶数＋1＝奇数」

　　　　　　　　　　　　　　　　2の倍数より偶数

よって、n^2 は奇数である。

したがって、

対偶が成り立つので、命題も成り立つ。

おわり

「いかがですか？」たぶん、この例題ならば、多くの方が「別に命題のままでも直接証明できるジャン！」と思っているはず！？　まぁ～ねぇ～……！
では、そこでつぎの問題を一緒に考えてみませんか？

例題2　つぎの2つの命題から言えることを考えてみますね。

「お肉が好きな人は、お魚が大っキライ。」
「野菜が大っキライな人は、お肉が好き。」

このことから

「お魚が大好きな人は、野菜が大好き！」

と言えますか？　　　　　　　　　「さぁ～！ 今度はいかがですか？」

＜解法＞
　対偶：「お魚が大好きな人は、お肉がキライ。」
　対偶：「お肉がキライな人は、野菜が大好き。」
　よって、このことから
　　　「お魚が大好きな人は、野菜が大好き！」　言えましたね！

　余談ですが、法科大学院適正試験の1部でこんな感じの問題が出題されたりします。そして、このような問題において、よく耳にするのが「肉が好きで、魚も好きな人は必ずいるから変だよ！」と。ウンウン！ごもっとも！
　でも、試されているのは「目の前の条件だけで論理的に結論が導き出せるか否か？」であって、問題文にある条件はそれ以上でもそれ以下でもなく、そのままを受け入れないといけないのね！　　ふ〜ん……、変なの？
　では、なんだか数学っぽくなかったので最後にもう1問だけね！　エッ！

例題3　「既約分数の分母、分子のどちらか一方は奇数である。」ことを対偶を使って証明してみますね。

＜解法＞既約分数とは、これ以上約分できない分数。
　対偶：「分母、分子がともに偶数であれば、既約分数ではない。」
　　　　　　　　　　　　　　　↑コレだと証明しやすいでしょ！？
　より、

　　分数 $\dfrac{q}{p}$ において、p、q を偶数とすると、

　　$p = 2m$、$q = 2n$（$m \neq 0$、m、n は整数）とおけ、
　　　　　　　　　↑分母≠0 より

　　$\dfrac{q}{p} = \dfrac{2n}{2m}$

　となり、分母、分子は2で約分できるので、既約分数ではない。
　よって、対偶が真であることから、もとの命題は成り立つ。
　　　　　　　　　　　　　　　　　　　　　　　おわり

　例題1、3のように、文字を使って数を表現するのはツライですか？
　　　　　　　　　　　　　　　　　　　……無言

演習178「整数 n において n^2 が3の倍数ならば、n は3の倍数である」ことを、対偶を使って証明してみましょう。

復習 131

背 理 法

「押してもダメなら引いてみな！」こんな言葉を聞いた覚えがあると思います。何か演歌の世界のようですが、いわゆる、正攻法では証明が難しいときは、この言葉を思い出し、**背理法**（はいりほう）で攻めてみましょう。

そこで、命題「p ならば q である」が真であるとき、当然、**結論部分 q を否定した命題を真と仮定**すれば、必ず**矛盾**が起きますよね！？
この矛盾を利用して証明するのが "**背理法**" なんです。　う〜ん……微妙！
やはり、具体的にお見せした方がわかりやすいかな！

例題 つぎの問いについて考えてみますね。

(1) $\sqrt{5}$ が無理数であることを証明してください。

(2) $1+\sqrt{5}$ が無理数であることを証明してください。

〈解法〉

いかがですか？ $\sqrt{5}$ が**無理数**なんて当たり前でしょう！ でも、コレを証明しないといけないのね。そこで、**背理法**の出番となるわけ！

(1)「$\sqrt{5}$ ならば、無理数である」の結論部分 "**無理数**" を**否定**する！

[証明]

　　　　　　　　　　　　　否定

$\sqrt{5}$ を有理数と仮定すると、$\sqrt{5} = \dfrac{n}{m}$ （m、n は**互いに素**）とおき、

両辺を 2 乗し、$5 = \dfrac{n^2}{m^2}$ より、$5m^2 = n^2$ ・・・①

ここで、①の左辺が 5 の倍数より、右辺の n^2 も 5 の倍数でなくてはならない。よって、n は 5 の倍数である。だから、$n = 5k$（k：整数）とおけ、①に代入。

$$5m^2 = (5k)^2$$
$$= 25k^2$$
$$\therefore\ m^2 = 5k^2 \ \cdots ②$$

> 「**互いに素**」とは？
> お互いの共通の約数（最大公約数）が 1 だけの関係！

また、②の右辺が5の倍数より、左辺のm^2も5の倍数なので、mも5の倍数である。すると、m、nがそれぞれ5の倍数であることは、m、nが互いに素であることに**矛盾**。

> 矛盾の原因は「$\sqrt{5}$を有理数」と仮定したため！
> よって、無理数となる。

したがって、
$$\sqrt{5}\text{は無理数である。}$$

おわり

（2）これもあまりに当たり前すぎて、証明に困りますよね！？

[証明]
　　$1+\sqrt{5}$を有理数と仮定し、
$$1+\sqrt{5}=p \quad (p\text{は有理数})$$
とおく。そして、
$$\sqrt{5}=p-1$$
と変形し、左辺の$\sqrt{5}$は（1）より無理数。しかし、右辺の$p-1$は有理数ゆえ、矛盾。
したがって、
$$1+\sqrt{5}\text{は無理数である。}$$

おわり

見ている限りでは、なんとなくわかった気がするでしょ！？　でも、実際に手を動かしてみると、なかなか難しいものでして……。

よって、何度も写し、自信がついたら演習で確認ね！

脳がフリーズ…。ツライ！

演習179　つぎの問いについて考えてみましょう。

（1）$\sqrt{2}$が無理数であることを証明してください。

（2）$\sqrt{3}+\sqrt{6}$が無理数であることを証明してください。

ヒント：（1）は例題を真似すればOK！

（2）$(\sqrt{3}+\sqrt{6})^2 = 3+2\sqrt{18}+6 = 9+6\sqrt{2}$　となります！「ホラ！」例題と同じでしょ！？

エッ！？　ナニが……？　汗

復習132

数学的帰納法

　数学的帰納法に関しては行列のところでもお話ししましたが、実際は数列の項目でお話しするのが一般的なんです。しかし、この数学的帰納法はなかなか理解しづらいゆえ、ヒトツの項目として改めてここでお話しさせてください。ただ、行列の項目で大枠はつかんでいると思いますので、ここでは代表的な「等式の証明」と「不等式の証明」をお見せします。

例題1 つぎの等式が成り立つことを、数学的帰納法で証明しますね。

$$1+2+3+\cdots\cdots+n=\frac{1}{2}n(n+1)$$

<解法>等式の証明

［証明］

$$1+2+3+\cdots\cdots+n=\frac{1}{2}n(n+1) \quad \cdots (*)$$

ⅰ：$n=1$ のとき

　（左辺）$=1$、　（右辺）$=\frac{1}{2}\cdot 1\cdot(1+1)=1$

　よって、$(*)$ は成り立つ。

ⅱ：つぎに $n=k$ のとき成り立つと仮定すると

$$1+2+3+\cdots\cdots+k=\frac{1}{2}k(k+1) \quad \cdots ①$$

$n=k+1$ のとき

　（左辺）$=1+2+3+\cdots\cdots+k+(k+1)$

①より
$$=\frac{1}{2}k(k+1)+(k+1)$$

方針！
$(*)$ に $n=k+1$
を代入した形に
なればOK！
$$=\frac{1}{2}(k+1)\{(k+1)+1\}$$

共通因数 $\frac{1}{2}(k+1)$ でククル。

$$=\frac{1}{2}\{k(k+1)+2(k+1)\}$$
$$=\frac{1}{2}(k+1)(k+2)=\frac{1}{2}(k+1)(k+1+1)$$

　これより、$n=k$ のとき成り立つと仮定すると、$n=k+1$ のときも成り立つ。したがって、ⅰ、ⅱより $(*)$ は任意の自然数 n について成り立つ。

おわり

例題2 つぎの不等式が成り立つことを、数学的帰納法で証明しますね。

$$1^2 + 2^2 + 3^2 + \cdots + n^2 < \frac{1}{3}(n+1)^3$$

<解法>不等式の証明：赤枠さえ意識すれば不等式も克服です！

［証明］

$$1^2 + 2^2 + 3^2 + \cdots + n^2 < \frac{1}{3}(n+1)^3 \cdots (*)$$

ⅰ：$n=1$ のとき

（左辺）$=1$、　（右辺）$=\frac{1}{3}(1+1)^3 = \frac{8}{3} > 1$

よって、$(*)$ は成り立つ。

ⅱ：つぎに $n=k$ のとき成り立つと仮定すると

$$1^2 + 2^2 + 3^2 + \cdots + k^2 < \frac{1}{3}(k+1)^3 \cdots ①$$

$n=k+1$ のとき、①の両辺に $(k+1)^2$ を加えて

$$1^2 + 2^2 + 3^2 + \cdots + k^2 + (k+1)^2 < \frac{1}{3}(k+1)^3 + (k+1)^2 \cdots ②$$

（因数分解）

∴（右辺）$= \frac{1}{3}(k+1)^3 + (k+1)^2 = \frac{1}{3}(k+1)^2\{(k+1)+3\} = \frac{1}{3}(k+1)^2(k+4)$

方針：目的は $(*)$ の両辺の n に $k+1$ を代入した不等式を証明したいので、$(*)$ に代入した右辺 $= \frac{1}{3}(k+1+1)^3 = \frac{1}{3}(k+2)^3$ が②の右辺より大きいことを言いたい。

ここで、

$$(k+2)^3 - (k+1)^2(k+4) = k^3 + 6k^2 + 12k + 8 - (k^3 + 6k^2 + 9k + 4)$$

$$= 3k + 4 > 0$$

∴　$(k+1)^2(k+4) < (k+2)^3$

分母 $\frac{1}{3}$ は共通ゆえ、分子の大小関係を調べる！

したがって、

$$1^2 + 2^2 + 3^2 + \cdots + k^2 + (k+1)^2 < \frac{1}{3}(k+1)^2(k+4) < \frac{1}{3}(k+2)^3$$

これより、$n=k$ のとき成り立つと仮定すると、$n=k+1$ のときも成り立つ。したがって、ⅰ、ⅱより $(*)$ は任意の自然数 n について成り立つ。

おわり

スペースの関係から、「命題の真偽」「否定」「必要十分条件」および「数学的帰納法」に関しては、ここで**演習問題**を通して理解度を確認させてください。

演習 180 つぎの命題の真偽を調べてみましょう。

（1）0 は有理数である。

（2）自然数は正の整数である。

（3）$xy = 6$ ならば、$x = 2$、$y = 3$ である。

（4）2 乗して -3 になる数は存在しない。

演習 181 つぎの**条件を否定**してみましょう。

（1）整数 n は 2 または 3 の倍数である。

（2）$x < 0$ かつ $y \geq 4$

（3）すべての実数 x について、$2x \leq x^2$ である。

（4）ある整数は、素数である。

演習 182 ☐ に必要、十分、必要十分のいずれかを入れてみましょう。

（1）$x > 2$ は、$x^2 > 4$ であるための ☐ 条件である。

（2）$ab = 1$ は、$a = b = 1$ であるための ☐ 条件である。

（3）$p = 2$ は、$p^2 = 2p$ であるための ☐ 条件である。

（4）$|x| < 1$ は、$x^2 < 1$ であるための ☐ 条件である。

演習 183 つぎの等式が成り立つことを、**数学的帰納法**で証明してみましょう。

$$1^2 + 2^2 + 3^2 + \cdots + n^2 = \frac{1}{6}n(n+1)(2n+1)$$

演習の解答

演習 177

(1) 逆：x、yの少なくとも一方が正ならば、$x+y>0$である。
　　　偽：反例「$x=-4$、$y=3$」
　裏：$x+y\leqq 0$ならば、x、yは共に正ではない。
　　　偽：反例「$x=5$、$y=-7$」
　対偶：x、yは共に正ではないならば、$x+y\leqq 0$である。**真**

(2) 逆：$ab>0$ならば、$a>0$かつ$b>0$である。
　　　偽：反例「$a=-2$、$b=-1$」
　裏：$a\leqq 0$または$b\leqq 0$ならば、$ab\leqq 0$
　　　偽：反例「$a=-1$、$b=-3$」
　対偶：$ab\leqq 0$ならば、$a\leqq 0$または$b\leqq 0$である。**真**

演習 178

命題：「整数nにおいて、n^2が3の倍数ならば、nは3の倍数である」
対偶：「整数nにおいて、nが3の倍数でなければ、n^2は3の倍数ではない」

［証明］
nが3の倍数ではないので、$n=3m+1$、$3m+2$（mは整数）とおける。
　　↑「3の倍数でない数」の表し方
　　応用が利きますので、理解してね！

$n=3m+1$のとき、
　　$n^2=(3m+1)^2=9m^2+6m+1=\underline{3(3m^2+2m)}+1$
　　　　　　　　　　　　　　　　　　　3の倍数

$n=3m+2$のとき、
　　$n^2=(3m+2)^2=9m^2+12m+4=\underline{3(3m^2+4m+1)}+1$
　　　　　　　　　　　　　　　　　　　　3の倍数

よって、共にn^2は3の倍数ではない。
したがって、対偶が真であるゆえ、もとの命題は成り立つ。

　　　　　　　　　　　　　　　　　　　　おわり

演習 179

(1) 背理法ですね！「$\sqrt{2}$を有理数と仮定」し、**矛盾を探す！**

[証明]

$\sqrt{2}$ を有理数と仮定すると、$\sqrt{2} = \dfrac{q}{p}$（p、q は互いに素）とおく。

両辺2乗し、分母を払うと

$$2 = \dfrac{q^2}{p^2} \quad \therefore 2p^2 = q^2 \cdots ①$$

①より、左辺が2の倍数ゆえ、右辺 q^2 も2の倍数であることから、q も2の倍数である。

よって、$q = 2n$（n は整数）$\cdots$②とおけ、

①②より、$2p^2 = 4n^2$ ← $2p^2 = (2n)^2 = 4n^2$

$\therefore p^2 = 2n^2$

となり、右辺が2の倍数ゆえ、左辺 p^2 も2の倍数であることから、p も2の倍数である。すると、p、q は互いに素であることに矛盾。

したがって、（↑ p、q がともに2の倍数ゆえ！）

$\sqrt{2}$ は無理数である。

おわり

(2) またまた背理法

[証明]

$\sqrt{3} + \sqrt{6}$ を有理数と仮定すると、

$$\sqrt{3} + \sqrt{6} = a \text{（a は有理数）}$$

とおく。両辺2乗し　　　　　↓ $(x \pm y)^2 = x^2 \pm 2xy + y^2$ より

$(\sqrt{3} + \sqrt{6})^2 = a^2$ ← $(\sqrt{3} + \sqrt{6})^2 = (\sqrt{3})^2 + 2 \times \sqrt{3} \times \sqrt{6} + (\sqrt{6})^2$

$3 + 2\sqrt{18} + 6 = a^2$ ← $2\sqrt{18} = 2\sqrt{9 \times 2} = 2\sqrt{3^2 \times 2} = 2 \times 3\sqrt{2} = 6\sqrt{2}$

$6\sqrt{2} = a^2 - 9$

$\therefore \sqrt{2} = \dfrac{a^2 - 9}{6}$ ←「右辺は有理数：分数で表せる数」

ここで、(1)より左辺 $\sqrt{2}$ は無理数、しかし、右辺は有理数ゆえ矛盾。したがって、

$\sqrt{3} + \sqrt{6}$ は無理数である。

おわり

演習 180

(1) 真：$0 = \dfrac{0}{1}$ と分数で表せるでしょ！　　なるほどぉ～！！

(2) 真：自然数は「正の整数」とも言うのね！

(3) 偽：$x = -1$、$y = -6$　（←数学はたったヒトツ反例を示せば OK！）

(4) 偽：$\sqrt{3}i$　←虚数を忘れてはダメ！$(\sqrt{3}i)^2 = 3i^2 = -3$　←$i^2 = -1$

演習 181

(1) 否定：「整数 n は、2 の倍数でも 3 の倍数でもない」

(2) 否定：「$x \geqq 0$ または $y < 4$」

(3) 否定：「ある実数 x について、$2x > x^2$ である」

(4) 否定：「すべての整数は素数ではない」

演習 182

```
      ┌─────── 一方通行！ ───────▶
十分条件│ 条件が川を渡れたら、      │必要条件
      ◀─── 条件成立！ ───────┘
```

(1)　$x > 2$ ── 十分条件成立 ──▶ $x^2 > 4$

　　　　　　◀─ 沈没 ─── $x^2 - 4 > 0$、$(x+2)(x-2) > 0$
　　　　　$x < -2$ を満たさない　　∴ $x < -2$、$2 < x$

(2)　　　　　　　　沈没
　　$ab = 1$ ── $a = b = -1$ も OK ──▶ $a = b = 1$

　　　　　　◀─── 必要条件成立 ───

(3)　$p = 2$ ── 十分条件成立 ──▶ $p^2 = 2p$

　　　　　　◀─ 沈没 ─── $p^2 - 2p = 0$　$p(p-2) = 0$
　　　　　$p = 0$ を満たさない　　∴ $p = 0$、2

(4)　$|x| < 1$ ── 十分条件成立 ──▶ $x^2 - 1 < 0$、$(x+1)(x-1) < 0$
　　　$\Updownarrow$
　∴ $-1 < x < 1$ ◀── 必要条件成立 ──　　∴ $-1 < x < 1$

　　　　　　　　よって、必要十分条件

12 章 命題

演習183

[証明]

$$1^2+2^2+3^2+\cdots+n^2=\frac{1}{6}n(n+1)(2n+1) \cdots (*)$$

ⅰ：$n=1$のとき、

　　（左辺）$=1$、　　（右辺）$=\frac{1}{6}\cdot 1(1+1)(2\cdot 1+1)=1$

よって、$(*)$は成り立つ。

ⅱ：$n=k$のとき、成り立つと仮定すると

$$1^2+2^2+3^2+\cdots+k^2=\frac{1}{6}k(k+1)(2k+1) \cdots ①$$

そこで、$n=k+1$のとき

$$\begin{aligned}
（左辺）&=\underline{1^2+2^2+3^2+\cdots+k^2}+(k+1)^2 \\
&=\underline{\frac{1}{6}k(k+1)(2k+1)}+(k+1)^2 \quad \leftarrow \frac{1}{6}(k+1)\text{でククル！} \\
&=\frac{1}{6}(k+1)\{k(2k+1)+6(k+1)\} \\
&=\frac{1}{6}(k+1)(2k^2+7k+6) \\
&=\frac{1}{6}(k+1)(k+2)(2k+3) \\
&=\frac{1}{6}(k+1)(k+1+1)\{2(k+1)+1\} \quad \leftarrow (*)\text{に}n=k+1\text{を代入した形が完成！} \\
&=\frac{1}{6}(k+1)\{(k+1)+1\}\{2(k+1)+1\}
\end{aligned}$$

となり、$n=k$のとき成り立つと仮定すると、$n=k+1$のときも成り立つ。
したがって、

　　ⅰ、ⅱより$(*)$は任意の自然数nについて成り立つ。

おわり

13章
場合の数・確率

確率は、確率それ自体が難しいのではなく、
場合の数ができないからツライんです！

右図の中にはいろいろな形・大きさの四角形があるのがわかりますか？では、その中で、赤い四角形を選ぶ"確率"を求めたい。計算は以下の通り。

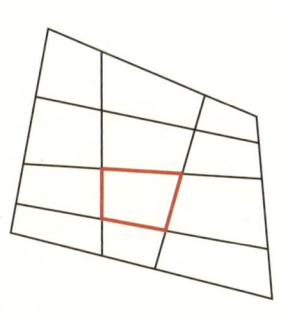

$$確率 = \frac{選びたい四角形の数}{図の中にある全部の四角形の数}$$

計算自体はいたってシンプル！
分子（選びたい四角形の数）＝１個
分母（図の中にある全部の四角形の数）＝？？？個
では、この「？？？」の値は？

エッ!?

実は、この「？？？」を求めるのが"場合の数"なんです。
ちなみに、全部で60個。

「頑張って全部数えてみます？」…汗

復習 133

樹形図(tree)

　木は葉で光合成し成長するので、枝葉を広げ多くの太陽光を受けようとします。その枝葉の姿からたぶん樹形図と名称が付いたんでしょうね！
　では、例題を通して"樹形図"をお見せしましょう。

> **例題**　つぎの4つの数2、3、4、7を使って3桁の3の倍数を全部作ってみますね！
>
> **＜解法＞**
> 　たぶん「ある数が『3の倍数であるための条件』なんて知らない！」と言われるかもしれませんね？
> 　でも、コレって中学2年で証明させられるんですよ！　エッ！？　汗
>
> ### 3の倍数の判断方法
> 　　　各位の数の和が3で割り切れれば"3の倍数"である。
>
> 　よって、3つの数の和が3の倍数になるのは「2、3、4」「2、3、7」の2組だけ！そこで、樹形図の威力を実感してください。
> 各位の値が小さいモノから順に考える！
> 「2、3、4」の場合
>
> $2+3+4=9$
> $2+3+7=12$
> それぞれの和が3で割り切れるでしょ！
>
> ```
> 百    十    一 の 位
>      ┌ 3 ── 4(7)     234    237   小
>   2 ─┤
>      └ 4(7) ── 3     243    273
>      ┌ 2 ── 4(7)     324    327
>   3 ─┤
>      └ 4(7) ── 2     342    372
>      ┌ 2 ── 3        423    723
>  4(7)┤
>      └ 3 ── 2        432    732   大
> ```
> 順に数が大きくなって行くでしょ！
>
> 「2、3、7」もマッタク上記と同様。よって、全部で上記の12通り

　「2、3、4」「2、3、7」それぞれを樹形図にするよりも、できるだけスッキリ表すのが解答ゆえ、**樹形図**は右ページでお楽しみください。

復習 134

辞書式配列

英和辞書は当然のごとくアルファベット順に並んでいますよね！ それと同様に樹形図を書いていく方法を「辞書式配列」と呼びます。

では、早速例題で確認！

例題 アルファベット a、a、b、b、c の 5 コから 3 コ選んで、1 列に並べると何通りできるか調べてみますね。

<解法> 考え方は樹形図と同じです。

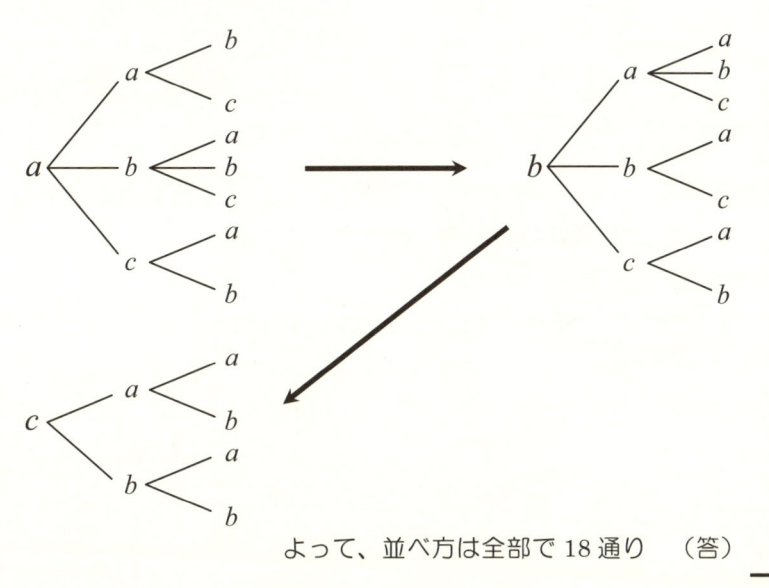

よって、並べ方は全部で 18 通り （答）

「いかがですか？」少し面倒な気もしますが、しかし、このように規則的に樹形図を書きさえすれば、必ずすべての場合の数が視覚的にわかるので大変便利ですね！

皆さんも一度は手を動かして樹形図を書いてみませんか？

演習 184 アルファベット a、b、b、b、c の 5 個から 3 個選んで、1 列に並べると何通りできるか調べてみましょう。

復習 135

和の法則

場合の数では「和の法則」と「積の法則」と呼ばれる2つの大切な法則があります。

和の法則

P、Qという2つのことがらがあり、これらは決して同時には起こらないとき、「Pの起こる場合の数をp」「Qの起こる場合の数をq」とする。このとき、

　　PまたはQが起こる場合の数は、「$p+q$」通りである。

このように言われると、難しい感じがしますよね！？

例題　A、B 2つのサイコロを同時に振ったとき、目の和が4の倍数になる場合は何通りあるか調べてみますね。

＜解法＞

2つのサイコロの目の問題は右図のように表を作り、条件に合ったものを捜す。
すると「4」「8」「12」の3つの場合ですね。
よって、

　「4」：3通り　「8」：5通り　「12」：1通り
したがって、これらは同時に起きないので、
　　　　　　$3+5+1=9$
ゆえに、

　　　　　　9通り　（答）

	1	2	3	4	5	6
1	2	3	4	5	6	7
2	3	4	5	6	7	8
3	4	5	6	7	8	9
4	5	6	7	8	9	10
5	6	7	8	9	10	11
6	7	8	9	10	11	12

サイコロといえば必ず上図の表を書くことを意識してください。

演習 185 大小2つのサイコロを同時に振ったとき、目の和が5の倍数になる場合は何通りあるか調べてみましょう。

復習 136

積の法則

ここではもうヒトツの「積の法則」についてのお話です。

積の法則

P、Qという2つのことがらがあり、「Pの起こる場合の数をp」「Qの起こる場合の数をq」とする。このとき、

PとQがともに起こる場合の数は、「$p \times q$」通りである。

今回もなんだかわからないですよね？ でも、例題を見ればバッチリ！

例題　右図を見て各問いについて考えてみますね。
(1) 点Aから点Cまで行くのに途中点Bを通る行き方は何通りありますか？
(2) 点Aから点Cまで行くのに何通りありますか？

＜解法＞
(1) 見ておわかりのように、点Aから点Cまで行く為には

[点Aから点Bへ]＋[点Bから点Cへ]

よって、**ともに**起こることがらゆえ、「積の法則」となる！

　そこで、点Aから点Bまでは2通りで、この2通りのヒトツに対し、点Bから点Cまで3通りある。よって、途中点Bを通って行く場合の数は、「$2 \times 3 = 6$」となり、6通り　（答）

　(2) ここでは、単に点Aから点Cまで行けばよいので、点Bを経由せず直接行ってもよいので、「点B経由**または**直接行く場合の数」と考えられるので、「和の法則」になる！

よって、「$6 + 1 = 7$」となり、7通り（答）

解答を見て、ぜひ理解していただきたい演習問題です。

演習186　つぎの各問いについて考えてみましょう。
(1) 72の約数は全部でいくつありますか？
(2) 72のすべての約数の和の値を求めてください。

復習 137

順　列

　場合の数においては、記号 "P" "C" の 2 つが出てきます。そして、この使い分けが苦手な方が多いんですね！

順列：P（**P**ermutation）

　　並べたとき、順番が違えば、まったく違うモノとして考える！

　　　例：3 桁の数 $\Rightarrow$ 123、132、213、231、312、321

使い方：$_nP_r \Leftrightarrow$ 「P の n、r」と読む。

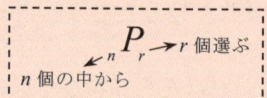

　$\underset{n\text{個の中から}}{_n}\overset{r\text{個選ぶ}}{P_r}$

　「n 個から r 個選んで、1 列に並べる並べ方」を意味する！

例：「1、2、3、4、5 から 3 つ選んで 3 桁の数は何通りありますか？」

　　「5 個から 3 個選んで、並べる並べ方」 $\Leftrightarrow\ _5P_3$：「P の 5、3」と読む。

例題 1　つぎの場合の数を P を使って表してみますね！

　　（1）a、b、c、d、e、f から 4 個選んで並べる並べ方。

　　（2）男女 7 人から 5 人選んで並べる並べ方

＜解法＞

　　（1）「6 個から 4 個選んで、並べる並べ方」：$_6P_4$

　　（2）「男女 7 人から 5 人選んで、並べる並べ方」：$_7P_5$

つぎは計算方法ですが、一応公式をお見せしますね！

"サラッ〜" と読み流すだけで十分！

$_nP_r$ の計算方法

① $_nP_r = n(n-1)(n-2)\cdots(n-r+1)\quad \Leftrightarrow\quad _nP_r = \dfrac{n!}{(n-r)!}$

② $(_nP_n =)\ \underline{n!} = n(n-1)(n-2)\cdots 3\cdot 2\cdot 1$

　　　　　　↑「n の階乗（かいじょう）と読む」

補足：①の右辺の式が文字の苦手な方には難しく感じられるはず！？

① 「1、2、3、4、5から3つ選んで3桁の数は何通り作れますか？」

右の図の□にそれぞれ何通り入るか考える。

すると、これは「積の法則」ですね！

よって、場合の数は「5×4×3」という計算になる。

百　十　一
□　□　□
5通り 4通り 3通り

四角に入る数がヒトツづつ減って行く

これを公式と比べて書き表すとつぎのようになります。

$$_5P_3 = 5 \times (5-1) \times (5-\underline{3+1}) \leftarrow {}_nP_r = n(n-1)(n-r+1)$$
$$= 5 \times (5-1) \times (5-2)$$
$$= \underline{5 \times 4 \times 3} \longleftarrow$$

「nから順番に数を下げながらr個の積」と、単純に理解してもらえればOK！

② 「1、2、3、4、5から5つ選んで5桁の数は何通り作れますか？」

$$_5P_5 = 5! = 5 \times 4 \times 3 \times 2 \times 1 \leftarrow \text{「5から順番に数を下げながら5個の積」}$$

＊最後に、①のもうヒトツの式も、簡単に触れておきますね！

$$_nP_r = \frac{n(n-1)(n-2)\cdots(n-r+1)(n-r)\cdots 3\cdot 2\cdot 1}{(n-r)\cdots 3\cdot 2\cdot 1} = \frac{n!}{(n-r)!}$$

例：$_5P_3 = \dfrac{5!}{(5-3)!} = \dfrac{5!}{2!} = \dfrac{5\cdot 4\cdot 3\cdot 2\cdot 1}{2\cdot 1} = 5 \times 4 \times 3$

無理に理解しなくても問題なし！大丈夫。

例題 両親と子供3人の合わせて5人が1列に並ぶ並び方を考えてみますね。

（1）家族全員の並び方は全部で何通りありますか？

（2）両端が親で間が子供である並べ方は何通りありますか？

＜解法＞

（1）これは並べるだけなので、$_5P_5 = 5 \times 4 \times 3 \times 2 \times 1 = 120$（通り）

（2）●○○○●（●：両親、○：子供）　この左図を見れば、

（並べ方）＝（●：両側の場合の数）×（○：間の子供の場合の数）

● : 両側「2人から2人を選ぶ選び方」：$_2P_2 = 2 \times 1 = 2$（通り）

父⇔母
母⇔父

○ : 間の子供「3人から3人を選ぶ選び方」：$_3P_3 = 3 \times 2 \times 1 = 6$（通り）

よって、$_2P_2 \times {}_3P_3 = 2 \times 6 = 12$（通り）←●○が一緒に起きているので**積の法則**

13章 場合の数・確率

復習 138

円 順 列

丸いテーブルに5人が着席した図が下に描かれています。

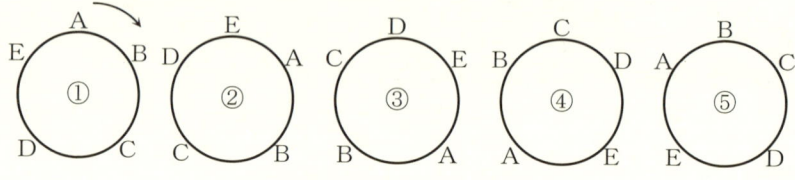

①のテーブル見ながら本を時計回りにまわすと、順次②〜⑤までの配置になると思います。でも、実際は各々隣人は不変ゆえ、①〜⑤までの着席の配置はマッタク同じもの！ よって、5人が手をつないで一列に並び両側の人同士が手をつないだと考えれば、5人の順列において、上の図からもわかるように「1組を5組とダブって数えている」。 では、例題へ！

例題　丸いテーブルに5人が座る座り方は全部で何通りあるか考えてみますね。

<解法>「（5人の順列）÷（5組のダブリ）」の計算となり、

$$\frac{5!}{5} = \frac{5\cdot 4\cdot 3\cdot 2\cdot 1}{5} = 4! = 4\cdot 3\cdot 2\cdot 1 = 24 \text{（通り）}$$

この例題の並べ方が円順列！では、この考え方をまとめておきましょう。

円順列：n個を円形に並べる

$$\frac{n!}{n} = \frac{n(n-1)(n-2)\cdots\cdots 3\cdot 2\cdot 1}{n} = (n-1)(n-2)\cdots 3\cdot 2\cdot 1 = (n-1)!$$

←ダブリの数

演習187　両親と子供4人が丸いテーブルに座るとき、各問いを考えてみましょう。
　　（1）家族6人が座る座り方は全部で何通りですか？
　　（2）両親が隣り合って座る座り方は何通りですか？
　　（3）両親が向かい合って座る座り方は何通りですか？

復習139 数珠(じゅず)順列

　最近、数珠は若い人たちも手首に付けているのでわかりますよね！そこで、下の図を見てください。

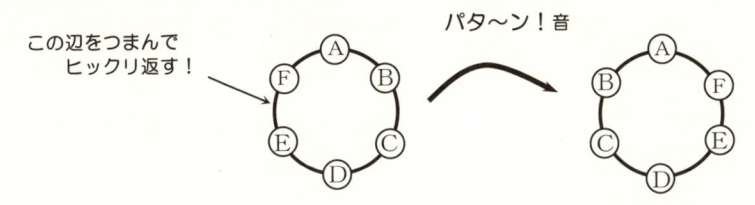

この辺をつまんでヒックリ返す！　　パタ～ン！音

　ホラ！ 完全に"リバーシブル"でしょ！「一粒で二度美味しい！」
　よって、上図のように人以外のモノが糸で円形につながっている場合は、ヒックリ返すことが可能ゆえ"数珠順列"と呼び、つぎのような計算が成り立ちます！

> 数珠順列：n 個の異なるモノを糸でつなぎ円形に並べる。
>
> $$\frac{(n-1)!}{2} \quad \leftarrow \text{ヒトツで2つ分を表すので、円順列の半分でOK！}$$

例題　7色の異なる玉で腕輪を作るとき、何通りできるか考えてみますね。

＜解法＞「(円順列)÷2」

$$(7-1)! \times \frac{1}{2} = \frac{6!}{2} = \frac{6 \cdot 5 \cdot 4 \cdot 3 \cdot 2 \cdot 1}{2} = 6 \cdot 5 \cdot 4 \cdot 3 \cdot 1 = 360 \text{（通り）}$$

　一応、重量制限はありますが、生き物以外であれば、常識の範囲で数珠のようにヒックリ返すことが可能ゆえ、円順列の半分でよいということは、案外わかりやすいでしょ！？　　しかし、数珠と命名するなんて余りに日本的だ！笑

演習188　8個の異なる色の玉から6個選んで腕輪を作りたい。このとき、何通りの腕輪が作れるでしょう。

13章　場合の数・確率

復習 140

重複(ちょうふく)順列

　今、「握り寿司（マグロ・うに・穴子・貝柱）4種類のうち、好きなのを8貫だけ食べていいよ！」と言われたらどの順番で何を選びますか？
　私なら「穴子・穴子・穴子・貝柱・穴子・穴子・うに・穴子」の順だな！当然、好きなのだから、嫌なものは選ばず好きなモノだけ何回でもOK！

　前置きが長くなりましたが、実は、このあまりにも好き勝手な順番・選び方が重複順列なんですね！

　では、「この好き勝手な順番・選び方は何通りあるんでしょ〜？」
　考え方は簡単！ 今、お皿（A, B, C, D, E, H, G, H）8枚を並べ、1枚に1貫好きな握りを置くとしましょう。

穴子	穴子	穴子	貝柱	穴子	穴子	うに	穴子
4通り	4通り	4通り	4通り	4通り	4通り	4通り	4通り
A	B	C	D	E	F	G	H

この辺で煮穴子のタレの口直しにあっさりと
↓貝柱かな！　ニコニコ！

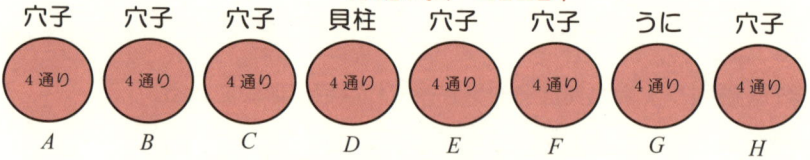

　すると、各お皿には4通りのお寿司の置き方があり、また、アルファベット順に食べるのでこれは「積の法則」ですね！？
　よって、並べ方の計算はつぎのようになります。

$$4 \times 4 \times 4 \times 4 \times 4 \times 4 \times 4 \times 4 = 4^8 \ (=65536)（通り）$$

そこで、このことから重複順列の数はつぎのような計算で求められます。

重複順列

・異なるn個のものから、同じものの重複を許してr個とる順列

・重複順列の数の求め方：$_n\Pi_r = n^r$「パイのn、r」

演習189　A、B、C、Dの4人がジャンケンをしたとき、4人の出し方は全部で何通りあるか求めてみましょう。

復習 141

同じものを含む順列

最後は、区別のつかないモノを含んだときの並べ方についてです。やはり、具体的にお話しした方がわかりやすいですよね！　意味不明？

例題　HOKKAIDO のすべてのアルファベットを使って何通りの並べ方ができるのか求めてみますね。

＜解法＞

ここでの大問題は「2 個の "K" と "O"」をどのように扱うか？　そこで、今回は対応方法を最初にお話ししてしまいますね！

> n 個を全部使って並べるとき、そのうち、同じものがそれぞれ
> 　　　　p 個、　q 個、　r 個　・・・
> とあるとき、この順列の数はつぎのように計算できる！
> $$\frac{n!}{p!q!r!\cdots}\quad (n = p+q+r+\cdots)$$
> 円順列のように分母でダブリの分を調整すると考えれば理解しやすいかと！？

よって、公式より「HOKKAIDO：8 個、"K" と "O"：2 個」から

$$\frac{8!}{2!\,2!} = \frac{8\times7\times6\times5\times4\times3\times2\times1}{2\times1\times2\times1} = 10080\,(通り)$$

補足：分母の条件「ダブるモノの和が全体の個数と一致」を満たさないと公式は使えないんですが、しかし、1 個しかないモノを右下のようにわざわざ表現しても計算上意味がないので実際は省略します。　$\dfrac{8!}{2!\,2!\,1!\,1!\,1!\,1!}$

やはり、演習を！　特に（2）の考え方は「ナルホドォ〜！」と感動モノ！

演習 190　つぎの各問いについて求めてみましょう。

（1）1、3、3、5、7、7 で出来る 6 ケタの整数の個数。

（2）COMPANY の 7 文字を並べてできる順列のうち、
　　　　子音 C、M、P、Y がこの順に並ぶ並び方は何通り。

復習 142

組合せ

「場合の数」つぎは、2つ目の記号 "C" のお話です。確認として "P" は順列を意味し「並び方が違えば、まったく別物として考える」でした。
では、最初に "C" についてまとめておきますね。

組合せ：C（**C**ombination）
　並べ方、順番は一切関係なく、あるカタマリから幾つか取り出す取り出し方。

例：下の筒には①～⑥までのボールが入っている。そこから3個取り出すとき、たとえば「(①②③)(①③②)(②①③)(②③①)(③①②)(③②①)」この6組は並び方は違うが、しかし、中身が同じゆえ、組合せでは全部同じモノと考えこれで1組とする。

使い方：$_nC_r$ ⇔ 「C の n、r」と読む。

$_nC_r$ → r 個選ぶ
n 個の中から

「n 個から r 個選ぶ選び方」の場合の数を意味する！

そこで、まずは順列で上枠のボールの取り出す場合の数を求めてみます。

例題1　筒の中の6個（①～⑥）のボールから3個を取り出す取り出し方が何通りあるか求めてみますね。

＜解法＞上枠内で①②③の3個のボールを取り出し並べれば6通り。
　しかし、問題は並べ方ではなく「中身」。そこで、順列を考えると、3個並べた中には「3!(=6)通り」ダブリが含まれている。
　よって、取り出し方なので、6通りのダブリで1通りと数える。
　ゆえに、式は「$_6P_3 \div (3!$：ボールを3個並べる順列の数：ダブリ)」

$$\frac{_6P_3}{3!} = \frac{6 \cdot 5 \cdot 4}{3 \cdot 2 \cdot 1} = 5 \cdot 4 = 20（通り）$$

ここで例題の解法を復習すると、まずは順列として考え、それをダブリの場合の数で割ることで、"組合せ"における場合の数を求めました。

実は、組合せの計算方法は、この考え方を公式化したものなんです。

$_nC_r$ の計算方法 [ⅰ～ⅴまで]

"組合せ"の計算は①が主役！

ⅰ : $_nC_r = \dfrac{_nP_r}{r!} = \dfrac{n(n-1)(n-2)\cdots(n-r+1)}{r!}$ ・・・① （ダブリで割る）

$= \dfrac{n(n-1)(n-2)\cdots(n-r+1)\,(n-r)\cdots 3\cdot 2\cdot 1}{r!\,(n-r)\cdots 3\cdot 2\cdot 1} = \dfrac{n!}{r!(n-r)!}$ ・・・②

ⅱ : $_nC_n = 1$、 $_nC_0 = 1$ ←このように定める（当然ですよね）！

ⅲ : $_nC_1 = n$ ← n 個の中から 1 個選ぶ選び方は、当然、n 個でしょ！

例題2 つぎの値を求めてみますね。

(1) $_5C_3$　　(2) $_7C_1$　　(3) $_9C_0$　　(4) $_4C_4$　　(5) $_nC_{n-3}$

＜解法＞

(1) $_5C_3 = \boxed{\dfrac{_5P_3}{3!}} = \dfrac{5\cdot 4\cdot 3}{3\cdot 2\cdot 1} = 10$ ← 通常、四角枠の式は省く！

(2) $_7C_1 = 7$　　(3) $_9C_0 = 1$　　(4) $_4C_4 = 1$

↑ (2)(3)(4) は、ⅱ、ⅲ の利用！

(5) $_nC_{n-3} = \dfrac{n!}{(n-3)!\{n-(n-3)\}!}$ ← ② $_nC_r = \dfrac{n!}{r!(n-r)!}$ より

$= \dfrac{n!}{(n-3)!\,3!}$ ← 分子：$n! = n(n-1)(n-2)\times\overbrace{(n-3)\cdots\cdots 3\cdot 2\cdot 1}^{(n-3)!}$
$= n(n-1)(n-2)\times(n-3)!$

$= \dfrac{n(n-1)(n-2)\,\cancel{(n-3)!}}{\cancel{(n-3)!}\,3!}$

$= \dfrac{n(n-1)(n-2)}{3!}$ ← 分母：$3! = 3\cdot 2\cdot 1 = 6$

$= \dfrac{1}{6}n(n-1)(n-2)$ ← 分子は降ろさなくても OK！

iv： $_nC_r = {}_nC_{n-r}$ ← $_nC_r$「n個からr個取り出す場合の数」は、
$_nC_{n-r}$「n個のうち$n-r$個残す場合の数」と等しい！

v： $_nC_r = {}_{n-1}C_{r-1} + {}_{n-1}C_r$ ← 補足参照

補足：vについての証明

[証明]

$$_{n-1}C_{r-1} = \frac{(n-1)!}{(r-1)!\{(n-1)-(r-1)\}!} = \frac{(n-1)!}{(r-1)!(n-r)!}$$

$$_{n-1}C_r = \frac{(n-1)!}{r!\{(n-1)-r\}!} = \frac{(n-1)!}{r!(n-r-1)!}$$

← $_nC_r = \dfrac{n!}{r!(n-r)!}$ より

・・・（＊）

そこで（＊）より、

$$_{n-1}C_{r-1} + {}_{n-1}C_r = \frac{(n-1)!}{(r-1)!(n-r)!} + \frac{(n-1)!}{r!(n-r-1)!}$$ ← 分子：共通因数でククル！

$$= (n-1)!\left\{\frac{1}{(r-1)!(n-r)!} + \frac{1}{r!(n-r-1)!}\right\}$$ ← 通分：①②枠参照

$$= (n-1)!\left\{\underbrace{\frac{r}{r(r-1)!(n-r)!}}_{①} + \underbrace{\frac{(n-r)}{r!(n-r)(n-r-1)!}}_{②}\right\}$$ ← よ〜く考えてね！

$$= (n-1)!\left\{\frac{r}{r!(n-r)!} + \frac{n-r}{r!(n-r)!}\right\}$$

$$= \frac{(n-1)!n}{r!(n-r)!}$$

① $r \times (r-1)! = r \times (r-1)(r-2)\cdots 3\cdot 2\cdot 1 = r!$
② $(n-r)(n-r-1)! = (n-r) \times (n-r-1)\cdots 3\cdot 2\cdot 1 = (n-r)!$

$$= \frac{n!}{r!(n-r)!} = {}_nC_r \quad おわり$$

目がチカチカ！ ツラいです。涙

例題3 つぎの値を求めてみますね。

(1) $_9C_7$　　　(2) $_6C_3 + {}_6C_4$

＜解法＞

(1) $_9C_7 = {}_9C_2 = \dfrac{9\cdot 8}{2\cdot 1} = 9\cdot 4 = 36$　← ivより　$_9C_7 = {}_9C_{9-7} = {}_9C_2$ 便利でしょ！

(2) $_6C_3 + {}_6C_4 = {}_7C_4 = \dfrac{7\cdot 6\cdot 5\cdot 4}{4\cdot 3\cdot 2\cdot 1} = 7\cdot 5 = 35$ ← vより。でも、公式を無理に使う必要ないですからね！

では、組合せの基本および代表的な問題をご紹介しましょう。

例題 4 男性 20 人、女性 14 人で同窓会を開くことになり幹事を 4 人選びたい。選び方が何通りあるか考えてみますね。

(1) 全体から幹事 4 人を選ぶ選び方。

(2) 幹事を男性、女性各 2 人ずつ選ぶ選び方。

<解法>

(1) 全体で 34 人ゆえ、34 人から 4 人選ぶ組合せ。

$$_{34}C_4 = \frac{\overset{17}{\cancel{34}} \cdot \overset{11}{\cancel{33}} \cdot \overset{8}{\cancel{32}} \cdot 31}{\cancel{4} \cdot \cancel{3} \cdot \cancel{2} \cdot 1} = 46376 \text{（通り）}$$

(2) ・男性 2 人の選び方：$_{20}C_2$　・女性 2 人の選び方：$_{14}C_2$　より、

$$_{20}C_2 \times _{14}C_2 = \frac{20 \cdot 19}{2 \cdot 1} \times \frac{14 \cdot 13}{2 \cdot 1} = 190 \times 91 = 17290 \text{（通り）}$$

「"順列"との違いは納得ですか？」 また、「和の法則」と「積の法則」の使い分けも大丈夫でしょうか？　　　まぁ～・・・たぶんですが！笑・汗

では、つぎは設問の違いがわかりにくいという代表的な問題を……。

例題 5 今、9 人をつぎのようにグループ分けしたい。各問における分け方が何通りあるか、考えてみますね。

(1) 4 人、3 人、2 人の 3 つのグループに分けたい。

(2) A、B、Cの各部屋に 3 人ずつ分けたい。

(3) 3 つのグループに 3 人ずつ分けたい。

<解法>

(1) 選ぶのに順番は関係ないので、組合せでしょ！？

だから、順に「9 人から 4 人」「5 人から 3 人」「2 人から 2 人」と、選んでいけば OK！ よって、求める式はつぎのように。

$$_9C_4 \times _5C_3 \times _2C_2 = \frac{9 \cdot 8 \cdot 7 \cdot 6}{4 \cdot 3 \cdot 2 \cdot 1} \times \frac{5 \cdot 4 \cdot 3}{3 \cdot 2 \cdot 1} \times 1 = 126 \times 10 \times 1 = 1260 \text{（通り）}$$

(2)
　A：9人から3人選ぶ　→　${}_9C_3$
　B：6人から3人選ぶ　→　${}_6C_3$
　C：3人から3人選ぶ　→　${}_3C_3$
　よって、

$$ {}_9C_3 \times {}_6C_3 \times {}_3C_3 = \frac{9 \cdot 8 \cdot 7}{3 \cdot 2 \cdot 1} \times \frac{6 \cdot 5 \cdot 4}{3 \cdot 2 \cdot 1} \times 1 = 84 \times 20 = 1680 \text{（通り）} $$

(3) 単に3人の3つグループを作るだけゆえ、(2)で3部屋の区別がないものと考えれば、3つのグループがどの部屋に入ろうと同じ。だから、区別する必要がなくなるでしょ！　よって、区別するときA、B、C各部屋への入り方は「3！＝6通り」でした。しかし、区別の必要がないので **1グループに対し6通りのダブリ**があると考える！　よって、(2)の結果より

$$ \frac{{}_9C_3 \times {}_6C_3 \times {}_3C_3}{3!} = \frac{1680}{3 \cdot 2 \cdot 1} = 280 \text{（通り）} $$

　(2)(3)の違いをシッカリと理解してください！　表現を変えいろいろと出題してきますからね。たとえばつぎのような感じで……！

「玉を**3人**に5個ずつ分ける分け方」と　　注：人は区別がつきますよね！

　　「玉を**区別のつかない3つの箱**に5個ずつ分ける分け方」

本当に"イジワル"ですよね！　　　　　　　　　　　うんうん！　怒・涙
では、あと1問だけお話させてください。　　エッ！？　ぶぅ～・・・！

例題6　右図においてAからBまで最短距離で行くとき、各問について何通りあるか考えてみますね。

　(1) AからBまで行くとき。
　(2) AからCを通ってBまで行くとき。

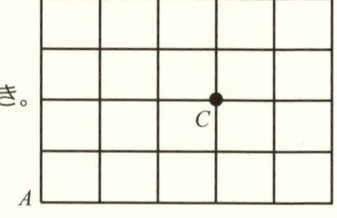

〈解法〉

(1) 最短距離ゆえ戻ることはできません！ すると、小さなマス目の1辺で考えると、「『右へ：→』5個」、「『上へ：↑』4個」の組合せであることがわかります？「→、→、→、→、→、↑、↑、↑、↑」よって、問題はこの矢印をどのように並べるか？

　そこで、9個の矢印の内、**先に右へ（→）を5ヵ所決めてしまえば、残りの部分をすべて上へ（↑）を置くしかない！**（逆でも同じね！）

例：「→①→①→①→①→」
　　「①→→①→①→①→」
　　「①①①→①→→→→」

・・・並べ方は沢山あるでしょ！？

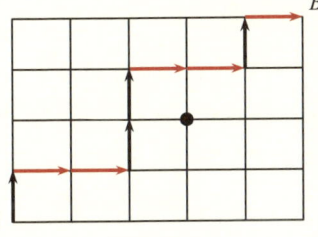

よって、（「右へ→」または「上へ↑」どちらを先に決定しても結果は同じ）

→ : $_9C_5 = \dfrac{9\cdot 8\cdot 7\cdot 6\cdot 5}{5\cdot 4\cdot 3\cdot 2\cdot 1} = 126$（通り） ｜ ↑ : $_9C_4 = \dfrac{9\cdot 8\cdot 7\cdot 6}{4\cdot 3\cdot 2\cdot 1} = 126$（通り）

(2) (1) と同様に考え、右図のように2つの四角形が点Cでつながっていると考えれば簡単でしょ！？ そこで今回は先に「上へ↑」の場所を決定！

・AからCまでの行き方
　「→→→①①」 ： $_5C_2$　　5ヵ所のうち2ヵ所選ぶ

・CからBまでの行き方
　「→→①①」 ： $_4C_2$　　4ヵ所のうち2ヵ所選ぶ

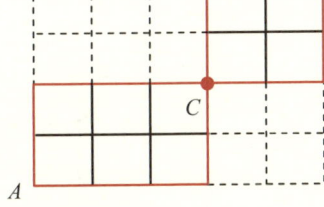

よって、「積の法則」より

$$_5C_2 \times _4C_2 = \dfrac{5\cdot 4}{2\cdot 1} \times \dfrac{4\cdot 3}{2\cdot 1} = 10 \times 6 = 60 \text{（通り）}$$

演習 191　右図の長方形は、横5本、たて7本の平行線でできている。このとき、赤で表したように無数の長方形がこの右図の中に含まれている。では、いくつ長方形があるでしょうか。

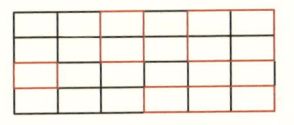

13章　場合の数・確率

復習 143

重複組合せ

突然ですが、甘いものはお好きですか？　「私の大食い記録はケーキ10個！」

「"モンブラン" "ショートケーキ" "ミルフィーユ" の3種類のケーキから、同じモノでも構わないから6個選んで食べていいよ！」と言われたら、どれを選びます？　「私ならミルフィーユ5個にモンブラン1個！」

そこで、この3種類のケーキから同じものを繰り返し選んでもよいとし、6個選ぶ選び方が何通りあるか考えてみましょう。当然、食べる順番を聞かれているわけではないので、組合せですよ。「もし、順番であれば順列ですね！」

さて、これをまともに考える（樹形図）とスッゴク大変なのね！　そこで、ヒントとなる質問をします。

質問「つぎの6個の〇を3つのグループに分けたい。

〇　〇　〇　〇　〇　〇

そこで、仕切りとなる棒が何本必要ですか？」

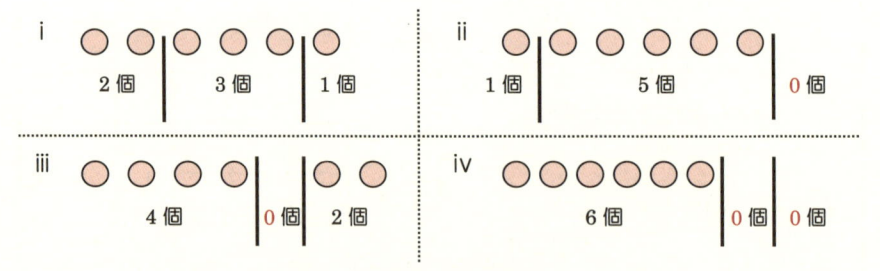

---

i　〇〇｜〇〇〇｜〇
　　2個　　3個　　1個

ii　〇｜〇〇〇〇〇｜
　　1個　　　5個　　　0個

iii　〇〇〇〇｜｜〇〇
　　4個　　0個　2個

iv　〇〇〇〇〇〇｜｜
　　6個　　　0個　0個

i～ivのパターンが作れれば、棒2本で6個を3つのグループに分けられることがわかりました。そこで、この各パターン「左・真中・右」の順に「"モンブラン" "ショートケーキ" "ミルフィーユ"」とすると、

「区切りの棒の位置を動かすことで、3種類のケーキから同じものを繰り返し選んでもよしとし、6個選ぶ選び方が求まるでしょ！？」　ウンウン！

そこで、つぎに問題となるのが、コレをどのような計算で求めるか？　無言

実は簡単なことで、棒2本も◯と考え「◯8個の中から適当に2個を選び、それを棒にしてしまえばOK！」なのね。　　なるほど〜！凄い！凄い！
では、改めてちゃ〜んとした問題として示しますよ！

> **例題1**　3種類のケーキから同じものを繰り返し選んでよいとし、6個選ぶ選び方が何通りあるか求めてみますね。
>
> <解法> $_8C_2 = \dfrac{8 \cdot 7}{2 \cdot 1} = 28$（通り）　← 8個から2個選ぶ "組合せ"！

話の枕がだいぶ長くなりましたが、実は例題が "重複組合せ" なんです！

重複組合せとは？

異なるn個のものから繰り返しとることを許しr個取る組合せ。

計算方法：　　$_nH_r = {}_{n+r-1}C_r$　　（$n<r$もOK！）

＊ 例題1で計算確認！

$_3H_6 = {}_{3+6-1}C_6 = \underline{{}_8C_6 = {}_8C_{8-6}} = {}_8C_2$　← 例題1の解法と同じでしょ！
　　　　　　　　　　　↑ $_nC_r = {}_nC_{n-r}$

> **例題2**　$x+y+z=10$を満たすつぎの各問について考えてみますね。
>
> 　　（1）負でない整数解の個数　　（2）正の整数解の個数
>
> <解法>こゆう問題をやさ〜しく意訳して考えることが大切ね！
>
> （1）「負でない整数解」⇔「0＋自然数（1、2、3・・・）」
>
> 「3種類のケーキから、繰り返しOKで10個選ぶ選び方は何通り？」
>
> $_3H_{10} = {}_{3+10-1}C_{10} = {}_{12}C_{10} = {}_{12}C_{12-10} = {}_{12}C_2 = \dfrac{12 \cdot 11}{2 \cdot 1} = 66$（個）
>
> （2）「正の整数解」⇔「自然数（1、2、3・・・）」
>
> 「3種類のケーキから、必ず全種類1個は食べ、繰り返しOKで10個選ぶ選び方は何通り？」だから、さらに意訳すると、必ず3種類食べるので、残り7個は自由に食べていいんでしょ！ よって、
>
> 「3種類のケーキから、繰り返しOKで7個選ぶ選び方は何通り？」
>
> $_3H_7 = {}_{3+7-1}C_7 = {}_9C_7 = {}_9C_{9-7} = {}_9C_2 = \dfrac{9 \cdot 8}{2 \cdot 1} = 36$（個）
>
> 補足：棒で分ける解法は、演習解答の最後に入れておきます！

復習144

二項定理（多項定理）

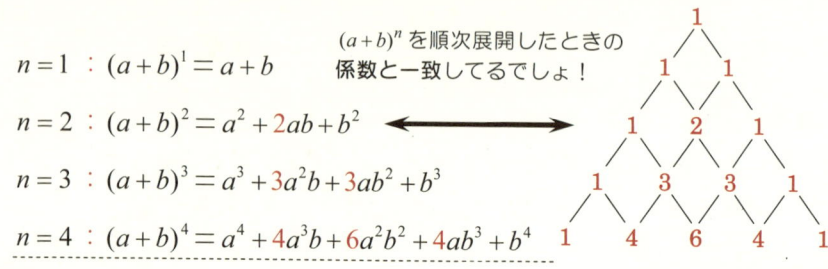

　二項定理とは、字のごとく「ふたつの項」に関するモノ！
まぁ〜、一度は目にしたことがあると思いますが「"パスカルの三角形" と $(a+b)^n$ の展開した各項の係数との関係」をご覧ください。

$n=1 : (a+b)^1 = a+b$

$n=2 : (a+b)^2 = a^2 + 2ab + b^2$

$n=3 : (a+b)^3 = a^3 + 3a^2b + 3ab^2 + b^3$

$n=4 : (a+b)^4 = a^4 + 4a^3b + 6a^2b^2 + 4ab^3 + b^4$

$(a+b)^n$ を順次展開したときの係数と一致してるでしょ！

```
            1
          1   1
        1   2   1
      1   3   3   1
    1   4   6   4   1
```

　$(a+b)^n$ とは、1次の2項の和の n 乗ゆえ、展開した各項の次数は必ず n 次になるんですが、イメージできますか？ 少しだけ、言い換えると

「$a^x b^y$ において、a、b の指数同士の和 $x+y$ は必ず n になる！」

具体的に " $n=4$ "（4乗）で確認してみましょう。

$$(a+b)^4 = a^4 + 4a^3b + 6a^2b^2 + 4ab^3 + b^4$$

・次数とは？
　文字の積の数！

左辺を展開し、右辺の最初と最後の項だけは a と b ゆえ 4 乗。そして、第 2 項目から ab の形の項が登場。そこで、第 2 項目から順に確認！

　　第2項目：$4a^3b$ → a^3 が 3 次、b が 1 次ゆえ、積は 4 次
　　第3項目：$6a^2b^2$ → a^2 が 2 次、b^2 が 2 次ゆえ、積は 4 次
　　第4項目：$4ab^3$ → a が 1 次、b^3 が 3 次ゆえ、積は 4 次

「ネッ！次数に関してはコレで納得できたでしょ！」　　　了解です！
でも、つぎに新たな問題が発生なんですよ。エッ！？　それは・・・

「この各項の係数をどうやって求めるか？」

　チョット難しい気もするけど、でも "組合せ" を利用すれば一発解決！
どうか、ご安心あれ！　　なんと頼もしい〜！ "組合せ" って！笑　「ぶぅ〜！怒」

そこで「第2項目の"$4a^3b$"」で一緒に考えてみましょう。
最初の段階でa、bの係数が「1」ゆえ、係数同士の積の値は絶対に「1」。
するとa^3bの係数が「4」であるわけは、展開において「$1aaab$、$1aaba$、$1abaa$、$1baaa$」が表れ、これらはすべて同類項ゆえ"和の計算"をする。
よって、「$a^3b + a^3b + a^3b + a^3b = 4a^3b$」となったんです。
　そこで、4次の項は文字4個の積！この場合「4個のうち1個だけb」であればよいので、"bについての組合せ"より「${}_4C_1 = 4$」と"$4a^3b$"の係数部分が求められる。なるほどぉ～！第3項目の"$6a^2b^2$"についても同様に、「4個のうち2個だけb」より「${}_4C_2 = \dfrac{4 \cdot 3}{2 \cdot 1} = 6$」で求められました。

　では、そろそろ結論に入りますよ。

> 一番最後にわかるので、気持ち悪いでしょうが今は読み流してね！

$(a+b)^n$を展開した式の第$r+1$項目を考えたとき、この項の次数はn乗より当然n次。文字の部分においてb^rとするとa^{n-r}となり「？$a^{n-r}b^r$」と表せる。そして、「文字n個のうちr個だけb」と考えれば、係数部分？は「${}_nC_r$」となり、これより第$r+1$項目は「${}_nC_r a^{n-r}b^r$」と表せる。
　よって、以上のことから二項定理についてまとめるとつぎのように！

二項定理とは「$(a+b)^n$の展開式を一般化したモノ！」を言う。

$$(a+b)^n = a^n + {}_nC_1 a^{n-1}b + {}_nC_2 a^{n-2}b^2 + {}_nC_3 a^{n-3}b^3 + \cdots\cdots$$

$$+ {}_nC_r a^{n-r}b^r + \cdots\cdots + {}_nC_{n-1}ab^{n-1} + {}_nC_n b^n$$

「右辺を二項展開、第$r+1$項目${}_nC_r a^{n-r}b^r$を一般項と呼び、${}_nC_r$を二項係数と言う」

　また、二項展開はつぎのようにも表せる。

$$(a+b)^n = \sum_{r=0}^{n} {}_nC_r a^{n-r}b^r$$

[補足：$(a+b)^n = a^n + \underbrace{{}_nC_1 a^{n-1}b + {}_nC_2 a^{n-2}b^2 + {}_nC_3 a^{n-3}b^3 + \cdots\cdots + {}_nC_r a^{n-r}b^r}_{\text{全部で}r+1\text{個}} + \cdots$ ←第$r+1$項目

r個]

13章　場合の数・確率

この二項定理は、多くの高校生が苦手とする項目ゆえ、参考書でもここまでていねいに解説しているのはないと思うほど、頑張ってしまいました。

例題1 $(x+2y)^5$ を展開してみますね。

<解法> 怖がらないで、自ら写してゆっくり計算してみてください！

$$(x+2y)^5 = \sum_{r=0}^{5} {}_5C_r x^{5-r}(2y)^r = {}_5C_0 x^{5-0}(2y)^0 + {}_5C_1 x^{5-1}(2y)^1 + {}_5C_2 x^{5-2}(2y)^2$$

下線部：${}_nC_r = {}_nC_{n-r}$ より、 → $+ {}_5C_3 x^{5-3}(2y)^3 + {}_5C_4 x^{5-4}(2y)^4 + {}_5C_5 x^{5-5}(2y)^5$
${}_5C_3 = {}_5C_2, \ {}_5C_4 = {}_5C_1$ の利用

$$= x^5 + 5x^4 \cdot 2y + \frac{5 \cdot 4}{2 \cdot 1} \cdot x^3 \cdot (2y)^2 + \frac{5 \cdot 4}{2 \cdot 1} \cdot x^2 \cdot (2y)^3 + 5x^1 \cdot (2y)^4 + (2y)^5$$

$$= x^5 + 10x^4 y + 40x^3 y^2 + 80x^2 y^3 + 80xy^4 + 32y^5 \quad (答)$$

つぎは "ある項の係数" を求めてみましょうか？

例題2 $(2x-1)^5$ の x^4 の係数を求めてみますね。

<解法>

一般項 ${}_nC_r a^{n-r} b^r$ を利用し、

$${}_5C_r (2x)^{5-r}(-1)^r = (-1)^r \cdot 2^{5-r} {}_5C_r x^{5-r} \quad \leftarrow 文字 x 以外係数は前に出す！$$

x^4 の係数ゆえ、$x^4 = x^{5-r}$ より、指数部分：$4 = 5-r$ ∴ $r=1$

よって、係数部分「$(-1)^r \cdot 2^{5-r} {}_5C_r$」に $r=1$ を代入

$$(-1)^1 \cdot 2^{5-1} {}_5C_1 = (-1) \cdot 2^4 \cdot 5 = -80 \quad (答)$$

せっかくですので、もう1問！

例題3 $\left(x^2 - \dfrac{1}{2x}\right)^7$ の $\dfrac{1}{x}$ の係数を求めてみますね。

<解法> 指数の計算力が要求されてきます。復習してください！

一般項 ${}_nC_r a^{n-r} b^r$ を利用し、文字 x 以外係数は前に出す！　$\dfrac{1}{x^r} = (x^r)^{-1} = x^{-r}$

$${}_7C_r (x^2)^{7-r}\left(-\frac{1}{2x}\right)^r = \left(-\frac{1}{2}\right)^r {}_7C_r x^{14-2r}\left(\frac{1}{x}\right)^r = \left(-\frac{1}{2}\right)^r {}_7C_r x^{14-2r} \frac{1}{x^r}$$

$$= \left(-\frac{1}{2}\right)^r {}_7C_r x^{14-2r} \cdot x^{-r} = \left(-\frac{1}{2}\right)^r {}_7C_r x^{14-3r}$$

$x^a \cdot x^{-b} = x^{a+(-b)}$

$\dfrac{1}{x} = x^{-1}$ ゆえ、$x^{-1} = x^{14-3r}$ より、指数部分：$-1 = 14 - 3r$ ∴ $r = 5$

よって、係数部分「$\left(-\dfrac{1}{2}\right)^r {}_7C_r$」に $r = 5$ を代入

$$\left(-\dfrac{1}{2}\right)^5 {}_7C_5 = \left(-\dfrac{1}{2}\right)^5 {}_7C_2 = -\dfrac{1}{32} \cdot \dfrac{7 \cdot 6}{2 \cdot 1} = -\dfrac{21}{32} \quad \text{(答)}$$

ここまで書いたので、やはり "**多項定理**" にも触れておきますね！

多項定理

$(a + b + c)^n$ の展開式における一般項は

$$\dfrac{n!}{p!\,q!\,r!} a^p b^q c^r \quad \text{となる。} \quad \text{（ただし、} p + q + r = n \text{）}$$

「3 項の和の n 乗におけるある項の係数」は、二項定理の知識で十分求められるんです。しかし、"**多項定理**" という便利な公式があるのね！

そこで、とにかく例題の真似をして「なるほど〜！」と感心してもらえるだけで構いませんので・・・。

　　　　　　　　　　　　　　　　　　　　　　　　　　了解！Vサイン

例題 4　$(x - 2y + 3z)^6$ の $x^2 y^3 z$ の係数を求めてみますね。

＜解法＞

一般項より、$a = x$、$b = -2y$、$c = 3z$、$n = 6$ とすると

$$\dfrac{6!}{p!\,q!\,r!} x^p (-2y)^q (3z)^r = \boxed{\dfrac{6!}{p!\,q!\,r!} (-2)^q \cdot 3^r} x^p y^q z^r \quad (p + q + r = 6)$$

↑コレが係数部分ですよ！

ここで求めたいのは $x^2 y^3 z^1$ の係数より、$p = 2$、$q = 3$、$r = 1$ とし、$p + q + r = 6$ を満たす。

よって、求める係数は $\dfrac{6!}{p!\,q!\,r!}(-2)^q \cdot 3^r$ より、$p = 2$、$q = 3$、$r = 1$ を代入

$$\dfrac{6!}{2!\,3!\,1!}(-2)^3 \cdot 3^1 = \dfrac{6 \cdot 5 \cdot 4 \cdot 3 \cdot 2 \cdot 1}{2 \cdot 1 \cdot 3 \cdot 2 \cdot 1 \cdot 1} \cdot (-8) \cdot 3 = -1440 \quad \text{(答)}$$

復習 145

確　率

「確率はお好きですか？」　　　実は、私、好きじゃないんですよ！汗・笑
もし、確率は難しいからキライというのであれば、それは「場合の数：順列・組合せ」が苦手なだけ。よって、シッカリ場合の数を勉強してから確率をやってみると、案外解けるようになるもんですよ！

そこで、ここでは確率は、場合の数の延長線上にあるということを、代表的な問題を使ってお話ししたいと思います。まずは、例題1で数学特有の難しい（？）言葉および、表現を解説していきますね。

例題1　2個のサイコロを同時に振るとき、つぎの各問いについて考えてみますね。

（1）目の出方は何通り？（全事象）

（2）目の和が7以上になるのは何通り？（事象）

（3）目の和が2になるのは何通り？（根元事象）

（4）目の和が4または5で割り切れるのは何通り？（和の事象）

（5）目の和が4の倍数かつ6の倍数であるのは何通り？（積の事象）

（6）目の和が6以下になるのは何通り？（余事象）

（7）目の和が3の倍数かつ5の倍数であるのは何通り？（空事象）

（8）（2）〜（7）までの確率を求めてみましょう。

＜解法＞
確率を考える上ではナント最初にこのサイコロを定義する必要があり、それは「このサイコロは正しく作られたものである！」と。この意味は、どの目も等しく出る！いわゆる、どの目の出方も「同様に確からしい！」コレが前提なんですね。

そして、このサイコロを振る行為による目の出方は偶然に支配されるので、この行為を試行と呼び、この行為により起きた結果を事象と言います。では、解いて行きますよ！

(1) お約束通り右の表を書きましょう！
　　　　よって、6×6＝**36 通り**

	1	2	3	4	5	6
1	2	3	4	5	6	7
2	3	4	5	6	7	8
3	4	5	6	7	8	9
4	5	6	7	8	9	10
5	6	7	8	9	10	11
6	7	8	9	10	11	12

ここで大切な点は「世の中に 2 つとして同じサイコロはない」ので、まったく別なものと見なす！ そして、試行により起きるすべての結果は 36 通りゆえコレを**全事象**と呼ぶ。

(2) 表より 7 以上は全部で **21 通り**。
　　このような試行による結果を、**事象**と呼ぶ。

(3) 目の和が 2 になるのは **1 通り**しかないでしょ！？ このように、全事象に対して、その中の 1 つの要素からなる事象を**根元事象**と呼ぶ。

(4) 目の和が「4 または 5 で割り切れる」このように「または」の場合を**和の事象**（集合：∪）と呼び、4 で割り切れる数「4、8、12→9 通り」と、5 で割り切れる数「5、10→7 通り」の和「9+7＝**16 通り**」として考える。

(5) 目の和が「4 の倍数かつ 6 の倍数」このように「かつ」の場合を**積の事象**（集合：∩）と呼び、4 の倍数「4、8、12」と、6 の倍数「6、12」の**共通部分**と考え、和が 12 の **1 通り**となる。

(6) 「目の和が 6 以下」とは、「全事象（1）から目の和が 7 以上の事象（2）を引いた**余り**の事象」。よって、この考え方を**余事象**と呼び、「36－21＝**15 通り**」となる。

(7) 「目の和が 3 の倍数かつ 5 の倍数である」目の和の最高が 12 だから**存在しない**。よって、このことを**空事象**と呼ぶ。

(8) やっと本題の確率！ 確率の求め方は「全事象に対する、指定された事象の割合」と考え「**（指定された事象）/（全事象）**」の計算！ また、**確率は** P ($probability$) と表されます。よって、各確率は

(2) $P = \dfrac{21}{36} = \dfrac{7}{12}$　(3) $P = \dfrac{1}{36}$　(4) $P = \dfrac{16}{36} = \dfrac{4}{9}$　補足：4 と 5 で割れる目の出方は同時には起きないので、**排反試行の加法定理**より各確率の和 $P = \dfrac{9}{36} + \dfrac{7}{36} = \dfrac{4}{9}$ が成り立つ。　(5) $P = \dfrac{1}{36}$　(6) $P = \dfrac{15}{36} = \dfrac{5}{12}$　補足：**余事象**より、1－（7 以上の確率）$= 1 - \dfrac{7}{12} = \dfrac{5}{12}$　← 重要　(7) $P = \dfrac{0}{36} = 0$

13章　場合の数・確率

例題2 家族6人が丸いテーブルに座るとき、両親が向かい合って座る確率を求めてみますね！

<解法>

円順列と確率。まず、6人の座り方（全事象）：$(6-1)! = 5! = 120$通り。両親が向かい合う座り方（事象）は、両親により円が分断されたので、子供4人の順列を考えるんでした。よって、$4! = 24$通り。

ゆえに、求める確率は、$\dfrac{4!}{5!} = \dfrac{24}{120} = \dfrac{1}{5}$（答）

例題3 袋の中に白球3個、赤球5個入っていて、そこから3個同時に取り出すとき、白球1個、赤球2個である確率を求めてみますね。

<解法>

組合せと確率。まず、8個から3個の取り出し方（全事象）は、$_8C_3 = \dfrac{8 \cdot 7 \cdot 6}{3 \cdot 2 \cdot 1} = 56$通り。つぎに白球3個から1個、赤球5個から2個の取り出し方はそれぞれ、白球：$_3C_1 = 3$、赤球：$_5C_2 = \dfrac{5 \cdot 4}{2 \cdot 1} = 10$ より

よって、求める確率は、$\dfrac{_3C_1 \times _5C_2}{_8C_3} = \dfrac{3 \times 10}{56} = \dfrac{15}{28}$（答）

例題4 1枚の10円玉を5回投げたとき、表が3回だけでる確率を求めてみますね。

> ・ **独立試行の乗法定理**
> 試行 P、Q の事象を A、B とし、結果が互いに影響を与えないとき、互いに独立であると言う。このとき、事象 A、B の確率を $P(A)$、$P(B)$ とすると、この事象が一緒に起こる確率は、$P(A) \times P(B)$ となる！

<解法>

反復試行と確率。

・反復試行とは「同じ条件の下で繰り返される試行のこと」

まず、コインの表・裏の出る確率は $\dfrac{1}{2}$ であるのはよいですか！？

そこで、5回のうち3回表が出るとは、5個の丸から3個選ぶ組合せですよね！　●　○　●　●　○　← 赤丸：表、　白丸：裏

よって、表の出方は $_5C_3$、そして、残り2つは必ず裏ですから

求める確率は $_5C_3 \left(\dfrac{1}{2}\right)^3 \times \left(\dfrac{1}{2}\right)^2 = {}_5C_3 \left(\dfrac{1}{2}\right)^5 = \dfrac{5 \cdot 4 \cdot 3}{3 \cdot 2 \cdot 1} \times \dfrac{1}{32} = \dfrac{5}{16}$（答）

復習 146

期　待　値

ついに最終項目です！　　　　　　　　長かったなぁ～！　つらかったなぁ～…涙
そこで、最後ですから、ゲームでもしておわりにしましょうよ！　　笑

[ゲーム] ここに表・裏が区別できる3枚のコインがあります。その3枚を投げ、1枚表で200円、2枚表で400円、3枚表で600円もらえるとします。参加料350円。さて、あなたは参加しますか？

実は、このゲームへ参加する上での損得が、"**期待値**"を求めることで判断できるんです。　　　　　エッ？　なんで計算でわかるんだぶぅ～！

> **期待値とは？** ← 1回の試行で期待できる値（金額）と理解してOK！
> 1つの変量 X が、x_1, x_2, ･･･, x_n のうちどれか1つの値をとり、また、これらの値をとる確率 P を p_1, p_2, ･･･, p_n とすると、
> 　**期待値**：$E(X) = x_1 p_1 + x_2 p_2 + \cdots\cdots + x_n p_n$　　（$p_1 + p_2 + \cdots + p_n = 1$）
> $E(X)$ は変量 X の期待値（平均値）と言う。

では、このゲームの期待値を求めてみますね！　　数学って案外凄いのかも！？

> コインの表・裏の出る確率はどちらも $\frac{1}{2}$ ゆえ、**反復試行**を考える。
> 表が1枚の出方 → 3枚から1枚表を決めれば、残り2枚は当然裏 → $_3C_1$
> 表が2枚の出方 → 3枚から2枚表を決めれば、残り1枚は当然裏 → $_3C_2$
> 表が3枚の出方 → 3枚から3枚表を決める。（全部表）→ $_3C_3$
>
> 期待値：$200 \times {_3C_1}\underbrace{\left(\frac{1}{2}\right)}_{\text{表1枚}} \times \underbrace{\left(\frac{1}{2}\right)^2}_{\text{裏2枚}} + 400 \times {_3C_2}\underbrace{\left(\frac{1}{2}\right)^2}_{\text{表2枚}} \times \underbrace{\left(\frac{1}{2}\right)}_{\text{裏1枚}} + 600 \times {_3C_3}\underbrace{\left(\frac{1}{2}\right)^3}_{\text{表3枚}} = 300$ 円
>
> よって、参加料350円では、参加しない方がよい！
> ちなみに、変量 X が金額を表すとき、$E(X)$ を**期待金額**と呼ぶ。

演習 の 解 答

演習 184

アルファベット順（辞書式）にていねいに書けば簡単！

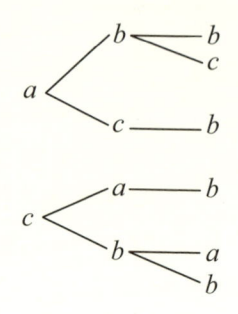

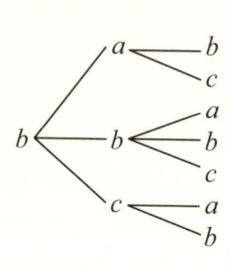

$$a \begin{cases} b \begin{cases} b \\ c \end{cases} \\ c — b \end{cases} \quad c \begin{cases} a — b \\ b \begin{cases} a \\ b \end{cases} \end{cases} \qquad b \begin{cases} a \begin{cases} b \\ c \end{cases} \\ b \begin{cases} a \\ b \\ c \end{cases} \\ c \begin{cases} a \\ b \end{cases} \end{cases}$$

よって、13 通り

演習 185

例題の表を利用！　和が 5 の倍数になるのは「5」と「10」の 2 種類

したがって、・「5」：4 通り　・「10」：3 通りより、4＋3＝7（通り）

演習 186

（1）約数の問題は、まず"素因数分解"をして、72 を素数の積で表す。

$72 = 2^3 \times 3^2$

考え方は、（2 を使う場合の数）×（3 を使う場合の数）

・2 を使う場合の数　⇒　「使わない、1 個、2 個、3 個」：4 通り

・3 を使う場合の数　⇒　「使わない、1 個、2 個」　　　：3 通り

よって、4×3＝12（個）（答）

（2）上での場合の数のパターンをつぎのように書き換えてみました。

・2 を使う場合の数　⇒　「2^0、2^1、2^2、2^3」

・3 を使う場合の数　⇒　「3^0、3^1、3^2」

よって、

$$\begin{aligned} &(2^0+2^1+2^2+2^3)(3^0+3^1+3^2) \\ &=(1+2+4+8)(1+3+9) \\ &=15\times 13 \\ &=195 \text{（答）} \end{aligned}$$

> 分配でカッコをはずすと、この計算ですべての約数の和が求められますね！
> ・$2^0\times 3^0$、$2^0\times 3^1$、$2^0\times 3^2$
> ・$2^1\times 3^0$、$2^1\times 3^1$、$2^1\times 3^2$
> ・$2^2\times 3^0$、$2^2\times 3^1$、$2^2\times 3^2$
> ・$2^3\times 3^0$、$2^3\times 3^1$、$2^3\times 3^2$
> この全部の合計を求めたい！

演習 187

(1) 丸いテーブルに座るので"円順列"より、
　　$(6-1)!=5!=5・4・3・2・1=120$（通り）（答）

(2)「隣り合って」とあれば、「2 人で 1 人」と考えるのがポイント！
　よって、5 人の円順列と考える。
　　$(5-1)!=4!=4・3・2・1=24$
　また、「両親が入れ換わる」場合が 2 通りあるので、ゆえに
　　$24×2=48$（通り）（答）

(3) 両親が丸いテーブルに向かい合って座ると円が分断され、単なる子供 4 人の順列と考える。なぜなら、両親は固定されていると考えるので、子供だけ時計回りに席を移ると、両親の左右の子供が変わるので、マッタク別の並びとなる。
　よって、$4!=4・3・2・1=24$（通り）（答）

演習 188

ほんの少しだけひねっている感じですが、順番に考えれば大丈夫！
まず、①「8 個から 6 個選んで並べる順列」
　　$_8P_6$

②「両側をつなげて円順列へ」
　　$\dfrac{_8P_6}{6}$　←　分母：6 通りのダブリで割る

そして、
③「腕輪だから、ひもでつないで数珠順列に変更！」
　　$\dfrac{_8P_6}{6}×\dfrac{1}{2}=\dfrac{8・7・6・5・4・3}{6・2}=1680$（通り）（答）

演習 189

A、B、C、Dそれぞれが「グー、チョキ、パー」の 3 通りの出し方があるので、完全に重複順列ですね！
よって、
　　$3×3×3×3(=3^4)=81$（通り）（答）

演習 190

(1) 考え方として、全部違うものと考え、後から、ダブりの分を割り算で取り除けばいいんですね！ ここでダブりは3と7の2個ずつです。

よって、 $\dfrac{6!}{2!\,2!} = \dfrac{6\cdot5\cdot4\cdot3\cdot2\cdot1}{2\cdot1\cdot2\cdot1} = 180$ (個)（答）

(2) C、M、P、Y は隣り合わなくとも、とにかく、この順番で並んでいればOK！よって、この4つすべてを□として並べ、あとから□の中に C、M、P、Y の順に入れていけばバッチリでしょ！

よって、「□○□□AN□」とし、ダブりが4個と考える。

∴ $\dfrac{7!}{4!} = \dfrac{7\cdot6\cdot5\cdot4\cdot3\cdot2\cdot1}{4\cdot3\cdot2\cdot1} = 210$ (通り)（答）

演習 191

長方形は「たて2本」「横2本」でできていますよね！ したがって、「たて7本から2本選ぶ組合せ」と「横5本から2本選ぶ組合せ」の積で解決！

よって、${}_7C_2 \times {}_5C_2 = \dfrac{7\cdot6}{2\cdot1} \times \dfrac{5\cdot4}{2\cdot1} = 210$ (個)（答）

補足　重複組合せ：例題2（別解）P499

棒で仕切りをし、グループ分けする考え方は理解しやすいですね！

(1)「10個の○を0個を許し3つに分ける」には、2本棒を加え全部○とし○12個から2個選び、選んだ2個の○を棒に戻す！

よって、${}_{12}C_2 = \dfrac{12\cdot11}{2\cdot1} = 66$ (個)（答）

(2) 今回は「10個の○を必ず1個以上含む3つに分ける」ので

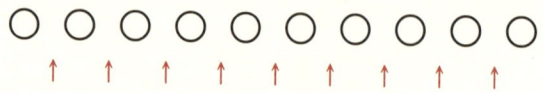

○ ○ ○ ○ ○ ○ ○ ○ ○ ○
 ↑ ↑ ↑ ↑ ↑ ↑ ↑ ↑ ↑

上記の↑9ヵ所から2ヵ所選んで棒で仕切りを入れれば、必ず○を1個以上含む3つに分けることができる。(1ヵ所に2本はダメ！)

よって、${}_9C_2 = \dfrac{9\cdot8}{2\cdot1} = 36$ (個)（答）

高橋 一雄（たかはし　かずお）

川口イングリッシュ・アカデミーで数学担当。ろう重複作業所指導員を経験後、東京学芸大学入学。1994年、同大学教育学部情報環境科学課程・生命科学卒業。大手予備校講師を経て現職。主な著書に、『語りかける中学数学』『語りかける高校数学・数I編』（いずれもベレ出版）、『大人のための数学「検定外」教科書』（ダイヤモンド社）などがある。

ホームページアドレス
http://www.katasu.com/

インターネット・カルチャーセンター「ビュールタウス」
http://www.asunaro-online.com/polyglot/index.html

もう一度 高校数学

2009年7月20日　初版発行
2009年9月10日　第3刷発行

著　者　高橋一雄　©K.Takahashi 2009
発行者　杉本淳一

発行所　株式会社 日本実業出版社　東京都文京区本郷3－2－12 〒113-0033
　　　　　　　　　　　　　　　　　大阪市北区西天満6－8－1 〒530-0047
　　　編集部　☎03－3814－5651
　　　営業部　☎03－3814－5161　振替 00170－1－25349
　　　　　　　　　　　　　　　　　http://www.njg.co.jp/
　　　　　　　　　　　印刷／壮光舎　製本／若林製本

この本の内容についてのお問合せは、書面かFAX（03-3818-2723）にてお願い致します。
落丁・乱丁本は、送料小社負担にて、お取り替え致します。
ISBN 978-4-534-04584-3　Printed in JAPAN

日本実業出版社の本
数学・統計関連

好評既刊！

下記の価格は消費税（5%）を含む金額です。

勉強したい人のための 統計解析のきほん
松井 敬＝著
定価 2100円（税込）

統計解析がわかった！
涌井良幸＝著
定価 1680円（税込）

多変量解析がわかった！
涌井良幸＝著
定価 1680円（税込）

数学 こんな授業を受けたかった！
岡部恒治・長谷川愛美＝著
定価 1470円（税込）

定価変更の場合はご了承ください。